About the Author

Martha Betz has been a student of Western Astrology since 1976. In 1991 she began studying Jyotish (Vedic Astrology), predominantly with the American College of Vedic Astrology (ACVA) and Hart de Fouw.

Keith Betz, Martha's mathematician-astronomer father, has collaborated with her to create a 100-year Sidereal Ephemeris (1940 - 2040) and this Placidus Table of Houses.

The duo will be publishing a Tropical Ephemeris and Regiomontanus Table of Houses sometime in 2003.

The Betz

Table of Houses

for

Northern Latitudes

ᴡ
λ

Martha Betz

Published in England in 2002 by
The Wessex Astrologer Ltd
PO Box 2751
Bournemouth
BH6 3ZJ
England

www.wessexastrologer.com

ISBN 1902405137

A catalogue record for this book is available
at the British Library

Acknowledgements

I would like to acknowledge my father Keith Betz for the mathematical calculations and computer programming work that he did to create the content for this book. My mother, Juanita Betz, needs to be recognized for her unending support and encouragement of my father. My sister Barb Betz created the original design on which the cover for this book is based, and I would like to thank her for this contribution. I would also like to mention my appreciation for project manager KC Chamberlain and all that she has contributed, from communicating with our publisher to keeping this book on track. And last, but certainly not least, I would like to acknowledge and thank Margaret Cahill and The Wessex Astrologer Ltd for publishing this book. Without all these people it would never have happened.

Martha Betz

How to Calculate the House Cusps (Placidus)

The first step is to find the local sidereal time of the event. We must have the longitude where the event occurred, the local time and date, as well as the time zone.

• Begin by computing the Greenwich Mean Time of the event by adding (for western latitudes) or subtracting (for eastern latitudes) the time zone correction to the local time of the event.

• Next, determine the sidereal time at midnight of that date at Greenwich. (You may use your ephemeris to do this or you can use the table at the back of this book.)

• Now multiply the Greenwich Mean Time by 1.00274. (There are 1.00274 sidereal days to a tropical day.) and add the result to the sidereal time at midnight. This will give the sidereal time of the event at Greenwich.

• Finally, divide the longitude of the event in degrees by 15 degrees/hour and add this to (for east longitudes) or subtract this from (for west longitudes) the sidereal time at Greenwich. You now have the local sidereal time of the event.

Example 1

Compute the local sidereal time for an event that occurred on **Jan 1, 2000 in Portland, Oregon USA at 7:18 pm (19:18)**. Portland, Oregon is 8 time zones west of the Greenwich time zone. If we put the above information into an equation it would look like this:

Local sidereal time or LST = (Sidereal time at midnight Greenwich) + (1.00274) x (Greenwich Mean Time) +/- (longitude degrees of event/15), where the longitude correction is subtracted for west longitudes and added for east longitudes. This equation will work best if all terms are in **decimal** form.

The Greenwich time and date are determined by adding 8 hours to the local time. This is **Jan 1, 2000 at 19:18 + 8 hours = 27:18**. This converts to **Jan 2, 2000 at 03:18 am Greenwich Mean Time**. (27:18 is 24 hours + 3:18 hours into the next day.) Look up the sidereal time at midnight Greenwich for Jan 2, 2000 - it is 06 43 48. We must convert this to decimals:

6 hours remains 6
43 min/60 min/hour = .717 hours
48 seconds becomes 48sec/3600sec/hour = .013 hours
Therefore, **6 + .717 + .013 = 6.730 hours = sidereal time at midnight Greenwich**

We then need to convert 03:18 into a decimal:

18 min/60 min/hour = .3
03:18 = 3.3 hours Greenwich meantime
(3.3 hours) x (1.00274) = 3.309 = the Sidereal time correction

We need the longitude of the event in decimal form so we must convert this as well. **Longitude for Portland Oregon is 122W40**. Convert the minutes to degrees:

40min/60min/degree = .667 degrees

The longitude now becomes 122.667 west. Put this longitude into the formula:

122.667 degrees/15 degrees/hour = 8.178 hours

Place these numbers into the formula:

6.73 hours + 3.309 hours - 8.178 hours = 1.861 hours
(subtract when west of Greenwich zone and add if east of Greenwich zone)

Convert 1.861 hours back to minute form:

(.861 hours) x (60 min/hour) = 51.67 minutes

Convert the decimal to seconds:

(.67min) x (60 seconds/min)= 40 seconds

We then get 01 51 40 for our LST

Example 2:   Jan 1, 2000 London England 07:18 pm (19:18)

Sidereal time midnight Greenwich = 06 39 51. The longitude for London is 0W10, and the latitude for London is 51N30. First convert the sidereal time at midnight Greenwich to decimals. London is in the Greenwich time zone so no adding or subtracting of zones is necessary unless there is a Daylight savings or wartime adjustment to the time.

06 39 51 is the sidereal time for Jan 1 2000 GMT Midnight

39 minutes= 39 min/60 min/hour = .650 hours
51 seconds = 51 sec/3600 sec/hour = .014 hours

Add them together:

6 +. 650 + .014= 6.664 hours = Sidereal time at midnight Greenwich

The Greenwich Mean Time is 19.18:

18min/ 60 min/hour =. 300 hours
19:18 = 19.300 hours

19.3 x (1.00274) = 19.353 hours (Greenwich Mean Time correction)

Now convert Longitude to decimals: 00W10

10 min/60 min /degree = .16 degrees West

.16 degrees/15 degrees/hour = .0107 hours. (Longitude correction)

Using the equation for finding LST we get:

6.664 hours + 19.353 hours - .0107 hours

= 26.006 hours LST (Subtract when west of Greenwich)

26.006 LST should then be converted to a time between 0 and 24 hours:

26.006 hours - 24 hours = 2.006 hours

Convert this back to minutes now:

(.006 hours) x (60min/hour) = .36 minutes

Then convert this to seconds:

(.36min) x (60 sec/min) = 21.6 or 22 seconds

LST = 02 00 22

How to Use the DT and DL Numbers to Interpolate

If we want to find the exact values of the house cusps at times and latitudes different to the entries in these tables, it is necessary to interpolate.

First of all, do not try to exceed the accuracy of your observations. A minute of time is equivalent on average to about 15 minutes of arc. If you know a time to the nearest minute, you have a range of plus or minus 30 seconds of time. The house cusps will move an average of 7.5 minutes of arc in 30 seconds of time. Furthermore, you may not know the longitude and latitude to that great a degree of accuracy. A minute of longitude is almost three-quarters of a mile or almost 1.2 kilometers in the middle latitudes. The error in the house position due to an error in longitude is the same as the error in longitude. (If you make an error of 1 minute of longitude you then make an error of 1 minute in the house cusp.) An error in the house position due to an error in latitude is more complicated but can be appreciable.

Now, using the Portland Oregon latitude and the local sidereal time from the previous example, we will continue and find the cusp of the first house. In this example the latitude is 45N31 and the LST is 01:52. Using the table for 45 degrees find the two times that bracket the time of the event:

$$\text{At } 02:00 \qquad 14 \text{ LE } 41$$
$$\text{At } 01:50 \qquad 12 \text{ LE } 48$$

Subtracting the zodiac positions from each other = 1 degree 53 minutes = 113 minutes. This means that between 01:50 and 02:00 the first house is moving at a rate of 113/10 or 11.3 minutes of arc for every minute of time. At 01:52 and at 45 degrees latitude the house cusp will have moved 2 times (11.3) minutes, or about 23 minutes, from the position at 01:50. So the value at 45 degrees latitude at 01.52 will be:

$$
\begin{array}{r}
12 \text{ LE } 48 \\
+ \quad 23 \\
\hline
13 \text{ LE } 11
\end{array}
$$

But Portland has a latitude of 45.517 degrees not 45 degrees. To correct for this, pick the time 01:50 (nearest entry to 01:52) and we find - by looking at two different pages:

$$\text{At } 46 \text{ degrees} \qquad 13 \text{ LE } 17$$
$$\text{At } 45 \text{ degrees} \qquad \underline{12 \text{ LE } 48}$$
$$\text{Subtract} \qquad \quad 29 \text{ Minutes}$$

If we multiply this by .517 (the fraction of a degree over 45) we get about 15 minutes. Adding this (15 minutes) to 13 LE 11 gives 13 LE 26 which happens to be correct down to the minute of arc.

In order to speed up this computation, we have added two rows before the entries for each of the full hours called DL and DT (Degree of Latitude and Degree of Time). You will note that DT changes quite slowly during one hour to the next while DL changes more rapidly and is sometimes negative. DT is the rate at which the angle is changing in minutes of arc per minute of time. DL is the rate at which the angle is changing in minutes of arc per degree of latitude. The values listed are for the following entry, that is, for on the hour. If you use the listed DT nearest the time of interest you will usually be well within the accuracy of your observations. You may want to average two DL's to get one that best fits the time.

In our example: Write down the value for 45 degrees and 01:52: 12 LE 48. Add 2 times the nearest DT entry. (To take care of the extra 2 minutes of time) (11.3) multiplied by 2 = about 23 minutes:

$$
\begin{array}{r}
12 \text{ LE } 48 \\
+ \qquad 23 \\
\hline
13 \text{ LE } 11
\end{array}
$$

Add .517 times the estimated DL for 01:50. (As DL changes from 34.9 to 28.1 from 01:00 to 02:00, pick 29 minutes since the time is much closer to 02:00). (29) multiplied by (.517) = about 15 min. Add this to our previous partial result:

$$
\begin{array}{r}
13 \text{ LE } 11 \\
+ \qquad 15 \\
\hline
13 \text{ LE } 26
\end{array}
$$

Here we arrived at precisely the same answer as before - but don't always expect to do as well as this! However you will always be within a minute or two. Do this for each house cusp listed, then simply use the opposite sign for the opposite houses.

Southern Latitudes

Here's how to compute houses in a southern latitude:

1. Determine the sidereal time in the usual way.
2. Add or Subtract 12 hours to this sidereal time so that you get a time between 0 and 24 hours. (Keep the time in the same day).
3. Look up the houses at this corrected time at the corresponding northern latitude.
4. Replace each astrological sign with its opposite one. (Libra replaces Aries and so forth.) You now have the houses for a southern latitude.

Simple example:
Find the 12th house at 6:30 sidereal time for -45 degrees latitude. Add 12 hours. You get 18:30. Look up the value at 18:30 for 45 degrees north latitude (12th house) = 26 degrees 38 minutes in Aquarius. Change the sign to its opposite = Leo. The answer is 26 degrees 38 minutes in Leo.

LATITUDE 0 DEGREES   PLACIDUS HOUSES

S.T.	10	11	12	1	2	3	S.T.	10	11	12	1	2	3
DT	*16.3*	*15.6*	*14.3*	*13.8*	*14.3*	*15.6*		*13.8*	*14.3*	*15.6*	*16.3*	*15.6*	*14.3*
DL	*0.0*	*-4.5*	*-14.3*	*-23.9*	*-14.4*	*-4.5*		*0.0*	*-7.2*	*-9.1*	*-0.0*	*9.1*	*7.2*
12 0	0♎ 0	2♏11	2♐ 5	0♑ 0	27♑55	27♒49	18 0	0♑ 0	27♑55	27♒49	0♈ 0	2♉11	2♊ 5
12 10	2 43	4 46	4 28	2 18	0♒18	0♓26	18 10	2 18	0♒18	0♓26	2 43	4 47	4 28
12 20	5 27	7 21	6 50	4 35	2 43	3 3	18 20	4 35	2 43	3 3	5 27	7 21	6 50
12 30	8 10	9 54	9 11	6 53	5 9	5 42	18 30	6 53	5 9	5 42	8 10	9 54	9 11
12 40	10 53	12 27	11 32	9 11	7 35	8 22	18 40	9 11	7 35	8 22	10 53	12 27	11 32
12 50	13 35	14 58	13 52	11 30	10 3	11 2	18 50	11 30	10 3	11 2	13 35	14 58	13 52
DT	*16.1*	*14.9*	*13.9*	*13.9*	*14.9*	*16.1*		*13.9*	*14.9*	*16.1*	*16.1*	*14.9*	*13.9*
DL	*0.0*	*-6.1*	*-15.5*	*-23.3*	*-12.3*	*-2.4*		*0.0*	*-6.1*	*-4.9*	*7.3*	*12.3*	*7.8*
13 0	16♎17	17♏28	16♐11	13♑49	12♒32	13♓43	19 0	13♑49	12♒32	13♓43	16♈17	17♉28	16♊11
13 10	18 58	19 57	18 30	16 8	15 2	16 25	19 10	16 8	15 2	16 25	18 58	19 57	18 30
13 20	21 38	22 25	20 49	18 28	17 33	19 7	19 20	18 28	17 33	19 7	21 38	22 25	20 49
13 30	24 18	24 51	23 7	20 48	20 6	21 50	19 30	20 49	20 6	21 50	24 18	24 51	23 7
13 40	26 57	27 17	25 25	23 10	22 39	24 33	19 40	23 10	22 39	24 33	26 57	27 17	25 25
13 50	29 34	29 42	27 42	25 32	25 13	27 17	19 50	25 32	25 14	27 17	29 34	29 42	27 42
DT	*15.6*	*14.3*	*13.8*	*14.3*	*15.6*	*16.3*		*14.3*	*15.6*	*16.3*	*15.6*	*14.3*	*13.8*
DL	*0.0*	*-7.2*	*-15.9*	*-21.6*	*-9.1*	*-0.0*		*0.0*	*-4.5*	*-0.0*	*13.6*	*14.4*	*8.0*
14 0	2♏11	2♐ 5	0♑ 0	27♑55	27♒49	0♈ 0	20 0	27♑55	27♒49	0♈ 0	2♉11	2♊ 5	0♋ 0
14 10	4 46	4 28	2 18	0♒18	0♓26	2 43	20 10	0♒18	0♓26	2 43	4 47	4 28	2 18
14 20	7 21	6 50	4 35	2 43	3 3	5 27	20 20	2 43	3 3	5 27	7 21	6 50	4 35
14 30	9 54	9 11	6 53	5 9	5 42	8 10	20 30	5 9	5 42	8 10	9 54	9 12	6 53
14 40	12 27	11 32	9 11	7 35	8 22	10 53	20 40	7 35	8 22	10 53	12 27	11 32	9 11
14 50	14 58	13 52	11 30	10 3	11 2	13 35	20 50	10 3	11 2	13 35	14 58	13 52	11 30
DT	*14.9*	*13.9*	*13.9*	*14.9*	*16.1*	*16.1*		*14.9*	*16.1*	*16.1*	*14.9*	*13.9*	*13.9*
DL	*0.0*	*-7.8*	*-15.6*	*-18.4*	*-4.9*	*2.4*		*0.0*	*-2.4*	*4.9*	*18.4*	*15.6*	*7.8*
15 0	17♏28	16♐11	13♑49	12♒32	13♓43	16♈17	21 0	12♒32	13♓43	16♈17	17♉28	16♊11	13♋49
15 10	19 57	18 30	16 8	15 2	16 25	18 58	21 10	15 2	16 25	18 58	19 57	18 30	16 8
15 20	22 25	20 49	18 28	17 33	19 7	21 38	21 20	17 33	19 7	21 38	22 25	20 49	18 28
15 30	24 51	23 7	20 48	20 6	21 50	24 18	21 30	20 6	21 50	24 18	24 51	23 7	20 49
15 40	27 17	25 25	23 10	22 39	24 33	26 57	21 40	22 39	24 33	26 57	27 17	25 25	23 10
15 50	29 42	27 42	25 32	25 13	27 17	29 34	21 50	25 14	27 17	29 34	29 42	27 42	25 32
DT	*14.3*	*13.8*	*14.3*	*15.6*	*16.3*	*15.6*		*15.6*	*16.3*	*15.6*	*14.3*	*13.8*	*14.3*
DL	*0.0*	*-8.0*	*-14.4*	*-13.6*	*-0.0*	*4.5*		*0.0*	*-0.0*	*9.1*	*21.6*	*15.9*	*7.2*
16 0	2♐ 5	0♑ 0	27♑55	27♒49	0♈ 0	2♉11	22 0	27♒49	0♈ 0	2♉11	2♊ 5	0♋ 0	27♋55
16 10	4 28	2 18	0♒18	0♓26	2 43	4 46	22 10	0♓26	2 43	4 47	4 28	2 18	0♌18
16 20	6 50	4 35	2 43	3 3	5 27	7 21	22 20	3 3	5 27	7 21	6 50	4 35	2 43
16 30	9 11	6 53	5 9	5 42	8 10	9 54	22 30	5 42	8 10	9 54	9 12	6 53	5 9
16 40	11 32	9 11	7 35	8 22	10 53	12 27	22 40	8 22	10 53	12 27	11 32	9 11	7 35
16 50	13 52	11 30	10 3	11 2	13 35	14 58	22 50	11 2	13 35	14 58	13 52	11 30	10 3
DT	*13.9*	*13.9*	*14.9*	*16.1*	*16.1*	*14.9*		*16.1*	*16.1*	*14.9*	*13.9*	*13.9*	*14.9*
DL	*0.0*	*-7.8*	*-12.3*	*-7.3*	*4.9*	*6.1*		*0.0*	*2.4*	*12.3*	*23.3*	*15.5*	*6.1*
17 0	16♐11	13♑49	12♒32	13♓43	16♈17	17♉28	23 0	13♓43	16♈17	17♉28	16♊11	13♋49	12♌32
17 10	18 30	16 8	15 2	16 25	18 58	19 57	23 10	16 25	18 58	19 57	18 30	16 8	15 2
17 20	20 49	18 28	17 33	19 7	21 38	22 25	23 20	19 7	21 38	22 25	20 49	18 28	17 33
17 30	23 7	20 49	20 6	21 50	24 18	24 51	23 30	21 50	24 18	24 51	23 7	20 49	20 6
17 40	25 25	23 10	22 39	24 33	26 57	27 17	23 40	24 33	26 57	27 17	25 25	23 10	22 39
17 50	27 42	25 32	25 13	27 17	29 34	29 42	23 50	27 17	29 34	29 42	27 42	25 32	25 14

LATITUDE 5 DEGREES PLACIDUS HOUSES

S.T.	10	11	12	1	2	3
DT	16.3	15.8	14.5	13.7	14.2	15.5
DL	0.0	4.7	14.8	24.1	14.1	4.5
0 0	0♈0	2♉34	3♊18	2♋0	29♋6	28♌12
0 10	2 43	5 11	5 42	4 17	1♌28	0♍47
0 20	5 27	7 47	8 5	6 34	3 51	3 23
0 30	8 10	10 22	10 28	8 52	6 15	6 0
0 40	10 53	12 55	12 49	11 9	8 40	8 37
0 50	13 35	15 28	15 10	13 27	11 6	11 16
DT	16.1	15.1	14.0	13.8	14.7	16.0
DL	0.0	6.3	15.9	23.1	11.9	2.4
1 0	16♈17	17♉59	17♊30	15♋44	13♌32	13♍55
1 10	18 58	20 29	19 49	18 3	16 0	16 35
1 20	21 38	22 57	22 8	20 21	18 29	19 15
1 30	24 18	25 25	24 26	22 40	20 59	21 56
1 40	26 57	27 52	26 44	25 0	23 29	24 37
1 50	29 34	0♊17	29 2	27 20	26 1	27 19
DT	15.6	14.4	13.8	14.1	15.3	16.1
DL	0.0	7.3	16.1	20.9	8.7	0.0
2 0	2♉11	2♊42	1♋20	29♋41	28♌33	0♎0
2 10	4 46	5 5	3 37	2♌2	1♍7	2 41
2 20	7 21	7 28	5 55	4 24	3 41	5 23
2 30	9 54	9 49	8 12	6 48	6 17	8 4
2 40	12 27	12 10	10 30	9 11	8 53	10 45
2 50	14 58	14 31	12 48	11 36	11 29	13 25
DT	14.9	13.9	13.8	14.6	15.8	16.0
DL	0.0	7.9	15.5	17.5	4.6	-2.4
3 0	17♉28	16♊50	15♋6	14♌2	14♍7	16♎5
3 10	19 57	19 9	17 25	16 28	16 45	18 44
3 20	22 25	21 28	19 44	18 56	19 23	21 23
3 30	24 51	23 46	22 3	21 24	22 2	24 0
3 40	27 17	26 4	24 23	23 54	24 41	26 37
3 50	29 42	28 22	26 44	26 24	27 21	29 13
DT	14.3	13.8	14.2	15.2	15.9	15.5
DL	0.0	8.0	14.1	12.8	0.0	-4.5
4 0	2♊5	0♋40	29♋6	28♌55	0♎0	1♏48
4 10	4 28	2 57	1♌28	1♍27	2 39	4 23
4 20	6 50	5 15	3 51	4 0	5 19	6 56
4 30	9 11	7 33	6 15	6 33	7 58	9 28
4 40	11 32	9 51	8 40	9 8	10 37	11 59
4 50	13 52	12 9	11 6	11 43	13 15	14 29
DT	13.9	13.9	14.7	15.6	15.8	14.8
DL	0.0	7.8	11.9	6.8	-4.6	-6.1
5 0	16♊11	14♋28	13♌32	14♍18	15♎53	16♏57
5 10	18 30	16 47	16 0	16 54	18 31	19 25
5 20	20 49	19 6	18 29	19 31	21 7	21 52
5 30	23 7	21 26	20 59	22 8	23 43	24 18
5 40	25 25	23 47	23 29	24 45	26 19	26 43
5 50	27 42	26 8	26 1	27 22	28 53	29 7

S.T.	10	11	12	1	2	3
DT	13.8	14.3	15.3	15.8	15.3	14.3
DL	0.0	7.2	8.7	0.0	-8.7	-7.2
6 0	0♋0	28♋30	28♌33	0♎0	1♏27	1♐30
6 10	2 18	0♌53	1♍7	2 38	3 59	3 52
6 20	4 35	3 17	3 41	5 15	6 31	6 13
6 30	6 53	5 42	6 17	7 52	9 1	8 34
6 40	9 11	8 8	8 53	10 29	11 31	10 54
6 50	11 30	10 35	11 29	13 6	14 0	13 13
DT	13.9	14.8	15.8	15.6	14.7	13.9
DL	0.0	6.1	4.6	-6.8	-11.9	-7.8
7 0	13♋49	13♌3	14♍7	15♎42	16♏28	15♐32
7 10	16 0	15 31	16 45	18 17	18 54	17 51
7 20	18 28	18 1	19 23	20 52	21 20	20 9
7 30	20 49	20 32	22 2	23 27	23 45	22 27
7 40	23 10	23 4	24 41	26 0	26 9	24 45
7 50	25 32	25 37	27 21	28 33	28 32	27 3
DT	14.3	15.5	15.9	15.2	14.2	13.8
DL	0.0	4.5	0.0	-12.8	-14.1	-8.0
8 0	27♋55	28♌12	0♎0	1♏5	0♐54	29♐20
8 10	0♌18	0♍47	2 39	3 36	3 16	1♑38
8 20	2 43	3 23	5 19	6 6	5 37	3 56
8 30	5 9	6 0	7 58	8 36	7 57	6 14
8 40	7 35	8 37	10 37	11 4	10 16	8 32
8 50	10 3	11 16	13 15	13 32	12 35	10 51
DT	14.9	16.0	15.8	14.6	13.8	13.9
DL	0.0	2.4	-4.6	-17.5	-15.5	-7.9
9 0	12♌32	13♍55	15♎53	15♏58	14♐54	13♑10
9 10	15 2	16 35	18 31	18 24	17 12	15 29
9 20	17 33	19 15	21 7	20 49	19 30	17 50
9 30	20 6	21 56	23 43	23 12	21 48	20 11
9 40	22 39	24 37	26 19	25 36	24 5	22 32
9 50	25 14	27 19	28 53	27 58	26 23	24 55
DT	15.6	16.1	15.3	14.1	13.8	14.4
DL	0.0	0.0	-8.7	-20.9	-16.1	-7.3
10 0	27♌49	0♎0	1♏27	0♐19	28♐40	27♑18
10 10	0♍26	2 41	3 59	2 40	0♑58	29 43
10 20	3 3	5 23	6 31	5 0	3 16	2♒8
10 30	5 42	8 4	9 1	7 20	5 34	4 35
10 40	8 22	10 45	11 31	9 39	7 52	7 3
10 50	11 2	13 25	14 0	11 57	10 11	9 31
DT	16.1	16.0	14.7	13.8	14.0	15.1
DL	0.0	-2.4	-11.9	-23.1	-15.9	-6.3
11 0	13♍43	16♎5	16♏28	14♐16	12♑30	12♒1
11 10	16 25	18 44	18 54	16 33	14 50	14 32
11 20	19 7	21 23	21 20	18 51	17 11	17 5
11 30	21 50	24 0	23 45	21 8	19 32	19 38
11 40	24 33	26 37	26 9	23 26	21 55	22 13
11 50	27 17	29 13	28 32	25 43	24 18	24 49

LATITUDE 5 DEGREES — PLACIDUS HOUSES

S.T.	10	11	12	1	2	3	S.T.	10	11	12	1	2	3
DT	*16.3*	*15.5*	*14.2*	*13.7*	*14.5*	*15.8*		*13.8*	*14.4*	*15.9*	*17.0*	*15.9*	*14.4*
DL	*0.0*	*-4.5*	*-14.1*	*-24.1*	*-14.8*	*-4.7*		*0.0*	*-7.3*	*-9.5*	*-0.0*	*9.5*	*7.3*
12 0	0♎ 0	1♏48	0♐54	28♐ 0	26♑42	27♒26	18 0	0♑ 0	27♑18	27♒ 3	0♈ 0	2♉57	2♊42
12 10	2 43	4 23	3 16	0♑18	29 7	0♓ 5	18 10	2 18	29 43	29 43	2 50	5 36	5 5
12 20	5 27	6 56	5 37	2 36	1♒33	2 44	18 20	4 35	2♒ 8	2♓24	5 40	8 13	7 28
12 30	8 10	9 28	7 57	4 54	4 1	5 24	18 30	6 53	4 35	5 6	8 29	10 49	9 49
12 40	10 53	11 59	10 16	7 12	6 29	8 6	18 40	9 11	7 3	7 49	11 18	13 24	12 10
12 50	13 35	14 29	12 35	9 31	8 59	10 48	18 50	11 30	9 31	10 33	14 7	15 58	14 31
DT	*16.1*	*14.8*	*13.8*	*14.0*	*15.2*	*16.3*		*13.9*	*15.1*	*16.5*	*16.7*	*15.2*	*13.9*
DL	*0.0*	*-6.1*	*-15.5*	*-23.9*	*-12.8*	*-2.5*		*0.0*	*-6.3*	*-5.1*	*7.9*	*12.8*	*7.9*
13 0	16♎17	16♏57	14♐54	11♑51	11♒30	13♓31	19 0	13♑49	12♒ 1	13♓18	16♈55	18♉30	16♊50
13 10	18 58	19 25	17 12	14 11	14 2	16 15	19 10	16 8	14 32	16 4	19 42	21 1	19 9
13 20	21 38	21 52	19 30	16 32	16 36	18 59	19 20	18 28	17 5	18 50	22 28	23 31	21 28
13 30	24 18	24 18	21 48	18 54	19 11	21 44	19 30	20 49	19 38	21 37	25 13	25 59	23 46
13 40	26 57	26 43	24 5	21 17	21 47	24 29	19 40	23 10	22 13	24 25	27 57	28 27	26 4
13 50	29 34	29 7	26 23	23 40	24 24	27 14	19 50	25 32	24 49	27 12	0♉39	0♊53	28 22
DT	*15.6*	*14.3*	*13.8*	*14.5*	*15.9*	*16.6*		*14.3*	*15.8*	*16.8*	*16.1*	*14.5*	*13.8*
DL	*0.0*	[illegible]	*16.1*	[illegible]	*-9.5*	*-0.0*		*0.0*	*-4.7*	*-0.0*	*14.7*	*14.8*	*8.0*
14 0	2♏11	1♐30	28♐40	26♑ 5	27♒ 3	0♈ 0	20 0	27♑55	27♒26	0♈ 0	3♉21	3♊18	0♋40
14 10	4 46	3 52	0♑58	28 31	29 43	2 46	20 10	0♒18	0♓ 5	2 48	6 1	5 42	2 57
14 20	7 21	6 13	3 16	0♒58	2♓24	5 31	20 20	2 43	2 44	5 35	8 40	8 5	5 15
14 30	9 54	8 34	5 34	3 26	5 6	8 16	20 30	5 9	5 24	8 23	11 18	10 28	7 33
14 40	12 27	10 54	7 52	5 55	7 49	11 1	20 40	7 35	8 6	11 10	13 54	12 49	9 51
14 50	14 58	13 13	10 11	8 26	10 33	13 45	20 50	10 3	10 48	13 56	16 29	15 10	12 9
DT	*14.9*	*13.9*	*14.0*	*15.3*	*16.5*	*16.3*		*14.9*	*16.3*	*16.5*	*15.3*	*14.0*	*13.9*
DL	*0.0*	*-7.8*	*-15.9*	*-19.5*	*-5.1*	*2.5*		*0.0*	*-2.5*	*5.1*	*19.5*	*15.9*	*7.8*
15 0	17♏28	15♐32	12♑30	10♒58	13♓18	16♈29	21 0	12♒32	13♓31	16♈42	19♉ 2	17♊30	14♋28
15 10	19 57	17 51	14 50	13 31	16 4	19 12	21 10	15 2	16 15	19 27	21 34	19 49	16 47
15 20	22 25	20 9	17 11	16 6	18 50	21 54	21 20	17 33	18 59	22 11	24 5	22 8	19 6
15 30	24 51	22 27	19 32	18 42	21 37	24 36	21 30	20 6	21 44	24 54	26 34	24 26	21 26
15 40	27 17	24 45	21 55	21 20	24 25	27 16	21 40	22 39	24 29	27 36	29 2	26 44	23 47
15 50	29 42	27 3	24 18	23 59	27 12	29 55	21 50	25 14	27 14	0♉17	1♊29	29 2	26 8
DT	*14.3*	*13.8*	*14.5*	*16.1*	*16.8*	*15.8*		*15.6*	*16.6*	*15.9*	*14.5*	*13.8*	*14.3*
DL	*0.0*	*-8.0*	*-14.8*	*-14.7*	*-0.0*	*4.7*		*0.0*	*-0.0*	*9.5*	*22.5*	*16.1*	*7.2*
16 0	2♐ 5	29♐20	26♑42	26♒39	0♈ 0	2♉34	22 0	27♒49	0♈ 0	2♉57	3♊55	1♋20	28♋30
16 10	4 28	1♑38	29 7	29 21	2 48	5 11	22 10	0♓26	2 46	5 36	6 20	3 37	0♌53
16 20	6 50	3 56	1♒33	2♓ 3	5 35	7 47	22 20	3 3	5 31	8 13	8 43	5 55	3 17
16 30	9 11	6 14	4 1	4 47	8 23	10 22	22 30	5 42	8 16	10 49	11 6	8 12	5 42
16 40	11 32	8 32	6 29	7 32	11 10	12 55	22 40	8 22	11 1	13 24	13 28	10 30	8 8
16 50	13 52	10 51	8 59	10 18	13 56	15 28	22 50	11 2	13 45	15 58	15 49	12 48	10 35
DT	*13.9*	*13.9*	*15.2*	*16.7*	*16.5*	*15.1*		*16.1*	*16.3*	*15.2*	*14.0*	*13.8*	*14.8*
DL	*0.0*	*-7.9*	*-12.8*	*-7.9*	*5.1*	*6.3*		*0.0*	*2.5*	*12.8*	*23.9*	*15.5*	*6.1*
17 0	16♐11	13♑10	11♒30	13♓ 5	16♈42	17♉59	23 0	13♓43	16♈29	18♉30	18♊ 9	15♋ 6	13♌ 3
17 10	18 30	15 29	14 2	15 53	19 27	20 29	23 10	16 25	19 12	21 1	20 29	17 25	15 31
17 20	20 49	17 50	16 36	18 42	22 11	22 57	23 20	19 7	21 54	23 31	22 48	19 44	18 1
17 30	23 7	20 11	19 11	21 31	24 54	25 25	23 30	21 50	24 36	25 59	25 6	22 3	20 32
17 40	25 25	22 32	21 47	24 20	27 36	27 52	23 40	24 33	27 16	28 27	27 24	24 23	23 4
17 50	27 42	24 55	24 24	27 10	0♉17	0♊17	23 50	27 17	29 55	0♊53	29 42	26 44	25 37

LATITUDE 10 DEGREES PLACIDUS HOUSES

S.T.	10	11	12	1	2	3	S.T.	10	11	12	1	2	3
DT	*16.3*	*15.9*	*14.6*	*13.7*	*14.0*	*15.3*		*13.8*	*14.2*	*15.0*	*15.2*	*15.0*	*14.2*
DL	*0.0*	*4.9*	*15.6*	*24.6*	*14.2*	*4.5*		*0.0*	*7.3*	*8.6*	*0.0*	*-8.6*	*-7.3*
0 0	0♈0	2♉57	4♊34	4♋1	0♌16	28♌34	6 0	0♋0	29♋6	29♌17	0♎0	0♏43	0♐54
0 10	2 43	5 36	6 59	6 18	2 37	1♍7	6 10	2 18	1♌29	1♍47	2 32	3 13	3 15
0 20	5 27	8 14	9 23	8 34	4 58	3 42	6 20	4 35	3 52	4 18	5 4	5 42	5 36
0 30	8 10	10 50	11 46	10 51	7 21	6 17	6 30	6 53	6 16	6 50	7 35	8 10	7 56
0 40	10 53	13 25	14 8	13 7	9 43	8 53	6 40	9 11	8 40	9 23	10 7	10 37	10 16
0 50	13 35	15 58	16 30	15 23	12 7	11 30	6 50	11 30	11 6	11 56	12 38	13 3	12 35
DT	*16.1*	*15.2*	*14.0*	*13.7*	*14.5*	*15.8*		*13.9*	*14.7*	*15.4*	*15.1*	*14.5*	*13.8*
DL	*0.0*	*6.6*	*16.4*	*23.2*	*11.8*	*2.4*		*0.0*	*6.1*	*4.5*	*-6.5*	*-11.8*	*-8.0*
1 0	16♈17	18♉31	18♊50	17♋40	14♌32	14♍7	7 0	13♋49	13♌33	14♍30	15♎9	15♏28	14♐53
1 10	18 58	21 2	21 10	19 57	16 57	16 45	7 10	16 8	16 1	17 1	17 [illegible]	17 53	17 11
1 20	21 38	23 31	23 29	22 13	19 23	19 23	7 20	18 28	18 29	19 39	20 9	20 17	19 29
1 30	24 18	26 0	25 47	24 31	21 50	22 2	7 30	20 49	20 59	22 14	22 38	22 39	21 47
1 40	26 57	28 27	28 6	26 48	24 18	24 41	7 40	23 10	23 30	24 49	25 7	25 2	24 5
1 50	29 34	0♊54	0♋23	29 6	26 47	27 21	7 50	25 32	26 1	27 24	27 35	27 23	26 22
DT	*15.6*	*14.5*	*13.7*	*13.9*	*15.0*	*15.9*		*14.3*	*15.3*	*15.6*	*14.7*	*14.0*	*13.8*
DL	*0.0*	*7.6*	*16.4*	*20.7*	*8.6*	*0.0*		*0.0*	*4.5*	*0.0*	*-12.3*	*-14.2*	*-8.2*
2 0	2♉11	3♊19	2♋41	1♌25	29♌17	0♎0	8 0	27♋55	28♌34	0♎0	0♏2	29♏44	28♐40
2 10	4 46	5 43	4 58	3 44	1♍47	2 39	8 10	0♌18	1♍7	2 36	2 29	2♐4	0♑57
2 20	7 21	8 6	7 15	6 3	4 18	5 19	8 20	2 43	3 42	5 11	4 55	4 23	3 15
2 30	9 54	10 28	9 32	8 24	6 50	7 58	8 30	5 9	6 17	7 46	7 20	6 42	5 33
2 40	12 27	12 50	11 49	10 45	9 23	10 37	8 40	7 35	8 53	10 21	9 45	9 0	7 51
2 50	14 58	15 10	14 6	13 6	11 56	13 15	8 50	10 3	11 30	12 56	12 9	11 18	10 10
DT	*14.9*	*14.0*	*13.8*	*14.3*	*15.4*	*15.8*		*14.9*	*15.8*	*15.4*	*14.3*	*13.8*	*14.0*
DL	*0.0*	*8.1*	*15.7*	*17.1*	*4.5*	*-2.4*		*0.0*	*2.4*	*-4.5*	*-17.1*	*-15.7*	*-8.1*
3 0	17♉28	17♊30	16♋24	15♌28	14♍30	15♎53	9 0	12♌32	14♍7	15♎30	14♏32	13♐36	12♑30
3 10	19 57	19 50	18 42	17 51	17 4	18 30	9 10	15 2	16 45	18 4	16 54	15 54	14 50
3 20	22 25	22 9	21 0	20 15	19 39	21 7	9 20	17 33	19 23	20 37	19 15	18 11	17 10
3 30	24 51	24 27	23 18	22 40	22 14	23 43	9 30	20 6	22 2	23 10	21 36	20 28	19 32
3 40	27 17	26 45	25 37	25 5	24 49	26 18	9 40	22 39	24 41	25 42	23 57	22 45	21 54
3 50	29 42	29 3	27 56	27 31	27 24	28 53	9 50	25 14	27 21	28 13	26 16	25 2	24 17
DT	*14.3*	*13.8*	*14.0*	*14.7*	*15.6*	*15.3*		*15.6*	*15.9*	*15.0*	*13.9*	*13.7*	*14.5*
DL	*0.0*	*8.2*	*14.2*	*12.3*	*0.0*	*-4.5*		*0.0*	*0.0*	*-8.6*	*-20.7*	*-16.4*	*-7.6*
4 0	2♊5	1♋20	0♌16	29♌58	0♎0	1♏26	10 0	27♌49	0♎0	0♏43	28♏35	27♐19	26♑41
4 10	4 28	3 38	2 37	2♍25	2 36	3 59	10 10	0♍26	2 39	3 13	0♐54	29 37	29 6
4 20	6 50	5 55	4 58	4 53	5 11	6 30	10 20	3 3	5 19	5 42	3 12	1♑54	1♒33
4 30	9 11	8 13	7 21	7 22	7 46	9 1	10 30	5 42	7 58	8 10	5 29	4 13	4 0
4 40	11 32	10 31	9 43	9 51	10 21	11 31	10 40	8 22	10 37	10 37	7 47	6 31	6 29
4 50	13 52	12 49	12 7	12 21	12 56	13 59	10 50	11 2	13 15	13 3	10 3	8 50	8 58
DT	*13.9*	*13.8*	*14.5*	*15.1*	*15.4*	*14.7*		*16.1*	*15.8*	*14.5*	*13.7*	*14.0*	*15.2*
DL	*0.0*	*8.0*	*11.8*	*6.5*	*-4.5*	*-6.1*		*0.0*	*-2.4*	*-11.8*	*-23.2*	*-16.4*	*-6.6*
5 0	16♊11	15♋7	14♌32	14♍51	15♎30	16♏27	11 0	13♍43	15♎53	15♏28	12♐20	11♑10	11♒29
5 10	18 30	17 25	16 57	17 22	18 4	18 54	11 10	16 25	18 30	17 53	14 37	13 30	14 2
5 20	20 49	19 44	19 23	19 53	20 37	21 20	11 20	19 7	21 7	20 17	16 53	15 52	16 35
5 30	23 7	22 4	21 50	22 25	23 10	23 44	11 30	21 50	23 43	22 39	19 9	18 14	19 10
5 40	25 25	24 24	24 18	24 56	25 42	26 8	11 40	24 33	26 18	25 2	21 26	20 37	21 46
5 50	27 42	26 45	26 47	27 28	28 13	28 31	11 50	27 17	28 53	27 23	23 42	23 1	24 24

LATITUDE 10 DEGREES PLACIDUS HOUSES

S.T.	10	11	12	1	2	3	S.T.	10	11	12	1	2	3
DT	*16.3*	*15.3*	*14.0*	*13.7*	*14.6*	*15.9*		*13.8*	*14.5*	*16.3*	*17.7*	*16.3*	*14.5*
DL	*0.0*	*-4.5*	*-14.2*	*-24.6*	*-15.6*	*-4.9*		*0.0*	*-7.6*	*-10.2*	*-0.0*	*10.2*	*7.6*
12 0	0♎ 0	1♏26	29♏44	25♐59	25♑26	27♒ 3	18 0	0♑ 0	26♑41	26♒14	0♈ 0	3♉46	3♊19
12 10	2 43	3 59	2♐ 4	28 16	27 53	29 42	18 10	2 18	29 6	28 57	2 57	6 28	5 43
12 20	5 27	6 30	4 23	0♑34	0♒20	2♓24	18 20	4 35	1♒33	1♓42	5 54	9 8	8 6
12 30	8 10	9 1	6 42	2 52	2 49	5 6	18 30	6 53	4 0	4 28	8 50	11 47	10 28
12 40	10 53	11 31	9 0	5 10	5 20	7 49	18 40	9 11	6 29	7 15	11 46	14 25	12 50
12 50	13 35	13 59	11 18	7 30	7 51	10 33	18 50	11 30	8 58	10 3	14 41	17 1	15 10
DT	*16.1*	*14.7*	*13.8*	*14.0*	*15.4*	*16.5*		*13.9*	*15.2*	*17.0*	*17.4*	*15.4*	*14.0*
DL	*0.0*	*-6.1*	*-15.7*	*-24.8*	*-13.6*	*-2.6*		*0.0*	*-6.6*	*-5.5*	*8.8*	*13.6*	*8.1*
13 0	16♎17	16♏27	13♐36	9♑50	10♒25	13♓18	19 0	13♑49	11♒29	12♓52	17♈36	19♉35	17♊30
13 10	18 58	18 54	15 54	12 10	12 59	16 4	19 10	16 8	14 2	15 42	20 29	22 9	19 50
13 20	21 38	21 20	18 11	14 32	15 35	18 50	19 20	18 28	16 35	18 33	23 21	24 40	22 9
13 30	24 18	23 44	20 28	16 55	18 13	21 37	19 30	20 49	19 10	21 24	26 12	27 11	24 27
13 40	26 57	26 8	22 45	19 19	20 52	24 25	19 40	23 10	21 46	24 16	29 2	29 40	26 45
13 50	29 34	28 31	25 2	21 44	23 32	27 12	19 50	25 32	24 24	27 8	1♉50	2♊ 7	29 3
DT	*15.6*	*14.2*	*13.7*	*14.7*	*16.3*	*16.8*		*14.3*	*15.9*	*17.2*	*16.6*	*14.6*	*13.8*
DL	*0.0*	*-7.3*	*-16.4*	*-23.8*	*-10.2*	*-0.0*		*0.0*	*-4.9*	*-0.0*	*16.0*	*15.6*	*8.2*
14 0	2♏11	0♐54	27♐19	24♑10	26♒14	0♈ 0	20 0	27♑55	27♒ 3	0♈ 0	4♉37	4♊34	1♋20
14 10	4 46	3 15	29 37	26 38	28 57	2 48	20 10	0♒18	29 42	2 52	7 22	6 59	3 38
14 20	7 21	5 36	1♑54	29 7	1♓42	5 35	20 20	2 43	2♓24	5 44	10 5	9 23	5 55
14 30	9 54	7 56	4 13	1♒37	4 28	8 23	20 30	5 9	5 6	8 36	12 47	11 46	8 13
14 40	12 27	10 16	6 31	4 9	7 15	11 10	20 40	7 35	7 49	11 27	15 27	14 8	10 31
14 50	14 58	12 35	8 50	6 42	10 3	13 56	20 50	10 3	10 33	14 18	18 6	16 30	12 49
DT	*14.9*	*13.8*	*14.0*	*15.6*	*17.0*	*16.5*		*14.9*	*16.5*	*17.0*	*15.6*	*14.0*	*13.8*
DL	*0.0*	*-8.0*	*-16.4*	*-21.0*	*-5.5*	*2.6*		*0.0*	*-2.6*	*5.5*	*21.0*	*16.4*	*8.0*
15 0	17♏28	14♐53	11♑10	9♒18	12♓52	16♈42	21 0	12♒32	13♓18	17♈ 8	20♉42	18♊50	15♋ 7
15 10	19 57	17 11	13 30	11 54	15 42	19 27	21 10	15 2	16 4	19 57	23 18	21 10	17 25
15 20	22 25	19 29	15 52	14 33	18 33	22 11	21 20	17 33	18 50	22 45	25 51	23 29	19 44
15 30	24 51	21 47	18 14	17 13	21 24	24 54	21 30	20 6	21 37	25 32	28 23	25 47	22 4
15 40	27 17	24 5	20 37	19 55	24 16	27 36	21 40	22 39	24 25	28 18	0♊53	28 6	24 24
15 50	29 42	26 22	23 1	22 38	27 8	0♉18	21 50	25 14	27 12	1♉ 3	3 22	0♋23	26 45
DT	*14.3*	*13.8*	*14.6*	*16.6*	*17.2*	*15.9*		*15.6*	*16.8*	*16.3*	*14.7*	*13.7*	*14.2*
DL	*0.0*	*-8.2*	*-15.6*	*-16.0*	*-0.0*	*4.9*		*0.0*	*-0.0*	*10.2*	*23.8*	*16.4*	*7.3*
16 0	2♐ 5	28♐40	25♑26	25♒23	0♈ 0	2♉57	22 0	27♒49	0♈ 0	3♉46	5♊50	2♋41	29♋ 6
16 10	4 28	0♑57	27 53	28 10	2 52	5 36	22 10	0♓26	2 48	6 28	8 16	4 58	1♌29
16 20	6 50	3 15	0♒20	0♓58	5 44	8 14	22 20	3 3	5 35	9 8	10 41	7 15	3 52
16 30	9 11	5 33	2 49	3 48	8 36	10 50	22 30	5 42	8 23	11 47	13 5	9 32	6 16
16 40	11 32	7 51	5 20	6 39	11 27	13 25	22 40	8 22	11 10	14 25	15 28	11 49	8 40
16 50	13 52	10 10	7 51	9 31	14 18	15 58	22 50	11 2	13 56	17 1	17 50	14 6	11 6
DT	*13.9*	*14.0*	*15.4*	*17.4*	*17.0*	*15.2*		*16.1*	*16.5*	*15.4*	*14.0*	*13.8*	*14.7*
DL	*0.0*	*-8.1*	*-13.6*	*-8.8*	*5.5*	*6.6*		*0.0*	*2.6*	*13.6*	*24.8*	*15.7*	*6.1*
17 0	16♐11	12♑30	10♒25	12♓24	17♈ 8	18♉31	23 0	13♓43	16♈42	19♉35	20♊10	16♋24	13♌33
17 10	18 30	14 50	12 59	15 19	19 57	21 2	23 10	16 25	19 27	22 9	22 30	18 42	16 1
17 20	20 49	17 10	15 35	18 14	22 45	23 31	23 20	19 7	22 11	24 40	24 50	21 0	18 29
17 30	23 7	19 32	18 13	21 10	25 32	26 0	23 30	21 50	24 54	27 11	27 8	23 18	20 59
17 40	25 25	21 54	20 52	24 6	28 18	28 27	23 40	24 33	27 36	29 40	29 26	25 37	23 30
17 50	27 42	24 17	23 32	27 3	1♉ 3	0♊54	23 50	27 17	0♉18	2♊ 7	1♋44	27 56	26 1

LATITUDE 15 DEGREES — PLACIDUS HOUSES

S.T.	10	11	12	1	2	3
DT	*16.3*	*16.1*	*14.7*	*13.6*	*13.9*	*15.1*
DL	*0.0*	*5.2*	*16.6*	*25.4*	*14.4*	*4.6*
0 0	0♈0	3♉22	5♊53	6♋5	1♌28	28♌56
0 10	2 43	6 3	8 20	8 21	3 47	1♍28
0 20	5 27	8 42	10 45	10 36	6 6	4 1
0 30	8 10	11 19	13 8	12 52	8 26	6 34
0 40	10 53	13 56	15 31	15 7	10 47	9 9
0 50	13 35	16 31	17 53	17 21	13 9	11 43
DT	*16.1*	*15.3*	*14.0*	*13.5*	*14.3*	*15.6*
DL	*0.0*	*7.0*	*17.3*	*23.6*	*11.9*	*2.4*
1 0	16♈17	19♉4	20♊14	19♋36	15♌31	14♍19
1 10	18 58	21 36	22 34	21 51	17 54	16 55
1 20	21 38	24 7	24 53	24 6	20 17	19 31
1 30	24 18	26 37	27 12	26 21	22 42	22 8
1 40	26 57	29 5	29 30	28 37	25 7	24 45
1 50	29 34	1♊32	1♋47	0♌52	27 33	27 23
DT	*15.6*	*14.5*	*13.7*	*13.6*	*14.7*	*15.7*
DL	*0.0*	*8.0*	*17.1*	*20.7*	*8.5*	*0.0*
2 0	2♉11	3♊58	4♋4	3♌8	29♌59	0♎0
2 10	4 46	6 22	6 21	5 24	2♍27	2 37
2 20	7 21	8 46	8 38	7 41	4 55	5 15
2 30	9 54	11 9	10 54	9 58	7 23	7 52
2 40	12 27	13 30	13 10	12 16	9 52	10 29
2 50	14 58	15 51	15 27	14 35	12 22	13 5
DT	*14.9*	*14.0*	*13.7*	*13.9*	*15.0*	*15.6*
DL	*0.0*	*8.6*	*16.1*	*16.9*	*4.5*	*-2.4*
3 0	17♉28	18♊12	17♋43	16♌53	14♍52	15♎41
3 10	19 57	20 31	20 0	19 13	17 23	18 17
3 20	22 25	22 50	22 17	21 33	19 54	20 51
3 30	24 51	25 9	24 34	23 53	22 25	23 26
3 40	27 17	27 27	26 51	26 14	24 57	25 59
3 50	29 42	29 45	29 9	28 36	27 28	28 32
DT	*14.3*	*13.7*	*13.9*	*14.3*	*15.2*	*15.1*
DL	*0.0*	*8.6*	*14.4*	*12.0*	*0.0*	*-4.6*
4 0	2♊5	2♋2	1♌28	0♍59	0♎0	1♏4
4 10	4 28	4 20	3 47	3 21	2 32	3 35
4 20	6 50	6 37	6 6	5 45	5 3	6 5
4 30	9 11	8 54	8 26	8 9	7 35	8 34
4 40	11 32	11 12	10 47	10 33	10 6	11 2
4 50	13 52	13 29	13 9	12 58	12 37	13 30
DT	*13.9*	*13.8*	*14.3*	*14.5*	*15.0*	*14.6*
DL	*0.0*	*8.3*	*11.9*	*6.3*	*-4.5*	*-6.3*
5 0	16♊11	15♋47	15♌31	15♍23	15♎8	15♏56
5 10	18 30	18 5	17 54	17 49	17 38	18 22
5 20	20 49	20 24	20 17	20 15	20 8	20 47
5 30	23 7	22 43	22 42	22 41	22 37	23 10
5 40	25 25	25 2	25 7	25 7	25 5	25 33
5 50	27 42	27 22	27 33	27 34	27 33	27 56

S.T.	10	11	12	1	2	3
DT	*13.8*	*14.1*	*14.7*	*14.6*	*14.7*	*14.1*
DL	*0.0*	*7.5*	*8.5*	*0.0*	*-8.5*	*-7.5*
6 0	0♋0	29♋43	29♌59	0♎0	0♏1	0♐17
6 10	2 18	2♌4	2♍27	2 26	2 27	2 38
6 20	4 35	4 27	4 55	4 53	4 53	4 58
6 30	6 53	6 50	7 23	7 19	7 18	7 17
6 40	9 11	9 13	9 52	9 45	9 43	9 36
6 50	11 30	11 38	12 22	12 11	12 6	11 55
DT	*13.9*	*14.6*	*15.0*	*14.5*	*14.3*	*13.8*
DL	*0.0*	*6.3*	*4.5*	*-6.3*	*-11.9*	*-8.3*
7 0	13♋49	14♌4	14♍52	14♎37	14♏29	14♐13
7 10	16 8	16 30	17 23	17 2	16 51	16 31
7 20	18 28	18 58	19 54	19 27	19 13	18 48
7 30	20 49	21 26	22 25	21 51	21 34	21 6
7 40	23 10	23 55	24 57	24 15	23 54	23 23
7 50	25 32	26 25	27 28	26 39	26 13	25 40
DT	*14.3*	*15.1*	*15.2*	*14.3*	*13.9*	*13.7*
DL	*0.0*	*4.6*	*0.0*	*-12.0*	*-14.4*	*-8.6*
8 0	27♋55	28♌56	0♎0	29♎1	28♏32	27♐58
8 10	0♌18	1♍28	2 32	1♏24	0♐51	0♑15
8 20	2 43	4 1	5 3	3 46	3 9	2 33
8 30	5 9	6 34	7 35	6 7	5 26	4 51
8 40	7 35	9 9	10 6	8 27	7 43	7 10
8 50	10 3	11 43	12 37	10 47	10 0	9 29
DT	*14.9*	*15.6*	*15.0*	*13.9*	*13.7*	*14.0*
DL	*0.0*	*2.4*	*-4.5*	*-16.9*	*-16.1*	*-8.6*
9 0	12♌32	14♍19	15♎8	13♏7	12♐17	11♑48
9 10	15 2	16 55	17 38	15 25	14 33	14 9
9 20	17 33	19 31	20 8	17 44	16 50	16 30
9 30	20 6	22 8	22 37	20 2	19 6	18 51
9 40	22 39	24 45	25 5	22 19	21 22	21 14
9 50	25 14	27 23	27 33	24 36	23 39	23 38
DT	*15.6*	*15.7*	*14.7*	*13.6*	*13.7*	*14.5*
DL	*0.0*	*0.0*	*-8.5*	*-20.7*	*-17.1*	*-8.0*
10 0	27♌49	0♎0	0♏1	26♏52	25♐56	26♑2
10 10	0♍26	2 37	2 27	29 8	28 13	28 28
10 20	3 3	5 15	4 53	1♐23	0♑30	0♒55
10 30	5 42	7 52	7 18	3 39	2 48	3 23
10 40	8 22	10 29	9 43	5 54	5 7	5 53
10 50	11 2	13 5	12 6	8 9	7 26	8 24
DT	*16.1*	*15.6*	*14.3*	*13.5*	*14.0*	*15.3*
DL	*0.0*	*-2.4*	*-11.9*	*-23.6*	*-17.3*	*-7.0*
11 0	13♍43	15♎41	14♏29	10♐24	9♑46	10♒56
11 10	16 25	18 17	16 51	12 39	12 7	13 29
11 20	19 7	20 51	19 13	14 53	14 29	16 4
11 30	21 50	23 26	21 34	17 8	16 52	18 41
11 40	24 33	25 59	23 54	19 24	19 15	21 18
11 50	27 17	28 32	26 13	21 39	21 40	23 57

LATITUDE 15 DEGREES — PLACIDUS HOUSES

S.T.	10	11	12	1	2	3	S.T.	10	11	12	1	2	3
DT	*16.3*	*15.1*	*13.9*	*13.6*	*14.7*	*16.1*		*13.8*	*14.5*	*16.6*	*18.5*	*16.6*	*14.5*
DL	*0.0*	*-4.6*	*-14.4*	*-25.4*	*-16.6*	*-5.2*		*0.0*	*-8.0*	*-11.1*	*-0.0*	*11.1*	*8.0*
12 0	0♎ 0	1♏ 4	28♏32	23♐55	24♑ 7	26♒38	18 0	0♑ 0	26♑ 2	25♒21	0♈ 0	4♉39	3♊58
12 10	2 43	3 35	0♐51	26 11	26 34	29 19	18 10	2 18	28 28	28 8	3 5	7 24	6 22
12 20	5 27	6 5	3 9	28 28	29 3	2♓ 2	18 20	4 35	0♒55	0♓56	6 10	10 8	8 46
12 30	8 10	8 34	5 26	0♑46	1♒34	4 46	18 30	6 53	3 23	3 46	9 14	12 50	11 9
12 40	10 53	11 2	7 43	3 4	4 6	7 31	18 40	9 11	5 53	6 37	12 18	15 30	13 30
12 50	13 35	13 30	10 0	5 23	6 40	10 18	18 50	11 30	8 24	9 30	15 20	18 8	15 51
DT	*16.1*	*14.6*	*13.7*	*14.1*	*15.6*	*16.8*		*13.9*	*15.3*	*17.4*	*18.1*	*15.6*	*14.0*
DL	*0.0*	*-6.3*	*-16.1*	*-26.2*	*-14.6*	*-2.8*		*0.0*	*-7.0*	*-6.1*	*9.9*	*14.6*	*8.6*
13 0	16♎17	15♏56	12♐17	7♑43	9♒15	13♓ 5	19 0	13♑49	10♒56	12♓23	18♈22	20♉45	18♊12
13 10	18 58	18 22	14 33	10 4	11 52	15 53	19 10	16 8	13 29	15 18	21 22	23 20	20 31
13 20	21 38	20 47	16 50	12 26	14 30	18 41	19 20	18 28	16 4	18 13	24 21	25 54	22 50
13 30	24 18	23 10	19 6	14 49	17 10	21 30	19 30	20 49	18 41	21 9	27 19	28 26	25 9
13 40	26 57	25 33	21 22	17 14	19 52	24 20	19 40	23 10	21 18	24 6	0♉14	0♊57	27 27
13 50	29 34	27 56	23 39	19 40	22 36	27 10	19 50	25 32	23 57	27 3	3 8	3 26	29 45
DT	*15.6*	*14.1*	*13.7*	*14.8*	*16.6*	*17.0*		*14.3*	*16.1*	*17.7*	*17.1*	*14.7*	*13.7*
DL	*0.0*	*-7.5*	*-17.1*	*-25.5*	*-11.1*	*-0.0*		*0.0*	*-5.2*	*-0.0*	*17.9*	*16.6*	*8.6*
14 0	2♏11	0♐17	25♐56	22♑ 8	25♒21	0♈ 0	20 0	27♑55	26♒38	0♈ 0	6♉ 1	5♊53	2♋ 2
14 10	4 46	2 38	28 13	24 37	28 8	2 50	20 10	0♒18	29 19	2 57	8 51	8 20	4 20
14 20	7 21	4 58	0♑30	27 8	0♓56	5 40	20 20	2 43	2♓ 2	5 54	11 39	10 45	6 37
14 30	9 54	7 17	2 48	29 40	3 46	8 30	20 30	5 9	4 46	8 51	14 25	13 8	8 54
14 40	12 27	9 36	5 7	2♒14	6 37	11 19	20 40	7 35	7 31	11 47	17 9	15 31	11 12
14 50	14 58	11 55	7 26	4 51	9 30	14 7	20 50	10 3	10 18	14 42	19 51	17 53	13 29
DT	*14.9*	*13.8*	*14.0*	*15.9*	*17.4*	*16.8*		*14.9*	*16.8*	*17.4*	*15.9*	*14.0*	*13.8*
DL	*0.0*	*-8.3*	*-17.3*	*-23.0*	*-6.1*	*2.8*		*0.0*	*-2.8*	*6.1*	*23.0*	*17.3*	*8.3*
15 0	17♏28	14♐13	9♑46	7♒29	12♓23	16♈55	21 0	12♒32	13♓ 5	17♈37	22♉31	20♊14	15♋47
15 10	19 57	16 31	12 7	10 9	15 18	19 42	21 10	15 2	15 53	20 30	25 9	22 34	18 5
15 20	22 25	18 48	14 29	12 51	18 13	22 29	21 20	17 33	18 41	23 23	27 46	24 53	20 24
15 30	24 51	21 6	16 52	15 35	21 9	25 14	21 30	20 6	21 30	26 14	0♊20	27 12	22 43
15 40	27 17	23 23	19 15	18 21	24 6	27 58	21 40	22 39	24 20	29 4	2 52	29 30	25 2
15 50	29 42	25 40	21 40	21 9	27 3	0♉41	21 50	25 14	27 10	1♉52	5 23	1♋47	27 22
DT	*14.3*	*13.7*	*14.7*	*17.1*	*17.7*	*16.1*		*15.6*	*17.0*	*16.6*	*14.8*	*13.7*	*14.1*
DL	*0.0*	*-8.6*	*-16.6*	*-17.9*	*-0.0*	*5.2*		*0.0*	*-0.0*	*11.1*	*25.5*	*17.1*	*7.5*
16 0	2♐ 5	27♐58	24♑ 7	23♒59	0♈ 0	3♉22	22 0	27♒49	0♈ 0	4♉39	7♊52	4♋ 4	29♋43
16 10	4 28	0♑15	26 34	26 52	2 57	6 3	22 10	0♓26	2 50	7 24	10 20	6 21	2♌ 4
16 20	6 50	2 33	29 3	29 46	5 54	8 42	22 20	3 3	5 40	10 8	12 46	8 38	4 27
16 30	9 11	4 51	1♒34	2♓41	8 51	11 19	22 30	5 42	8 30	12 50	15 11	10 54	6 50
16 40	11 32	7 10	4 6	5 39	11 47	13 56	22 40	8 22	11 19	15 30	17 34	13 10	9 13
16 50	13 52	9 29	6 40	8 38	14 42	16 31	22 50	11 2	14 7	18 8	19 56	15 27	11 38
DT	*13.9*	*14.0*	*15.6*	*18.1*	*17.4*	*15.3*		*16.1*	*16.8*	*15.6*	*14.1*	*13.7*	*14.6*
DL	*0.0*	*-8.6*	*-14.6*	*-9.9*	*6.1*	*7.0*		*0.0*	*2.8*	*14.6*	*26.2*	*16.1*	*6.3*
17 0	16♐11	11♑48	9♒15	11♓38	17♈37	19♉ 4	23 0	13♓43	16♈55	20♉45	22♊17	17♋43	14♌ 4
17 10	18 30	14 9	11 52	14 40	20 30	21 36	23 10	16 25	19 42	23 20	24 37	20 0	16 30
17 20	20 49	16 30	14 30	17 42	23 23	24 7	23 20	19 7	22 29	25 54	26 56	22 17	18 58
17 30	23 7	18 51	17 10	20 46	26 14	26 37	23 30	21 50	25 14	28 26	29 14	24 34	21 26
17 40	25 25	21 14	19 52	23 50	29 4	29 5	23 40	24 33	27 58	0♊57	1♋32	26 51	23 55
17 50	27 42	23 38	22 36	26 55	1♉52	1♊32	23 50	27 17	0♉41	3 26	3 49	29 9	26 25

LATITUDE 16 DEGREES PLACIDUS HOUSES

S.T.	10	11	12	1	2	3	S.T.	10	11	12	1	2	3
DT	*16.3*	*16.1*	*14.7*	*13.6*	*13.8*	*15.1*		*13.8*	*14.1*	*14.6*	*14.5*	*14.6*	*14.1*
DL	*0.0*	*5.3*	*16.8*	*25.6*	*14.5*	*4.6*		*0.0*	*7.5*	*8.6*	*0.0*	*-8.6*	*-7.5*
0 0	0♈ 0	3♉28	6♊10	6♋30	1♌42	29♌ 1	6 0	0♋ 0	29♋51	0♍ 8	0♎ 0	29♎52	0♐ 9
0 10	2 43	6 8	8 36	8 46	4 1	1♍32	6 10	2 18	2♌12	2 35	2 25	2♏18	2 30
0 20	5 27	8 48	11 2	11 1	6 20	4 5	6 20	4 35	4 34	5 2	4 51	4 43	4 50
0 30	8 10	11 26	13 26	13 16	8 39	6 38	6 30	6 53	6 57	7 30	7 16	7 8	7 9
0 40	10 53	14 2	15 48	15 31	11 0	9 12	6 40	9 11	9 20	9 58	9 41	9 32	9 28
0 50	13 35	16 37	18 10	17 45	13 21	11 46	6 50	11 30	11 45	12 27	12 6	11 55	11 47
DT	*16.1*	*15.3*	*14.0*	*13.4*	*14.2*	*15.5*		*13.9*	*14.6*	*15.0*	*14.4*	*14.2*	*13.8*
DL	*0.0*	*7.1*	*17.5*	*23.7*	*11.9*	*2.4*		*0.0*	*6.3*	*4.5*	*-6.2*	*-11.9*	*-8.3*
1 0	16♈17	19♉11	20♊31	20♋ 0	15♌43	14♍21	7 0	13♋49	14♌10	14♍57	14♎30	14♏17	14♐ 5
1 10	18 58	21 43	22 51	22 14	18 5	16 57	7 10	16 8	16 36	17 27	16 55	16 39	16 22
1 20	21 38	24 14	25 10	24 29	20 28	19 33	7 20	18 28	19 3	19 57	19 18	19 0	18 40
1 30	24 18	26 44	27 29	26 43	22 52	22 9	7 30	20 49	21 31	22 27	21 42	21 21	20 57
1 40	26 57	29 12	29 47	28 58	25 17	24 46	7 40	23 10	24 0	24 58	24 5	23 40	23 14
1 50	29 34	1♊40	2♋ 4	1♌13	27 42	27 23	7 50	25 32	26 30	27 29	26 27	25 59	25 32
DT	*15.6*	*14.5*	*13.7*	*13.6*	*14.6*	*15.7*		*14.3*	*15.1*	*15.1*	*14.2*	*13.8*	*13.7*
DL	*0.0*	*8.1*	*17.3*	*20.8*	*8.6*	*0.0*		*0.0*	*4.6*	*0.0*	*-12.0*	*-14.5*	*-8.7*
2 0	2♉11	4♊ 6	4♋21	3♌29	0♍ 8	0♎ 0	8 0	27♋55	29♌ 1	0♎ 0	28♎49	28♏18	27♐49
2 10	4 46	6 30	6 38	5 45	2 35	2 37	8 10	0♌18	1♍32	2 31	1♏11	0♐36	0♑ 7
2 20	7 21	8 54	8 54	8 1	5 2	5 14	8 20	2 43	4 5	5 2	3 32	2 54	2 24
2 30	9 54	11 17	11 11	10 17	7 30	7 51	8 30	5 9	6 38	7 33	5 52	5 11	4 42
2 40	12 27	13 39	13 27	12 35	9 58	10 27	8 40	7 35	9 12	10 3	8 12	7 28	7 1
2 50	14 58	16 0	15 43	14 52	12 27	13 3	8 50	10 3	11 46	12 33	10 31	9 44	9 20
DT	*14.9*	*14.0*	*13.6*	*13.8*	*15.0*	*15.5*		*14.9*	*15.5*	*15.0*	*13.8*	*13.6*	*14.0*
DL	*0.0*	*8.7*	*16.2*	*16.9*	*4.5*	*-2.4*		*0.0*	*2.4*	*-4.5*	*-16.9*	*-16.2*	*-8.7*
3 0	17♉28	18♊20	17♋59	17♌10	14♍57	15♎39	9 0	12♌32	14♍21	15♎ 3	12♏50	12♐ 1	11♑40
3 10	19 57	20 40	20 16	19 29	17 27	18 14	9 10	15 2	16 57	17 33	15 8	14 17	14 0
3 20	22 25	22 59	22 32	21 48	19 57	20 48	9 20	17 33	19 33	20 2	17 25	16 33	16 21
3 30	24 51	25 18	24 49	24 8	22 27	23 22	9 30	20 6	22 9	22 30	19 43	18 49	18 43
3 40	27 17	27 36	27 6	26 28	24 58	25 55	9 40	22 39	24 46	24 58	21 59	21 6	21 6
3 50	29 42	29 53	29 24	28 49	27 29	28 28	9 50	25 14	27 23	27 25	24 15	23 22	23 30
DT	*14.3*	*13.7*	*13.8*	*14.2*	*15.1*	*15.1*		*15.6*	*15.7*	*14.6*	*13.6*	*13.7*	*14.5*
DL	*0.0*	*8.7*	*14.5*	*12.0*	*0.0*	*-4.6*		*0.0*	*0.0*	*-8.6*	*-20.8*	*-17.3*	*-8.1*
4 0	2♊ 5	2♋11	1♌42	1♍11	0♎ 0	0♏59	10 0	27♌49	0♎ 0	29♎52	26♏31	25♐39	25♑54
4 10	4 28	4 28	4 1	3 33	2 31	3 30	10 10	0♍26	2 37	2♏18	28 47	27 56	28 20
4 20	6 50	6 46	6 20	5 55	5 2	6 0	10 20	3 3	5 14	4 43	1♐ 2	0♑13	0♒48
4 30	9 11	9 3	8 39	8 18	7 33	8 29	10 30	5 42	7 51	7 8	3 17	2 31	3 16
4 40	11 32	11 20	11 0	10 42	10 3	10 57	10 40	8 22	10 27	9 32	5 31	4 50	5 46
4 50	13 52	13 38	13 21	13 5	12 33	13 24	10 50	11 2	13 3	11 55	7 46	7 9	8 17
DT	*13.9*	*13.8*	*14.2*	*14.4*	*15.0*	*14.6*		*16.1*	*15.5*	*14.2*	*13.4*	*14.0*	*15.3*
DL	*0.0*	*8.3*	*11.9*	*6.2*	*-4.5*	*-6.3*		*0.0*	*-2.4*	*-11.9*	*-23.7*	*-17.5*	*-7.1*
5 0	16♊11	15♋55	15♌43	15♍30	15♎ 3	15♏50	11 0	13♍43	15♎39	14♏17	10♐ 0	9♑29	10♒49
5 10	18 30	18 13	18 5	17 54	17 33	18 15	11 10	16 25	18 14	16 39	12 15	11 50	13 23
5 20	20 49	20 32	20 28	20 19	20 2	20 40	11 20	19 7	20 48	19 0	14 29	14 12	15 58
5 30	23 7	22 51	22 52	22 44	22 30	23 3	11 30	21 50	23 22	21 21	16 44	16 34	18 34
5 40	25 25	25 10	25 17	25 9	24 58	25 26	11 40	24 33	25 55	23 40	18 59	18 58	21 12
5 50	27 42	27 30	27 42	27 35	27 25	27 48	11 50	27 17	28 28	25 59	21 14	21 24	23 52

LATITUDE 16 DEGREES PLACIDUS HOUSES

S.T.	10	11	12	1	2	3	S.T.	10	11	12	1	2	3
DT	16.3	15.1	13.8	13.6	14.7	16.1		13.8	14.5	16.7	18.7	16.7	14.5
DL	0.0	-4.6	-14.5	-25.6	-16.8	-5.3		0.0	-8.1	-11.4	-0.0	11.4	8.1
12 0	0♎0	0♏59	28♏18	23♐30	23♐50	26♒32	18 0	0♑0	25♑54	25♒10	0♈0	4♉50	4♊6
12 10	2 43	3 30	0♐36	25 46	26 18	29 14	18 10	2 18	28 20	27 57	3 7	7 36	6 30
12 20	5 27	6 0	2 54	28 2	28 47	1♓58	18 20	4 35	0♒48	0♓47	6 13	10 20	8 54
12 30	8 10	8 29	5 11	0♑20	1♒18	4 42	18 30	6 53	3 16	3 37	9 19	13 3	11 17
12 40	10 53	10 57	7 28	2 38	3 51	7 28	18 40	9 11	5 46	6 29	12 24	15 43	13 39
12 50	13 35	13 24	9 44	4 57	6 25	10 14	18 50	11 30	8 17	9 23	15 29	18 23	16 0
DT	16.1	14.6	13.6	14.0	15.6	16.8		13.9	15.3	17.5	18.3	15.6	14.0
DL	0.0	-6.3	-16.2	-26.5	-14.9	-2.9		0.0	-7.1	-6.2	10.2	14.9	8.7
13 0	16♎17	15♏50	12♐1	7♑17	9♒0	13♓2	19 0	13♑49	10♒49	12♓17	18♈32	21♉0	18♊20
13 10	18 58	18 15	14 17	9 38	11 37	15 50	19 10	16 8	13 23	15 13	21 34	23 35	20 40
13 20	21 38	20 40	16 33	12 0	14 17	18 39	19 20	18 28	15 58	18 9	24 34	26 9	22 59
13 30	24 18	23 3	18 49	14 23	16 57	21 29	19 30	20 49	18 34	21 6	27 33	28 42	25 18
13 40	26 57	25 26	21 6	16 48	19 40	24 19	19 40	23 10	21 12	24 4	0♊30	1♊13	27 36
13 50	29 34	27 48	23 22	19 14	22 24	27 9	19 50	25 32	23 52	27 2	3 25	3 42	29 53
DT	15.6	14.1	13.7	14.9	16.7	17.1		14.3	16.1	17.8	17.2	14.7	13.7
DL	0.0	-7.5	-17.3	-26.0	-11.4	-0.0		0.0	-5.3	-0.0	18.3	16.8	8.7
14 0	2♏11	0♐9	25♐39	21♑42	25♒10	0♈0	20 0	27♑55	26♒32	0♈0	6♉18	6♊10	2♋11
14 10	4 46	2 30	27 56	24 12	27 57	2 51	20 10	0♒18	29 14	2 58	9 10	8 36	4 28
14 20	7 21	4 50	0♑13	26 43	0♓47	5 41	20 20	2 43	1♓58	5 56	11 59	11 2	6 46
14 30	9 54	7 9	2 31	29 16	3 37	8 31	20 30	5 9	4 42	8 54	14 46	13 26	9 3
14 40	12 27	9 28	4 50	1♒50	6 29	11 21	20 40	7 35	7 28	11 51	17 31	15 48	11 20
14 50	14 58	11 47	7 9	4 27	9 23	14 10	20 50	10 3	10 14	14 47	20 14	18 10	13 38
DT	14.9	13.8	14.0	16.0	17.5	16.8		14.9	16.8	17.5	16.0	14.0	13.8
DL	0.0	-8.3	-17.5	-23.5	-6.2	2.9		0.0	-2.9	6.2	23.5	17.5	8.3
15 0	17♏28	14♐5	9♑29	7♒6	12♓17	16♈58	21 0	12♒32	13♓2	17♈43	22♉54	20♊31	15♋55
15 10	19 57	16 22	11 50	9 46	15 13	19 46	21 10	15 2	15 50	20 37	25 33	22 51	18 13
15 20	22 25	18 40	14 12	12 29	18 9	22 32	21 20	17 33	18 39	23 31	28 10	25 10	20 32
15 30	24 51	20 57	16 34	15 14	21 6	25 18	21 30	20 6	21 29	26 23	0♊44	27 29	22 51
15 40	27 17	23 14	18 58	18 1	24 4	28 2	21 40	22 39	24 19	29 13	3 17	29 47	25 10
15 50	29 42	25 32	21 24	20 50	27 2	0♉46	21 50	25 14	27 9	2♉3	5 48	2♋4	27 30
DT	14.3	13.7	14.7	17.2	17.8	16.1		15.6	17.1	16.7	14.9	13.7	14.1
DL	0.0	-8.7	-16.8	-18.3	-0.0	5.3		0.0	-0.0	11.4	26.0	17.3	7.5
16 0	2♐5	27♐49	23♑50	23♒42	0♈0	3♉28	22 0	27♒49	0♈0	4♉50	8♊18	4♋21	29♋51
16 10	4 28	0♑7	26 18	26 35	2 58	6 8	22 10	0♓26	2 51	7 36	10 46	6 38	2♌12
16 20	6 50	2 24	28 47	29 30	5 56	8 48	22 20	3 3	5 41	10 20	13 12	8 54	4 34
16 30	9 11	4 42	1♒18	2♓27	8 54	11 26	22 30	5 42	8 31	13 3	15 37	11 11	6 57
16 40	11 32	7 1	3 51	5 26	11 51	14 2	22 40	8 22	11 21	15 43	18 0	13 27	9 20
16 50	13 52	9 20	6 25	8 26	14 47	16 37	22 50	11 2	14 10	18 23	20 22	15 43	11 45
DT	13.9	14.0	15.6	18.3	17.5	15.3		16.1	16.8	15.6	14.0	13.6	14.6
DL	0.0	-8.7	-14.9	-10.2	6.2	7.1		0.0	2.9	14.9	26.5	16.2	6.3
17 0	16♐11	11♑40	9♒0	11♓28	17♈43	19♉11	23 0	13♓43	16♈58	21♉0	22♊43	17♋59	14♌10
17 10	18 30	14 0	11 37	14 31	20 37	21 43	23 10	16 25	19 46	23 35	25 3	20 16	16 36
17 20	20 49	16 21	14 17	17 36	23 31	24 14	23 20	19 7	22 32	26 9	27 22	22 32	19 3
17 30	23 7	18 43	16 57	20 41	26 23	26 44	23 30	21 50	25 18	28 42	29 40	24 49	21 31
17 40	25 25	21 6	19 40	23 47	29 13	29 12	23 40	24 33	28 2	1♊13	1♋58	27 6	24 0
17 50	27 42	23 30	22 24	26 53	2♉3	1♊40	23 50	27 17	0♉46	3 42	4 14	29 24	26 30

LATITUDE 17 DEGREES PLACIDUS HOUSES

S.T.	10	11	12	1	2	3	S.T.	10	11	12	1	2	3
DT	*16.3*	*16.2*	*14.7*	*13.6*	*13.8*	*15.1*		*13.8*	*14.1*	*14.6*	*14.4*	*14.6*	*14.1*
DL	*0.0*	*5.4*	*17.1*	*25.8*	*14.6*	*4.6*		*0.0*	*7.6*	*8.6*	*0.0*	*-8.6*	*-7.6*
0 0	0♈ 0	3♉33	6♊27	6♋56	1♌56	29♌ 5	6 0	0♋ 0	29♋58	0♍16	0♎ 0	29♎44	0♐ 2
0 10	2 43	6 14	8 53	9 11	4 15	1♍37	6 10	2 18	2♌19	2 42	2 24	2♏ 9	2 22
0 20	5 27	8 54	11 19	11 26	6 33	4 9	6 20	4 35	4 41	5 9	4 49	4 34	4 42
0 30	8 10	11 32	13 43	13 41	8 53	6 41	6 30	6 53	7 4	7 36	7 13	6 58	7 1
0 40	10 53	14 9	16 6	15 55	11 13	9 15	6 40	9 11	9 27	10 4	9 37	9 21	9 20
0 50	13 35	16 44	18 28	18 9	13 33	11 49	6 50	11 30	11 51	12 32	12 1	11 44	11 38
DT	*16.1*	*15.3*	*14.0*	*13.4*	*14.2*	*15.5*		*13.9*	*14.6*	*14.9*	*14.3*	*14.2*	*13.8*
DL	*0.0*	*7.2*	*17.8*	*23.8*	*12.0*	*2.4*		*0.0*	*6.4*	*4.5*	*-6.2*	*-12.0*	*-8.4*
1 0	16♈17	19♉18	20♊49	20♋24	15♌55	14♍24	7 0	13♋49	14♌16	15♍ 1	14♎24	14♏ 5	13♐56
1 10	18 58	21 51	23 9	22 38	18 16	16 59	7 10	16 8	16 42	17 30	16 47	16 27	16 14
1 20	21 38	24 22	25 28	24 52	20 39	19 35	7 20	18 28	19 9	20 0	19 10	18 47	18 31
1 30	24 18	26 52	27 46	27 6	23 2	22 11	7 30	20 49	21 37	22 30	21 33	21 7	20 49
1 40	26 57	29 20	0♋ 4	29 20	25 26	24 47	7 40	23 10	24 6	25 0	23 55	23 27	23 6
1 50	29 34	1♊48	2 22	1♌35	27 51	27 23	7 50	25 32	26 35	27 30	26 16	25 45	25 23
DT	*15.6*	*14.6*	*13.7*	*13.5*	*14.6*	*15.7*		*14.3*	*15.1*	*15.0*	*14.1*	*13.8*	*13.7*
DL	*0.0*	*8.3*	*17.5*	*20.8*	*8.6*	*0.0*		*0.0*	*4.6*	*0.0*	*-12.0*	*-14.6*	*-8.8*
2 0	2♉11	4♊14	4♋39	3♌50	0♍16	0♎ 0	8 0	27♋55	29♌ 5	0♎ 0	28♎37	28♏ 4	27♐40
2 10	4 46	6 39	6 55	6 5	2 42	2 37	8 10	0♌18	1♍37	2 30	0♏58	0♐21	29 58
2 20	7 21	9 3	9 11	8 20	5 9	5 13	8 20	2 43	4 9	5 0	3 18	2 39	2♑16
2 30	9 54	11 25	11 27	10 36	7 36	7 49	8 30	5 9	6 41	7 30	5 38	4 55	4 34
2 40	12 27	13 47	13 43	12 53	10 4	10 25	8 40	7 35	9 15	10 0	7 57	7 12	6 52
2 50	14 58	16 9	15 59	15 10	12 32	13 1	8 50	10 3	11 49	12 30	10 15	9 28	9 11
DT	*14.9*	*14.0*	*13.6*	*13.8*	*14.9*	*15.5*		*14.9*	*15.5*	*14.9*	*13.8*	*13.6*	*14.0*
DL	*0.0*	*8.8*	*16.4*	*16.9*	*4.5*	*-2.4*		*0.0*	*2.4*	*-4.5*	*-16.9*	*-16.4*	*-8.8*
3 0	17♉28	18♊29	18♋15	17♌27	15♍ 1	15♎36	9 0	12♌32	14♍24	14♎59	12♏33	11♐45	11♑31
3 10	19 57	20 49	20 32	19 45	17 30	18 11	9 10	15 2	16 59	17 28	14 50	14 1	13 51
3 20	22 25	23 8	22 48	22 3	20 0	20 45	9 20	17 33	19 35	19 56	17 7	16 17	16 13
3 30	24 51	25 26	25 5	24 22	22 30	23 19	9 30	20 6	22 11	22 24	19 24	18 33	18 35
3 40	27 17	27 44	27 21	26 42	25 0	25 51	9 40	22 39	24 47	24 51	21 40	20 49	20 57
3 50	29 42	0♋ 2	29 39	29 2	27 30	28 23	9 50	25 14	27 23	27 18	23 55	23 5	23 21
DT	*14.3*	*13.7*	*13.8*	*14.1*	*15.0*	*15.1*		*15.6*	*15.7*	*14.6*	*13.5*	*13.7*	*14.6*
DL	*0.0*	*8.8*	*14.6*	*12.0*	*0.0*	*-4.6*		*0.0*	*0.0*	*-8.6*	*-20.8*	*-17.5*	*-8.3*
4 0	2♊ 5	2♋20	1♌56	1♍23	0♎ 0	0♏55	10 0	27♌49	0♎ 0	29♎44	26♏10	25♐21	25♑46
4 10	4 28	4 37	4 15	3 44	2 30	3 25	10 10	0♍26	2 37	2♏ 9	28 25	27 38	28 12
4 20	6 50	6 54	6 33	6 5	5 0	5 54	10 20	3 3	5 13	4 34	0♐40	29 56	0♒40
4 30	9 11	9 11	8 53	8 27	7 30	8 23	10 30	5 42	7 49	6 58	2 54	2♑14	3 8
4 40	11 32	11 29	11 13	10 50	10 0	10 51	10 40	8 22	10 25	9 21	5 8	4 32	5 38
4 50	13 52	13 46	13 33	13 13	12 30	13 18	10 50	11 2	13 1	11 44	7 22	6 51	8 9
DT	*13.9*	*13.8*	*14.2*	*14.3*	*14.9*	*14.6*		*16.1*	*15.5*	*14.2*	*13.4*	*14.0*	*15.3*
DL	*0.0*	*8.4*	*12.0*	*6.2*	*-4.5*	*-6.4*		*0.0*	*-2.4*	*-12.0*	*-23.8*	*-17.8*	*-7.2*
5 0	16♊11	16♋ 4	15♌55	15♍36	14♎59	15♏44	11 0	13♍43	15♎36	14♏ 5	9♐36	9♑11	10♒42
5 10	18 30	18 22	18 16	17 59	17 28	18 9	11 10	16 25	18 11	16 27	11 51	11 32	13 16
5 20	20 49	20 40	20 39	20 23	19 56	20 33	11 20	19 7	20 45	18 47	14 5	13 54	15 51
5 30	23 7	22 59	23 2	22 47	22 24	22 56	11 30	21 50	23 19	21 7	16 19	16 17	18 28
5 40	25 25	25 18	25 26	25 11	24 51	25 19	11 40	24 33	25 51	23 27	18 34	18 41	21 6
5 50	27 42	27 38	27 51	27 36	27 18	27 41	11 50	27 17	28 23	25 45	20 49	21 7	23 46

LATITUDE 17 DEGREES PLACIDUS HOUSES

S.T.	10	11	12	1	2	3	S.T.	10	11	12	1	2	3
DT	*16.3*	*15.1*	*13.8*	*13.6*	*14.7*	*16.2*		*13.8*	*14.6*	*16.7*	*18.8*	*16.7*	*14.6*
DL	*0.0*	*-4.6*	*-14.6*	*-25.8*	*-17.1*	*-5.4*		*0.0*	*-8.3*	*-11.6*	*-0.0*	*11.6*	*8.3*
12 0	0♎ 0	0♏55	28♏ 4	23♐ 4	23♑33	26♒27	18 0	0♑ 0	25♑46	24♒59	0♈ 0	5♉ 1	4♊14
12 10	2 43	3 25	0♐21	25 20	26 1	29 9	18 10	2 18	28 12	27 47	3 8	7 48	6 39
12 20	5 27	5 54	2 39	27 36	28 31	1♓53	18 20	4 35	0♒40	0♓37	6 17	10 33	9 3
12 30	8 10	8 23	4 55	29 54	1♒ 2	4 38	18 30	6 53	3 8	3 28	9 24	13 16	11 25
12 40	10 53	10 51	7 12	2♑12	3 35	7 24	18 40	9 11	5 38	6 21	12 31	15 57	13 47
12 50	13 35	13 18	9 28	4 30	6 9	10 11	18 50	11 30	8 9	9 15	15 37	18 37	16 9
DT	*16.1*	*14.6*	*13.6*	*14.0*	*15.7*	*16.8*		*13.9*	*15.3*	*17.6*	*18.4*	*15.7*	*14.0*
DL	*0.0*	*-6.4*	*-16.4*	*-26.8*	*-15.1*	*-2.9*		*0.0*	*-7.2*	*-6.4*	*10.5*	*15.1*	*8.8*
13 0	16♎17	15♏44	11♐45	6♑50	8♒45	12♓59	19 0	13♑49	10♒42	12♓11	18♈42	21♉15	18♊29
13 10	18 58	18 9	14 1	9 11	11 23	15 48	19 10	16 8	13 16	15 7	21 46	23 51	20 49
13 20	21 38	20 33	16 17	11 34	14 3	18 37	19 20	18 28	15 51	18 5	24 47	26 25	23 8
13 30	24 18	22 56	18 33	13 57	16 44	21 28	19 30	20 49	18 28	21 3	27 48	28 58	25 26
13 40	26 57	25 19	20 49	16 22	19 27	24 18	19 40	23 10	21 6	24 2	0♉46	1♊29	27 44
13 50	29 34	27 41	23 5	18 48	22 12	27 9	19 50	25 32	23 46	27 1	3 42	3 59	0♋ 2
DT	*15.6*	*14.1*	*13.7*	*14.9*	*16.7*	*17.1*		*14.3*	*16.2*	*17.9*	*17.3*	*14.7*	*13.7*
DL	*0.0*	*-7.6*	*-17.5*	*-26.4*	*-11.6*	*-0.0*		*0.0*	*5.4*	*0.0*	*10.8*	*17.1*	*8.8*
14 0	2♏11	0♐ 2	25♐21	21♑16	24♒59	0♈ 0	20 0	27♑55	26♒27	0♈ 0	6♉37	6♊27	2♋20
14 10	4 46	2 22	27 38	23 46	27 47	2 51	20 10	0♒18	29 9	2 59	9 29	8 53	4 37
14 20	7 21	4 42	29 56	26 17	0♓37	5 42	20 20	2 43	1♓53	5 58	12 19	11 19	6 54
14 30	9 54	7 1	2♑14	28 51	3 28	8 32	20 30	5 9	4 38	8 57	15 7	13 43	9 11
14 40	12 27	9 20	4 32	1♒26	6 21	11 23	20 40	7 35	7 24	11 55	17 53	16 6	11 29
14 50	14 58	11 38	6 51	4 3	9 15	14 12	20 50	10 3	10 11	14 53	20 36	18 28	13 46
DT	*14.9*	*13.8*	*14.0*	*16.0*	*17.6*	*16.8*		*14.9*	*16.8*	*17.6*	*16.0*	*14.0*	*13.8*
DL	*0.0*	*-8.4*	*-17.8*	*-24.0*	*-6.4*	*2.9*		*0.0*	*-2.9*	*6.4*	*24.0*	*17.8*	*8.4*
15 0	17♏28	13♐56	9♑11	6♒42	12♓11	17♈ 1	21 0	12♒32	12♓59	17♈49	23♉18	20♊49	16♋ 4
15 10	19 57	16 14	11 32	9 24	15 7	19 49	21 10	15 2	15 48	20 45	25 57	23 9	18 22
15 20	22 25	18 31	13 54	12 7	18 5	22 36	21 20	17 33	18 37	23 39	28 34	25 28	20 40
15 30	24 51	20 49	16 17	14 53	21 3	25 22	21 30	20 6	21 28	26 32	1♊ 9	27 46	22 59
15 40	27 17	23 6	18 41	17 41	24 2	28 7	21 40	22 39	24 18	29 23	3 43	0♋ 4	25 18
15 50	29 42	25 23	21 7	20 31	27 1	0♉51	21 50	25 14	27 9	2♉13	6 14	2 22	27 38
DT	*14.3*	*13.7*	*14.7*	*17.3*	*17.9*	*16.2*		*15.6*	*17.1*	*16.7*	*14.9*	*13.7*	*14.1*
DL	*0.0*	*-8.8*	*-17.1*	*-18.8*	*-0.0*	*5.4*		*0.0*	*-0.0*	*11.6*	*26.4*	*17.5*	*7.6*
16 0	2♐ 5	27♐40	23♑33	23♒23	0♈ 0	3♉33	22 0	27♒49	0♈ 0	5♉ 1	8♊44	4♋39	29♋58
16 10	4 28	29 58	26 1	26 18	2 59	6 14	22 10	0♓26	2 51	7 48	11 12	6 55	2♌19
16 20	6 50	2♑16	28 31	29 14	5 58	8 54	22 20	3 3	5 42	10 33	13 38	9 11	4 41
16 30	9 11	4 34	1♒ 2	2♓12	8 57	11 32	22 30	5 42	8 32	13 16	16 3	11 27	7 4
16 40	11 32	6 52	3 35	5 13	11 55	14 9	22 40	8 22	11 23	15 57	18 26	13 43	9 27
16 50	13 52	9 11	6 9	8 14	14 53	16 44	22 50	11 2	14 12	18 37	20 49	15 59	11 51
DT	*13.9*	*14.0*	*15.7*	*18.4*	*17.6*	*15.3*		*16.1*	*16.8*	*15.7*	*14.0*	*13.6*	*14.6*
DL	*0.0*	*-8.8*	*-15.1*	*-10.5*	*6.4*	*7.2*		*0.0*	*2.9*	*15.1*	*26.8*	*16.4*	*6.4*
17 0	16♐11	11♑31	8♒45	11♓18	17♈49	19♉18	23 0	13♓43	17♈ 1	21♉15	23♊10	18♋15	14♌16
17 10	18 30	13 51	11 23	14 23	20 45	21 51	23 10	16 25	19 49	23 51	25 30	20 32	16 42
17 20	20 49	16 13	14 3	17 29	23 39	24 22	23 20	19 7	22 36	26 25	27 48	22 48	19 9
17 30	23 7	18 35	16 44	20 36	26 32	26 52	23 30	21 50	25 22	28 58	0♋ 6	25 5	21 37
17 40	25 25	20 57	19 27	23 43	29 23	29 20	23 40	24 33	28 7	1♊29	2 24	27 21	24 6
17 50	27 42	23 21	22 12	26 52	2♉13	1♊48	23 50	27 17	0♉51	3 59	4 40	29 39	26 35

LATITUDE 18 DEGREES PLACIDUS HOUSES

S.T.	10	11	12	1	2	3
DT	*16.3*	*16.2*	*14.8*	*13.5*	*13.8*	*15.0*
DL	*0.0*	*5.5*	*17.4*	*26.1*	*14.7*	*4.6*
0 0	0♈ 0	3♉38	6♊44	7♋22	2♌11	29♌10
0 10	2 43	6 20	9 11	9 37	4 29	1♍41
0 20	5 27	9 0	11 36	11 52	6 47	4 13
0 30	8 10	11 38	14 0	14 6	9 6	6 45
0 40	10 53	14 15	16 23	16 20	11 26	9 18
0 50	13 35	16 51	18 45	18 34	13 46	11 52
DT	*16.1*	*15.4*	*14.0*	*13.4*	*14.1*	*15.5*
DL	*0.0*	*7.3*	*18.0*	*24.0*	*12.0*	*2.5*
1 0	16♈17	19♉25	21♊ 6	20♋47	16♌ 6	14♍26
1 10	18 58	21 58	23 26	23 1	18 28	17 1
1 20	21 38	24 29	25 46	25 15	20 50	19 36
1 30	24 18	27 0	28 4	27 28	23 13	22 12
1 40	26 57	29 28	0♋22	29 42	25 36	24 48
1 50	29 34	1♊56	2 39	1♌56	28 0	27 24
DT	*15.6*	*14.6*	*13.7*	*13.4*	*14.5*	*15.6*
DL	*0.0*	*8.4*	*17.7*	*20.9*	*8.6*	*0.0*
2 0	2♉11	4♊22	4♋56	4♌10	0♍25	0♎ 0
2 10	4 46	6 47	7 12	6 25	2 50	2 36
2 20	7 21	9 11	9 29	8 40	5 16	5 12
2 30	9 54	11 34	11 45	10 55	7 43	7 48
2 40	12 27	13 56	14 0	13 11	10 10	10 24
2 50	14 58	16 17	16 16	15 27	12 38	12 59
DT	*14.9*	*14.0*	*13.6*	*13.7*	*14.8*	*15.5*
DL	*0.0*	*8.9*	*16.5*	*16.9*	*4.5*	*-2.5*
3 0	17♉28	18♊38	18♋32	17♌44	15♍ 6	15♎34
3 10	19 57	20 57	20 48	20 1	17 34	18 8
3 20	22 25	23 17	23 4	22 19	20 3	20 42
3 30	24 51	25 35	25 20	24 37	22 32	23 15
3 40	27 17	27 53	27 37	26 56	25 1	25 47
3 50	29 42	0♋11	29 54	29 15	27 31	28 19
DT	*14.3*	*13.7*	*13.8*	*14.0*	*14.9*	*15.0*
DL	*0.0*	*8.9*	*14.7*	*11.9*	*0.0*	*-4.6*
4 0	2♊ 5	2♋28	2♌11	1♍35	0♎ 0	0♏50
4 10	4 28	4 46	4 29	3 55	2 29	3 20
4 20	6 50	7 3	6 47	6 15	4 59	5 49
4 30	9 11	9 20	9 6	8 36	7 28	8 18
4 40	11 32	11 37	11 26	10 58	9 57	10 45
4 50	13 52	13 55	13 46	13 20	12 26	13 12
DT	*13.9*	*13.8*	*14.1*	*14.2*	*14.8*	*14.5*
DL	*0.0*	*8.5*	*12.0*	*6.2*	*-4.5*	*-6.4*
5 0	16♊11	16♋12	16♌ 6	15♍42	14♎54	15♏37
5 10	18 30	18 30	18 28	18 5	17 22	18 2
5 20	20 49	20 48	20 50	20 27	19 50	20 26
5 30	23 7	23 7	23 13	22 50	22 17	22 49
5 40	25 25	25 26	25 36	25 13	24 44	25 12
5 50	27 42	27 45	28 0	27 37	27 10	27 33

S.T.	10	11	12	1	2	3
	13.8	*14.1*	*14.5*	*14.3*	*14.5*	*14.1*
	0.0	*7.7*	*8.6*	*0.0*	*-8.6*	*-7.7*
6 0	0♋ 0	0♌ 6	0♍25	0♎ 0	29♎35	29♏54
6 10	2 18	2 27	2 50	2 23	2♏ 0	2♐15
6 20	4 35	4 48	5 16	4 47	4 24	4 34
6 30	6 53	7 11	7 43	7 10	6 47	6 53
6 40	9 11	9 34	10 10	9 33	9 10	9 12
6 50	11 30	11 58	12 38	11 55	11 32	11 30
	13.9	*14.5*	*14.8*	*14.2*	*14.1*	*13.8*
	0.0	*6.4*	*4.5*	*-6.2*	*-12.0*	*-8.5*
7 0	13♋49	14♌23	15♍ 6	14♎18	13♏54	13♐48
7 10	16 8	16 48	17 34	16 40	16 14	16 5
7 20	18 28	19 15	20 3	19 2	18 34	18 23
7 30	20 49	21 42	22 32	21 24	20 54	20 40
7 40	23 10	24 11	25 1	23 45	23 13	22 57
7 50	25 32	26 40	27 31	26 5	25 31	25 14
	14.3	*15.0*	*14.9*	*14.0*	*13.8*	*13.7*
	0.0	*4.6*	*0.0*	*-11.9*	*-14.7*	*-8.9*
8 0	27♋55	29♌10	0♎ 0	28♎25	27♏49	27♐32
8 10	0♌18	1♍41	2 29	0♏45	0♐ 6	29 49
8 20	2 43	4 13	4 59	3 4	2 23	2♑ 7
8 30	5 9	6 45	7 28	5 23	4 40	4 25
8 40	7 35	9 18	9 57	7 41	6 56	6 43
8 50	10 3	11 52	12 26	9 59	9 12	9 3
	14.9	*15.5*	*14.8*	*13.7*	*13.6*	*14.0*
	0.0	*2.5*	*-4.5*	*-16.9*	*-16.5*	*-8.9*
9 0	12♌32	14♍26	14♎54	12♏16	11♐28	11♑22
9 10	15 2	17 1	17 22	14 33	13 44	13 43
9 20	17 33	19 36	19 50	16 49	16 0	16 4
9 30	20 6	22 12	22 17	19 5	18 15	18 26
9 40	22 39	24 48	24 44	21 20	20 31	20 49
9 50	25 14	27 24	27 10	23 35	22 48	23 13
	15.6	*15.6*	*14.5*	*13.4*	*13.7*	*14.6*
	0.0	*0.0*	*-8.6*	*-20.9*	*-17.7*	*-8.4*
10 0	27♌49	0♎ 0	29♎35	25♏50	25♐ 4	25♑38
10 10	0♍26	2 36	2♏ 0	28 4	27 21	28 4
10 20	3 3	5 12	4 24	0♐18	29 38	0♒32
10 30	5 42	7 48	6 47	2 32	1♑56	3 0
10 40	8 22	10 24	9 10	4 45	4 14	5 31
10 50	11 2	12 59	11 32	6 59	6 34	8 2
	16.1	*15.5*	*14.1*	*13.4*	*14.0*	*15.4*
	0.0	*-2.5*	*-12.0*	*-24.0*	*-18.0*	*-7.3*
11 0	13♍43	15♎34	13♏54	9♐13	8♑54	10♒35
11 10	16 25	18 8	16 14	11 26	11 15	13 9
11 20	19 7	20 42	18 34	13 40	13 37	15 45
11 30	21 50	23 15	20 54	15 54	16 0	18 22
11 40	24 33	25 47	23 13	18 8	18 24	21 0
11 50	27 17	28 19	25 31	20 23	20 49	23 40

LATITUDE 18 DEGREES PLACIDUS HOUSES

S.T.	10	11	12	1	2	3	S.T.	10	11	12	1	2	3
DT	16.3	15.0	13.8	13.5	14.8	16.2		13.8	14.6	16.8	19.0	16.8	14.6
DL	0.0	−4.6	−14.7	−26.1	−17.4	−5.5		0.0	−8.4	−11.8	−0.0	11.8	8.4
12 0	0♎0	0♏50	27♏49	22♐38	23♑16	26♒22	18 0	0♑0	25♑38	24♒47	0♈0	5♉13	4♊22
12 10	2 43	3 20	0♐6	24 54	25 45	29 4	18 10	2 18	28 4	27 36	3 10	8 0	6 47
12 20	5 27	5 49	2 23	27 10	28 14	1♓48	18 20	4 35	0♒32	0♓27	6 20	10 46	9 11
12 30	8 10	8 18	4 40	29 27	0♒46	4 34	18 30	6 53	3 0	3 19	9 30	13 30	11 34
12 40	10 53	10 45	6 56	1♑45	3 19	7 20	18 40	9 11	5 31	6 13	12 38	16 11	13 56
12 50	13 35	13 12	9 12	4 4	5 54	10 8	18 50	11 30	8 2	9 8	15 46	18 52	16 17
DT	16.1	14.5	13.6	14.0	15.7	16.9		13.9	15.4	17.7	18.6	15.7	14.0
DL	0.0	−6.4	−16.5	−27.2	−15.4	−3.0		0.0	−7.3	−6.5	10.8	15.4	8.9
13 0	16♎17	15♏37	11♐28	6♑24	8♒30	12♓56	19 0	13♑49	10♒35	12♓4	18♈53	21♉30	18♊38
13 10	18 58	18 2	13 44	8 44	11 8	15 45	19 10	16 8	13 9	15 2	21 58	24 6	20 57
13 20	21 38	20 26	16 0	11 7	13 49	18 35	19 20	18 28	15 45	18 0	25 1	26 41	23 17
13 30	24 18	22 49	18 15	13 30	16 30	21 26	19 30	20 49	18 22	21 0	28 3	29 14	25 35
13 40	26 57	25 12	20 31	15 55	19 14	24 17	19 40	23 10	21 0	23 59	1♉2	1♊46	27 53
13 50	29 34	27 33	22 48	18 22	22 0	27 8	19 50	25 32	23 40	27 0	4 0	4 15	0♋11
DT	15.6	14.1	13.7	14.9	16.8	17.2		14.3	16.2	18.0	17.4	14.8	13.7
DL	0.0	−7.7	−17.7	−26.8	−11.8	0.0		0.0	5.5	0.0	10.3	17.4	8.0
14 0	2♏11	29♏54	25♐4	20♑50	24♒47	0♈0	20 0	27♑55	26♒22	0♈0	6♉56	6♊44	2♋28
14 10	4 46	2♐15	27 21	23 20	27 36	2 52	20 10	0♒18	29 4	3 0	9 49	9 11	4 46
14 20	7 21	4 34	29 38	25 51	0♓27	5 43	20 20	2 43	1♓48	6 1	12 40	11 36	7 3
14 30	9 54	6 53	1♑56	28 25	3 19	8 34	20 30	5 9	4 34	9 0	15 29	14 0	9 20
14 40	12 27	9 12	4 14	1♒1	6 13	11 25	20 40	7 35	7 20	12 0	18 15	16 23	11 37
14 50	14 58	11 30	6 34	3 38	9 8	14 15	20 50	10 3	10 8	14 58	21 0	18 45	13 55
DT	14.9	13.8	14.0	16.1	17.7	16.9		14.9	16.9	17.7	16.1	14.0	13.8
DL	0.0	−8.5	−18.0	−24.5	−6.5	3.0		0.0	−3.0	6.5	24.5	18.0	8.5
15 0	17♏28	13♐48	8♑54	6♒18	12♓4	17♈4	21 0	12♒32	12♓56	17♈56	23♉42	21♊6	16♋12
15 10	19 57	16 5	11 15	9 0	15 2	19 52	21 10	15 2	15 45	20 52	26 22	23 26	18 30
15 20	22 25	18 23	13 37	11 45	18 0	22 40	21 20	17 33	18 35	23 47	28 59	25 46	20 48
15 30	24 51	20 40	16 0	14 31	21 0	25 26	21 30	20 6	21 26	26 41	1♊35	28 4	23 7
15 40	27 17	22 57	18 24	17 20	23 59	28 12	21 40	22 39	24 17	29 33	4 9	0♋22	25 26
15 50	29 42	25 14	20 49	20 11	27 0	0♉56	21 50	25 14	27 8	2♉24	6 40	2 39	27 45
DT	14.3	13.7	14.8	17.4	18.0	16.2		15.6	17.2	16.8	14.9	13.7	14.1
DL	0.0	−8.9	−17.4	−19.3	−0.0	5.5		0.0	−0.0	11.8	26.8	17.7	7.7
16 0	2♐5	27♐32	23♑16	23♒4	0♈0	3♉38	22 0	27♒49	0♈0	5♉13	9♊10	4♋56	0♌6
16 10	4 28	29 49	25 45	26 0	3 0	6 20	22 10	0♓26	2 52	8 0	11 38	7 12	2 27
16 20	6 50	2♑7	28 14	28 58	6 1	9 0	22 20	3 3	5 43	10 46	14 5	9 29	4 48
16 30	9 11	4 25	0♒46	1♓57	9 0	11 38	22 30	5 42	8 34	13 30	16 30	11 45	7 11
16 40	11 32	6 43	3 19	4 59	12 0	14 15	22 40	8 22	11 25	16 11	18 53	14 0	9 34
16 50	13 52	9 3	5 54	8 2	14 58	16 51	22 50	11 2	14 15	18 52	21 16	16 16	11 58
DT	13.9	14.0	15.7	18.6	17.7	15.4		16.1	16.9	15.7	14.0	13.6	14.5
DL	0.0	−8.9	−15.4	−10.8	6.5	7.3		0.0	3.0	15.4	27.2	16.5	6.4
17 0	16♐11	11♑22	8♒30	11♓7	17♈56	19♉25	23 0	13♓43	17♈4	21♉30	23♊36	18♋32	14♌23
17 10	18 30	13 43	11 8	14 14	20 52	21 58	23 10	16 25	19 52	24 6	25 56	20 48	16 48
17 20	20 49	16 4	13 49	17 22	23 47	24 29	23 20	19 7	22 40	26 41	28 15	23 4	19 15
17 30	23 7	18 26	16 30	20 30	26 41	27 0	23 30	21 50	25 26	29 14	0♋33	25 20	21 42
17 40	25 25	20 49	19 14	23 40	29 33	29 28	23 40	24 33	28 12	1♊46	2 50	27 37	24 11
17 50	27 42	23 13	22 0	26 50	2♉24	1♊56	23 50	27 17	0♉56	4 15	5 6	29 54	26 40

LATITUDE 19 DEGREES   PLACIDUS HOUSES

S.T.	10	11	12	1	2	3	S.T.	10	11	12	1	2	3
DT	16.3	16.2	14.8	13.5	13.7	15.0		13.8	14.0	14.4	14.2	14.4	14.0
DL	0.0	5.6	17.7	26.3	14.8	4.7		0.0	7.8	8.6	0.0	-8.6	-7.8
0 0	0♈0	3♉44	7♊1	7♋48	2♌26	29♌15	6 0	0♋0	0♌13	0♍34	0♎0	29♎26	29♏47
0 10	2 43	6 26	9 28	10 3	4 43	1♍45	6 10	2 18	2 34	2 58	2 22	1♏51	2♐7
0 20	5 27	9 6	11 54	12 17	7 1	4 17	6 20	4 35	4 56	5 24	4 44	4 14	4 26
0 30	8 10	11 45	14 18	14 31	9 20	6 49	6 30	6 53	7 18	7 50	7 7	6 37	6 45
0 40	10 53	14 22	16 41	16 45	11 39	9 21	6 40	9 11	9 41	10 16	9 28	8 59	9 4
0 50	13 35	16 58	19 3	18 58	13 58	11 55	6 50	11 30	12 4	12 43	11 50	11 21	11 22
DT	16.1	15.4	14.1	13.3	14.1	15.4		13.9	14.5	14.8	14.1	14.1	13.8
DL	0.0	7.4	18.3	24.1	12.1	2.5		0.0	6.5	4.5	-6.2	-12.1	-8.6
1 0	16♈17	19♉33	21♊24	21♋11	16♌18	14♍29	7 0	13♋49	14♌29	15♍10	14♎12	13♏42	13♐39
1 10	18 58	22 6	23 44	23 24	18 39	17 3	7 10	16 8	16 54	17 38	16 33	16 2	15 57
1 20	21 38	24 37	26 4	25 38	21 1	19 38	7 20	18 28	19 21	20 6	18 54	18 21	18 14
1 30	24 18	27 7	28 22	27 51	23 23	22 13	7 30	20 49	21 48	22 34	21 14	20 40	20 31
1 40	26 57	29 36	0♋40	0♌4	25 46	24 49	7 40	23 10	24 16	25 3	23 34	22 59	22 48
1 50	29 34	2♊4	2 57	2 18	28 9	27 24	7 50	25 32	26 45	27 31	25 54	25 17	25 5
DT	15.6	14.6	13.6	13.4	14.4	15.6		14.3	15.0	14.9	13.9	13.7	13.7
DL	0.0	8.5	17.9	21.0	8.6	0.0		0.0	4.7	0.0	-11.9	-14.8	-9.0
2 0	2♉11	4♊30	5♋14	4♌31	0♍34	0♎0	8 0	27♋55	29♌15	0♎0	28♎13	27♏34	27♐23
2 10	4 46	6 56	7 30	6 45	2 58	2 36	8 10	0♌18	1♍45	2 29	0♏32	29 51	29 40
2 20	7 21	9 20	9 46	9 0	5 24	5 11	8 20	2 43	4 17	4 57	2 51	2♐8	1♑58
2 30	9 54	11 43	12 2	11 14	7 50	7 47	8 30	5 9	6 49	7 26	5 8	4 24	4 16
2 40	12 27	14 5	14 17	13 29	10 16	10 22	8 40	7 35	9 21	9 54	7 26	6 40	6 35
2 50	14 58	16 26	16 33	15 45	12 43	12 57	8 50	10 3	11 55	12 22	9 43	8 56	8 54
DT	14.9	14.0	13.6	13.6	14.8	15.4		14.9	15.4	14.8	13.6	13.6	14.0
DL	0.0	9.0	16.7	16.9	4.5	-2.5		0.0	2.5	-4.5	-16.9	-16.7	-9.0
3 0	17♉28	18♊47	18♋48	18♌1	15♍10	15♎31	9 0	12♌32	14♍29	14♎50	11♏59	11♐12	11♑13
3 10	19 57	21 6	21 4	20 17	17 38	18 5	9 10	15 2	17 3	17 17	14 15	13 27	13 34
3 20	22 25	23 25	23 20	22 34	20 6	20 39	9 20	17 33	19 38	19 44	16 31	15 43	15 55
3 30	24 51	25 44	25 36	24 52	22 34	23 11	9 30	20 6	22 13	22 10	18 46	17 58	18 17
3 40	27 17	28 2	27 52	27 9	25 3	25 43	9 40	22 39	24 49	24 36	21 0	20 14	20 40
3 50	29 42	0♋20	0♌9	29 28	27 31	28 15	9 50	25 14	27 24	27 2	23 15	22 30	23 4
DT	14.3	13.7	13.7	13.9	14.9	15.0		15.6	15.6	14.4	13.4	13.6	14.6
DL	0.0	9.0	14.8	11.9	0.0	-4.7		0.0	0.0	-8.6	-21.0	-17.9	-8.5
4 0	2♊5	2♋37	2♌26	1♍47	0♎0	0♏45	10 0	27♌49	0♎0	29♎26	25♏29	24♐46	25♑30
4 10	4 28	4 55	4 43	4 6	2 29	3 15	10 10	0♍26	2 36	1♏51	27 42	27 3	27 56
4 20	6 50	7 12	7 1	6 26	4 57	5 44	10 20	3 3	5 11	4 14	29 56	29 20	0♒24
4 30	9 11	9 29	9 20	8 46	7 26	8 12	10 30	5 42	7 47	6 37	2♐9	1♑38	2 53
4 40	11 32	11 46	11 39	11 6	9 54	10 39	10 40	8 22	10 22	8 59	4 22	3 56	5 23
4 50	13 52	14 3	13 58	13 27	12 22	13 6	10 50	11 2	12 57	11 21	6 36	6 16	7 54
DT	13.9	13.8	14.1	14.1	14.8	14.5		16.1	15.4	14.1	13.3	14.1	15.4
DL	0.0	8.6	12.1	6.2	-4.5	-6.5		0.0	-2.5	-12.1	-24.1	-18.3	-7.4
5 0	16♊11	16♋21	16♌18	15♍48	14♎50	15♏31	11 0	13♍43	15♎31	13♏42	8♐49	8♑36	10♒27
5 10	18 30	18 38	18 39	18 10	17 17	17 56	11 10	16 25	18 5	16 2	11 2	10 57	13 2
5 20	20 49	20 56	21 1	20 32	19 44	20 19	11 20	19 7	20 39	18 21	13 15	13 19	15 38
5 30	23 7	23 15	23 23	22 53	22 10	22 42	11 30	21 50	23 11	20 40	15 29	15 42	18 15
5 40	25 25	25 34	25 46	25 16	24 36	25 4	11 40	24 33	25 43	22 59	17 43	18 6	20 54
5 50	27 42	27 53	28 9	27 38	27 2	27 26	11 50	27 17	28 15	25 17	19 57	20 32	23 34

LATITUDE 19 DEGREES   PLACIDUS HOUSES

S.T.	10	11	12	1	2	3	S.T.	10	11	12	1	2	3
DT	16.3	15.0	13.7	13.5	14.8	16.2		13.8	14.6	16.9	19.2	16.9	14.6
DL	0.0	-4.7	-14.8	-26.3	-17.7	-5.6		0.0	-8.5	-12.1	-0.0	12.1	8.5
12 0	0♎0	0♏45	27♏34	22✗12	22♑59	26♒16	18 0	0♑0	25♑30	24♒35	0♈0	5♉25	4♊30
12 10	2 43	3 15	29 51	24 27	25 27	28 59	18 10	2 18	27 56	27 25	3 12	8 13	6 56
12 20	5 27	5 44	2✗8	26 44	27 58	1♓44	18 20	4 35	0♒24	0♓16	6 24	10 59	9 20
12 30	8 10	8 12	4 24	29 0	0♒29	4 29	18 30	6 53	2 53	3 10	9 35	13 43	11 43
12 40	10 53	10 39	6 40	1♑18	3 3	7 16	18 40	9 11	5 23	6 4	12 46	16 26	14 5
12 50	13 35	13 6	8 56	3 37	5 38	10 4	18 50	11 30	7 54	9 0	15 55	19 7	16 26
DT	16.1	14.5	13.6	14.0	15.8	16.9		13.9	15.4	17.8	18.7	15.8	14.0
DL	0.0	-6.5	-16.7	-27.5	-15.7	-3.0		0.0	-7.4	-6.7	11.2	15.7	9.0
13 0	16♎17	15♏31	11✗12	5♑56	8♒15	12♓53	19 0	13♑49	10♒27	11♓58	19♈3	21♉45	18♊47
13 10	18 58	17 56	13 27	8 17	10 53	15 43	19 10	16 8	13 2	14 56	22 10	24 22	21 6
13 20	21 38	20 19	15 43	10 39	13 34	18 33	19 20	18 28	15 38	17 56	25 15	26 57	23 25
13 30	24 18	22 42	17 58	13 3	16 17	21 25	19 30	20 49	18 15	20 56	28 18	29 31	25 44
13 40	26 57	25 4	20 14	15 28	19 1	24 16	19 40	23 10	20 54	23 57	1♉19	2♊2	28 2
13 50	29 34	27 26	22 30	17 55	21 47	27 8	19 50	25 32	23 34	26 58	4 18	4 33	0♋20
DT	15.6	14.0	13.6	14.9	16.9	17.2		14.3	16.2	18.2	17.6	14.8	13.7
DL	0.0	-7.8	-17.9	-27.3	-12.1	-0.0		0.0	-5.6	-0.0	19.8	17.7	9.0
14 0	2♏11	29♏47	24✗46	20♑23	24♒35	0♈0	20 0	27♑55	26♒16	0♈0	7♉15	7♊1	2♋37
14 10	4 46	2✗7	27 3	22 53	27 25	2 52	20 10	0♒18	28 59	3 2	10 9	9 28	4 55
14 20	7 21	4 26	29 20	25 25	0♓16	5 44	20 20	2 43	1♓44	6 3	13 1	11 54	7 12
14 30	9 54	6 45	1♑38	27 59	3 10	8 35	20 30	5 9	4 29	9 4	15 51	14 18	9 29
14 40	12 27	9 4	3 56	0♒35	6 4	11 27	20 40	7 35	7 16	12 4	18 38	16 41	11 46
14 50	14 58	11 22	6 16	3 13	9 0	14 17	20 50	10 3	10 4	15 4	21 24	19 3	14 3
DT	14.9	13.8	14.1	16.2	17.8	16.9		14.9	16.9	17.8	16.2	14.1	13.8
DL	0.0	-8.6	-18.3	-25.1	-6.7	3.0		0.0	-3.0	6.7	25.1	18.3	8.6
15 0	17♏28	13✗39	8♑36	5♒54	11♓58	17♈7	21 0	12♒32	12♓53	18♈2	24♉6	21♊24	16♋21
15 10	19 57	15 57	10 57	8 36	14 56	19 56	21 10	15 2	15 43	21 0	26 47	23 44	18 38
15 20	22 25	18 14	13 19	11 22	17 56	22 44	21 20	17 33	18 33	23 56	29 25	26 4	20 56
15 30	24 51	20 31	15 42	14 9	20 56	25 31	21 30	20 6	21 25	26 50	2♊1	28 22	23 15
15 40	27 17	22 48	18 6	16 59	23 57	28 16	21 40	22 39	24 16	29 44	4 35	0♋40	25 34
15 50	29 42	25 5	20 32	19 51	26 58	1♉1	21 50	25 14	27 8	2♉35	7 7	2 57	27 53
DT	14.3	13.7	14.8	17.6	18.2	16.2		15.6	17.2	16.9	14.9	13.6	14.0
DL	0.0	-9.0	-17.7	-19.8	-0.0	5.6		0.0	-0.0	12.1	27.3	17.9	7.8
16 0	2✗5	27✗23	22♑59	22♒45	0♈0	3♉44	22 0	27♒49	0♈0	5♉25	9♊37	5♋14	0♌13
16 10	4 28	29 40	25 27	25 42	3 2	6 26	22 10	0♓26	2 52	8 13	12 5	7 30	2 34
16 20	6 50	1♑58	27 58	28 41	6 3	9 6	22 20	3 3	5 44	10 59	14 32	9 46	4 56
16 30	9 11	4 16	0♒29	1♓42	9 4	11 45	22 30	5 42	8 35	13 43	16 57	12 2	7 18
16 40	11 32	6 35	3 3	4 45	12 4	14 22	22 40	8 22	11 27	16 26	19 21	14 17	9 41
16 50	13 52	8 54	5 38	7 50	15 4	16 58	22 50	11 2	14 17	19 7	21 43	16 33	12 4
DT	13.9	14.0	15.8	18.7	17.8	15.4		16.1	16.9	15.8	14.0	13.6	14.5
DL	0.0	-9.0	-15.7	-11.2	6.7	7.4		0.0	3.0	15.7	27.5	16.7	6.5
17 0	16✗11	11♑13	8♒15	10♓57	18♈2	19♉33	23 0	13♓43	17♈7	21♉45	24♊4	18♋48	14♌29
17 10	18 30	13 34	10 53	14 5	21 0	22 6	23 10	16 25	19 56	24 22	26 23	21 4	16 54
17 20	20 49	15 55	13 34	17 14	23 56	24 37	23 20	19 7	22 44	26 57	28 42	23 20	19 21
17 30	23 7	18 17	16 17	20 25	26 50	27 7	23 30	21 50	25 31	29 31	1♋0	25 36	21 48
17 40	25 25	20 40	19 1	23 36	29 44	29 36	23 40	24 33	28 16	2♊2	3 16	27 52	24 16
17 50	27 42	23 4	21 47	26 48	2♉35	2♊4	23 50	27 17	1♉1	4 33	5 33	0♌9	26 45

LATITUDE 20 DEGREES								PLACIDUS HOUSES					
S.T.	10	11	12	1	2	3	S.T.	10	11	12	1	2	3
DT	*16.3*	*16.3*	*14.8*	*13.5*	*13.7*	*15.0*		*13.8*	*14.0*	*14.4*	*14.1*	*14.4*	*14.0*
DL	*0.0*	*5.7*	*18.0*	*26.6*	*14.9*	*4.7*		*0.0*	*7.9*	*8.7*	*0.0*	*−8.7*	*−7.9*
0 0	0♈0	3♉49	7♊19	8♋14	2♌40	29♌19	6 0	0♋0	0♌21	0♍42	0♎0	29♎18	29♏39
0 10	2 43	6 31	9 46	10 29	4 57	1♍50	6 10	2 18	2 42	3 6	2 21	1♏41	1♐59
0 20	5 27	9 12	12 12	12 43	7 15	4 21	6 20	4 35	5 3	5 31	4 42	4 4	4 18
0 30	8 10	11 51	14 36	14 56	9 33	6 52	6 30	6 53	7 25	7 56	7 3	6 26	6 37
0 40	10 53	14 29	17 0	17 10	11 52	9 25	6 40	9 11	9 48	10 22	9 24	8 48	8 55
0 50	13 35	17 5	19 22	19 23	14 11	11 58	6 50	11 30	12 11	12 48	11 45	11 9	11 13
DT	*16.1*	*15.4*	*14.1*	*13.3*	*14.0*	*15.4*		*13.9*	*14.5*	*14.7*	*14.0*	*14.0*	*13.7*
DL	*0.0*	*7.5*	*18.5*	*24.3*	*12.1*	*2.5*		*0.0*	*6.5*	*4.5*	*−6.2*	*−12.1*	*−8.7*
1 0	16♈17	19♉40	21♊43	21♋35	16♌31	14♍31	7 0	13♋49	14♌36	15♍15	14♎6	13♏29	13♐31
1 10	18 58	22 13	24 3	23 48	18 51	17 5	7 10	16 8	17 1	17 42	16 26	15 49	15 48
1 20	21 38	24 45	26 22	26 1	21 12	19 40	7 20	18 28	19 27	20 9	18 46	18 8	18 5
1 30	24 18	27 15	28 40	28 13	23 34	22 14	7 30	20 49	21 54	22 37	21 5	20 27	20 22
1 40	26 57	29 45	0♋58	0♌26	25 56	24 49	7 40	23 10	24 21	25 4	23 24	22 45	22 39
1 50	29 34	2♊12	3 15	2 39	28 19	27 25	7 50	25 32	26 50	27 32	25 43	25 3	24 56
DT	*15.6*	*14.6*	*13.6*	*13.3*	*14.4*	*15.5*		*14.3*	*15.0*	*14.8*	*13.8*	*13.7*	*13.7*
DL	*0.0*	*8.6*	*18.1*	*21.1*	*8.7*	*0.0*		*0.0*	*4.7*	*0.0*	*−11.9*	*−14.9*	*−9.2*
2 0	2♉11	4♊39	5♋32	4♌52	0♍42	0♎0	8 0	27♋55	29♌19	0♎0	28♎2	27♏20	27♐14
2 10	4 46	7 4	7 48	7 6	3 6	2 35	8 10	0♌18	1♍50	2 28	0♏19	29 36	29 31
2 20	7 21	9 28	10 3	9 19	5 31	5 11	8 20	2 43	4 21	4 56	2 37	1♐53	1♑49
2 30	9 54	11 52	12 19	11 33	7 56	7 46	8 30	5 9	6 52	7 23	4 54	4 8	4 7
2 40	12 27	14 14	14 34	13 48	10 22	10 20	8 40	7 35	9 25	9 51	7 10	6 24	6 25
2 50	14 58	16 35	16 50	16 3	12 48	12 55	8 50	10 3	11 58	12 18	9 27	8 40	8 45
DT	*14.9*	*14.0*	*13.5*	*13.5*	*14.7*	*15.4*		*14.9*	*15.4*	*14.7*	*13.5*	*13.5*	*14.0*
DL	*0.0*	*9.2*	*16.8*	*16.9*	*4.5*	*−2.5*		*0.0*	*2.5*	*−4.5*	*−16.9*	*−16.8*	*−9.2*
3 0	17♉28	18♊56	19♋5	18♌18	15♍15	15♎29	9 0	12♌32	14♍31	14♎45	11♏42	10♐55	11♑4
3 10	19 57	21 15	21 20	20 33	17 42	18 2	9 10	15 2	17 5	17 12	13 57	13 10	13 25
3 20	22 25	23 35	23 36	22 50	20 9	20 35	9 20	17 33	19 40	19 38	16 12	15 26	15 46
3 30	24 51	25 53	25 52	25 6	22 37	23 8	9 30	20 6	22 14	22 4	18 27	17 41	18 8
3 40	27 17	28 11	28 7	27 23	25 4	25 39	9 40	22 39	24 49	24 29	20 41	19 57	20 32
3 50	29 42	0♋29	0♌24	29 41	27 32	28 10	9 50	25 14	27 25	26 54	22 54	22 12	22 56
DT	*14.3*	*13.7*	*13.7*	*13.8*	*14.8*	*15.0*		*15.6*	*15.5*	*14.4*	*13.3*	*13.6*	*14.6*
DL	*0.0*	*9.2*	*14.9*	*11.9*	*0.0*	*−4.7*		*0.0*	*0.0*	*−8.7*	*−21.1*	*−18.1*	*−8.6*
4 0	2♊5	2♋46	2♌40	1♍58	0♎0	0♏41	10 0	27♌49	0♎0	29♎18	25♏8	24♐28	25♑21
4 10	4 28	5 4	4 57	4 17	2 28	3 10	10 10	0♍26	2 35	1♏41	27 21	26 45	27 48
4 20	6 50	7 21	7 15	6 36	4 56	5 39	10 20	3 3	5 11	4 4	29 34	29 2	0♒15
4 30	9 11	9 38	9 33	8 55	7 23	8 6	10 30	5 42	7 46	6 26	1♐47	1♑20	2 45
4 40	11 32	11 55	11 52	11 14	9 51	10 33	10 40	8 22	10 20	8 48	3 59	3 38	5 15
4 50	13 52	14 12	14 11	13 34	12 18	12 59	10 50	11 2	12 55	11 9	6 12	5 57	7 47
DT	*13.9*	*13.7*	*14.0*	*14.0*	*14.7*	*14.5*		*16.1*	*15.4*	*14.0*	*13.3*	*14.1*	*15.4*
DL	*0.0*	*8.7*	*12.1*	*6.2*	*−4.5*	*−6.5*		*0.0*	*−2.5*	*−12.1*	*−24.3*	*−18.5*	*−7.5*
5 0	16♊11	16♋29	16♌31	15♍54	14♎45	15♏24	11 0	13♍43	15♎29	13♏29	8♐25	8♑17	10♒20
5 10	18 30	18 47	18 51	18 15	17 12	17 49	11 10	16 25	18 2	15 49	10 37	10 38	12 55
5 20	20 49	21 5	21 12	20 36	19 38	20 12	11 20	19 7	20 35	18 8	12 50	13 0	15 31
5 30	23 7	23 23	23 34	22 57	22 4	22 35	11 30	21 50	23 8	20 27	15 4	15 24	18 9
5 40	25 25	25 42	25 56	25 18	24 29	24 57	11 40	24 33	25 39	22 45	17 17	17 48	20 48
5 50	27 42	28 1	28 19	27 39	26 54	27 18	11 50	27 17	28 10	25 3	19 31	20 14	23 29

LATITUDE 20 DEGREES PLACIDUS HOUSES

S.T.	10	11	12	1	2	3	S.T.	10	11	12	1	2	3
DT	*16.3*	*15.0*	*13.7*	*13.5*	*14.8*	*16.3*		*13.8*	*14.6*	*17.0*	*19.4*	*17.0*	*14.6*
DL	*0.0*	*-4.7*	*-14.9*	*-26.6*	*-18.0*	*-5.7*		*0.0*	*-8.6*	*-12.4*	*-0.0*	*12.4*	*8.6*
12 0	0♎ 0	0♏41	27♏20	21♐46	22♑41	26♒11	18 0	0♑ 0	25♑21	24♒23	0♈ 0	5♉37	4♊39
12 10	2 43	3 10	29 36	24 1	25 10	28 54	18 10	2 18	27 48	27 14	3 14	8 26	7 4
12 20	5 27	5 39	1♐53	26 17	27 40	1♓39	18 20	4 35	0♒15	0♓ 6	6 28	11 13	9 28
12 30	8 10	8 6	4 8	28 33	0♒12	4 25	18 30	6 53	2 45	3 0	9 41	13 58	11 52
12 40	10 53	10 33	6 24	0♑51	2 46	7 12	18 40	9 11	5 15	5 56	12 53	16 41	14 14
12 50	13 35	12 59	8 40	3 9	5 22	10 1	18 50	11 30	7 47	8 53	16 5	19 22	16 35
DT	*16.1*	*14.5*	*13.5*	*14.0*	*15.8*	*17.0*		*13.9*	*15.4*	*17.9*	*18.9*	*15.8*	*14.0*
DL	*0.0*	*-6.5*	*-16.8*	*-27.9*	*-16.1*	*-3.1*		*0.0*	*-7.5*	*-6.8*	*11.5*	*16.1*	*9.2*
13 0	16♎17	15♏24	10♐55	5♑29	7♒59	12♓50	19 0	13♑49	10♒20	11♓51	19♈15	22♉ 1	18♊56
13 10	18 58	17 49	13 10	7 50	10 38	15 40	19 10	16 8	12 55	14 51	22 23	24 38	21 15
13 20	21 38	20 12	15 26	10 12	13 19	18 31	19 20	18 28	15 31	17 51	25 29	27 14	23 35
13 30	24 18	22 35	17 41	12 35	16 2	21 23	19 30	20 49	18 9	20 53	28 34	29 48	25 53
13 40	26 57	24 57	19 57	15 0	18 47	24 15	19 40	23 10	20 48	23 55	1♉36	2♊20	28 11
13 50	29 34	27 18	22 12	17 27	21 34	27 7	19 50	25 32	23 29	26 57	4 37	4 50	0♋29
DT	*15.6*	*14.0*	*13.6*	*14.9*	*17.0*	*17.3*		*14.3*	*16.3*	*18.3*	*17.7*	*14.8*	*13.7*
DL	*0.0*	*-7.9*	*-18.1*	*-27.8*	*-12.4*	*-0.0*		*0.0*	*-5.7*	*-0.0*	*20.4*	*18.0*	*9.2*
14 0	2♏11	29♏39	24♐28	19♑56	24♒23	0♈ 0	20 0	27♑55	26♒11	0♈ 0	7♉35	7♊19	2♋46
14 10	4 46	1♐59	26 45	22 26	27 14	2 53	20 10	0♒18	28 54	3 3	10 30	9 46	5 4
14 20	7 21	4 18	29 2	24 58	0♓ 6	5 45	20 20	2 43	1♓39	6 5	13 23	12 12	7 21
14 30	9 54	6 37	1♑20	27 33	3 0	8 37	20 30	5 9	4 25	9 7	16 14	14 36	9 38
14 40	12 27	8 55	3 38	0♒ 9	5 56	11 29	20 40	7 35	7 12	12 9	19 2	17 0	11 55
14 50	14 58	11 13	5 57	2 48	8 53	14 20	20 50	10 3	10 1	15 9	21 48	19 22	14 12
DT	*14.9*	*13.7*	*14.1*	*16.2*	*17.9*	*17.0*		*14.9*	*17.0*	*17.9*	*16.2*	*14.1*	*13.7*
DL	*0.0*	*-8.7*	*-18.5*	*-25.6*	*-6.8*	*3.1*		*0.0*	*-3.1*	*6.8*	*25.6*	*18.5*	*8.7*
15 0	17♏28	13♐31	8♑17	5♒29	11♓51	17♈10	21 0	12♒32	12♓50	18♈ 9	24♉31	21♊43	16♋29
15 10	19 57	15 48	10 38	8 12	14 51	19 59	21 10	15 2	15 40	21 7	27 12	24 3	18 47
15 20	22 25	18 5	13 0	10 58	17 51	22 48	21 20	17 33	18 31	24 4	29 51	26 22	21 5
15 30	24 51	20 22	15 24	13 46	20 53	25 35	21 30	20 6	21 23	27 0	2♊27	28 40	23 23
15 40	27 17	22 39	17 48	16 37	23 55	28 21	21 40	22 39	24 15	29 54	5 2	0♋58	25 42
15 50	29 42	24 56	20 14	19 30	26 57	1♉ 6	21 50	25 14	27 7	2♉46	7 34	3 15	28 1
DT	*14.3*	*13.7*	*14.8*	*17.7*	*18.3*	*16.3*		*15.6*	*17.3*	*17.0*	*14.9*	*13.6*	*14.0*
DL	*0.0*	*-9.2*	*-18.0*	*-20.4*	*-0.0*	*5.7*		*0.0*	*-0.0*	*12.4*	*27.8*	*18.1*	*7.9*
16 0	2♐ 5	27♐14	22♑41	22♒25	0♈ 0	3♉49	22 0	27♒49	0♈ 0	5♉37	10♊ 4	5♋32	0♌21
16 10	4 28	29 31	25 10	25 23	3 3	6 31	22 10	0♓26	2 53	8 26	12 33	7 48	2 42
16 20	6 50	1♑49	27 40	28 24	6 5	9 12	22 20	3 3	5 45	11 13	15 0	10 3	5 3
16 30	9 11	4 7	0♒12	1♓26	9 7	11 51	22 30	5 42	8 37	13 58	17 25	12 19	7 25
16 40	11 32	6 25	2 46	4 31	12 9	14 29	22 40	8 22	11 29	16 41	19 48	14 34	9 48
16 50	13 52	8 45	5 22	7 37	15 9	17 5	22 50	11 2	14 20	19 22	22 10	16 50	12 11
DT	*13.9*	*14.0*	*15.8*	*18.9*	*17.9*	*15.4*		*16.1*	*17.0*	*15.8*	*14.0*	*13.5*	*14.5*
DL	*0.0*	*-9.2*	*-16.1*	*-11.5*	*6.8*	*7.5*		*0.0*	*3.1*	*16.1*	*27.9*	*16.8*	*6.5*
17 0	16♐11	11♑ 4	7♒59	10♓45	18♈ 9	19♉40	23 0	13♓43	17♈10	22♉ 1	24♊31	19♋ 5	14♌36
17 10	18 30	13 25	10 38	13 55	21 7	22 13	23 10	16 25	19 59	24 38	26 51	21 20	17 1
17 20	20 49	15 46	13 19	17 7	24 4	24 45	23 20	19 7	22 48	27 14	29 9	23 36	19 27
17 30	23 7	18 8	16 2	20 19	27 0	27 15	23 30	21 50	25 35	29 48	1♋27	25 52	21 54
17 40	25 25	20 32	18 47	23 32	29 54	29 45	23 40	24 33	28 21	2♊20	3 43	28 7	24 21
17 50	27 42	22 56	21 34	26 46	2♉46	2♊12	23 50	27 17	1♉ 6	4 50	5 59	0♌24	26 50

LATITUDE 21 DEGREES PLACIDUS HOUSES

S.T.	10	11	12	1	2	3	S.T.	10	11	12	1	2	3
DT	*16.3*	*16.3*	*14.8*	*13.5*	*13.6*	*14.9*		*13.8*	*14.0*	*14.3*	*14.0*	*14.3*	*14.0*
DL	*0.0*	*5.8*	*18.3*	*26.9*	*15.0*	*4.8*		*0.0*	*7.9*	*8.7*	*0.0*	*−8.7*	*−7.9*
0 0	0♈ 0	3♉55	7♊37	8♋41	2♌55	29♌24	6 0	0♋ 0	0♌29	0♍51	0♎ 0	29♎ 9	29♏31
0 10	2 43	6 37	10 4	10 55	5 12	1♍54	6 10	2 18	2 49	3 14	2 20	1♏32	1♐51
0 20	5 27	9 18	12 30	13 9	7 29	4 25	6 20	4 35	5 10	5 38	4 40	3 54	4 10
0 30	8 10	11 58	14 55	15 22	9 47	6 56	6 30	6 53	7 32	8 3	7 0	6 16	6 29
0 40	10 53	14 36	17 18	17 35	12 5	9 28	6 40	9 11	9 55	10 28	9 20	8 37	8 47
0 50	13 35	17 12	19 40	19 47	14 23	12 0	6 50	11 30	12 18	12 53	11 40	10 57	11 5
DT	*16.1*	*15.4*	*14.1*	*13.2*	*14.0*	*15.3*		*13.9*	*14.5*	*14.6*	*13.9*	*14.0*	*13.7*
DL	*0.0*	*7.6*	*18.8*	*24.5*	*12.2*	*2.5*		*0.0*	*6.6*	*4.5*	*−6.2*	*−12.2*	*−8.8*
1 0	16♈17	19♉47	22♊ 1	22♋ 0	16♌43	14♍34	7 0	13♋49	14♌42	15♍19	13♎59	13♏17	13♐20
1 10	18 58	22 21	24 21	24 12	19 3	17 7	7 10	16 8	17 7	17 45	16 19	15 37	15 39
1 20	21 38	24 53	26 40	26 24	21 23	19 41	7 20	18 28	19 33	20 12	18 37	17 55	17 56
1 30	24 18	27 24	28 59	28 36	23 44	22 16	7 30	20 49	21 59	22 39	20 56	20 13	20 13
1 40	26 57	29 53	1♋16	0♌48	26 6	24 50	7 40	23 10	24 27	25 6	23 14	22 31	22 30
1 50	29 34	2♊21	3 33	3 1	28 28	27 25	7 50	25 32	26 55	27 33	25 32	24 48	24 47
DT	*15.6*	*14.6*	*13.6*	*13.3*	*14.3*	*15.5*		*14.3*	*14.9*	*14.7*	*13.7*	*13.6*	*13.7*
DL	*0.0*	*8.8*	*18.3*	*21.2*	*8.7*	*0.0*		*0.0*	*4.8*	*0.0*	*−11.9*	*−15.0*	*−9.3*
2 0	2♉11	4♊47	5♋50	5♌13	0♍51	0♎ 0	8 0	27♋55	29♌24	0♎ 0	27♎50	27♏ 5	27♐ 4
2 10	4 46	7 13	8 6	7 26	3 14	2 35	8 10	0♌18	1♍54	2 27	0♏ 7	29 21	29 22
2 20	7 21	9 37	10 21	9 39	5 38	5 10	8 20	2 43	4 25	4 54	2 23	1♐37	1♑40
2 30	9 54	12 1	12 37	11 53	8 3	7 44	8 30	5 9	6 56	7 21	4 39	3 52	3 58
2 40	12 27	14 23	14 52	14 6	10 28	10 19	8 40	7 35	9 28	9 48	6 55	6 8	6 16
2 50	14 58	16 44	17 7	16 20	12 53	12 53	8 50	10 3	12 0	12 15	9 10	8 23	8 35
DT	*14.9*	*14.0*	*13.5*	*13.5*	*14.6*	*15.3*		*14.9*	*15.3*	*14.6*	*13.5*	*13.5*	*14.0*
DL	*0.0*	*9.3*	*17.0*	*17.0*	*4.5*	*−2.5*		*0.0*	*2.5*	*−4.5*	*−17.0*	*−17.0*	*−9.3*
3 0	17♉28	19♊ 5	19♋22	18♌35	15♍19	15♎26	9 0	12♌32	14♍34	14♎41	11♏25	10♐38	10♑55
3 10	19 57	21 25	21 37	20 50	17 45	18 0	9 10	15 2	17 7	17 7	13 40	12 53	13 16
3 20	22 25	23 44	23 52	23 5	20 12	20 32	9 20	17 33	19 41	19 32	15 54	15 8	15 37
3 30	24 51	26 2	26 8	25 21	22 39	23 4	9 30	20 6	22 16	21 57	18 7	17 23	17 59
3 40	27 17	28 20	28 23	27 37	25 6	25 35	9 40	22 39	24 50	24 22	20 21	19 39	20 23
3 50	29 42	0♋38	0♌39	29 53	27 33	28 6	9 50	25 14	27 25	26 46	22 34	21 54	22 47
DT	*14.3*	*13.7*	*13.6*	*13.7*	*14.7*	*14.9*		*15.6*	*15.5*	*14.3*	*13.3*	*13.6*	*14.6*
DL	*0.0*	*9.3*	*15.0*	*11.9*	*0.0*	*−4.8*		*0.0*	*0.0*	*−8.7*	*−21.2*	*−18.3*	*−8.8*
4 0	2♊ 5	2♋56	2♌55	2♍10	0♎ 0	0♏36	10 0	27♌49	0♎ 0	29♎ 9	24♏47	24♐10	25♑13
4 10	4 28	5 13	5 12	4 28	2 27	3 5	10 10	0♍26	2 35	1♏32	26 59	26 27	27 39
4 20	6 50	7 30	7 29	6 46	4 54	5 33	10 20	3 3	5 10	3 54	29 12	28 44	0♒ 7
4 30	9 11	9 47	9 47	9 4	7 21	8 1	10 30	5 42	7 44	6 16	1♐24	1♑ 1	2 36
4 40	11 32	12 4	12 5	11 23	9 48	10 27	10 40	8 22	10 19	8 37	3 36	3 20	5 7
4 50	13 52	14 21	14 23	13 41	12 15	12 53	10 50	11 2	12 53	10 57	5 48	5 39	7 39
DT	*13.9*	*13.7*	*14.0*	*13.9*	*14.6*	*14.5*		*16.1*	*15.3*	*14.0*	*13.2*	*14.1*	*15.4*
DL	*0.0*	*8.8*	*12.2*	*6.2*	*−4.5*	*−6.6*		*0.0*	*−2.5*	*−12.2*	*−24.5*	*−18.8*	*−7.6*
5 0	16♊11	16♋38	16♌43	16♍ 1	14♎41	15♏18	11 0	13♍43	15♎26	13♏17	8♐ 0	7♑59	10♒13
5 10	18 30	18 55	19 3	18 20	17 7	17 42	11 10	16 25	18 0	15 37	10 13	10 20	12 48
5 20	20 49	21 13	21 23	20 40	19 32	20 5	11 20	19 7	20 32	17 55	12 25	12 42	15 24
5 30	23 7	23 31	23 44	23 0	21 57	22 28	11 30	21 50	23 4	20 13	14 38	15 5	18 2
5 40	25 25	25 50	26 6	25 20	24 22	24 50	11 40	24 33	25 35	22 31	16 51	17 30	20 42
5 50	27 42	28 9	28 28	27 40	26 46	27 11	11 50	27 17	28 6	24 48	19 5	19 56	23 23

LATITUDE 21 DEGREES PLACIDUS HOUSES

S.T.	10	11	12	1	2	3	S.T.	10	11	12	1	2	3
DT	16.3	14.9	13.6	13.5	14.8	16.3		13.8	14.6	17.0	19.6	17.0	14.6
DL	0.0	−4.8	−15.0	−26.9	−18.3	−5.8		0.0	−8.8	−12.7	−0.0	12.7	8.8
12 0	0♎0	0♏36	27♏5	21♐19	22♑23	26♒5	18 0	0♑0	25♑13	24♒11	0♈0	5♉49	4♊47
12 10	2 43	3 5	29 21	23 34	24 52	28 49	18 10	2 18	27 39	27 2	3 16	8 39	7 13
12 20	5 27	5 33	1♐37	25 49	27 23	1♓34	18 20	4 35	0♒7	29 55	6 32	11 26	9 37
12 30	8 10	8 1	3 52	28 6	29 55	4 21	18 30	6 53	2 36	2♓50	9 47	14 12	12 1
12 40	10 53	10 27	6 8	0♑23	2♒29	7 8	18 40	9 11	5 7	5 47	13 1	16 56	14 23
12 50	13 35	12 53	8 23	2 41	5 5	9 57	18 50	11 30	7 39	8 45	16 14	19 37	16 44
DT	16.1	14.5	13.5	14.0	15.9	17.0		13.9	15.4	18.0	19.1	15.9	14.0
DL	0.0	−6.6	−17.0	−28.3	−16.4	−3.1		0.0	−7.6	−7.0	11.9	16.4	9.3
13 0	16♎17	15♏18	10♐38	5♑1	7♒43	12♓47	19 0	13♑49	10♒13	11♓44	19♈26	22♉17	19♊5
13 10	18 58	17 42	12 53	7 22	10 23	15 38	19 10	16 8	12 48	14 45	22 36	24 55	21 25
13 20	21 38	20 5	15 8	9 44	13 4	18 29	19 20	18 28	15 24	17 47	25 44	27 31	23 44
13 30	24 18	22 28	17 23	12 7	15 48	21 21	19 30	20 49	18 2	20 49	28 50	0♊5	26 2
13 40	26 57	24 50	19 39	14 32	18 34	24 14	19 40	23 10	20 42	23 53	1♉54	2 37	28 20
13 50	29 34	27 11	21 54	16 59	21 21	27 7	19 50	25 32	23 23	26 56	4 56	5 8	0♋38
DT	15.6	14.0	13.6	15.0	17.0	17.3		14.3	16.3	18.4	17.8	14.8	13.7
DL	0.0	−7.9	−18.3	−28.4	−12.7	−0.0		0.0	−5.8	−0.0	21.0	18.3	0.3
14 0	2♏11	29♏31	24♐10	19♑28	24♒11	0♈0	20 0	27♑55	26♒5	0♈0	7♉55	7♊37	2♋56
14 10	4 46	1♐51	26 27	21 58	27 2	2 53	20 10	0♒18	28 49	3 4	10 52	10 4	5 13
14 20	7 21	4 10	28 44	24 31	29 55	5 46	20 20	2 43	1♓34	6 7	13 46	12 30	7 30
14 30	9 54	6 29	1♑1	27 6	2♓50	8 39	20 30	5 9	4 21	9 11	16 37	14 55	9 47
14 40	12 27	8 47	3 20	29 42	5 47	11 31	20 40	7 35	7 8	12 13	19 26	17 18	12 4
14 50	14 58	11 5	5 39	2♒22	8 45	14 22	20 50	10 3	9 57	15 15	22 13	19 40	14 21
DT	14.9	13.7	14.1	16.3	18.0	17.0		14.9	17.0	18.0	16.3	14.1	13.7
DL	0.0	−8.8	−18.8	−26.3	−7.0	3.1		0.0	−3.1	7.0	26.3	18.8	8.8
15 0	17♏28	13♐22	7♑59	5♒3	11♓44	17♈13	21 0	12♒32	12♓47	18♈16	24♉57	22♊1	16♋38
15 10	19 57	15 39	10 20	7 47	14 45	20 3	21 10	15 2	15 38	21 15	27 38	24 21	18 55
15 20	22 25	17 56	12 42	10 34	17 47	22 52	21 20	17 33	18 29	24 13	0♊18	26 40	21 13
15 30	24 51	20 13	15 5	13 23	20 49	25 39	21 30	20 6	21 21	27 10	2 54	28 59	23 31
15 40	27 17	22 30	17 30	16 14	23 53	28 26	21 40	22 39	24 14	0♉5	5 29	1♋16	25 50
15 50	29 42	24 47	19 56	19 8	26 56	1♉11	21 50	25 14	27 7	2 58	8 2	3 33	28 9
DT	14.3	13.7	14.8	17.8	18.4	16.3		15.6	17.3	17.0	15.0	13.6	14.0
DL	0.0	−9.3	−18.3	−21.0	−0.0	5.8		0.0	−0.0	12.7	28.4	18.3	7.9
16 0	2♐5	27♐4	22♑23	22♒5	0♈0	3♉55	22 0	27♒49	0♈0	5♉49	10♊32	5♋50	0♌29
16 10	4 28	29 22	24 52	25 4	3 4	6 37	22 10	0♓26	2 53	8 39	13 1	8 6	2 49
16 20	6 50	1♑40	27 23	28 6	6 7	9 18	22 20	3 3	5 46	11 26	15 28	10 21	5 10
16 30	9 11	3 58	29 55	1♓10	9 11	11 58	22 30	5 42	8 39	14 12	17 53	12 37	7 32
16 40	11 32	6 16	2♒29	4 16	12 13	14 36	22 40	8 22	11 31	16 56	20 16	14 52	9 55
16 50	13 52	8 35	5 5	7 24	15 15	17 12	22 50	11 2	14 22	19 37	22 38	17 7	12 18
DT	13.9	14.0	15.9	19.1	18.0	15.4		16.1	17.0	15.9	14.0	13.5	14.5
DL	0.0	−9.3	−16.4	−11.9	7.0	7.6		0.0	3.1	16.4	28.3	17.0	6.6
17 0	16♐11	10♑55	7♒43	10♓34	18♈16	19♉47	23 0	13♓43	17♈13	22♉17	24♊59	19♋22	14♌42
17 10	18 30	13 16	10 23	13 46	21 15	22 21	23 10	16 25	20 3	24 55	27 19	21 37	17 7
17 20	20 49	15 37	13 4	16 59	24 13	24 53	23 20	19 7	22 52	27 31	29 37	23 52	19 33
17 30	23 7	17 59	15 48	20 13	27 10	27 24	23 30	21 50	25 39	0♊5	1♋54	26 8	21 59
17 40	25 25	20 23	18 34	23 28	0♉5	29 53	23 40	24 33	28 26	2 37	4 11	28 23	24 27
17 50	27 42	22 47	21 21	26 44	2 58	2♊21	23 50	27 17	1♉11	5 8	6 26	0♌39	26 55

LATITUDE 22 DEGREES PLACIDUS HOUSES

S.T.	10	11	12	1	2	3	S.T.	10	11	12	1	2	3
DT	*16.3*	*16.4*	*14.8*	*13.4*	*13.6*	*14.9*		*13.8*	*14.0*	*14.3*	*13.9*	*14.3*	*14.0*
DL	*0.0*	*5.9*	*18.7*	*27.2*	*15.1*	*4.8*		*0.0*	*8.0*	*8.7*	*0.0*	*−8.7*	*−8.0*
0 0	0♈0	4♉1	7♊55	9♋8	3♌10	29♌29	6 0	0♋0	0♌37	1♍0	0♎0	29♎0	29♏23
0 10	2 43	6 44	10 23	11 22	5 27	1♍58	6 10	2 18	2 57	3 22	2 19	1♏23	1♐43
0 20	5 27	9 25	12 49	13 35	7 43	4 29	6 20	4 35	5 18	5 46	4 38	3 44	4 2
0 30	8 10	12 5	15 13	15 48	10 0	7 0	6 30	6 53	7 39	8 10	6 57	6 5	6 20
0 40	10 53	14 43	17 37	18 0	12 18	9 31	6 40	9 11	10 2	10 34	9 16	8 26	8 38
0 50	13 35	17 20	19 59	20 12	14 36	12 3	6 50	11 30	12 25	12 59	11 35	10 46	10 56
DT	*16.1*	*15.4*	*14.1*	*13.2*	*13.9*	*15.3*		*13.9*	*14.4*	*14.5*	*13.8*	*13.9*	*13.7*
DL	*0.0*	*7.8*	*19.1*	*24.7*	*12.3*	*2.5*		*0.0*	*6.7*	*4.6*	*−6.2*	*−12.3*	*−9.0*
1 0	16♈17	19♉55	22♊20	22♋24	16♌55	14♍36	7 0	13♋49	14♌49	15♍24	13♎53	13♏5	13♐13
1 10	18 58	22 29	24 40	24 00	19 14	17 9	7 10	16 8	17 13	17 49	16 11	15 24	15 30
1 20	21 38	25 1	26 59	26 48	21 34	19 43	7 20	18 28	19 39	20 15	18 29	17 42	17 47
1 30	24 18	27 32	29 17	28 59	23 55	22 17	7 30	20 49	22 5	22 41	20 47	20 0	20 4
1 40	26 57	0♊1	1♋35	1♌11	26 16	24 51	7 40	23 10	24 32	25 7	23 4	22 17	22 21
1 50	29 34	2 29	3 52	3 23	28 37	27 26	7 50	25 32	27 0	27 34	25 21	24 33	24 38
DT	*15.6*	*14.6*	*13.6*	*13.2*	*14.3*	*15.4*		*14.3*	*14.9*	*14.6*	*13.6*	*13.6*	*13.7*
DL	*0.0*	*8.9*	*18.6*	*21.3*	*8.7*	*0.0*		*0.0*	*4.8*	*0.0*	*−11.9*	*−15.1*	*−9.4*
2 0	2♉11	4♊56	6♋8	5♌35	1♍0	0♎0	8 0	27♋55	29♌29	0♎0	27♎38	26♏50	26♐55
2 10	4 46	7 22	8 24	7 47	3 22	2 34	8 10	0♌18	1♍58	2 26	29 54	29 6	29 13
2 20	7 21	9 46	10 39	9 59	5 46	5 9	8 20	2 43	4 29	4 53	2♏10	1♐21	1♑30
2 30	9 54	12 10	12 54	12 12	8 10	7 43	8 30	5 9	7 0	7 19	4 25	3 36	3 48
2 40	12 27	14 32	15 9	14 25	10 34	10 17	8 40	7 35	9 31	9 45	6 40	5 51	6 7
2 50	14 58	16 53	17 24	16 38	12 59	12 51	8 50	10 3	12 3	12 11	8 54	8 6	8 26
DT	*14.9*	*14.0*	*13.5*	*13.4*	*14.5*	*15.3*		*14.9*	*15.3*	*14.5*	*13.4*	*13.5*	*14.0*
DL	*0.0*	*9.5*	*17.2*	*17.0*	*4.6*	*−2.5*		*0.0*	*2.5*	*−4.6*	*−17.0*	*−17.2*	*−9.5*
3 0	17♉28	19♊14	19♋39	18♌52	15♍24	15♎24	9 0	12♌32	14♍36	14♎36	11♏8	10♐21	10♑46
3 10	19 57	21 34	21 54	21 6	17 49	17 57	9 10	15 2	17 9	17 1	13 22	12 36	13 7
3 20	22 25	23 53	24 9	23 20	20 15	20 29	9 20	17 33	19 43	19 26	15 35	14 51	15 28
3 30	24 51	26 12	26 24	25 35	22 41	23 0	9 30	20 6	22 17	21 50	17 48	17 6	17 50
3 40	27 17	28 30	28 39	27 50	25 7	25 31	9 40	22 39	24 51	24 14	20 1	19 21	20 14
3 50	29 42	0♋47	0♌54	0♍6	27 34	28 2	9 50	25 14	27 26	26 38	22 13	21 36	22 38
DT	*14.3*	*13.7*	*13.6*	*13.6*	*14.6*	*14.9*		*15.6*	*15.4*	*14.3*	*13.2*	*13.6*	*14.6*
DL	*0.0*	*9.4*	*15.1*	*11.9*	*0.0*	*−4.8*		*0.0*	*0.0*	*−8.7*	*−21.3*	*−18.6*	*−8.9*
4 0	2♊5	3♋5	3♌10	2♍22	0♎0	0♏31	10 0	27♌49	0♎0	29♎0	24♏25	23♐52	25♑4
4 10	4 28	5 22	5 27	4 39	2 26	3 0	10 10	0♍26	2 34	1♏23	26 37	26 8	27 31
4 20	6 50	7 39	7 43	6 56	4 53	5 28	10 20	3 3	5 9	3 44	28 49	28 25	29 59
4 30	9 11	9 56	10 0	9 13	7 19	7 55	10 30	5 42	7 43	6 5	1♐1	0♑43	2♒28
4 40	11 32	12 13	12 18	11 31	9 45	10 21	10 40	8 22	10 17	8 26	3 12	3 1	4 59
4 50	13 52	14 30	14 36	13 49	12 11	12 47	10 50	11 2	12 51	10 46	5 24	5 20	7 31
DT	*13.9*	*13.7*	*13.9*	*13.8*	*14.5*	*14.4*		*16.1*	*15.3*	*13.9*	*13.2*	*14.1*	*15.4*
DL	*0.0*	*9.0*	*12.3*	*6.2*	*−4.6*	*−6.7*		*0.0*	*−2.5*	*−12.3*	*−24.7*	*−19.1*	*−7.8*
5 0	16♊11	16♋47	16♌55	16♍7	14♎36	15♏11	11 0	13♍43	15♎24	13♏5	7♐36	7♑40	10♒5
5 10	18 30	19 4	19 14	18 25	17 1	17 35	11 10	16 25	17 57	15 24	9 48	10 1	12 40
5 20	20 49	21 22	21 34	20 44	19 26	19 58	11 20	19 7	20 29	17 42	12 0	12 23	15 17
5 30	23 7	23 40	23 55	23 3	21 50	22 21	11 30	21 50	23 0	20 0	14 12	14 47	17 55
5 40	25 25	25 58	26 16	25 22	24 14	24 42	11 40	24 33	25 31	22 17	16 25	17 11	20 35
5 50	27 42	28 17	28 37	27 41	26 38	27 3	11 50	27 17	28 2	24 33	18 38	19 37	23 16

LATITUDE 22 DEGREES   PLACIDUS HOUSES

S.T.	10	11	12	1	2	3	S.T.	10	11	12	1	2	3
DT	16.3	14.9	13.6	13.4	14.8	16.4		13.8	14.6	17.1	19.8	17.1	14.6
DL	0.0	-4.8	-15.1	-27.2	-18.7	-5.9		0.0	-8.9	-13.0	-0.0	13.0	8.9
12 0	0♎0	0♏31	26♏50	20♐52	22♑5	25♒59	18 0	0♑0	25♑4	23♒58	0♈0	6♉2	4♊56
12 10	2 43	3 0	29 6	23 7	24 34	28 43	18 10	2 18	27 31	26 50	3 18	8 52	7 22
12 20	5 27	5 28	1♐21	25 22	27 5	1♓29	18 20	4 35	29 59	29 44	6 36	11 41	9 46
12 30	8 10	7 55	3 36	27 38	29 38	4 16	18 30	6 53	2♒28	2♓40	9 53	14 27	12 10
12 40	10 53	10 21	5 51	29 55	2♒12	7 4	18 40	9 11	4 59	5 38	13 9	17 11	14 32
12 50	13 35	12 47	8 6	2♑13	4 48	9 54	18 50	11 30	7 31	8 37	16 24	19 53	16 53
DT	16.1	14.4	13.5	14.0	15.9	17.1		13.9	15.4	18.1	19.3	15.9	14.0
DL	0.0	-6.7	-17.2	-28.8	-16.8	-3.2		0.0	-7.8	-7.2	12.3	16.8	9.5
13 0	16♎17	15♏11	10♐21	4♑33	7♒26	12♓44	19 0	13♑49	10♒5	11♓37	19♈38	22♉34	19♊14
13 10	18 58	17 35	12 36	6 53	10 7	15 35	19 10	16 8	12 40	14 39	22 50	25 12	21 34
13 20	21 38	19 58	14 51	9 15	12 49	18 27	19 20	18 28	15 17	17 42	26 0	27 48	23 53
13 30	24 18	22 21	17 6	11 39	15 33	21 20	19 30	20 49	17 55	20 46	29 7	0♊22	26 12
13 40	26 57	24 42	19 21	14 4	18 19	24 13	19 40	23 10	20 35	23 50	2♉13	2 55	28 30
13 50	29 34	27 3	21 36	16 31	21 8	27 6	19 50	25 32	23 16	26 55	5 16	5 26	0♋47
DT	15.6	14.0	13.6	15.0	17.1	17.4		14.3	16.4	18.5	17.9	14.8	13.7
DL	0.0	-8.0	-18.6	-29.0	-13.0	-0.0		0.0	-5.9	-0.0	21.6	18.7	9.4
14 0	2♏11	29♏23	23♐52	18♑59	23♒58	0♈0	20 0	27♑55	25♒59	0♈0	8♉16	7♊55	3♋5
14 10	4 46	1♐43	26 8	21 30	26 50	2 54	20 10	0♒18	28 43	3 5	11 14	10 23	5 22
14 20	7 21	4 2	28 25	24 3	29 44	5 47	20 20	2 43	1♓29	6 10	14 9	12 49	7 39
14 30	9 54	6 20	0♑43	26 38	2♓40	8 40	20 30	5 9	4 16	9 14	17 2	15 13	9 56
14 40	12 27	8 38	3 1	29 15	5 38	11 33	20 40	7 35	7 4	12 18	19 51	17 37	12 13
14 50	14 58	10 56	5 20	1♒55	8 37	14 25	20 50	10 3	9 54	15 21	22 39	19 59	14 30
DT	14.9	13.7	14.1	16.3	18.1	17.1		14.9	17.1	18.1	16.3	14.1	13.7
DL	0.0	-9.0	-19.1	-26.9	-7.2	3.2		0.0	-3.2	7.2	26.9	19.1	9.0
15 0	17♏28	13♐13	7♑40	4♒37	11♓37	17♈16	21 0	12♒32	12♓44	18♈23	25♉23	22♊20	16♋47
15 10	19 57	15 30	10 1	7 21	14 39	20 6	21 10	15 2	15 35	21 23	28 5	24 40	19 4
15 20	22 25	17 47	12 23	10 9	17 42	22 56	21 20	17 33	18 27	24 22	0♊45	26 59	21 22
15 30	24 51	20 4	14 47	12 58	20 46	25 44	21 30	20 6	21 20	27 20	3 22	29 17	23 40
15 40	27 17	22 21	17 11	15 51	23 50	28 31	21 40	22 39	24 13	0♉16	5 57	1♋35	25 58
15 50	29 42	24 38	19 37	18 46	26 55	1♉17	21 50	25 14	27 6	3 10	8 30	3 52	28 17
DT	14.3	13.7	14.8	17.9	18.5	16.4		15.6	17.4	17.1	15.0	13.6	14.0
DL	0.0	-9.4	-18.7	-21.6	-0.0	5.9		0.0	-0.0	13.0	29.0	18.6	8.0
16 0	2♐5	26♐55	22♑5	21♒44	0♈0	4♉1	22 0	27♒49	0♈0	6♉2	11♊1	6♋8	0♌37
16 10	4 28	29 13	24 34	24 44	3 5	6 44	22 10	0♓26	2 54	8 52	13 29	8 24	2 57
16 20	6 50	1♑30	27 5	27 47	6 10	9 25	22 20	3 3	5 47	11 41	15 56	10 39	5 18
16 30	9 11	3 48	29 38	0♓53	9 14	12 5	22 30	5 42	8 40	14 27	18 21	12 54	7 39
16 40	11 32	6 7	2♒12	4 0	12 18	14 43	22 40	8 22	11 33	17 11	20 45	15 9	10 2
16 50	13 52	8 26	4 48	7 10	15 21	17 20	22 50	11 2	14 25	19 53	23 7	17 24	12 25
DT	13.9	14.0	15.9	19.3	18.1	15.4		16.1	17.1	15.9	14.0	13.5	14.4
DL	0.0	-9.5	-16.8	-12.3	7.2	7.8		0.0	3.2	16.8	28.8	17.2	6.7
17 0	16♐11	10♑46	7♒26	10♓22	18♈23	19♉55	23 0	13♓43	17♈16	22♉34	25♊27	19♋39	14♌49
17 10	18 30	13 7	10 7	13 36	21 23	22 29	23 10	16 25	20 6	25 12	27 47	21 54	17 13
17 20	20 49	15 28	12 49	16 51	24 22	25 1	23 20	19 7	22 56	27 48	0♋5	24 9	19 39
17 30	23 7	17 50	15 33	20 7	27 20	27 32	23 30	21 50	25 44	0♊22	2 22	26 24	22 5
17 40	25 25	20 14	18 19	23 24	0♉16	0♊1	23 40	24 33	28 31	2 55	4 38	28 39	24 32
17 50	27 42	22 38	21 8	26 42	3 10	2 29	23 50	27 17	1♉17	5 26	6 53	0♌54	27 0

LATITUDE 23 DEGREES PLACIDUS HOUSES

S.T.	10	11	12	1	2	3	S.T.	10	11	12	1	2	3
DT	16.3	16.4	14.9	13.4	13.6	14.9		13.8	14.0	14.2	13.8	14.2	14.0
DL	0.0	6.0	19.0	27.6	15.3	4.9		0.0	8.1	8.8	0.0	-8.8	-8.1
0 0	0♈0	4♉7	8♊14	9♋35	3♌25	29♌34	6 0	0♋0	0♌45	1♍8	0♎0	28♎52	29♏15
0 10	2 43	6 50	10 42	11 49	5 41	2♍3	6 10	2 18	3 5	3 30	2 18	1♏13	1♐34
0 20	5 27	9 32	13 8	14 1	7 57	4 33	6 20	4 35	5 26	5 53	4 36	3 34	3 53
0 30	8 10	12 12	15 33	16 14	10 14	7 3	6 30	6 53	7 47	8 16	6 54	5 55	6 12
0 40	10 53	14 50	17 56	18 26	12 31	9 35	6 40	9 11	10 9	10 40	9 12	8 15	8 29
0 50	13 35	17 27	20 18	20 37	14 49	12 6	6 50	11 30	12 32	13 4	11 30	10 34	10 47
DT	16.1	15.5	14.1	13.1	13.8	15.3		13.9	14.4	14.5	13.7	13.8	13.7
DL	0.0	7.9	19.5	24.9	12.4	2.6		0.0	6.7	4.6	-6.2	-12.4	-9.1
1 0	16♈17	20♉3	22♊39	22♋49	17♌7	14♍39	7 0	13♋49	14♌55	15♍28	13♎47	12♏53	13♐4
1 10	18 58	22 37	24 59	25 0	10♌0	17 12	7 10	16 8	17 20	17 53	16 4	15 11	15 21
1 20	21 38	25 9	27 18	27 11	21 45	19 45	7 20	18 28	19 45	20 18	18 21	17 29	17 38
1 30	24 18	27 40	29 36	29 22	24 5	22 18	7 30	20 49	22 11	22 43	20 38	19 46	19 55
1 40	26 57	0♊10	1♋54	1♌33	26 26	24 52	7 40	23 10	24 38	25 9	22 54	22 3	22 12
1 50	29 34	2 38	4 10	3 44	28 47	27 26	7 50	25 32	27 5	27 34	25 10	24 19	24 29
DT	15.6	14.6	13.6	13.1	14.2	15.4		14.3	14.9	14.6	13.5	13.6	13.7
DL	0.0	9.1	18.9	21.4	8.8	0.0		0.0	4.9	0.0	-12.0	-15.3	-9.6
2 0	2♉11	5♊5	6♋27	5♌56	1♍8	0♎0	8 0	27♋55	29♌34	0♎0	27♎26	26♏35	26♐46
2 10	4 46	7 31	8 42	8 7	3 30	2 34	8 10	0♌18	2♍3	2 26	29 41	28 50	29 3
2 20	7 21	9 55	10 57	10 19	5 53	5 8	8 20	2 43	4 33	4 51	1♏56	1♐5	1♑21
2 30	9 54	12 19	13 12	12 31	8 16	7 42	8 30	5 9	7 3	7 17	4 10	3 20	3 39
2 40	12 27	14 41	15 27	14 43	10 40	10 15	8 40	7 35	9 35	9 42	6 24	5 35	5 57
2 50	14 58	17 3	17 42	16 56	13 4	12 48	8 50	10 3	12 6	12 7	8 38	7 49	8 17
DT	14.9	14.0	13.4	13.3	14.5	15.3		14.9	15.3	14.5	13.3	13.4	14.0
DL	0.0	9.6	17.4	17.1	4.6	-2.6		0.0	2.6	-4.6	-17.1	-17.4	-9.6
3 0	17♉28	19♊24	19♋56	19♌9	15♍28	15♎21	9 0	12♌32	14♍39	14♎32	10♏51	10♐4	10♑36
3 10	19 57	21 43	22 11	21 22	17 53	17 54	9 10	15 2	17 12	16 56	13 4	12 18	12 57
3 20	22 25	24 3	24 25	23 36	20 18	20 25	9 20	17 33	19 45	19 20	15 17	14 33	15 19
3 30	24 51	26 21	26 40	25 50	22 43	22 57	9 30	20 6	22 18	21 44	17 29	16 48	17 41
3 40	27 17	28 39	28 55	28 4	25 9	25 27	9 40	22 39	24 52	24 7	19 41	19 3	20 5
3 50	29 42	0♋57	1♌10	0♍19	27 34	27 57	9 50	25 14	27 26	26 30	21 53	21 18	22 29
DT	14.3	13.7	13.6	13.5	14.6	14.9		15.6	15.4	14.2	13.1	13.6	14.6
DL	0.0	9.6	15.3	12.0	0.0	-4.9		0.0	0.0	-8.8	-21.4	-18.9	-9.1
4 0	2♊5	3♋14	3♌25	2♍34	0♎0	0♏26	10 0	27♌49	0♎0	28♎52	24♏4	23♐33	24♑55
4 10	4 28	5 31	5 41	4 50	2 26	2 55	10 10	0♍26	2 34	1♏13	26 16	25 50	27 22
4 20	6 50	7 48	7 57	7 6	4 51	5 22	10 20	3 3	5 8	3 34	28 27	28 6	29 50
4 30	9 11	10 5	10 14	9 22	7 17	7 49	10 30	5 42	7 42	5 55	0♐38	0♑24	2♒20
4 40	11 32	12 22	12 31	11 39	9 42	10 15	10 40	8 22	10 15	8 15	2 49	2 42	4 51
4 50	13 52	14 39	14 49	13 56	12 7	12 40	10 50	11 2	12 48	10 34	5 0	5 1	7 23
DT	13.9	13.7	13.8	13.7	14.5	14.4		16.1	15.3	13.8	13.1	14.1	15.5
DL	0.0	9.1	12.4	6.2	-4.6	-6.7		0.0	-2.6	-12.4	-24.9	-19.5	-7.9
5 0	16♊11	16♋56	17♌7	16♍13	14♎32	15♏5	11 0	13♍43	15♎21	12♏53	7♐11	7♑21	9♒57
5 10	18 30	19 13	19 26	18 30	16 56	17 28	11 10	16 25	17 54	15 11	9 23	9 42	12 33
5 20	20 49	21 31	21 45	20 48	19 20	19 51	11 20	19 7	20 25	17 29	11 34	12 4	15 10
5 30	23 7	23 48	24 5	23 6	21 44	22 13	11 30	21 50	22 57	19 46	13 46	14 27	17 48
5 40	25 25	26 7	26 26	25 24	24 7	24 34	11 40	24 33	25 27	22 3	15 59	16 52	20 28
5 50	27 42	28 26	28 47	27 42	26 30	26 55	11 50	27 17	27 57	24 19	18 11	19 18	23 10

LATITUDE 23 DEGREES PLACIDUS HOUSES

S.T.	10	11	12	1	2	3	S.T.	10	11	12	1	2	3
DT	*16.3*	*14.9*	*13.6*	*13.4*	*14.9*	*16.4*		*13.8*	*14.6*	*17.2*	*20.0*	*17.2*	*14.6*
DL	*0.0*	*-4.9*	*-15.3*	*-27.6*	*-19.0*	*-6.0*		*0.0*	*-9.1*	*-13.3*	*-0.0*	*13.3*	*9.1*
12 0	0♎ 0	0♏26	26♏35	20♐25	21♑46	25♒53	18 0	0♑ 0	24♑55	23♒45	0♈ 0	6♉15	5♊ 5
12 10	2 43	2 55	28 50	22 39	24 16	28 38	18 10	2 18	27 22	26 38	3 20	9 6	7 31
12 20	5 27	5 22	1♐ 5	24 54	26 47	1♓24	18 20	4 35	29 50	29 33	6 40	11 55	9 55
12 30	8 10	7 49	3 20	27 10	29 20	4 11	18 30	6 53	2♒20	2♓30	10 0	14 42	12 19
12 40	10 53	10 15	5 35	29 27	1♒54	7 0	18 40	9 11	4 51	5 28	13 18	17 27	14 41
12 50	13 35	12 40	7 49	1♑45	4 31	9 50	18 50	11 30	7 23	8 29	16 35	20 10	17 3
DT	*16.1*	*14.4*	*13.4*	*14.0*	*16.0*	*17.1*		*13.9*	*15.5*	*18.2*	*19.5*	*16.0*	*14.0*
DL	*0.0*	*-6.7*	*-17.4*	*-29.3*	*-17.2*	*-3.3*		*0.0*	*-7.9*	*-7.4*	*12.8*	*17.2*	*9.6*
13 0	16♎17	15♏ 5	10♐ 4	4♑ 4	7♒10	12♓41	19 0	13♑49	9♒57	11♓30	19♈50	22♉50	19♊24
13 10	18 58	17 28	12 18	6 24	9 50	15 33	19 10	16 8	12 33	14 33	23 4	25 29	21 43
13 20	21 38	19 51	14 33	8 46	12 33	18 25	19 20	18 28	15 10	17 37	26 15	28 6	24 3
13 30	24 18	22 13	16 48	11 10	15 18	21 18	19 30	20 49	17 48	20 42	29 25	0♊40	26 21
13 40	26 57	24 34	19 3	13 35	18 5	24 12	19 40	23 10	20 28	23 48	2♉32	3 13	28 39
13 50	29 34	26 55	21 18	16 2	20 54	27 6	19 50	25 32	23 10	26 54	5 36	5 44	0♋57
DT	*15.6*	*14.0*	*13.6*	*15.0*	*17.2*	*17.4*		*14.3*	*16.4*	*18.6*	*18.0*	*14.9*	*13.7*
DL	*0.0*	*-8.1*	*-18.9*	*-29.6*	*-13.3*	*-0.0*		*0.0*	*-8.0*	*-0.0*	*22.3*	*10.0*	*8.6*
14 0	2♏11	29♏15	23♐33	18♑30	23♒45	0♈ 0	20 0	27♑55	25♒53	0♈ 0	8♉38	8♊14	3♋14
14 10	4 46	1♐34	25 50	21 1	26 38	2 54	20 10	0♒18	28 38	3 6	11 37	10 42	5 31
14 20	7 21	3 53	28 6	23 34	29 33	5 48	20 20	2 43	1♓24	6 12	14 33	13 8	7 48
14 30	9 54	6 12	0♑24	26 10	2♓30	8 42	20 30	5 9	4 11	9 18	17 26	15 33	10 5
14 40	12 27	8 29	2 42	28 47	5 28	11 35	20 40	7 35	7 0	12 23	20 17	17 56	12 22
14 50	14 58	10 47	5 1	1♒27	8 29	14 27	20 50	10 3	9 50	15 27	23 5	20 18	14 39
DT	*14.9*	*13.7*	*14.1*	*16.4*	*18.2*	*17.1*		*14.9*	*17.1*	*18.2*	*16.4*	*14.1*	*13.7*
DL	*0.0*	*-9.1*	*-19.5*	*-27.6*	*-7.4*	*3.3*		*0.0*	*-3.3*	*7.4*	*27.6*	*19.5*	*9.1*
15 0	17♏28	13♐ 4	7♑21	4♒10	11♓30	17♈19	21 0	12♒32	12♓41	18♈30	25♉50	22♊39	16♋56
15 10	19 57	15 21	9 42	6 55	14 33	20 10	21 10	15 2	15 33	21 31	28 33	24 59	19 13
15 20	22 25	17 38	12 4	9 43	17 37	23 0	21 20	17 33	18 25	24 32	1♊13	27 18	21 31
15 30	24 51	19 55	14 27	12 34	20 42	25 49	21 30	20 6	21 18	27 30	3 50	29 36	23 48
15 40	27 17	22 12	16 52	15 27	23 48	28 36	21 40	22 39	24 12	0♉27	6 26	1♋54	26 7
15 50	29 42	24 29	19 18	18 23	26 54	1♉22	21 50	25 14	27 6	3 22	8 59	4 10	28 26
DT	*14.3*	*13.7*	*14.9*	*18.0*	*18.6*	*16.4*		*15.6*	*17.4*	*17.2*	*15.0*	*13.6*	*14.0*
DL	*0.0*	*-9.6*	*-19.0*	*-22.3*	*-0.0*	*6.0*		*0.0*	*-0.0*	*13.3*	*29.6*	*18.9*	*8.1*
16 0	2♐ 5	26♐46	21♑46	21♒22	0♈ 0	4♉ 7	22 0	27♒49	0♈ 0	6♉15	11♊30	6♋27	0♌45
16 10	4 28	29 3	24 16	24 24	3 6	6 50	22 10	0♓26	2 54	9 6	13 58	8 42	3 5
16 20	6 50	1♑21	26 47	27 28	6 12	9 32	22 20	3 3	5 48	11 55	16 25	10 57	5 26
16 30	9 11	3 39	29 20	0♓35	9 18	12 12	22 30	5 42	8 42	14 42	18 50	13 12	7 47
16 40	11 32	5 57	1♒54	3 45	12 23	14 50	22 40	8 22	11 35	17 27	21 14	15 27	10 9
16 50	13 52	8 17	4 31	6 56	15 27	17 27	22 50	11 2	14 27	20 10	23 36	17 42	12 32
DT	*13.9*	*14.0*	*16.0*	*19.5*	*18.2*	*15.5*		*16.1*	*17.1*	*16.0*	*14.0*	*13.4*	*14.4*
DL	*0.0*	*-9.6*	*-17.2*	*-12.8*	*7.4*	*7.9*		*0.0*	*3.3*	*17.2*	*29.3*	*17.4*	*6.7*
17 0	16♐11	10♑36	7♒10	10♓10	18♈30	20♉ 3	23 0	13♓43	17♈19	22♉50	25♊56	19♋56	14♌55
17 10	18 30	12 57	9 50	13 25	21 31	22 37	23 10	16 25	20 10	25 29	28 15	22 11	17 20
17 20	20 49	15 19	12 33	16 42	24 32	25 9	23 20	19 7	23 0	28 6	0♋33	24 25	19 45
17 30	23 7	17 41	15 18	20 0	27 30	27 40	23 30	21 50	25 49	0♊40	2 50	26 40	22 11
17 40	25 25	20 5	18 5	23 20	0♉27	0♊10	23 40	24 33	28 36	3 13	5 6	28 55	24 38
17 50	27 42	22 29	20 54	26 40	3 22	2 38	23 50	27 17	1♉22	5 44	7 21	1♌10	27 5

LATITUDE 24 DEGREES — PLACIDUS HOUSES

S.T.	10	11	12	1	2	3
DT	16.3	16.4	14.9	13.3	13.5	14.8
DL	0.0	6.1	19.5	27.9	15.4	4.9
0 0	0♈0	4♉13	8♊33	10♋3	3♌41	29♌39
0 10	2 43	6 56	11 1	12 16	5 56	2♍7
0 20	5 27	9 38	13 27	14 28	8 12	4 37
0 30	8 10	12 19	15 52	16 40	10 28	7 7
0 40	10 53	14 58	18 15	18 52	12 45	9 38
0 50	13 35	17 35	20 38	21 3	15 2	12 9
DT	16.1	15.5	14.0	13.1	13.8	15.2
DL	0.0	8.1	19.8	25.1	12.5	2.6
1 0	16♈17	20♉11	22♊59	23♋14	17♌20	14♍41
1 10	18 58	22 45	25 19	25 24	19 38	17 14
1 20	21 38	25 18	27 38	27 35	21 57	19 46
1 30	24 18	27 49	29 56	29 45	24 16	22 20
1 40	26 57	0♊19	2♋13	1♌56	26 36	24 53
1 50	29 34	2 47	4 29	4 7	28 56	27 26
DT	15.6	14.6	13.6	13.1	14.1	15.4
DL	0.0	9.3	19.1	21.5	8.8	0.0
2 0	2♉11	5♊14	6♋45	6♌17	1♍17	0♎0
2 10	4 46	7 40	9 1	8 28	3 39	2 34
2 20	7 21	10 5	11 16	10 39	6 1	5 7
2 30	9 54	12 28	13 31	12 50	8 23	7 40
2 40	12 27	14 51	15 45	15 2	10 46	10 14
2 50	14 58	17 12	17 59	17 14	13 9	12 46
DT	14.9	14.0	13.4	13.2	14.4	15.2
DL	0.0	9.8	17.6	17.1	4.6	-2.6
3 0	17♉28	19♊33	20♋14	19♌26	15♍33	15♎19
3 10	19 57	21 53	22 28	21 38	17 57	17 51
3 20	22 25	24 12	24 42	23 51	20 21	20 22
3 30	24 51	26 31	26 56	26 4	22 46	22 53
3 40	27 17	28 49	29 11	28 18	25 10	25 23
3 50	29 42	1♋7	1♌26	0♍32	27 35	27 53
DT	14.3	13.7	13.5	13.5	14.5	14.8
DL	0.0	9.7	15.4	12.0	0.0	-4.9
4 0	2♊5	3♋24	3♌41	2♍46	0♎0	0♏21
4 10	4 28	5 41	5 56	5 1	2 25	2 50
4 20	6 50	7 58	8 12	7 16	4 50	5 17
4 30	9 11	10 14	10 28	9 31	7 14	7 43
4 40	11 32	12 31	12 45	11 47	9 39	10 9
4 50	13 52	14 48	15 2	14 3	12 3	12 34
DT	13.9	13.7	13.8	13.6	14.4	14.4
DL	0.0	9.2	12.5	6.2	-4.6	-6.8
5 0	16♊11	17♋5	17♌20	16♍19	14♎27	14♏58
5 10	18 30	19 22	19 38	18 36	16 51	17 21
5 20	20 49	21 39	21 57	20 52	19 14	19 44
5 30	23 7	23 57	24 16	23 9	21 37	22 6
5 40	25 25	26 15	26 36	25 26	23 59	24 27
5 50	27 42	28 34	28 56	27 43	26 21	26 47

S.T.	10	11	12	1	2	3
DT	13.8	13.9	14.1	13.7	14.1	13.9
DL	0.0	8.3	8.8	0.0	-8.8	-8.3
6 0	0♋0	0♌53	1♍17	0♎0	28♎43	29♏7
6 10	2 18	3 13	3 39	2 17	1♏4	1♐26
6 20	4 35	5 33	6 1	4 34	3 24	3 45
6 30	6 53	7 54	8 23	6 51	5 44	6 3
6 40	9 11	10 16	10 46	9 8	8 3	8 21
6 50	11 30	12 39	13 9	11 24	10 22	10 38
DT	13.9	14.4	14.4	13.6	13.8	13.7
DL	0.0	6.8	4.6	-6.2	-12.5	-9.2
7 0	13♋49	15♌2	15♍33	13♎41	12♏40	12♐55
7 10	16 0	17 20	17 57	15 57	14 58	15 12
7 20	18 28	19 51	20 21	18 13	17 15	17 29
7 30	20 49	22 17	22 46	20 29	19 32	19 46
7 40	23 10	24 43	25 10	22 44	21 48	22 2
7 50	25 32	27 10	27 35	24 59	24 4	24 19
DT	14.3	14.8	14.5	13.5	13.5	13.7
DL	0.0	4.9	0.0	-12.0	-15.4	-9.7
8 0	27♋55	29♌39	0♎0	27♎14	26♏19	26♐36
8 10	0♌18	2♍7	2 25	29 28	28 34	28 53
8 20	2 43	4 37	4 50	1♏42	0♐49	1♑11
8 30	5 9	7 7	7 14	3 56	3 4	3 29
8 40	7 35	9 38	9 39	6 9	5 18	5 48
8 50	10 3	12 9	12 3	8 22	7 32	8 7
DT	14.9	15.2	14.4	13.2	13.4	14.0
DL	0.0	2.6	-4.6	-17.1	-17.6	-9.8
9 0	12♌32	14♍41	14♎27	10♏34	9♐46	10♑27
9 10	15 2	17 14	16 51	12 46	12 1	12 48
9 20	17 33	19 46	19 14	14 58	14 15	15 9
9 30	20 6	22 20	21 37	17 10	16 29	17 32
9 40	22 39	24 53	23 59	19 21	18 44	19 55
9 50	25 14	27 26	26 21	21 32	20 59	22 20
DT	15.6	15.4	14.1	13.1	13.6	14.6
DL	0.0	0.0	-8.8	-21.5	-19.1	-9.3
10 0	27♌49	0♎0	28♎43	23♏43	23♐15	24♑46
10 10	0♍26	2 34	1♏4	25 53	25 31	27 13
10 20	3 3	5 7	3 24	28 4	27 47	29 41
10 30	5 42	7 40	5 44	0♐15	0♑4	2♒11
10 40	8 22	10 14	8 3	2 25	2 22	4 42
10 50	11 2	12 46	10 22	4 36	4 41	7 15
DT	16.1	15.2	13.8	13.1	14.0	15.5
DL	0.0	-2.6	-12.5	-25.1	-19.8	-8.1
11 0	13♍43	15♎19	12♏40	6♐46	7♑1	9♒49
11 10	16 25	17 51	14 58	8 57	9 22	12 25
11 20	19 7	20 22	17 15	11 8	11 45	15 2
11 30	21 50	22 53	19 32	13 20	14 8	17 41
11 40	24 33	25 23	21 48	15 32	16 33	20 22
11 50	27 17	27 53	24 4	17 44	18 59	23 4

LATITUDE 24 DEGREES — PLACIDUS HOUSES

S.T.	10	11	12	1	2	3
DT	16.3	14.8	13.5	13.3	14.9	16.4
DL	0.0	-4.9	-15.4	-27.9	-19.5	-6.1
12 0	0♎0	0♏21	26♏19	19♐57	21♑27	25♒47
12 10	2 43	2 50	28 34	22 11	23 57	28 32
12 20	5 27	5 17	0♐49	24 26	26 28	1♓19
12 30	8 10	7 43	3 4	26 41	29 1	4 7
12 40	10 53	10 9	5 18	28 58	1♒36	6 56
12 50	13 35	12 34	7 32	1♑16	4 13	9 46
DT	16.1	14.4	13.4	14.0	16.0	17.2
DL	0.0	-6.8	-17.6	-29.7	-17.6	-3.3
13 0	16♎17	14♏58	9♐46	3♑35	6♒53	12♓38
13 10	18 58	17 21	12 1	5 55	9 34	15 30
13 20	21 38	19 44	14 15	8 17	12 17	18 23
13 30	24 18	22 6	16 29	10 40	15 2	21 17
13 40	26 57	24 27	18 44	13 5	17 50	24 11
13 50	29 34	26 47	20 59	15 32	20 40	27 5
DT	15.6	13.9	13.6	15.0	17.3	17.5
DL	0.0	-8.3	-19.1	-30.2	-13.7	-0.0
14 0	2♏11	29♏7	23♐15	18♑1	23♒32	0♈0
14 10	4 46	1♐26	25 31	20 32	26 25	2 55
14 20	7 21	3 45	27 47	23 5	29 21	5 49
14 30	9 54	6 3	0♑4	25 41	2♓19	8 43
14 40	12 27	8 21	2 22	28 19	5 19	11 37
14 50	14 58	10 38	4 41	0♒59	8 20	14 30
DT	14.9	13.7	14.0	16.5	18.3	17.2
DL	0.0	-9.2	-19.8	-28.4	-7.6	3.3
15 0	17♏28	12♐55	7♑1	3♒42	11♓23	17♈22
15 10	19 57	15 12	9 22	6 28	14 27	20 14
15 20	22 25	17 29	11 45	9 17	17 32	23 4
15 30	24 51	19 46	14 8	12 8	20 38	25 53
15 40	27 17	22 2	16 33	15 3	23 45	28 41
15 50	29 42	24 19	18 59	18 0	26 52	1♉28
DT	14.3	13.7	14.9	18.2	18.8	16.4
DL	0.0	-9.7	-19.5	-23.0	-0.0	6.1
16 0	2♐5	26♐36	21♑27	21♒0	0♈0	4♉13
16 10	4 28	28 53	23 57	24 3	3 8	6 56
16 20	6 50	1♑11	26 28	27 9	6 15	9 38
16 30	9 11	3 29	29 1	0♓17	9 22	12 19
16 40	11 32	5 48	1♒36	3 28	12 28	14 58
16 50	13 52	8 7	4 13	6 41	15 33	17 35
DT	13.9	14.0	16.0	19.6	18.3	15.5
DL	0.0	-9.8	-17.6	-13.2	7.6	8.1
17 0	16♐11	10♑27	6♒53	9♓57	18♈37	20♉11
17 10	18 30	12 48	9 34	13 14	21 40	22 45
17 20	20 49	15 9	12 17	16 33	24 41	25 18
17 30	23 7	17 32	15 2	19 54	27 41	27 49
17 40	25 25	19 55	17 50	23 15	0♉39	0♊19
17 50	27 42	22 20	20 40	26 37	3 35	2 47

S.T.	10	11	12	1	2	3
DT	13.8	14.6	17.3	20.3	17.3	14.6
DL	0.0	-9.3	-13.7	-0.0	13.7	9.3
18 0	0♑0	24♑46	23♒32	0♈0	6♉28	5♊14
18 10	2 18	27 13	26 25	3 23	9 20	7 40
18 20	4 35	29 41	29 21	6 45	12 10	10 5
18 30	6 53	2♒11	2♓19	10 6	14 58	12 28
18 40	9 11	4 42	5 19	13 27	17 43	14 51
18 50	11 30	7 15	8 20	16 46	20 26	17 12
DT	13.9	15.5	18.3	19.6	16.0	14.0
DL	0.0	-8.1	-7.6	13.2	17.6	9.8
19 0	13♑49	9♒49	11♓23	20♈3	23♉7	19♊33
19 10	16 8	12 25	14 27	23 19	25 47	21 53
19 20	18 28	15 2	17 32	26 32	28 24	24 12
19 30	20 49	17 41	20 38	29 43	0♊59	26 31
19 40	23 10	20 22	23 45	2♉51	3 32	28 49
19 50	25 32	23 4	26 52	5 57	6 3	1♋7
DT	14.3	16.4	18.8	18.2	14.9	13.7
DL	0.0	-6.1	-0.0	23.0	19.5	9.7
20 0	27♑55	25♒47	0♈0	9♉0	8♊33	3♋24
20 10	0♒18	28 32	3 8	12 0	11 1	5 41
20 20	2 43	1♓19	6 15	14 57	13 27	7 58
20 30	5 9	4 7	9 22	17 52	15 52	10 14
20 40	7 35	6 56	12 28	20 43	18 15	12 31
20 50	10 3	9 46	15 33	23 32	20 38	14 48
DT	14.9	17.2	18.3	16.5	14.0	13.7
DL	0.0	-3.3	7.6	28.4	19.8	9.2
21 0	12♒32	12♓38	18♈37	26♉18	22♊59	17♋5
21 10	15 2	15 30	21 40	29 1	25 19	19 22
21 20	17 33	18 23	24 41	1♊41	27 38	21 39
21 30	20 6	21 17	27 41	4 19	29 56	23 57
21 40	22 39	24 11	0♉39	6 55	2♋13	26 15
21 50	25 14	27 5	3 35	9 28	4 29	28 34
DT	15.6	17.5	17.3	15.0	13.6	13.9
DL	0.0	-0.0	13.7	30.2	19.1	8.3
22 0	27♒49	0♈0	6♉28	11♊59	6♋45	0♌53
22 10	0♓26	2 55	9 20	14 28	9 1	3 13
22 20	3 3	5 49	12 10	16 55	11 16	5 33
22 30	5 42	8 43	14 58	19 20	13 31	7 54
22 40	8 22	11 37	17 43	21 43	15 45	10 16
22 50	11 2	14 30	20 26	24 5	17 59	12 39
DT	16.1	17.2	16.0	14.0	13.4	14.4
DL	0.0	3.3	17.6	29.7	17.6	6.8
23 0	13♓43	17♈22	23♉7	26♊25	20♋14	15♌2
23 10	16 25	20 14	25 47	28 44	22 28	17 26
23 20	19 7	23 4	28 24	1♋2	24 42	19 51
23 30	21 50	25 53	0♊59	3 19	26 56	22 17
23 40	24 33	28 41	3 32	5 34	29 11	24 43
23 50	27 17	1♉28	6 3	7 49	1♌26	27 10

LATITUDE 25 DEGREES   PLACIDUS HOUSES

S.T.	10	11	12	1	2	3	S.T.	10	11	12	1	2	3
DT	16.3	14.8	13.5	13.3	14.9	16.5		13.8	14.7	17.4	20.5	17.4	14.7
DL	0.0	-5.0	-15.6	-28.3	-19.9	-6.3		0.0	-9.5	-14.1	-0.0	14.1	9.5
12 0	0♎0	0♏17	26♏4	19♐30	21♑8	25♒41	18 0	0♑0	24♑36	23♒18	0♈0	6♉42	5♊24
12 10	2 43	2 44	28 19	21 43	23 38	28 27	18 10	2 18	27 4	26 13	3 25	9 35	7 50
12 20	5 27	5 11	0♐33	23 57	26 9	1♓14	18 20	4 35	29 32	29 9	6 49	12 25	10 14
12 30	8 10	7 37	2 47	26 12	28 43	4 2	18 30	6 53	2♒2	2♓8	10 13	15 13	12 38
12 40	10 53	10 3	5 1	28 29	1♒18	6 52	18 40	9 11	4 34	5 9	13 36	18 0	15 1
12 50	13 35	12 27	7 15	0♑46	3 55	9 42	18 50	11 30	7 7	8 11	16 57	20 43	17 22
DT	16.1	14.3	13.4	13.9	16.1	17.2		13.9	15.5	18.5	19.8	16.1	14.0
DL	0.0	-6.9	-17.9	-30.3	-18.0	-3.4		0.0	-8.3	-7.9	13.7	18.0	10.0
13 0	16♎17	14♏51	9♐29	3♑5	6♒35	12♓34	19 0	13♑49	9♒41	11♓15	20♈16	23♉25	19♊43
13 10	18 58	17 14	11 43	5 25	9 17	15 27	19 10	16 8	12 17	14 20	23 34	26 5	22 3
13 20	21 38	19 36	13 57	7 47	12 0	18 21	19 20	18 28	14 55	17 27	26 49	28 42	24 22
13 30	24 18	21 58	16 11	10 10	14 47	21 15	19 30	20 49	17 34	20 34	0♉2	1♊17	26 41
13 40	26 57	24 19	18 25	12 35	17 35	24 10	19 40	23 10	20 15	23 42	3 11	3 51	28 59
13 50	29 34	26 39	20 40	15 2	20 25	27 5	19 50	25 32	22 57	26 51	6 19	6 22	1♋16
DT	15.6	13.9	13.6	15.0	17.4	17.5		14.3	16.5	18.9	18.3	14.9	13.7
DL	0.0	-8.4	-19.4	-30.9	-14.1	-0.0		0.0	-6.3	-0.0	23.8	19.9	9.9
14 0	2♏11	28♏59	22♐55	17♑31	23♒18	0♈0	20 0	27♑55	25♒41	0♈0	9♉23	8♊52	3♋34
14 10	4 46	1♐18	25 11	20 2	26 13	2 55	20 10	0♒18	28 27	3 9	12 24	11 20	5 51
14 20	7 21	3 36	27 28	22 35	29 9	5 50	20 20	2 43	1♓14	6 18	15 23	13 47	8 7
14 30	9 54	5 54	29 45	25 11	2♓8	8 45	20 30	5 9	4 2	9 26	18 18	16 12	10 24
14 40	12 27	8 12	2♑3	27 49	5 9	11 39	20 40	7 35	6 52	12 33	21 10	18 35	12 41
14 50	14 58	10 29	4 22	0♒30	8 11	14 33	20 50	10 3	9 42	15 40	24 0	20 57	14 57
DT	14.9	13.7	14.0	16.5	18.5	17.2		14.9	17.2	18.5	16.5	14.0	13.7
DL	0.0	-9.4	-20.2	-29.1	-7.9	3.4		0.0	-3.4	7.9	29.1	20.2	9.4
15 0	17♏28	12♐46	6♑42	3♒14	11♓15	17♈26	21 0	12♒32	12♓34	18♈45	26♉46	23♊18	17♋14
15 10	19 57	15 3	9 3	6 0	14 20	20 18	21 10	15 2	15 27	21 49	29 30	25 38	19 31
15 20	22 25	17 19	11 25	8 50	17 27	23 8	21 20	17 33	18 21	24 51	2♊11	27 57	21 48
15 30	24 51	19 36	13 48	11 42	20 34	25 58	21 30	20 6	21 15	27 52	4 49	0♋15	24 6
15 40	27 17	21 53	16 13	14 37	23 42	28 46	21 40	22 39	24 10	0♉51	7 25	2 32	26 24
15 50	29 42	24 9	18 40	17 36	26 51	1♉33	21 50	25 14	27 5	3 47	9 58	4 49	28 42
DT	14.3	13.7	14.9	18.3	18.9	16.5		15.6	17.5	17.4	15.0	13.6	13.9
DL	0.0	-9.9	-19.9	-23.8	-0.0	6.3		0.0	-0.0	14.1	30.9	19.4	8.4
16 0	2♐5	26♐26	21♑8	20♒37	0♈0	4♉19	22 0	27♒49	0♈0	6♉42	12♊29	7♋5	1♌1
16 10	4 28	28 44	23 38	23 41	3 9	7 3	22 10	0♓26	2 55	9 35	14 58	9 20	3 21
16 20	6 50	1♑1	26 9	26 49	6 18	9 45	22 20	3 3	5 50	12 25	17 25	11 35	5 41
16 30	9 11	3 19	28 43	29 58	9 26	12 26	22 30	5 42	8 45	15 13	19 50	13 49	8 2
16 40	11 32	5 38	1♒18	3♓11	12 33	15 5	22 40	8 22	11 39	18 0	22 13	16 3	10 24
16 50	13 52	7 57	3 55	6 26	15 40	17 43	22 50	11 2	14 33	20 43	24 35	18 17	12 46
DT	13.9	14.0	16.1	19.8	18.5	15.5		16.1	17.2	16.1	13.9	13.4	14.3
DL	0.0	-10.0	-18.0	-13.7	7.9	8.3		0.0	3.4	18.0	30.3	17.9	6.9
17 0	16♐11	10♑17	6♒35	9♓44	18♈45	20♉19	23 0	13♓43	17♈26	23♉25	26♊55	20♋31	15♌9
17 10	18 30	12 38	9 17	13 3	21 49	22 53	23 10	16 25	20 18	26 5	29 14	22 45	17 33
17 20	20 49	14 59	12 0	16 24	24 51	25 26	23 20	19 7	23 8	28 42	1♋31	24 59	19 57
17 30	23 7	17 22	14 47	19 47	27 52	27 58	23 30	21 50	25 58	1♊17	3 48	27 13	22 23
17 40	25 25	19 46	17 35	23 11	0♉51	0♊28	23 40	24 33	28 46	3 51	6 3	29 27	24 49
17 50	27 42	22 10	20 25	26 35	3 47	2 56	23 50	27 17	1♉33	6 22	8 17	1♌41	27 16

LATITUDE 25 DEGREES   PLACIDUS HOUSES

S.T.	10	11	12	1	2	3	S.T.	10	11	12	1	2	3
DT	*16.3*	*16.5*	*14.9*	*13.3*	*13.5*	*14.8*		*13.8*	*13.9*	*14.1*	*13.6*	*14.1*	*13.9*
DL	*0.0*	*6.3*	*19.9*	*28.3*	*15.6*	*5.0*		*0.0*	*8.4*	*8.9*	*0.0*	*-8.9*	*-8.4*
0 0	0♈0	4♉19	8♊52	10♋30	3♌56	29♌43	6 0	0♋0	1♌1	1♍26	0♎0	28♎34	28♏59
0 10	2 43	7 3	11 20	12 43	6 11	2♍12	6 10	2 18	3 21	3 47	2 16	0♏54	1♐18
0 20	5 27	9 45	13 47	14 55	8 26	4 41	6 20	4 35	5 41	6 8	4 32	3 14	3 36
0 30	8 10	12 26	16 12	17 7	10 42	7 11	6 30	6 53	8 2	8 30	6 48	5 33	5 54
0 40	10 53	15 5	18 35	19 18	12 58	9 41	6 40	9 11	10 24	10 52	9 4	7 52	8 12
0 50	13 35	17 43	20 57	21 28	15 15	12 12	6 50	11 30	12 46	13 15	11 19	10 10	10 29
DT	*16.1*	*15.5*	*14.0*	*13.0*	*13.7*	*15.2*		*13.9*	*14.3*	*14.3*	*13.5*	*13.7*	*13.7*
DL	*0.0*	*8.3*	*20.2*	*25.4*	*12.6*	*2.6*		*0.0*	*6.9*	*4.6*	*-6.2*	*-12.6*	*-9.4*
1 0	16♈17	20♉19	23♊18	23♋39	17♌32	14♍44	7 0	13♋49	15♌9	15♍38	13♎35	12♏28	12♐46
1 10	18 58	22 53	25 38	25 49	19 50	17 16	7 10	16 8	17 33	18 1	15 50	14 45	15 3
1 20	21 38	25 26	27 57	27 59	22 8	19 48	7 20	18 28	19 57	20 24	18 5	17 2	17 19
1 30	24 18	27 58	0♋15	0♌9	24 27	22 21	7 30	20 49	22 23	22 48	20 20	19 18	19 36
1 40	26 57	0♊28	2 32	2 19	26 46	24 54	7 40	23 10	24 49	25 12	22 34	21 34	21 53
1 50	29 34	2 56	4 49	4 29	29 6	27 27	7 50	25 32	27 16	27 36	24 48	23 49	24 9
DT	*15.6*	*14.7*	*13.6*	*13.0*	*14.1*	*15.3*		*14.3*	*14.8*	*14.4*	*13.4*	*13.5*	*13.7*
DL	*0.0*	*9.5*	*19.4*	*21.7*	*8.0*	*0.0*		*0.0*	*5.0*	*0.0*	*-12.0*	*-15.6*	*-9.9*
2 0	2♉11	5♊24	7♋5	6♌39	1♍26	0♎0	8 0	27♋55	29♌43	0♎0	27♎2	26♏4	26♐26
2 10	4 46	7 50	9 20	8 49	3 47	2 33	8 10	0♌18	2♍12	2 24	29 15	28 19	28 44
2 20	7 21	10 14	11 35	10 59	6 8	5 6	8 20	2 43	4 41	4 48	1♏28	0♐33	1♑1
2 30	9 54	12 38	13 49	13 10	8 30	7 39	8 30	5 9	7 11	7 12	3 41	2 47	3 19
2 40	12 27	15 1	16 3	15 20	10 52	10 12	8 40	7 35	9 41	9 36	5 53	5 1	5 38
2 50	14 58	17 22	18 17	17 32	13 15	12 44	8 50	10 3	12 12	11 59	8 5	7 15	7 57
DT	*14.9*	*14.0*	*13.4*	*13.2*	*14.3*	*15.2*		*14.9*	*15.2*	*14.3*	*13.2*	*13.4*	*14.0*
DL	*0.0*	*10.0*	*17.9*	*17.2*	*4.6*	*-2.6*		*0.0*	*2.6*	*-4.6*	*-17.2*	*-17.9*	*-10.0*
3 0	17♉28	19♊43	20♋31	19♌43	15♍38	15♎16	9 0	12♌32	14♍44	14♎22	10♏17	9♐29	10♑17
3 10	19 57	22 3	22 45	21 55	18 1	17 48	9 10	15 2	17 16	16 45	12 28	11 43	12 38
3 20	22 25	24 22	24 59	24 7	20 24	20 19	9 20	17 33	19 48	19 8	14 40	13 57	14 59
3 30	24 51	26 41	27 13	26 19	22 48	22 49	9 30	20 6	22 21	21 30	16 50	16 11	17 22
3 40	27 17	28 59	29 27	28 32	25 12	25 19	9 40	22 39	24 54	23 52	19 1	18 25	19 46
3 50	29 42	1♋16	1♌41	0♍45	27 36	27 48	9 50	25 14	27 27	26 13	21 11	20 40	22 10
DT	*14.3*	*13.7*	*13.5*	*13.4*	*14.4*	*14.8*		*15.6*	*15.3*	*14.1*	*13.0*	*13.6*	*14.7*
DL	*0.0*	*9.9*	*15.6*	*12.0*	*0.0*	*-5.0*		*0.0*	*0.0*	*-8.9*	*-21.7*	*-19.4*	*-9.5*
4 0	2♊5	3♋34	3♌56	2♍58	0♎0	0♏17	10 0	27♌49	0♎0	28♎34	23♏21	22♐55	24♑36
4 10	4 28	5 51	6 11	5 12	2 24	2 44	10 10	0♍26	2 33	0♏54	25 31	25 11	27 4
4 20	6 50	8 7	8 26	7 26	4 48	5 11	10 20	3 3	5 6	3 14	27 41	27 28	29 32
4 30	9 11	10 24	10 42	9 40	7 12	7 37	10 30	5 42	7 39	5 33	29 51	29 45	2♒2
4 40	11 32	12 41	12 58	11 55	9 36	10 3	10 40	8 22	10 12	7 52	2♐1	2♑3	4 34
4 50	13 52	14 57	15 15	14 10	11 59	12 27	10 50	11 2	12 44	10 10	4 11	4 22	7 7
DT	*13.9*	*13.7*	*13.7*	*13.5*	*14.3*	*14.3*		*16.1*	*15.2*	*13.7*	*13.0*	*14.0*	*15.5*
DL	*0.0*	*9.4*	*12.6*	*6.2*	*-4.6*	*-6.9*		*0.0*	*-2.6*	*-12.6*	*-25.4*	*-20.2*	*-8.3*
5 0	16♊11	17♋14	17♌32	16♍25	14♎22	14♏51	11 0	13♍43	15♎16	12♏28	6♐21	6♑42	9♒41
5 10	18 30	19 31	19 50	18 41	16 45	17 14	11 10	16 25	17 48	14 45	8 32	9 3	12 17
5 20	20 49	21 48	22 8	20 56	19 8	19 36	11 20	19 7	20 19	17 2	10 42	11 25	14 55
5 30	23 7	24 6	24 27	23 12	21 30	21 58	11 30	21 50	22 49	19 18	12 53	13 48	17 34
5 40	25 25	26 24	26 46	25 28	23 52	24 19	11 40	24 33	25 19	21 34	15 5	16 13	20 15
5 50	27 42	28 42	29 6	27 44	26 13	26 39	11 50	27 17	27 48	23 49	17 17	18 40	22 57

LATITUDE 26 DEGREES PLACIDUS HOUSES

S.T.	10	11	12	1	2	3	S.T.	10	11	12	1	2	3
DT	*16.3*	*16.5*	*14.9*	*13.3*	*13.4*	*14.8*		*13.8*	*13.9*	*14.0*	*13.5*	*14.0*	*13.9*
DL	*0.0*	*6.4*	*20.3*	*28.7*	*15.8*	*5.0*		*0.0*	*8.5*	*9.0*	*0.0*	*–9.0*	*–8.5*
0 0	0♈ 0	4♉25	9♊12	10♋59	4♌12	29♌48	6 0	0♋ 0	1♌10	1♍35	0♎ 0	28♎25	28♏50
0 10	2 43	7 9	11 40	13 11	6 26	2♍16	6 10	2 18	3 29	3 55	2 15	0♏45	1♐ 9
0 20	5 27	9 52	14 7	15 23	8 41	4 45	6 20	4 35	5 49	6 16	4 30	3 4	3 27
0 30	8 10	12 33	16 32	17 34	10 56	7 15	6 30	6 53	8 10	8 37	6 45	5 23	5 45
0 40	10 53	15 13	18 55	19 44	13 12	9 45	6 40	9 11	10 31	10 58	8 59	7 41	8 3
0 50	13 35	17 51	21 18	21 54	15 28	12 15	6 50	11 30	12 53	13 20	11 14	9 58	10 20
DT	*16.1*	*15.6*	*14.0*	*13.0*	*13.7*	*15.1*		*13.9*	*14.3*	*14.2*	*13.4*	*13.7*	*13.7*
DL	*0.0*	*8.5*	*20.6*	*25.6*	*12.7*	*2.6*		*0.0*	*7.0*	*4.7*	*–6.2*	*–12.7*	*–9.5*
1 0	16♈17	20♉27	23♊39	24♋ 4	17♌45	14♍46	7 0	13♋49	15♌16	15♍42	13♎28	12♏15	12♐37
1 10	18 58	23 2	25 58	26 14	20 2	17 18	7 10	16 8	17 34	18 5	15 43	14 32	14 53
1 20	21 38	25 35	28 17	28 23	22 19	19 50	7 20	18 28	20 4	20 27	17 57	16 48	17 10
1 30	24 18	28 7	0♋35	0♌33	24 37	22 22	7 30	20 49	22 29	22 50	20 10	19 4	19 26
1 40	26 57	0♊37	2 52	2 42	26 56	24 55	7 40	23 10	24 54	25 13	22 24	21 19	21 43
1 50	29 34	3 6	5 8	4 51	29 15	27 27	7 50	25 32	27 21	27 37	24 37	23 34	24 0
DT	*15.6*	*14.7*	*13.5*	*12.9*	*14.0*	*15.3*		*14.3*	*14.8*	*14.3*	*13.3*	*13.4*	*13.7*
DL	*0.0*	*9.7*	*19.8*	*21.8*	*9.0*	*0.0*		*0.0*	*5.0*	*0.0*	*–12.1*	*–15.8*	*–10.1*
2 0	2♉11	5♊33	7♋24	7♌ 0	1♍35	0♎ 0	8 0	27♋55	29♌48	0♎ 0	26♎50	25♏48	26♐17
2 10	4 46	7 59	9 39	9 10	3 55	2 33	8 10	0♌18	2♍16	2 23	29 2	28 3	28 34
2 20	7 21	10 24	11 54	11 19	6 16	5 5	8 20	2 43	4 45	4 47	1♏14	0♐16	0♑51
2 30	9 54	12 48	14 8	13 29	8 37	7 38	8 30	5 9	7 15	7 10	3 26	2 30	3 9
2 40	12 27	15 10	16 22	15 39	10 58	10 10	8 40	7 35	9 45	9 33	5 38	4 44	5 28
2 50	14 58	17 32	18 35	17 50	13 20	12 42	8 50	10 3	12 15	11 55	7 49	6 57	7 47
DT	*14.9*	*14.0*	*13.4*	*13.1*	*14.2*	*15.1*		*14.9*	*15.1*	*14.2*	*13.1*	*13.4*	*14.0*
DL	*0.0*	*10.2*	*18.1*	*17.3*	*4.7*	*–2.6*		*0.0*	*2.6*	*–4.7*	*–17.3*	*–18.1*	*–10.2*
3 0	17♉28	19♊53	20♋49	20♌ 0	15♍42	15♎14	9 0	12♌32	14♍46	14♎18	10♏ 0	9♐11	10♑ 7
3 10	19 57	22 13	23 3	22 11	18 5	17 45	9 10	15 2	17 18	16 40	12 10	11 25	12 28
3 20	22 25	24 32	25 16	24 22	20 27	20 15	9 20	17 33	19 50	19 2	14 21	13 38	14 50
3 30	24 51	26 51	27 30	26 34	22 50	22 45	9 30	20 6	22 22	21 23	16 31	15 52	17 12
3 40	27 17	29 9	29 44	28 46	25 13	25 15	9 40	22 39	24 55	23 44	18 41	18 6	19 36
3 50	29 42	1♋26	1♌57	0♍58	27 37	27 44	9 50	25 14	27 27	26 5	20 50	20 21	22 1
DT	*14.3*	*13.7*	*13.4*	*13.3*	*14.3*	*14.8*		*15.6*	*15.3*	*14.0*	*12.9*	*13.5*	*14.7*
DL	*0.0*	*10.1*	*15.8*	*12.1*	*0.0*	*–5.0*		*0.0*	*0.0*	*–9.0*	*–21.8*	*–19.8*	*–9.7*
4 0	2♊ 5	3♋43	4♌12	3♍10	0♎ 0	0♏12	10 0	27♌49	0♎ 0	28♎25	23♏ 0	22♐36	24♑27
4 10	4 28	6 0	6 26	5 23	2 23	2 39	10 10	0♍26	2 33	0♏45	25 9	24 52	26 54
4 20	6 50	8 17	8 41	7 36	4 47	5 6	10 20	3 3	5 5	3 4	27 18	27 8	29 23
4 30	9 11	10 34	10 56	9 50	7 10	7 31	10 30	5 42	7 38	5 23	29 27	29 25	1♒53
4 40	11 32	12 50	13 12	12 3	9 33	9 56	10 40	8 22	10 10	7 41	1♐37	1♑43	4 25
4 50	13 52	15 7	15 28	14 17	11 55	12 21	10 50	11 2	12 42	9 58	3 46	4 2	6 58
DT	*13.9*	*13.7*	*13.7*	*13.4*	*14.2*	*14.3*		*16.1*	*15.1*	*13.7*	*13.0*	*14.0*	*15.6*
DL	*0.0*	*9.5*	*12.7*	*6.2*	*–4.7*	*–7.0*		*0.0*	*–2.6*	*–12.7*	*–25.6*	*–20.6*	*–8.5*
5 0	16♊11	17♋23	17♌45	16♍32	14♎18	14♏44	11 0	13♍43	15♎14	12♏15	5♐56	6♑21	9♒33
5 10	18 30	19 40	20 2	18 46	16 40	17 7	11 10	16 25	17 45	14 32	8 6	8 42	12 9
5 20	20 49	21 57	22 19	21 1	19 2	19 29	11 20	19 7	20 15	16 48	10 16	11 5	14 47
5 30	23 7	24 15	24 37	23 15	21 23	21 50	11 30	21 50	22 45	19 4	12 26	13 28	17 27
5 40	25 25	26 33	26 56	25 30	23 44	24 11	11 40	24 33	25 15	21 19	14 37	15 53	20 8
5 50	27 42	28 51	29 15	27 45	26 5	26 31	11 50	27 17	27 44	23 34	16 49	18 20	22 51

LATITUDE 26 DEGREES — PLACIDUS HOUSES

S.T.	10	11	12	1	2	3
DT	16.3	14.8	13.4	13.3	14.9	16.5
DL	0.0	-5.0	-15.8	-28.7	-20.3	-6.4
12 0	0♎0	0♏12	25♏48	19♐1	20♑48	25♒35
12 10	2 43	2 39	28 3	21 14	23 18	28 21
12 20	5 27	5 6	0♐16	23 28	25 50	1♓8
12 30	8 10	7 31	2 30	25 43	28 23	3 57
12 40	10 53	9 56	4 44	27 59	0♒59	6 47
12 50	13 35	12 21	6 57	0♑16	3 37	9 38
DT	16.1	14.3	13.4	13.9	16.1	17.3
DL	0.0	-7.0	-18.1	-30.8	-18.5	-3.5
13 0	16♎17	14♏44	9♐11	2♑35	6♒17	12♓31
13 10	18 58	17 7	11 25	4 54	8 59	15 24
13 20	21 38	19 29	13 38	7 16	11 44	18 18
13 30	24 18	21 50	15 52	9 39	14 30	21 13
13 40	26 57	24 11	18 6	12 4	17 19	24 8
13 50	29 34	26 31	20 21	14 31	20 10	27 4
DT	15.6	13.9	13.5	15.0	17.5	17.6
DL	0.0	-8.5	-19.8	-31.6	-14.5	-0.0
14 0	2♏11	28♏50	22♐36	17♑0	23♒4	0♈0
14 10	4 46	1♐9	24 52	19 31	25 59	2 56
14 20	7 21	3 27	27 8	22 5	28 57	5 52
14 30	9 54	5 45	29 25	24 41	1♓57	8 47
14 40	12 27	8 3	1♑43	27 19	4 59	11 42
14 50	14 58	10 20	4 2	0♒1	8 2	14 36
DT	14.9	13.7	14.0	16.6	18.6	17.3
DL	0.0	-9.5	-20.6	-30.0	-8.1	3.5
15 0	17♏28	12♐37	6♑21	2♒45	11♓7	17♈29
15 10	19 57	14 53	8 42	5 32	14 14	20 22
15 20	22 25	17 10	11 5	8 22	17 21	23 13
15 30	24 51	19 26	13 28	11 15	20 30	26 3
15 40	27 17	21 43	15 53	14 11	23 40	28 52
15 50	29 42	24 0	18 20	17 11	26 50	1♉39
DT	14.3	13.7	14.9	18.4	19.0	16.5
DL	0.0	-10.1	-20.3	-24.6	-0.0	6.4
16 0	2♐5	26♐17	20♑48	20♒13	0♈0	4♉25
16 10	4 28	28 34	23 18	23 19	3 10	7 9
16 20	6 50	0♑51	25 50	26 28	6 20	9 52
16 30	9 11	3 9	28 23	29 39	9 30	12 33
16 40	11 32	5 28	0♒59	2♓54	12 39	15 13
16 50	13 52	7 47	3 37	6 11	15 46	17 51
DT	13.9	14.0	16.1	20.0	18.6	15.6
DL	0.0	-10.2	-18.5	-14.3	8.1	8.5
17 0	16♐11	10♑7	6♒17	9♓30	18♈53	20♉27
17 10	18 30	12 28	8 59	12 51	21 58	23 2
17 20	20 49	14 50	11 44	16 15	25 1	25 35
17 30	23 7	17 12	14 30	19 40	28 3	28 7
17 40	25 25	19 36	17 19	23 6	1♉3	0♊37
17 50	27 42	22 1	20 10	26 33	4 1	3 6

S.T.	10	11	12	1	2	3
DT	13.8	14.7	17.5	20.7	17.5	14.7
DL	0.0	-9.7	-14.5	-0.0	14.5	9.7
18 0	0♑0	24♑27	23♒4	0♈0	6♉56	5♊33
18 10	2 18	26 54	25 59	3 27	9 50	7 59
18 20	4 35	29 23	28 57	6 54	12 41	10 24
18 30	6 53	1♒53	1♓57	10 20	15 30	12 48
18 40	9 11	4 25	4 59	13 45	18 16	15 10
18 50	11 30	6 58	8 2	17 9	21 1	17 32
DT	13.9	15.6	18.6	20.0	16.1	14.0
DL	0.0	-8.5	-8.1	14.3	18.5	10.2
19 0	13♑49	9♒33	11♓7	20♈30	23♉43	19♊53
19 10	16 8	12 9	14 14	23 49	26 23	22 13
19 20	18 28	14 47	17 21	27 6	29 1	24 32
19 30	20 49	17 27	20 30	0♉21	1♊37	26 51
19 40	23 10	20 8	23 40	3 32	4 10	29 9
19 50	25 32	22 51	26 50	6 41	6 42	1♋26
DT	14.3	16.5	19.0	18.4	14.9	13.7
DL	0.0	-6.4	-0.0	24.6	20.3	10.1
20 0	27♑55	25♒35	0♈0	9♉47	9♊12	3♋43
20 10	0♒18	28 21	3 10	12 49	11 40	6 0
20 20	2 43	1♓8	6 20	15 49	14 7	8 17
20 30	5 9	3 57	9 30	18 45	16 32	10 34
20 40	7 35	6 47	12 39	21 38	18 55	12 50
20 50	10 3	9 38	15 46	24 28	21 18	15 7
DT	14.9	17.3	18.6	16.6	14.0	13.7
DL	0.0	-3.5	8.1	30.0	20.6	9.5
21 0	12♒32	12♓31	18♈53	27♉15	23♊39	17♋23
21 10	15 2	15 24	21 58	29 59	25 58	19 40
21 20	17 33	18 18	25 1	2♊41	28 17	21 57
21 30	20 6	21 13	28 3	5 19	0♋35	24 15
21 40	22 39	24 8	1♉3	7 55	2 52	26 33
21 50	25 14	27 4	4 1	10 29	5 8	28 51
DT	15.6	17.6	17.5	15.0	13.5	13.9
DL	0.0	-0.0	14.5	31.6	19.8	8.5
22 0	27♒49	0♈0	6♉56	13♊0	7♋24	1♌10
22 10	0♓26	2 56	9 50	15 29	9 39	3 29
22 20	3 3	5 52	12 41	17 56	11 54	5 49
22 30	5 42	8 47	15 30	20 21	14 8	8 10
22 40	8 22	11 42	18 16	22 44	16 22	10 31
22 50	11 2	14 36	21 1	25 6	18 35	12 53
DT	16.1	17.3	16.1	13.9	13.4	14.3
DL	0.0	3.5	18.5	30.8	18.1	7.0
23 0	13♓43	17♈29	23♉43	27♊25	20♋49	15♌16
23 10	16 25	20 22	26 23	29 44	23 3	17 39
23 20	19 7	23 13	29 1	2♋1	25 16	20 4
23 30	21 50	26 3	1♊37	4 17	27 30	22 29
23 40	24 33	28 52	4 10	6 32	29 44	24 54
23 50	27 17	1♉39	6 42	8 46	1♌57	27 21

LATITUDE 27 DEGREES   PLACIDUS HOUSES

S.T.	10	11	12	1	2	3	S.T.	10	11	12	1	2	3
DT	16.3	16.6	14.9	13.2	13.4	14.7		13.8	13.9	13.9	13.4	13.9	13.9
DL	0.0	6.6	20.8	29.1	16.0	5.1		0.0	8.6	9.1	0.0	-9.1	-8.6
0 0	0♈0	4♉31	9♊32	11♋27	4♌27	29♌53	6 0	0♋0	1♌18	1♍44	0♎0	28♎16	28♏42
0 10	2 43	7 16	12 1	13 39	6 41	2♍21	6 10	2 18	3 37	4 3	2 14	0♏35	1♐0
0 20	5 27	9 59	14 27	15 50	8 56	4 50	6 20	4 35	5 57	6 23	4 28	2 54	3 18
0 30	8 10	12 41	16 53	18 1	11 11	7 19	6 30	6 53	8 18	8 44	6 42	5 12	5 36
0 40	10 53	15 21	19 16	20 11	13 26	9 48	6 40	9 11	10 39	11 4	8 55	7 29	7 53
0 50	13 35	17 59	21 38	22 21	15 41	12 18	6 50	11 30	13 0	13 25	11 9	9 46	10 10
DT	16.1	15.6	14.0	12.9	13.6	15.1		13.9	14.3	14.2	13.3	13.6	13.7
DL	0.0	8.7	21.0	25.9	12.8	2.7		0.0	7.1	4.7	-6.2	-12.8	-9.7
1 0	16♈17	20♉36	23♊59	24♋30	17♌57	14♍49	7 0	13♋49	15♌23	15♍47	13♎22	12♏3	12♐27
1 10	18 50	22 00	11 00	10 00	00 00	11 00	7 10	19 0	17 19	18 0	15 00	11 19	11 11
1 20	21 38	25 44	28 38	28 48	22 31	19 52	7 20	18 28	20 10	20 31	17 48	16 34	17 0
1 30	24 18	28 16	0♋55	0♌56	24 48	22 24	7 30	20 49	22 35	22 53	20 1	18 49	19 16
1 40	26 57	0♊46	3 12	3 5	27 6	24 56	7 40	23 10	25 0	25 15	22 14	21 4	21 33
1 50	29 34	3 15	5 28	5 14	29 25	27 28	7 50	25 32	27 26	27 38	24 26	23 19	23 50
DT	15.6	14.7	13.5	12.9	13.9	15.2		14.3	14.7	14.2	13.2	13.4	13.7
DL	0.0	9.9	20.1	22.0	9.1	0.0		0.0	5.1	0.0	-12.1	-16.0	-10.3
2 0	2♉11	5♊43	7♋44	7♌22	1♍44	0♎0	8 0	27♋55	29♌53	0♎0	26♎38	25♏33	26♐6
2 10	4 46	8 9	9 59	9 31	4 3	2 32	8 10	0♌18	2♍21	2 22	28 49	27 46	28 24
2 20	7 21	10 34	12 13	11 40	6 23	5 4	8 20	2 43	4 50	4 45	1♏1	0♐0	0♑41
2 30	9 54	12 58	14 27	13 49	8 44	7 36	8 30	5 9	7 19	7 7	3 12	2 13	2 59
2 40	12 27	15 21	16 41	15 58	11 4	10 8	8 40	7 35	9 48	9 29	5 22	4 26	5 18
2 50	14 58	17 42	18 54	18 8	13 25	12 40	8 50	10 3	12 18	11 51	7 33	6 40	7 37
DT	14.9	14.0	13.3	13.0	14.2	15.1		14.9	15.1	14.2	13.0	13.3	14.0
DL	0.0	10.4	18.4	17.4	4.7	-2.7		0.0	2.7	-4.7	-17.4	-18.4	-10.4
3 0	17♉28	20♊3	21♋7	20♌17	15♍47	15♎11	9 0	12♌32	14♍49	14♎13	9♏43	8♐53	9♑57
3 10	19 57	22 23	23 20	22 27	18 9	17 42	9 10	15 2	17 20	16 35	11 52	11 6	12 18
3 20	22 25	24 42	25 34	24 38	20 31	20 12	9 20	17 33	19 52	18 56	14 2	13 19	14 39
3 30	24 51	27 1	27 47	26 48	22 53	22 41	9 30	20 6	22 24	21 16	16 11	15 33	17 2
3 40	27 17	29 19	0♌0	28 59	25 15	25 10	9 40	22 39	24 56	23 37	18 20	17 47	19 26
3 50	29 42	1♋36	2 14	1♍11	27 38	27 39	9 50	25 14	27 28	25 57	20 29	20 1	21 51
DT	14.3	13.7	13.4	13.2	14.2	14.7		15.6	15.2	13.9	12.9	13.5	14.7
DL	0.0	10.3	16.0	12.1	0.0	-5.1		0.0	0.0	-9.1	-22.0	-20.1	-9.9
4 0	2♊5	3♋54	4♌27	3♍22	0♎0	0♏7	10 0	27♌49	0♎0	28♎16	22♏38	22♐16	24♑17
4 10	4 28	6 10	6 41	5 34	2 22	2 34	10 10	0♍26	2 32	0♏35	24 46	24 32	26 45
4 20	6 50	8 27	8 56	7 46	4 45	5 0	10 20	3 3	5 4	2 54	26 55	26 48	29 14
4 30	9 11	10 44	11 11	9 59	7 7	7 25	10 30	5 42	7 36	5 12	29 4	29 5	1♒44
4 40	11 32	13 0	13 26	12 12	9 29	9 50	10 40	8 22	10 8	7 29	1♐12	1♑22	4 16
4 50	13 52	15 16	15 41	14 25	11 51	12 14	10 50	11 2	12 40	9 46	3 21	3 41	6 49
DT	13.9	13.7	13.6	13.3	14.2	14.3		16.1	15.1	13.6	12.9	14.0	15.6
DL	0.0	9.7	12.8	6.2	-4.7	-7.1		0.0	-2.7	-12.8	-25.9	-21.0	-8.7
5 0	16♊11	17♋33	17♌57	16♍38	14♎13	14♏37	11 0	13♍43	15♎11	12♏3	5♐30	6♑1	9♒24
5 10	18 30	19 50	20 14	18 51	16 35	17 0	11 10	16 25	17 42	14 19	7 39	8 22	12 1
5 20	20 49	22 7	22 31	21 5	18 56	19 21	11 20	19 7	20 12	16 34	9 49	10 44	14 39
5 30	23 7	24 24	24 48	23 18	21 16	21 42	11 30	21 50	22 41	18 49	11 59	13 7	17 19
5 40	25 25	26 42	27 6	25 32	23 37	24 3	11 40	24 33	25 10	21 4	14 10	15 33	20 1
5 50	27 42	29 0	29 25	27 46	25 57	26 23	11 50	27 17	27 39	23 19	16 21	17 59	22 44

LATITUDE 27 DEGREES   PLACIDUS HOUSES

S.T.	10	11	12	1	2	3	S.T.	10	11	12	1	2	3
DT	16.3	14.7	13.4	13.2	14.9	16.6		13.8	14.7	17.5	21.0	17.5	14.7
DL	0.0	−5.1	−16.0	−29.1	−20.8	−6.6		0.0	−9.9	−14.9	−0.0	14.9	9.9
12 0	0♎0	0♏7	25♏33	18♐33	20♑28	25♒29	18 0	0♑0	24♑17	22♒49	0♈0	7♉11	5♊43
12 10	2 43	2 34	27 46	20 45	22 58	28 15	18 10	2 18	26 45	25 46	3 30	10 5	8 9
12 20	5 27	5 0	0♐0	22 59	25 30	1♓3	18 20	4 35	29 14	28 45	6 59	12 57	10 34
12 30	8 10	7 25	2 13	25 13	28 4	3 52	18 30	6 53	1♒44	1♓45	10 28	15 47	12 58
12 40	10 53	9 50	4 26	27 29	0♒40	6 43	18 40	9 11	4 16	4 48	13 55	18 34	15 21
12 50	13 35	12 14	6 40	29 46	3 18	9 34	18 50	11 30	6 49	7 53	17 21	21 19	17 42
DT	16.1	14.3	13.3	13.9	16.2	17.3		13.9	15.6	18.7	20.3	16.2	14.0
DL	0.0	−7.1	−18.4	−31.4	−19.0	−3.6		0.0	−8.7	−8.4	14.9	19.0	10.4
13 0	16♎17	14♏37	8♐53	2♑4	5♒58	12♓27	19 0	13♑49	9♒24	10♓59	20♈44	24♉2	20♊3
13 10	18 58	17 0	11 6	4 23	8 41	15 21	19 10	16 8	12 1	14 7	24 6	26 42	22 23
13 20	21 38	19 21	13 19	6 45	11 26	18 16	19 20	18 28	14 39	17 16	27 25	29 20	24 42
13 30	24 18	21 42	15 33	9 8	14 13	21 11	19 30	20 49	17 19	20 26	0♉41	1♊56	27 1
13 40	26 57	24 3	17 47	11 32	17 3	24 7	19 40	23 10	20 1	23 37	3 54	4 30	29 19
13 50	29 34	26 23	20 1	13 59	19 55	27 4	19 50	25 32	22 44	26 48	7 4	7 2	1♋36
DT	15.6	13.9	13.5	15.0	17.5	17.6		14.3	16.6	19.2	18.5	14.9	13.7
DL	0.0	−8.6	−20.1	−32.3	−14.9	−0.0		0.0	−6.6	−0.0	25.5	20.8	10.3
14 0	2♏11	28♏42	22♐16	16♑28	22♒49	0♈0	20 0	27♑55	25♒29	0♈0	10♉11	9♊32	3♋54
14 10	4 46	1♐0	24 32	19 0	25 46	2 56	20 10	0♒18	28 15	3 12	13 15	12 1	6 10
14 20	7 21	3 18	26 48	21 33	28 45	5 53	20 20	2 43	1♓3	6 23	16 16	14 27	8 27
14 30	9 54	5 36	29 5	24 9	1♓45	8 49	20 30	5 9	3 52	9 34	19 13	16 53	10 44
14 40	12 27	7 53	1♑22	26 48	4 48	11 44	20 40	7 35	6 43	12 44	22 7	19 16	13 0
14 50	14 58	10 10	3 41	29 30	7 53	14 39	20 50	10 3	9 34	15 53	24 58	21 38	15 16
DT	14.9	13.7	14.0	16.6	18.7	17.3		14.9	17.3	18.7	16.6	14.0	13.7
DL	0.0	−9.7	−21.0	−30.9	−8.4	3.6		0.0	−3.6	8.4	30.9	21.0	9.7
15 0	17♏28	12♐27	6♑1	2♒15	10♓59	17♈33	21 0	12♒32	12♓27	19♈1	27♉45	23♊59	17♋33
15 10	19 57	14 44	8 22	5 2	14 7	20 26	21 10	15 2	15 21	22 7	0♊30	26 19	19 50
15 20	22 25	17 0	10 44	7 53	17 16	23 17	21 20	17 33	18 16	25 12	3 12	28 38	22 7
15 30	24 51	19 16	13 7	10 47	20 26	26 8	21 30	20 6	21 11	28 15	5 51	0♋55	24 24
15 40	27 17	21 33	15 33	13 44	23 37	28 57	21 40	22 39	24 7	1♉15	8 27	3 12	26 42
15 50	29 42	23 50	17 59	16 45	26 48	1♉45	21 50	25 14	27 4	4 14	11 0	5 28	29 0
DT	14.3	13.7	14.9	18.5	19.2	16.6		15.6	17.6	17.5	15.0	13.5	13.9
DL	0.0	−10.3	−20.8	−25.5	−0.0	6.6		0.0	−0.0	14.9	32.3	20.1	8.6
16 0	2♐5	26♐6	20♑28	19♒49	0♈0	4♉31	22 0	27♒49	0♈0	7♉11	13♊32	7♋44	1♌18
16 10	4 28	28 24	22 58	22 56	3 12	7 16	22 10	0♓26	2 56	10 5	16 1	9 59	3 37
16 20	6 50	0♑41	25 30	26 6	6 23	9 59	22 20	3 3	5 53	12 57	18 28	12 13	5 57
16 30	9 11	2 59	28 4	29 19	9 34	12 41	22 30	5 42	8 49	15 47	20 52	14 27	8 18
16 40	11 32	5 18	0♒40	2♓35	12 44	15 21	22 40	8 22	11 44	18 34	23 15	16 41	10 39
16 50	13 52	7 37	3 18	5 54	15 53	17 59	22 50	11 2	14 39	21 19	25 37	18 54	13 0
DT	13.9	14.0	16.2	20.3	18.7	15.6		16.1	17.3	16.2	13.9	13.3	14.3
DL	0.0	−10.4	−19.0	−14.9	8.4	8.7		0.0	3.6	19.0	31.4	18.4	7.1
17 0	16♐11	9♑57	5♒58	9♓16	19♈1	20♉36	23 0	13♓43	17♈33	24♉2	27♊56	21♋7	15♌23
17 10	18 30	12 18	8 41	12 39	22 7	23 11	23 10	16 25	20 26	26 42	0♋14	23 20	17 46
17 20	20 49	14 39	11 26	16 5	25 12	25 44	23 20	19 7	23 17	29 20	2 31	25 34	20 10
17 30	23 7	17 2	14 13	19 32	28 15	28 16	23 30	21 50	26 8	1♊56	4 47	27 47	22 35
17 40	25 25	19 26	17 3	23 1	1♉15	0♊46	23 40	24 33	28 57	4 30	7 1	0♌0	25 0
17 50	27 42	21 51	19 55	26 30	4 14	3 15	23 50	27 17	1♉45	7 2	9 15	2 14	27 26

LATITUDE 28 DEGREES PLACIDUS HOUSES

S.T.	10	11	12	1	2	3	S.T.	10	11	12	1	2	3
DT	16.3	16.6	14.9	13.2	13.3	14.7		13.8	13.9	13.9	13.3	13.9	13.9
DL	0.0	6.7	21.3	29.5	16.2	5.2		0.0	8.8	9.1	0.0	-9.1	-8.8
0 0	0♈0	4♉38	9♊53	11♋57	4♌43	29♌59	6 0	0♋0	1♌27	1♍53	0♎0	28♎7	28♏33
0 10	2 43	7 23	12 22	14 8	6 57	2♍26	6 10	2 18	3 46	4 12	2 13	0♏25	0♐51
0 20	5 27	10 7	14 49	16 19	9 11	4 54	6 20	4 35	6 5	6 31	4 26	2 43	3 9
0 30	8 10	12 49	17 14	18 29	11 25	7 23	6 30	6 53	8 25	8 50	6 38	5 1	5 27
0 40	10 53	15 29	19 37	20 38	13 40	9 52	6 40	9 11	10 46	11 10	8 51	7 17	7 44
0 50	13 35	18 7	21 59	22 47	15 55	12 22	6 50	11 30	13 8	13 31	11 4	9 34	10 1
DT	16.1	15.6	14.0	12.9	13.6	15.0		13.9	14.3	14.1	13.2	13.6	13.6
DL	0.0	8.9	21.5	26.2	13.0	2.7		0.0	7.2	4.7	-6.2	-13.0	-9.9
1 0	16♈17	20♉44	24♊20	24♋56	18♌10	14♍52	7 0	13♋49	15♌30	15♍52	13♎16	11♏50	12♐17
1 10	18 58	23 20	26 40	27 4	20 26	17 22	7 10	16 8	17 53	18 12	15 28	14 5	14 34
1 20	21 38	25 53	28 59	29 12	22 43	19 54	7 20	18 28	20 16	20 34	17 40	16 20	16 50
1 30	24 18	28 25	1♋16	1♌20	24 59	22 25	7 30	20 49	22 41	22 55	19 52	18 35	19 6
1 40	26 57	0♊56	3 33	3 28	27 17	24 56	7 40	23 10	25 6	25 17	22 3	20 49	21 23
1 50	29 34	3 25	5 49	5 36	29 35	27 28	7 50	25 32	27 32	27 38	24 15	23 3	23 39
DT	15.6	14.7	13.5	12.8	13.9	15.2		14.3	14.7	14.2	13.1	13.3	13.7
DL	0.0	10.1	20.5	22.2	9.1	0.0		0.0	5.2	0.0	-12.2	-16.2	-10.5
2 0	2♉11	5♊53	8♋4	7♌44	1♍53	0♎0	8 0	27♋55	29♌59	0♎0	26♎26	25♏17	25♐56
2 10	4 46	8 19	10 18	9 52	4 12	2 32	8 10	0♌18	2♍26	2 22	28 36	27 30	28 13
2 20	7 21	10 44	12 33	12 0	6 31	5 4	8 20	2 43	4 54	4 43	0♏47	29 43	0♑31
2 30	9 54	13 8	14 46	14 9	8 50	7 35	8 30	5 9	7 23	7 5	2 57	1♐56	2 49
2 40	12 27	15 31	17 0	16 17	11 10	10 6	8 40	7 35	9 52	9 26	5 6	4 9	5 7
2 50	14 58	17 53	19 13	18 26	13 31	12 38	8 50	10 3	12 22	11 48	7 16	6 22	7 27
DT	14.9	14.0	13.3	12.9	14.1	15.0		14.9	15.0	14.1	12.9	13.3	14.0
DL	0.0	10.6	18.7	17.5	4.7	-2.7		0.0	2.7	-4.7	-17.5	-18.7	-10.6
3 0	17♉28	20♊13	21♋26	20♌35	15♍52	15♎8	9 0	12♌32	14♍52	14♎8	9♏25	8♐34	9♑47
3 10	19 57	22 33	23 38	22 44	18 12	17 38	9 10	15 2	17 22	16 29	11 34	10 47	12 7
3 20	22 25	24 53	25 51	24 54	20 34	20 8	9 20	17 33	19 54	18 50	13 43	13 0	14 29
3 30	24 51	27 11	28 4	27 3	22 55	22 37	9 30	20 6	22 25	21 10	15 51	15 14	16 52
3 40	27 17	29 29	0♌17	29 13	25 17	25 6	9 40	22 39	24 56	23 29	18 0	17 27	19 16
3 50	29 42	1♋47	2 30	1♍24	27 38	27 34	9 50	25 14	27 28	25 48	20 8	19 42	21 41
DT	14.3	13.7	13.3	13.1	14.2	14.7		15.6	15.2	13.9	12.8	13.5	14.7
DL	0.0	10.5	16.2	12.2	0.0	-5.2		0.0	0.0	-9.1	-22.2	-20.5	-10.1
4 0	2♊5	4♋4	4♌43	3♍34	0♎0	0♏1	10 0	27♌49	0♎0	28♎7	22♏16	21♐56	24♑7
4 10	4 28	6 21	6 57	5 45	2 22	2 28	10 10	0♍26	2 32	0♏25	24 24	24 11	26 35
4 20	6 50	8 37	9 11	7 57	4 43	4 54	10 20	3 3	5 4	2 43	26 32	26 27	29 4
4 30	9 11	10 54	11 25	10 8	7 5	7 19	10 30	5 42	7 35	5 1	28 40	28 44	1♒35
4 40	11 32	13 10	13 40	12 20	9 26	9 44	10 40	8 22	10 6	7 17	0♑48	1♑1	4 7
4 50	13 52	15 26	15 55	14 32	11 48	12 7	10 50	11 2	12 38	9 34	2 56	3 20	6 40
DT	13.9	13.6	13.6	13.2	14.1	14.3		16.1	15.0	13.6	12.9	14.0	15.6
DL	0.0	9.9	13.0	6.2	-4.7	-7.2		0.0	-2.7	-13.0	-26.2	-21.5	-8.9
5 0	16♊11	17♋43	18♌10	16♍44	14♎8	14♏30	11 0	13♍43	15♎8	11♏50	5♐4	5♑40	9♒16
5 10	18 30	19 59	20 26	18 56	16 29	16 52	11 10	16 25	17 38	14 5	7 13	8 1	11 53
5 20	20 49	22 16	22 43	21 9	18 50	19 14	11 20	19 7	20 8	16 20	9 22	10 23	14 31
5 30	23 7	24 33	24 59	23 22	21 10	21 35	11 30	21 50	22 37	18 35	11 31	12 46	17 11
5 40	25 25	26 51	27 17	25 34	23 29	23 55	11 40	24 33	25 6	20 49	13 41	15 11	19 53
5 50	27 42	29 9	29 35	27 47	25 48	26 14	11 50	27 17	27 34	23 3	15 52	17 38	22 37

LATITUDE 28 DEGREES PLACIDUS HOUSES

S.T.	10	11	12	1	2	3	S.T.	10	11	12	1	2	3
DT	16.3	14.7	13.3	13.2	14.9	16.6		13.8	14.7	17.6	21.2	17.6	14.7
DL	0.0	-5.2	-16.2	-29.5	-21.3	-6.7		0.0	-10.1	-15.4	-0.0	15.4	10.1
12 0	0♎0	0♏1	25♏17	18♐3	20♑7	25♒22	18 0	0♑0	24♑7	22♒34	0♈0	7♉26	5♊53
12 10	2 43	2 28	27 30	20 16	22 37	28 9	18 10	2 18	26 35	25 32	3 32	10 21	8 19
12 20	5 27	4 54	29 43	22 29	25 9	0♓57	18 20	4 35	29 4	28 32	7 4	13 14	10 44
12 30	8 10	7 19	1♐56	24 43	27 44	3 47	18 30	6 53	1♒35	1♓33	10 35	16 4	13 8
12 40	10 53	9 44	4 9	26 58	0♒20	6 38	18 40	9 11	4 7	4 37	14 5	18 52	15 31
12 50	13 35	12 7	6 22	29 15	2 59	9 30	18 50	11 30	6 40	7 43	17 33	21 37	17 53
DT	16.1	14.3	13.3	13.9	16.2	17.4		13.9	15.6	18.8	20.5	16.2	14.0
DL	0.0	-7.2	-18.7	-32.0	-19.5	-3.7		0.0	-8.9	-8.6	15.5	19.5	10.6
13 0	16♎17	14♏30	8♐34	1♑32	5♒39	12♓24	19 0	13♑49	9♒16	10♓51	20♈59	24♉21	20♊13
13 10	18 58	16 52	10 47	3 52	8 23	15 18	19 10	16 8	11 53	14 0	24 23	27 1	22 33
13 20	21 38	19 14	13 0	6 13	11 8	18 14	19 20	18 28	14 31	17 10	27 44	29 40	24 53
13 30	24 18	21 35	15 14	8 36	13 56	21 10	19 30	20 49	17 11	20 22	1♉2	2♊16	27 11
13 40	26 57	23 55	17 27	11 0	16 46	24 6	19 40	23 10	19 53	23 34	4 17	4 51	29 29
13 50	29 34	26 14	19 42	13 27	19 39	27 3	19 50	25 32	22 37	26 47	7 28	7 23	1♋47
DT	15.6	13.9	13.5	15.0	17.6	17.7		14.3	16.6	19.3	18.7	14.9	13.7
DL	0.0	-8.8	-20.5	-33.1	-15.4	-0.0		0.0	-6.7	-0.0	26.4	21.3	10.5
14 0	2♏11	28♏33	21♐56	15♑56	22♒34	0♈0	20 0	27♑55	25♒22	0♈0	10♉37	9♊53	4♋4
14 10	4 46	0♐51	24 11	18 27	25 32	2 57	20 10	0♒18	28 9	3 13	13 42	12 22	6 21
14 20	7 21	3 9	26 27	21 1	28 32	5 54	20 20	2 43	0♓57	6 26	16 43	14 49	8 37
14 30	9 54	5 27	28 44	23 38	1♓33	8 50	20 30	5 9	3 47	9 38	19 42	17 14	10 54
14 40	12 27	7 44	1♑1	26 17	4 37	11 46	20 40	7 35	6 38	12 50	22 36	19 37	13 10
14 50	14 58	10 1	3 20	28 59	7 43	14 42	20 50	10 3	9 30	16 0	25 28	21 59	15 26
DT	14.9	13.6	14.0	16.7	18.8	17.4		14.9	17.4	18.8	16.7	14.0	13.6
DL	0.0	-9.9	-21.5	-31.8	-8.6	3.7		0.0	-3.7	8.6	31.8	21.5	9.9
15 0	17♏28	12♐17	5♑40	1♒44	10♓51	17♈36	21 0	12♒32	12♓24	19♈9	28♉16	24♊20	17♋43
15 10	19 57	14 34	8 1	4 32	14 0	20 30	21 10	15 2	15 18	22 17	1♊1	26 40	19 59
15 20	22 25	16 50	10 23	7 24	17 10	23 22	21 20	17 33	18 14	25 23	3 43	28 59	22 16
15 30	24 51	19 6	12 46	10 18	20 22	26 13	21 30	20 6	21 10	28 27	6 22	1♋16	24 33
15 40	27 17	21 23	15 11	13 17	23 34	29 3	21 40	22 39	24 6	1♉28	8 59	3 33	26 51
15 50	29 42	23 39	17 38	16 18	26 47	1♉51	21 50	25 14	27 3	4 28	11 33	5 49	29 9
DT	14.3	13.7	14.9	18.7	19.3	16.6		15.6	17.7	17.6	15.0	13.5	13.9
DL	0.0	-10.5	-21.3	-26.4	-0.0	6.7		0.0	-0.0	15.4	33.1	20.5	8.8
16 0	2♐5	25♐56	20♑7	19♒23	0♈0	4♉38	22 0	27♒49	0♈0	7♉26	14♊4	8♋4	1♌27
16 10	4 28	28 13	22 37	22 32	3 13	7 23	22 10	0♓26	2 57	10 21	16 33	10 18	3 46
16 20	6 50	0♑31	25 9	25 43	6 26	10 7	22 20	3 3	5 54	13 14	19 0	12 33	6 5
16 30	9 11	2 49	27 44	28 58	9 38	12 49	22 30	5 42	8 50	16 4	21 24	14 46	8 25
16 40	11 32	5 7	0♒20	2♓16	12 50	15 29	22 40	8 22	11 46	18 52	23 47	17 0	10 46
16 50	13 52	7 27	2 59	5 37	16 0	18 7	22 50	11 2	14 42	21 37	26 8	19 13	13 8
DT	13.9	14.0	16.2	20.5	18.8	15.6		16.1	17.4	16.2	13.9	13.3	14.3
DL	0.0	-10.6	-19.5	-15.5	8.6	8.9		0.0	3.7	19.5	32.0	18.7	7.2
17 0	16♐11	9♑47	5♒39	9♓1	19♈9	20♉44	23 0	13♓43	17♈36	24♉21	28♊28	21♋26	15♌30
17 10	18 30	12 7	8 23	12 27	22 17	23 20	23 10	16 25	20 30	27 1	0♋45	23 38	17 53
17 20	20 49	14 29	11 8	15 55	25 23	25 53	23 20	19 7	23 22	29 40	3 2	25 51	20 16
17 30	23 7	16 52	13 56	19 25	28 27	28 25	23 30	21 50	26 13	2♊16	5 17	28 4	22 41
17 40	25 25	19 16	16 46	22 56	1♉28	0♊56	23 40	24 33	29 3	4 51	7 31	0♌17	25 6
17 50	27 42	21 41	19 39	26 28	4 28	3 25	23 50	27 17	1♉51	7 23	9 44	2 30	27 32

LATITUDE 29 DEGREES PLACIDUS HOUSES

S.T.	10	11	12	1	2	3	S.T.	10	11	12	1	2	3
DT	*16.3*	*16.6*	*15.0*	*13.1*	*13.3*	*14.7*		*13.8*	*13.8*	*13.8*	*13.2*	*13.8*	*13.8*
DL	*0.0*	*6.9*	*21.9*	*30.0*	*16.4*	*5.2*		*0.0*	*8.9*	*9.2*	*0.0*	*-9.2*	*-8.9*
0 0	0♈ 0	4♉45	10♊15	12♋26	5♌ 0	0♍ 4	6 0	0♋ 0	1♌36	2♍ 2	0♎ 0	27♎58	28♏24
0 10	2 43	7 30	12 43	14 37	7 13	2 31	6 10	2 18	3 54	4 20	2 12	0♏16	0♐42
0 20	5 27	10 14	15 10	16 47	9 26	4 58	6 20	4 35	6 14	6 39	4 24	2 33	3 0
0 30	8 10	12 57	17 35	18 56	11 40	7 26	6 30	6 53	8 34	8 57	6 35	4 49	5 17
0 40	10 53	15 37	19 59	21 5	13 54	9 55	6 40	9 11	10 54	11 17	8 47	7 6	7 34
0 50	13 35	18 16	22 21	23 14	16 8	12 25	6 50	11 30	13 15	13 36	10 58	9 21	9 51
DT	*16.1*	*15.6*	*14.0*	*12.8*	*13.5*	*15.0*		*13.9*	*14.2*	*14.0*	*13.1*	*13.5*	*13.6*
DL	*0.0*	*9.1*	*22.0*	*26.5*	*13.1*	*2.7*		*0.0*	*7.3*	*4.8*	*-6.3*	*-13.1*	*-10.1*
1 0	16♈17	20♉53	24♊42	25♋22	18♌23	14♍54	7 0	13♋49	15♌37	15♍56	13♎10	11♏37	12♐ 7
1 10	18 58	23 29	27 1	27 30	20 39	17 25	7 10	16 8	18 0	18 16	15 21	13 52	14 24
1 20	21 38	26 3	29 20	29 37	22 54	19 55	7 20	18 28	20 23	20 37	17 32	16 6	16 40
1 30	24 18	28 35	1♋37	1♌45	25 11	22 26	7 30	20 49	22 47	22 57	19 43	18 20	18 56
1 40	26 57	1♊ 6	3 54	3 52	27 27	24 57	7 40	23 10	25 12	25 18	21 53	20 34	21 12
1 50	29 34	3 35	6 9	5 59	29 44	27 29	7 50	25 32	27 37	27 39	24 3	22 47	23 29
DT	*15.6*	*14.7*	*13.5*	*12.7*	*13.8*	*15.1*		*14.3*	*14.7*	*14.1*	*13.0*	*13.3*	*13.7*
DL	*0.0*	*10.4*	*20.9*	*22.4*	*9.2*	*0.0*		*0.0*	*5.2*	*0.0*	*-12.2*	*-16.4*	*-10.7*
2 0	2♉11	6♊ 3	8♋24	8♌ 6	2♍ 2	0♎ 0	8 0	27♋55	0♍ 4	0♎ 0	26♎13	25♏ 0	25♐46
2 10	4 46	8 29	10 39	10 14	4 20	2 31	8 10	0♌18	2 31	2 21	28 23	27 13	28 3
2 20	7 21	10 55	12 53	12 21	6 39	5 3	8 20	2 43	4 58	4 42	0♏33	29 26	0♑20
2 30	9 54	13 19	15 6	14 29	8 57	7 34	8 30	5 9	7 26	7 3	2 42	1♐38	2 38
2 40	12 27	15 41	17 19	16 36	11 17	10 5	8 40	7 35	9 55	9 23	4 51	3 51	4 57
2 50	14 58	18 3	19 32	18 44	13 36	12 35	8 50	10 3	12 25	11 44	6 59	6 3	7 16
DT	*14.9*	*14.0*	*13.3*	*12.8*	*14.0*	*15.0*		*14.9*	*15.0*	*14.0*	*12.8*	*13.3*	*14.0*
DL	*0.0*	*10.9*	*19.0*	*17.6*	*4.8*	*-2.7*		*0.0*	*2.7*	*-4.8*	*-17.6*	*-19.0*	*-10.9*
3 0	17♉28	20♊24	21♋44	20♌52	15♍56	15♎ 6	9 0	12♌32	14♍54	14♎ 4	9♏ 8	8♐16	9♑36
3 10	19 57	22 44	23 57	23 1	18 16	17 35	9 10	15 2	17 25	16 24	11 16	10 28	11 57
3 20	22 25	25 3	26 9	25 9	20 37	20 5	9 20	17 33	19 55	18 43	13 24	12 41	14 19
3 30	24 51	27 22	28 22	27 18	22 57	22 34	9 30	20 6	22 26	21 3	15 31	14 54	16 41
3 40	27 17	29 40	0♌34	29 27	25 18	25 2	9 40	22 39	24 57	23 21	17 39	17 7	19 5
3 50	29 42	1♋57	2 47	1♍37	27 39	27 29	9 50	25 14	27 29	25 40	19 46	19 21	21 31
DT	*14.3*	*13.7*	*13.3*	*13.0*	*14.1*	*14.7*		*15.6*	*15.1*	*13.8*	*12.7*	*13.5*	*14.7*
DL	*0.0*	*10.7*	*16.4*	*12.2*	*0.0*	*-5.2*		*0.0*	*0.0*	*-9.2*	*-22.4*	*-20.9*	*-10.4*
4 0	2♊ 5	4♋14	5♌ 0	3♍47	0♎ 0	29♎56	10 0	27♌49	0♎ 0	27♎58	21♏54	21♐36	23♑57
4 10	4 28	6 31	7 13	5 57	2 21	2♏23	10 10	0♍26	2 31	0♏16	24 1	23 51	26 25
4 20	6 50	8 48	9 26	8 7	4 42	4 48	10 20	3 3	5 3	2 33	26 8	26 6	28 54
4 30	9 11	11 4	11 40	10 17	7 3	7 13	10 30	5 42	7 34	4 49	28 15	28 23	1♒25
4 40	11 32	13 20	13 54	12 28	9 23	9 37	10 40	8 22	10 5	7 6	0♐23	0♑40	3 57
4 50	13 52	15 36	16 8	14 39	11 44	12 0	10 50	11 2	12 35	9 21	2 30	2 59	6 31
DT	*13.9*	*13.6*	*13.5*	*13.1*	*14.0*	*14.2*		*16.1*	*15.0*	*13.5*	*12.8*	*14.0*	*15.6*
DL	*0.0*	*10.1*	*13.1*	*6.3*	*-4.8*	*-7.3*		*0.0*	*-2.7*	*-13.1*	*-26.5*	*-22.0*	*-9.1*
5 0	16♊11	17♋53	18♌23	16♍50	14♎ 4	14♏23	11 0	13♍43	15♎ 6	11♏37	4♐38	5♑18	9♒ 7
5 10	18 30	20 9	20 39	19 2	16 24	16 45	11 10	16 25	17 35	13 52	6 46	7 39	11 44
5 20	20 49	22 26	22 54	21 13	18 43	19 6	11 20	19 7	20 5	16 6	8 55	10 1	14 23
5 30	23 7	24 43	25 11	23 25	21 3	21 26	11 30	21 50	22 34	18 20	11 4	12 25	17 3
5 40	25 25	27 0	27 27	25 36	23 21	23 46	11 40	24 33	25 2	20 34	13 13	14 50	19 46
5 50	27 42	29 18	29 44	27 48	25 40	26 6	11 50	27 17	27 29	22 47	15 23	17 17	22 30

LATITUDE 29 DEGREES   PLACIDUS HOUSES

S.T.	10	11	12	1	2	3	S.T.	10	11	12	1	2	3
DT	16.3	14.7	13.3	13.1	15.0	16.6		13.8	14.7	17.7	21.5	17.7	14.7
DL	0.0	−5.2	−16.4	−30.0	−21.9	−6.9		0.0	−10.4	−15.9	−0.0	15.9	10.4
12 0	0♎0	29♎56	25♏0	17♐34	19♑45	25♒15	18 0	0♑0	23♑57	22♒19	0♈0	7♉41	6♊3
12 10	2 43	2♏23	27 13	19 46	22 16	28 3	18 10	2 18	26 25	25 17	3 35	10 37	8 29
12 20	5 27	4 48	29 26	21 58	24 48	0♓51	18 20	4 35	28 54	28 18	7 10	13 31	10 55
12 30	8 10	7 13	1♐38	24 12	27 23	3 42	18 30	6 53	1♒25	1♓21	10 44	16 22	13 19
12 40	10 53	9 37	3 51	26 27	0♒0	6 33	18 40	9 11	3 57	4 26	14 16	19 10	15 41
12 50	13 35	12 0	6 3	28 43	2 39	9 26	18 50	11 30	6 31	7 33	17 46	21 56	18 3
DT	16.1	14.2	13.3	13.8	16.2	17.5		13.9	15.6	19.0	20.7	16.2	14.0
DL	0.0	−7.3	−19.0	−32.6	−20.1	−3.8		0.0	−9.1	−8.9	16.2	20.1	10.9
13 0	16♎17	14♏23	8♐16	1♑0	5♒20	12♓20	19 0	13♑49	9♒7	10♓42	21♈15	24♉40	20♊24
13 10	18 58	16 45	10 28	3 19	8 4	15 15	19 10	16 8	11 44	13 53	24 41	27 21	22 44
13 20	21 38	19 6	12 41	5 40	10 50	18 11	19 20	18 28	14 23	17 4	28 4	0♊0	25 3
13 30	24 18	21 26	14 54	8 3	13 38	21 8	19 30	20 49	17 3	20 17	1♉23	2 37	27 22
13 40	26 57	23 46	17 7	10 27	16 29	24 5	19 40	23 10	19 46	23 31	4 40	5 12	29 40
13 50	29 34	26 6	19 21	12 54	19 23	27 2	19 50	25 32	22 30	26 45	7 53	7 44	1♋57
DT	15.6	13.8	13.5	15.0	17.7	17.8		14.3	16.6	19.5	18.8	15.0	13.7
DL	0.0	−8.9	−20.9	−33.9	−15.9	−0.0		0.0	−6.9	−0.0	27.4	21.9	10.7
14 0	2♏11	28♏24	21♐36	15♑23	22♒19	0♈0	20 0	27♑55	25♒15	0♈0	11♉3	10♊15	4♋14
14 10	4 46	0♐42	23 51	17 54	25 17	2 58	20 10	0♒18	28 3	3 15	14 10	12 43	6 31
14 20	7 21	3 0	26 6	20 28	28 18	5 55	20 20	2 43	0♓51	6 29	17 12	15 10	8 48
14 30	9 54	5 17	28 23	23 5	1♓21	8 52	20 30	5 9	3 42	9 43	20 11	17 35	11 4
14 40	12 27	7 34	0♑40	25 44	4 26	11 49	20 40	7 35	6 33	12 56	23 7	19 59	13 20
14 50	14 58	9 51	2 59	28 27	7 33	14 45	20 50	10 3	9 26	16 7	25 59	22 21	15 36
DT	14.9	13.6	14.0	16.7	19.0	17.5		14.9	17.5	19.0	16.7	14.0	13.6
DL	0.0	−10.1	−22.0	−32.8	−8.9	3.8		0.0	−3.8	8.9	32.8	22.0	10.1
15 0	17♏28	12♐7	5♑18	1♒12	10♓42	17♈40	21 0	12♒32	12♓20	19♈18	28♉48	24♊42	17♋53
15 10	19 57	14 24	7 39	4 1	13 53	20 34	21 10	15 2	15 15	22 27	1♊33	27 1	20 9
15 20	22 25	16 40	10 1	6 53	17 4	23 27	21 20	17 33	18 11	25 34	4 16	29 20	22 26
15 30	24 51	18 56	12 25	9 49	20 17	26 18	21 30	20 6	21 8	28 39	6 55	1♋37	24 43
15 40	27 17	21 12	14 50	12 48	23 31	29 9	21 40	22 39	24 5	1♊42	9 32	3 54	27 0
15 50	29 42	23 29	17 17	15 50	26 45	1♉57	21 50	25 14	27 2	4 43	12 6	6 9	29 18
DT	14.3	13.7	15.0	18.8	19.5	16.6		15.6	17.8	17.7	15.0	13.5	13.8
DL	0.0	−10.7	−21.9	−27.4	−0.0	6.9		0.0	−0.0	15.9	33.9	20.9	8.9
16 0	2♐5	25♐46	19♑45	18♒57	0♈0	4♉45	22 0	27♒49	0♈0	7♉41	14♊37	8♋24	1♌36
16 10	4 28	28 3	22 16	22 7	3 15	7 30	22 10	0♓26	2 58	10 37	17 6	10 39	3 54
16 20	6 50	0♑20	24 48	25 20	6 29	10 14	22 20	3 3	5 55	13 31	19 33	12 53	6 14
16 30	9 11	2 38	27 23	28 37	9 43	12 57	22 30	5 42	8 52	16 22	21 57	15 6	8 34
16 40	11 32	4 57	0♒0	1♓56	12 56	15 37	22 40	8 22	11 49	19 10	24 20	17 19	10 54
16 50	13 52	7 16	2 39	5 19	16 7	18 16	22 50	11 2	14 45	21 56	26 41	19 32	13 15
DT	13.9	14.0	16.2	20.7	19.0	15.6		16.1	17.5	16.2	13.8	13.3	14.2
DL	0.0	−10.9	−20.1	−16.2	8.9	9.1		0.0	3.8	20.1	32.6	19.0	7.3
17 0	16♐11	9♑36	5♒20	8♓45	19♈18	20♉53	23 0	13♓43	17♈40	24♉40	29♊0	21♋44	15♌37
17 10	18 30	11 57	8 4	12 14	22 27	23 29	23 10	16 25	20 34	27 21	1♋17	23 57	18 0
17 20	20 49	14 19	10 50	15 44	25 34	26 3	23 20	19 7	23 27	0♊0	3 33	26 9	20 23
17 30	23 7	16 41	13 38	19 16	28 39	28 35	23 30	21 50	26 18	2 37	5 48	28 22	22 47
17 40	25 25	19 5	16 29	22 50	1♉42	1♊6	23 40	24 33	29 9	5 12	8 2	0♌34	25 12
17 50	27 42	21 31	19 23	26 25	4 43	3 35	23 50	27 17	1♉57	7 44	10 14	2 47	27 37

LATITUDE 30 DEGREES PLACIDUS HOUSES

S.T.	10	11	12	1	2	3
DT	*16.3*	*16.7*	*15.0*	*13.1*	*13.2*	*14.6*
DL	*0.0*	*7.1*	*22.5*	*30.5*	*16.6*	*5.3*
0 0	0♈0	4♉52	10♊36	12♋56	5♌16	0♍9
0 10	2 43	7 38	13 5	15 6	7 29	2 36
0 20	5 27	10 22	15 32	17 16	9 41	5 3
0 30	8 10	13 5	17 57	19 25	11 55	7 31
0 40	10 53	15 46	20 21	21 33	14 8	9 59
0 50	13 35	18 25	22 43	23 41	16 22	12 28
DT	*16.1*	*15.7*	*14.0*	*12.7*	*13.5*	*15.0*
DL	*0.0*	*9.3*	*22.5*	*26.9*	*13.3*	*2.8*
1 0	16♈17	21♉2	25♊4	25♋48	18♌36	14♍57
1 10	18 58	23 38	27 23	27 56	20 51	17 27
1 20	21 38	26 12	29 41	0♌3	23 6	19 57
1 30	24 18	28 45	1♋59	2 9	25 22	22 28
1 40	26 57	1♊16	4 15	4 16	27 38	24 58
1 50	29 34	3 45	6 31	6 22	29 54	27 29
DT	*15.6*	*14.7*	*13.4*	*12.7*	*13.7*	*15.1*
DL	*0.0*	*10.6*	*21.3*	*22.6*	*9.3*	*0.0*
2 0	2♉11	6♊13	8♋45	8♌29	2♍11	0♎0
2 10	4 46	8 40	10 59	10 35	4 29	2 31
2 20	7 21	11 5	13 13	12 42	6 46	5 2
2 30	9 54	13 29	15 26	14 49	9 5	7 32
2 40	12 27	15 52	17 39	16 56	11 23	10 3
2 50	14 58	18 14	19 51	19 3	13 42	12 33
DT	*14.9*	*14.0*	*13.2*	*12.7*	*13.9*	*15.0*
DL	*0.0*	*11.1*	*19.3*	*17.8*	*4.8*	*-2.8*
3 0	17♉28	20♊35	22♋3	21♌10	16♍1	15♎3
3 10	19 57	22 55	24 15	23 17	18 20	17 32
3 20	22 25	25 14	26 27	25 25	20 40	20 1
3 30	24 51	27 33	28 39	27 33	23 0	22 29
3 40	27 17	29 51	0♌51	29 41	25 20	24 57
3 50	29 42	2♋8	3 4	1♍50	27 40	27 24
DT	*14.3*	*13.7*	*13.2*	*12.9*	*14.0*	*14.6*
DL	*0.0*	*11.0*	*16.6*	*12.3*	*0.0*	*-5.3*
4 0	2♊5	4♋25	5♌16	3♍59	0♎0	29♎51
4 10	4 28	6 42	7 29	6 8	2 20	2♏17
4 20	6 50	8 58	9 41	8 17	4 40	4 42
4 30	9 11	11 14	11 55	10 27	7 0	7 7
4 40	11 32	13 30	14 8	12 36	9 20	9 30
4 50	13 52	15 46	16 22	14 46	11 40	11 53
DT	*13.9*	*13.6*	*13.5*	*13.0*	*13.9*	*14.2*
DL	*0.0*	*10.3*	*13.3*	*6.3*	*-4.8*	*-7.5*
5 0	16♊11	18♋3	18♌36	16♍56	13♎59	14♏16
5 10	18 30	20 19	20 51	19 7	16 18	16 37
5 20	20 49	22 35	23 6	21 17	18 37	18 58
5 30	23 7	24 52	25 22	23 28	20 55	21 18
5 40	25 25	27 9	27 38	25 39	23 14	23 38
5 50	27 42	29 27	29 54	27 49	25 31	25 57

S.T.	10	11	12	1	2	3
	13.8	*13.8*	*13.7*	*13.1*	*13.7*	*13.8*
	0.0	*9.1*	*9.3*	*0.0*	*-9.3*	*-9.1*
6 0	0♋0	1♌45	2♍11	0♎0	27♎49	28♏15
6 10	2 18	4 3	4 29	2 11	0♏6	0♐33
6 20	4 35	6 22	6 46	4 21	2 22	2 51
6 30	6 53	8 42	9 5	6 32	4 38	5 8
6 40	9 11	11 2	11 23	8 43	6 54	7 25
6 50	11 30	13 23	13 42	10 53	9 9	9 41
	13.9	*14.2*	*13.9*	*13.0*	*13.5*	*13.6*
	0.0	*7.5*	*4.8*	*-6.3*	*-13.3*	*-10.3*
7 0	13♋49	15♌44	16♍1	13♎4	11♏24	11♐57
7 10	16 8	18 7	18 20	15 14	13 38	14 14
7 20	18 28	20 30	20 40	17 24	15 52	16 30
7 30	20 49	22 53	23 0	19 33	18 5	18 46
7 40	23 10	25 18	25 20	21 43	20 19	21 2
7 50	25 32	27 43	27 40	23 52	22 31	23 18
	14.3	*14.6*	*14.0*	*12.9*	*13.2*	*13.7*
	0.0	*5.3*	*0.0*	*-12.3*	*-16.6*	*-11.0*
8 0	27♋55	0♍9	0♎0	26♎1	24♏44	25♐35
8 10	0♌18	2 36	2 20	28 10	26 56	27 52
8 20	2 43	5 3	4 40	0♏19	29 9	0♑9
8 30	5 9	7 31	7 0	2 27	1♐21	2 27
8 40	7 35	9 59	9 20	4 35	3 33	4 46
8 50	10 3	12 28	11 40	6 43	5 45	7 5
	14.9	*15.0*	*13.9*	*12.7*	*13.2*	*14.0*
	0.0	*2.8*	*-4.8*	*-17.8*	*-19.3*	*-11.1*
9 0	12♌32	14♍57	13♎59	8♏50	7♐57	9♑25
9 10	15 2	17 27	16 18	10 57	10 9	11 46
9 20	17 33	19 57	18 37	13 4	12 21	14 8
9 30	20 6	22 28	20 55	15 11	14 34	16 31
9 40	22 39	24 58	23 14	17 18	16 47	18 55
9 50	25 14	27 29	25 31	19 25	19 1	21 20
	15.6	*15.1*	*13.7*	*12.7*	*13.4*	*14.7*
	0.0	*0.0*	*-9.3*	*-22.6*	*-21.3*	*-10.6*
10 0	27♌49	0♎0	27♎49	21♏31	21♐15	23♑47
10 10	0♍26	2 31	0♏6	23 38	23 29	26 15
10 20	3 3	5 2	2 22	25 44	25 45	28 44
10 30	5 42	7 32	4 38	27 51	28 1	1♒15
10 40	8 22	10 3	6 54	29 57	0♑19	3 48
10 50	11 2	12 33	9 9	2♐4	2 37	6 22
	16.1	*15.0*	*13.5*	*12.7*	*14.0*	*15.7*
	0.0	*-2.8*	*-13.3*	*-26.9*	*-22.5*	*-9.3*
11 0	13♍43	15♎3	11♏24	4♐12	4♑56	8♒58
11 10	16 25	17 32	13 38	6 19	7 17	11 35
11 20	19 7	20 1	15 52	8 27	9 39	14 14
11 30	21 50	22 29	18 5	10 35	12 3	16 55
11 40	24 33	24 57	20 19	12 44	14 28	19 38
11 50	27 17	27 24	22 31	14 54	16 55	22 22

LATITUDE 30 DEGREES PLACIDUS HOUSES

S.T.	10	11	12	1	2	3	S.T.	10	11	12	1	2	3
DT	*16.3*	*14.6*	*13.2*	*13.1*	*15.0*	*16.7*		*13.8*	*14.7*	*17.8*	*21.8*	*17.8*	*14.7*
DL	*0.0*	*-5.3*	*-16.6*	*-30.5*	*-22.5*	*-7.1*		*0.0*	*-10.6*	*-16.4*	*-0.0*	*16.4*	*10.6*
12 0	0♎ 0	29♎51	24♏44	17♐ 4	19♑24	25♒ 8	18 0	0♑ 0	23♑47	22♒ 3	0♈ 0	7♉57	6♊13
12 10	2 43	2♏17	26 56	19 15	21 54	27 56	18 10	2 18	26 15	25 2	3 38	10 54	8 40
12 20	5 27	4 42	29 9	21 27	24 27	0♓45	18 20	4 35	28 44	28 4	7 15	13 48	11 5
12 30	8 10	7 7	1♐21	23 40	27 2	3 36	18 30	6 53	1♒15	1♓ 8	10 52	16 40	13 29
12 40	10 53	9 30	3 33	25 55	29 39	6 28	18 40	9 11	3 48	4 15	14 27	19 29	15 52
12 50	13 35	11 53	5 45	28 11	2♒18	9 22	18 50	11 30	6 22	7 23	18 0	22 16	18 14
DT	*16.1*	*14.2*	*13.2*	*13.8*	*16.3*	*17.5*		*13.9*	*15.7*	*19.1*	*20.9*	*16.3*	*14.0*
DL	*0.0*	*-7.5*	*-19.3*	*-33.3*	*-20.7*	*-3.9*		*0.0*	*-9.3*	*-9.3*	*16.9*	*20.7*	*11.1*
13 0	16♎17	14♏16	7♐57	0♑28	5♒ 0	12♓16	19 0	13♑49	8♒58	10♓33	21♈31	25♉ 0	20♊35
13 10	18 58	16 37	10 9	2 47	7 44	15 12	19 10	16 8	11 35	13 45	24 59	27 42	22 55
13 20	21 38	18 58	12 21	5 7	10 31	18 8	19 20	18 28	14 14	16 58	28 24	0♊21	25 14
13 30	24 18	21 18	14 34	7 29	13 20	21 6	19 30	20 49	16 55	20 13	1♉46	2 58	27 33
13 40	26 57	23 38	16 47	9 54	16 12	24 3	19 40	23 10	19 38	23 28	5 5	5 33	29 51
13 50	29 34	25 57	19 1	12 20	19 6	27 2	19 50	25 32	22 22	26 44	8 19	8 6	2♋ 8
DT	*15.6*	*13.8*	*13.4*	*15.0*	*17.8*	*17.8*		*14.3*	*16.7*	*19.6*	*18.9*	*15.0*	*13.7*
DL	*0.0*	*-9.1*	*-21.3*	*-34.8*	*-16.4*	*-0.0*		*0.0*	*-7.1*	*-0.0*	*28.5*	*22.5*	*11.0*
14 0	2♏11	28♏15	21♐15	14♑49	22♒ 3	0♈ 0	20 0	27♑55	25♒ 8	0♈ 0	11♉31	10♊36	4♋25
14 10	4 46	0♐33	23 29	17 20	25 2	2 58	20 10	0♒18	27 56	3 16	14 38	13 5	6 42
14 20	7 21	2 51	25 45	19 54	28 4	5 56	20 20	2 43	0♓45	6 32	17 42	15 32	8 58
14 30	9 54	5 8	28 1	22 31	1♓ 8	8 54	20 30	5 9	3 36	9 47	20 42	17 57	11 14
14 40	12 27	7 25	0♑19	25 11	4 15	11 52	20 40	7 35	6 28	13 2	23 39	20 21	13 30
14 50	14 58	9 41	2 37	27 53	7 23	14 48	20 50	10 3	9 22	16 15	26 31	22 43	15 46
DT	*14.9*	*13.6*	*14.0*	*16.8*	*19.1*	*17.5*		*14.9*	*17.5*	*19.1*	*16.8*	*14.0*	*13.6*
DL	*0.0*	*-10.3*	*-22.5*	*-33.8*	*-9.3*	*3.9*		*0.0*	*-3.9*	*9.3*	*33.8*	*22.5*	*10.3*
15 0	17♏28	11♐57	4♑56	0♒39	10♓33	17♈44	21 0	12♒32	12♓16	19♈27	29♉21	25♊ 4	18♋ 3
15 10	19 57	14 14	7 17	3 29	13 45	20 38	21 10	15 2	15 12	22 37	2♊ 7	27 23	20 19
15 20	22 25	16 30	9 39	6 21	16 58	23 32	21 20	17 33	18 8	25 45	4 49	29 41	22 35
15 30	24 51	18 46	12 3	9 18	20 13	26 24	21 30	20 6	21 6	28 52	7 29	1♋59	24 52
15 40	27 17	21 2	14 28	12 18	23 28	29 15	21 40	22 39	24 3	1♉56	10 6	4 15	27 9
15 50	29 42	23 18	16 55	15 22	26 44	2♉ 4	21 50	25 14	27 2	4 58	12 40	6 31	29 27
DT	*14.3*	*13.7*	*15.0*	*18.9*	*19.6*	*16.7*		*15.6*	*17.8*	*17.8*	*15.0*	*13.4*	*13.8*
DL	*0.0*	*-11.0*	*-22.5*	*-28.5*	*-0.0*	*7.1*		*0.0*	*-0.0*	*16.4*	*34.8*	*21.3*	*9.1*
16 0	2♐ 5	25♐35	19♑24	18♒29	0♈ 0	4♉52	22 0	27♒49	0♈ 0	7♉57	15♊11	8♋45	1♌45
16 10	4 28	27 52	21 54	21 41	3 16	7 38	22 10	0♓26	2 58	10 54	17 40	10 59	4 3
16 20	6 50	0♑ 9	24 27	24 55	6 32	10 22	22 20	3 3	5 56	13 48	20 6	13 13	6 22
16 30	9 11	2 27	27 2	28 14	9 47	13 5	22 30	5 42	8 54	16 40	22 31	15 26	8 42
16 40	11 32	4 46	29 39	1♓36	13 2	15 46	22 40	8 22	11 52	19 29	24 53	17 39	11 2
16 50	13 52	7 5	2♒18	5 1	16 15	18 25	22 50	11 2	14 48	22 16	27 13	19 51	13 23
DT	*13.9*	*14.0*	*16.3*	*20.9*	*19.1*	*15.7*		*16.1*	*17.5*	*16.3*	*13.8*	*13.2*	*14.2*
DL	*0.0*	*-11.1*	*-20.7*	*-16.9*	*9.3*	*9.3*		*0.0*	*3.9*	*20.7*	*33.3*	*19.3*	*7.5*
17 0	16♐11	9♑25	5♒ 0	8♓29	19♈27	21♉ 2	23 0	13♓43	17♈44	25♉ 0	29♊32	22♋ 3	15♌44
17 10	18 30	11 46	7 44	12 0	22 37	23 38	23 10	16 25	20 38	27 42	1♋49	24 15	18 7
17 20	20 49	14 8	10 31	15 33	25 45	26 12	23 20	19 7	23 32	0♊21	4 5	26 27	20 30
17 30	23 7	16 31	13 20	19 8	28 52	28 45	23 30	21 50	26 24	2 58	6 20	28 39	22 53
17 40	25 25	18 55	16 12	22 45	1♉56	1♊16	23 40	24 33	29 15	5 33	8 33	0♌51	25 18
17 50	27 42	21 20	19 6	26 22	4 58	3 45	23 50	27 17	2♉ 4	8 6	10 45	3 4	27 43

LATITUDE 31 DEGREES PLACIDUS HOUSES

S.T.	10	11	12	1	2	3	S.T.	10	11	12	1	2	3
DT	16.3	16.7	15.0	13.0	13.2	14.6		13.8	13.8	13.6	13.0	13.6	13.8
DL	0.0	7.3	23.1	31.0	16.9	5.4		0.0	9.3	9.4	0.0	-9.4	-9.3
0 0	0♈0	4♉59	10♊59	13♋27	5♌33	0♍14	6 0	0♋0	1♌54	2♍21	0♎0	27♎39	28♏6
0 10	2 43	7 45	13 28	15 36	7 45	2 40	6 10	2 18	4 12	4 37	2 10	29 56	0♐24
0 20	5 27	10 30	15 55	17 45	9 57	5 7	6 20	4 35	6 31	6 54	4 19	2♏11	2 41
0 30	8 10	13 13	18 20	19 54	12 10	7 35	6 30	6 53	8 50	9 12	6 29	4 27	4 58
0 40	10 53	15 54	20 44	22 1	14 23	10 3	6 40	9 11	11 10	11 29	8 39	6 42	7 15
0 50	13 35	18 34	23 6	24 9	16 36	12 31	6 50	11 30	13 31	13 47	10 48	8 56	9 31
DT	16.1	15.7	14.0	12.7	13.4	14.9		13.9	14.2	13.8	12.9	13.4	13.6
DL	0.0	9.6	23.0	27.2	13.5	2.8		0.0	7.6	4.9	-6.3	-13.5	-10.5
1 0	16♈17	21♉12	25♊26	26♋15	18♌50	15♍0	7 0	13♋49	15♌52	16♍6	12♎57	11♏10	11♐47
1 10	18 58	23 48	27 46	28 22	21 4	17 29	7 10	16 8	18 14	18 24	15 6	13 24	14 3
1 20	21 38	26 22	0♋4	0♌28	23 18	19 59	7 20	18 28	20 37	20 43	17 15	15 37	16 19
1 30	24 18	28 55	2 21	2 34	25 33	22 29	7 30	20 49	23 0	23 2	19 24	17 50	18 35
1 40	26 57	1♊26	4 37	4 40	27 49	24 59	7 40	23 10	25 24	25 21	21 33	20 3	20 51
1 50	29 34	3 56	6 52	6 46	0♍4	27 30	7 50	25 32	27 49	27 41	23 41	22 15	23 7
DT	15.6	14.7	13.4	12.6	13.6	15.0		14.3	14.6	13.9	12.8	13.2	13.7
DL	0.0	10.9	21.7	22.9	9.4	0.0		0.0	5.4	0.0	-12.4	-16.9	-11.2
2 0	2♉11	6♊24	9♋7	8♌51	2♍21	0♎0	8 0	27♋55	0♍14	0♎0	25♎49	24♏27	25♐24
2 10	4 46	8 51	11 20	10 57	4 37	2 30	8 10	0♌18	2 40	2 19	27 57	26 39	27 41
2 20	7 21	11 16	13 34	13 3	6 54	5 1	8 20	2 43	5 7	4 39	0♏4	28 51	29 58
2 30	9 54	13 40	15 46	15 9	9 12	7 31	8 30	5 9	7 35	6 58	2 12	1♐3	2♑16
2 40	12 27	16 3	17 59	17 15	11 29	10 1	8 40	7 35	10 3	9 17	4 19	3 14	4 35
2 50	14 58	18 25	20 11	19 21	13 47	12 31	8 50	10 3	12 31	11 36	6 26	5 26	6 54
DT	14.9	14.1	13.2	12.7	13.8	14.9		14.9	14.9	13.8	12.7	13.2	14.1
DL	0.0	11.4	19.6	17.9	4.9	-2.8		0.0	2.8	-4.9	-17.9	-19.6	-11.4
3 0	17♉28	20♊46	22♋23	21♌28	16♍6	15♎0	9 0	12♌32	15♍0	13♎54	8♏32	7♐37	9♑14
3 10	19 57	23 6	24 34	23 34	18 24	17 29	9 10	15 2	17 29	16 13	10 39	9 49	11 35
3 20	22 25	25 25	26 46	25 41	20 43	19 57	9 20	17 33	19 59	18 31	12 45	12 1	13 57
3 30	24 51	27 44	28 57	27 48	23 2	22 25	9 30	20 6	22 29	20 48	14 51	14 14	16 20
3 40	27 17	0♋2	1♌9	29 56	25 21	24 53	9 40	22 39	24 59	23 6	16 57	16 26	18 44
3 50	29 42	2 19	3 21	2♍3	27 41	27 20	9 50	25 14	27 30	25 23	19 3	18 40	21 9
DT	14.3	13.7	13.2	12.8	13.9	14.6		15.6	15.0	13.6	12.6	13.4	14.7
DL	0.0	11.2	16.9	12.4	0.0	-5.4		0.0	0.0	-9.4	-22.9	-21.7	-10.9
4 0	2♊5	4♋36	5♌33	4♍11	0♎0	29♎46	10 0	27♌49	0♎0	27♎39	21♏9	20♐53	23♑36
4 10	4 28	6 53	7 45	6 19	2 19	2♏11	10 10	0♍26	2 30	29 56	23 14	23 8	26 4
4 20	6 50	9 9	9 57	8 27	4 39	4 36	10 20	3 3	5 1	2♏11	25 20	25 23	28 34
4 30	9 11	11 25	12 10	10 36	6 58	7 0	10 30	5 42	7 31	4 27	27 26	27 39	1♒5
4 40	11 32	13 41	14 23	12 45	9 17	9 23	10 40	8 22	10 1	6 42	29 32	29 56	3 38
4 50	13 52	15 57	16 36	14 54	11 36	11 46	10 50	11 2	12 31	8 56	1♐38	2♑14	6 12
DT	13.9	13.6	13.4	12.9	13.8	14.2		16.1	14.9	13.4	12.7	14.0	15.7
DL	0.0	10.5	13.5	6.3	-4.9	-7.6		0.0	-2.8	-13.5	-27.2	-23.0	-9.6
5 0	16♊11	18♋13	18♌50	17♍3	13♎54	14♏8	11 0	13♍43	15♎0	11♏10	3♐45	4♑34	8♒48
5 10	18 30	20 29	21 4	19 12	16 13	16 29	11 10	16 25	17 29	13 24	5 51	6 54	11 26
5 20	20 49	22 45	23 18	21 21	18 31	18 50	11 20	19 7	19 57	15 37	7 59	9 16	14 6
5 30	23 7	25 2	25 33	23 31	20 48	21 10	11 30	21 50	22 25	17 50	10 6	11 40	16 47
5 40	25 25	27 19	27 49	25 41	23 6	23 29	11 40	24 33	24 53	20 3	12 15	14 5	19 30
5 50	27 42	29 36	0♍4	27 50	25 23	25 48	11 50	27 17	27 20	22 15	14 24	16 32	22 15

LATITUDE 31 DEGREES — PLACIDUS HOUSES

S.T.	10	11	12	1	2	3	S.T.	10	11	12	1	2	3
DT	*16.3*	*14.6*	*13.2*	*13.0*	*15.0*	*16.7*		*13.8*	*14.7*	*17.9*	*22.1*	*17.9*	*14.7*
DL	*0.0*	*-5.4*	*-16.9*	*-31.0*	*-23.1*	*-7.3*		*0.0*	*-10.9*	*-17.0*	*-0.0*	*17.0*	*10.9*
12 0	0♎ 0	29♎46	24♏27	16♐33	19♑ 1	25♒ 1	18 0	0♑ 0	23♑36	21♒47	0♈ 0	8♉13	6♊24
12 10	2 43	2♏11	26 39	18 44	21 32	27 49	18 10	2 18	26 4	24 47	3 41	11 11	8 51
12 20	5 27	4 36	28 51	20 56	24 5	0♓39	18 20	4 35	28 34	27 50	7 21	14 6	11 16
12 30	8 10	7 0	1♐ 3	23 8	26 40	3 31	18 30	6 53	1♒ 5	0♓55	11 1	16 59	13 40
12 40	10 53	9 23	3 14	25 22	29 17	6 23	18 40	9 11	3 38	4 3	14 39	19 49	16 3
12 50	13 35	11 46	5 26	27 38	1♒57	9 17	18 50	11 30	6 12	7 12	18 14	22 36	18 25
DT	*16.1*	*14.2*	*13.2*	*13.8*	*16.3*	*17.6*		*13.9*	*15.7*	*19.2*	*21.2*	*16.3*	*14.1*
DL	*0.0*	*-7.6*	*-19.6*	*-34.0*	*-21.3*	*-4.0*		*0.0*	*-9.6*	*-9.6*	*17.7*	*21.3*	*11.4*
13 0	16♎17	14♏ 8	7♐37	29♐54	4♒39	12♓12	19 0	13♑49	8♒48	10♓24	21♈48	25♉21	20♊46
13 10	18 58	16 29	9 49	2♑13	7 24	15 9	19 10	16 8	11 26	13 37	25 18	28 3	23 6
13 20	21 38	18 50	12 1	4 33	10 11	18 6	19 20	18 28	14 6	16 52	28 46	0♊43	25 25
13 30	24 18	21 10	14 14	6 55	13 1	21 4	19 30	20 49	16 47	20 8	2♉10	3 20	27 44
13 40	26 57	23 29	16 26	9 19	15 54	24 2	19 40	23 10	19 30	23 25	5 30	5 55	0♋ 2
13 50	29 34	25 48	18 40	11 46	18 49	27 1	19 50	25 32	22 15	26 42	8 47	8 28	2 19
DT	*15.6*	*13.8*	*13.4*	*15.0*	*17.9*	*17.9*		*14.3*	*16.7*	*19.8*	*19.1*	*15.0*	*13.7*
DL	*0.0*	*-9.3*	*-21.7*	*-35.7*	*-17.0*	*-0.0*		*0.0*	*-7.3*	*-0.0*	*29.7*	*23.1*	*11.2*
14 0	2♏11	28♏ 6	20♐53	14♑14	21♒47	0♈ 0	20 0	27♑55	25♒ 1	0♈ 0	11♉59	10♊59	4♋36
14 10	4 46	0♐24	23 8	16 45	24 47	2 59	20 10	0♒18	27 49	3 18	15 8	13 28	6 53
14 20	7 21	2 41	25 23	19 19	27 50	5 58	20 20	2 43	0♓39	6 35	18 13	15 55	9 9
14 30	9 54	4 58	27 39	21 56	0♓55	8 56	20 30	5 9	3 31	9 52	21 14	18 20	11 25
14 40	12 27	7 15	29 56	24 36	4 3	11 54	20 40	7 35	6 23	13 8	24 11	20 44	13 41
14 50	14 58	9 31	2♑14	27 19	7 12	14 51	20 50	10 3	9 17	16 23	27 5	23 6	15 57
DT	*14.9*	*13.6*	*14.0*	*16.8*	*19.2*	*17.6*		*14.9*	*17.6*	*19.2*	*16.8*	*14.0*	*13.6*
DL	*0.0*	*-10.5*	*-23.0*	*-35.0*	*-9.6*	*4.0*		*0.0*	*-4.0*	*9.6*	*35.0*	*23.0*	*10.5*
15 0	17♏28	11♐47	4♑34	0♒ 5	10♓24	17♈48	21 0	12♒32	12♓12	19♈36	29♉55	25♊26	18♋13
15 10	19 57	14 3	6 54	2 55	13 37	20 43	21 10	15 2	15 9	22 48	2♊41	27 46	20 29
15 20	22 25	16 19	9 16	5 49	16 52	23 37	21 20	17 33	18 6	25 57	5 24	0♋ 4	22 45
15 30	24 51	18 35	11 40	8 46	20 8	26 29	21 30	20 6	21 4	29 5	8 4	2 21	25 2
15 40	27 17	20 51	14 5	11 47	23 25	29 21	21 40	22 39	24 2	2♉10	10 41	4 37	27 19
15 50	29 42	23 7	16 32	14 52	26 42	2♉11	21 50	25 14	27 1	5 13	13 15	6 52	29 36
DT	*14.3*	*13.7*	*15.0*	*19.1*	*19.8*	*16.7*		*15.6*	*17.9*	*17.9*	*15.0*	*13.4*	*13.8*
DL	*0.0*	*-11.2*	*-23.1*	*-29.7*	*-0.0*	*7.3*		*0.0*	*-0.0*	*17.0*	*35.7*	*21.7*	*9.3*
16 0	2♐ 5	25♐24	19♑ 1	18♒ 1	0♈ 0	4♉59	22 0	27♒49	0♈ 0	8♉13	15♊46	9♋ 7	1♌54
16 10	4 28	27 41	21 32	21 13	3 18	7 45	22 10	0♓26	2 59	11 11	18 14	11 20	4 12
16 20	6 50	29 58	24 5	24 30	6 35	10 30	22 20	3 3	5 58	14 6	20 41	13 34	6 31
16 30	9 11	2♑16	26 40	27 50	9 52	13 13	22 30	5 42	8 56	16 59	23 5	15 46	8 50
16 40	11 32	4 35	29 17	1♓14	13 8	15 54	22 40	8 22	11 54	19 49	25 27	17 59	11 10
16 50	13 52	6 54	1♒57	4 42	16 23	18 34	22 50	11 2	14 51	22 36	27 47	20 11	13 31
DT	*13.9*	*14.1*	*16.3*	*21.2*	*19.2*	*15.7*		*16.1*	*17.6*	*16.3*	*13.8*	*13.2*	*14.2*
DL	*0.0*	*-11.4*	*-21.3*	*-17.7*	*9.6*	*9.6*		*0.0*	*4.0*	*21.3*	*34.0*	*19.6*	*7.6*
17 0	16♐11	9♑14	4♒39	8♓12	19♈36	21♉12	23 0	13♓43	17♈48	25♉21	0♋ 6	22♋23	15♌52
17 10	18 30	11 35	7 24	11 46	22 48	23 48	23 10	16 25	20 43	28 3	2 22	24 34	18 14
17 20	20 49	13 57	10 11	15 21	25 57	26 22	23 20	19 7	23 37	0♊43	4 38	26 46	20 37
17 30	23 7	16 20	13 1	18 59	29 5	28 55	23 30	21 50	26 29	3 20	6 52	28 57	23 0
17 40	25 25	18 44	15 54	22 39	2♉10	1♊26	23 40	24 33	29 21	5 55	9 4	1♌ 9	25 24
17 50	27 42	21 9	18 49	26 19	5 13	3 56	23 50	27 17	2♉11	8 28	11 16	3 21	27 49

LATITUDE 32 DEGREES PLACIDUS HOUSES

S.T.	10	11	12	1	2	3	S.T.	10	11	12	1	2	3
DT	*16.3*	*16.8*	*15.0*	*13.0*	*13.1*	*14.5*		*13.8*	*13.8*	*13.6*	*12.9*	*13.6*	*13.8*
DL	*0.0*	*7.5*	*23.7*	*31.5*	*17.1*	*5.5*		*0.0*	*9.5*	*9.5*	*0.0*	*−9.5*	*−9.5*
0 0	0♈ 0	5♉ 6	11♊22	13♋58	5♌49	0♍20	6 0	0♋ 0	2♌ 3	2♍30	0♎ 0	27♎30	27♏57
0 10	2 43	7 53	13 51	16 7	8 1	2 45	6 10	2 18	4 21	4 46	2 9	29 46	0♐14
0 20	5 27	10 38	16 18	18 15	10 13	5 12	6 20	4 35	6 40	7 2	4 17	2♏ 1	2 31
0 30	8 10	13 22	18 43	20 23	12 25	7 39	6 30	6 53	8 59	9 19	6 26	4 15	4 48
0 40	10 53	16 3	21 7	22 30	14 37	10 6	6 40	9 11	11 18	11 36	8 34	6 30	7 5
0 50	13 35	18 43	23 29	24 36	16 50	12 34	6 50	11 30	13 39	13 53	10 43	8 43	9 21
DT	*16.1*	*15.7*	*14.0*	*12.6*	*13.3*	*14.9*		*13.9*	*14.1*	*13.8*	*12.8*	*13.3*	*13.6*
DL	*0.0*	*9.9*	*23.6*	*27.6*	*13.6*	*2.9*		*0.0*	*7.7*	*4.9*	*−6.4*	*−13.6*	*−10.7*
1 0	16♈17	21♉21	25♊49	26♋43	19♌ 3	15♍ 3	7 0	13♋49	15♌59	16♍11	12♎51	10♏57	11♐37
1 10	18 58	23 58	28 8	28 48	21 17	17 32	7 10	16 8	18 21	18 20	14 59	13 10	13 52
1 20	21 38	26 32	0♋26	0♌54	23 30	20 1	7 20	18 28	20 43	20 47	17 7	15 23	16 8
1 30	24 18	29 5	2 43	2 59	25 45	22 30	7 30	20 49	23 6	23 5	19 15	17 35	18 24
1 40	26 57	1♊37	4 59	5 4	27 59	25 0	7 40	23 10	25 30	25 23	21 22	19 47	20 40
1 50	29 34	4 6	7 14	7 9	0♍14	27 30	7 50	25 32	27 55	27 42	23 29	21 59	22 56
DT	*15.6*	*14.8*	*13.4*	*12.5*	*13.6*	*15.0*		*14.3*	*14.5*	*13.8*	*12.7*	*13.1*	*13.7*
DL	*0.0*	*11.2*	*22.2*	*23.1*	*9.5*	*0.0*		*0.0*	*5.5*	*0.0*	*−12.4*	*−17.1*	*−11.5*
2 0	2♉11	6♊35	9♋28	9♌14	2♍30	0♎ 0	8 0	27♋55	0♍20	0♎ 0	25♎37	24♏11	25♐13
2 10	4 46	9 2	11 42	11 19	4 46	2 30	8 10	0♌18	2 45	2 18	27 43	26 22	27 30
2 20	7 21	11 27	13 55	13 24	7 2	5 0	8 20	2 43	5 12	4 37	29 50	28 33	29 47
2 30	9 54	13 51	16 7	15 29	9 19	7 30	8 30	5 9	7 39	6 55	1♏56	0♐44	2♑ 5
2 40	12 27	16 15	18 19	17 35	11 36	9 59	8 40	7 35	10 6	9 13	4 3	2 55	4 23
2 50	14 58	18 37	20 31	19 40	13 53	12 28	8 50	10 3	12 34	11 31	6 9	5 7	6 42
DT	*14.9*	*14.1*	*13.1*	*12.6*	*13.8*	*14.9*		*14.9*	*14.9*	*13.8*	*12.6*	*13.1*	*14.1*
DL	*0.0*	*11.7*	*20.0*	*18.1*	*4.9*	*−2.9*		*0.0*	*2.9*	*−4.9*	*−18.1*	*−20.0*	*−11.7*
3 0	17♉28	20♊58	22♋42	21♌46	16♍11	14♎57	9 0	12♌32	15♍ 3	13♎49	8♏14	7♐18	9♑ 2
3 10	19 57	23 18	24 53	23 51	18 29	17 26	9 10	15 2	17 32	16 7	10 20	9 29	11 23
3 20	22 25	25 37	27 5	25 57	20 47	19 54	9 20	17 33	20 1	18 24	12 25	11 41	13 45
3 30	24 51	27 55	29 16	28 4	23 5	22 21	9 30	20 6	22 30	20 41	14 31	13 53	16 9
3 40	27 17	0♋13	1♌27	0♍10	25 23	24 48	9 40	22 39	25 0	22 58	16 36	16 5	18 33
3 50	29 42	2 30	3 38	2 17	27 42	27 15	9 50	25 14	27 30	25 14	18 41	18 18	20 58
DT	*14.3*	*13.7*	*13.1*	*12.7*	*13.8*	*14.5*		*15.6*	*15.0*	*13.6*	*12.5*	*13.4*	*14.8*
DL	*0.0*	*11.5*	*17.1*	*12.4*	*0.0*	*−5.5*		*0.0*	*0.0*	*−9.5*	*−23.1*	*−22.2*	*−11.2*
4 0	2♊ 5	4♋47	5♌49	4♍23	0♎ 0	29♎40	10 0	27♌49	0♎ 0	27♎30	20♏46	20♐32	23♑25
4 10	4 28	7 4	8 1	6 31	2 18	2♏ 5	10 10	0♍26	2 30	29 46	22 51	22 46	25 54
4 20	6 50	9 20	10 13	8 38	4 37	4 30	10 20	3 3	5 0	2♏ 1	24 56	25 1	28 23
4 30	9 11	11 36	12 25	10 45	6 55	6 54	10 30	5 42	7 30	4 15	27 1	27 17	0♒55
4 40	11 32	13 52	14 37	12 53	9 13	9 17	10 40	8 22	9 59	6 30	29 6	29 34	3 28
4 50	13 52	16 8	16 50	15 1	11 31	11 39	10 50	11 2	12 28	8 43	1♐12	1♑52	6 2
DT	*13.9*	*13.6*	*13.3*	*12.8*	*13.8*	*14.1*		*16.1*	*14.9*	*13.3*	*12.6*	*14.0*	*15.7*
DL	*0.0*	*10.7*	*13.6*	*6.4*	*−4.9*	*−7.7*		*0.0*	*−2.9*	*−13.6*	*−27.6*	*−23.6*	*−9.9*
5 0	16♊11	18♋23	19♌ 3	17♍ 9	13♎49	14♏ 1	11 0	13♍43	14♎57	10♏57	3♐17	4♑11	8♒39
5 10	18 30	20 39	21 17	19 17	16 7	16 21	11 10	16 25	17 26	13 10	5 24	6 31	11 17
5 20	20 49	22 55	23 30	21 26	18 24	18 42	11 20	19 7	19 54	15 23	7 30	8 53	13 57
5 30	23 7	25 12	25 45	23 34	20 41	21 1	11 30	21 50	22 21	17 35	9 37	11 17	16 38
5 40	25 25	27 29	27 59	25 43	22 58	23 20	11 40	24 33	24 48	19 47	11 45	13 42	19 22
5 50	27 42	29 46	0♍14	27 51	25 14	25 39	11 50	27 17	27 15	21 59	13 53	16 9	22 7

LATITUDE 32 DEGREES — PLACIDUS HOUSES

S.T.	10	11	12	1	2	3	S.T.	10	11	12	1	2	3
DT	16.3	14.5	13.1	13.0	15.0	16.8		13.8	14.8	18.0	22.4	18.0	14.8
DL	0.0	-5.5	-17.1	-31.5	-23.7	-7.5		0.0	-11.2	-17.6	-0.0	17.6	11.2
12 0	0♎0	29♎40	24♏11	16♐2	18♑38	24♒54	18 0	0♑0	23♑25	21♒30	0♈0	8♉30	6♊35
12 10	2 43	2♏5	26 22	18 13	21 9	27 43	18 10	2 18	25 54	24 31	3 44	11 29	9 2
12 20	5 27	4 30	28 33	20 24	23 42	0♓33	18 20	4 35	28 23	27 35	7 28	14 25	11 27
12 30	8 10	6 54	0♐44	22 36	26 17	3 25	18 30	6 53	0♒55	0♓41	11 10	17 18	13 51
12 40	10 53	9 17	2 55	24 49	28 55	6 18	18 40	9 11	3 28	3 50	14 51	20 9	16 15
12 50	13 35	11 39	5 7	27 4	1♒35	9 13	18 50	11 30	6 2	7 1	18 30	22 57	18 37
DT	16.1	14.1	13.1	13.7	16.4	17.6		13.9	15.7	19.4	21.4	16.4	14.1
DL	0.0	-7.7	-20.0	-34.7	-22.0	-4.1		0.0	-9.9	-10.0	18.6	22.0	11.7
13 0	16♎17	14♏1	7♐18	29♐21	4♒18	12♓8	19 0	13♑49	8♒39	10♓14	22♈5	25♉42	20♊58
13 10	18 58	16 21	9 29	1♑38	7 3	15 5	19 10	16 8	11 17	13 29	25 38	28 25	23 18
13 20	21 38	18 42	11 41	3 58	9 51	18 3	19 20	18 28	13 57	16 45	29 8	1♊5	25 37
13 30	24 18	21 1	13 53	6 20	12 42	21 2	19 30	20 49	16 38	20 3	2♉34	3 43	27 55
13 40	26 57	23 20	16 5	8 44	15 35	24 1	19 40	23 10	19 22	23 21	5 56	6 18	0♋13
13 50	29 34	25 39	18 18	11 10	18 31	27 0	19 50	25 32	22 7	26 41	9 15	8 51	2 30
DT	15.6	13.8	13.4	15.0	18.0	18.0		14.3	16.8	19.9	19.2	15.0	13.7
DL	0.0	-9.5	-22.2	36.7	-17.6	-0.0		0.0	-7.5	-0.0	30.9	23.7	11.5
14 0	2♏11	27♏57	20♐32	13♑39	21♒30	0♈0	20 0	27♑55	24♒54	0♈0	12♉29	11♊22	4♋47
14 10	4 46	0♐14	22 46	16 10	24 31	3 0	20 10	0♒18	27 43	3 19	15 39	13 51	7 4
14 20	7 21	2 31	25 1	18 44	27 35	5 59	20 20	2 43	0♓33	6 39	18 45	16 18	9 20
14 30	9 54	4 48	27 17	21 20	0♓41	8 58	20 30	5 9	3 25	9 57	21 47	18 43	11 36
14 40	12 27	7 5	29 34	24 0	3 50	11 57	20 40	7 35	6 18	13 15	24 45	21 7	13 52
14 50	14 58	9 21	1♑52	26 44	7 1	14 55	20 50	10 3	9 13	16 31	27 39	23 29	16 8
DT	14.9	13.6	14.0	16.9	19.4	17.6		14.9	17.6	19.4	16.9	14.0	13.6
DL	0.0	-10.7	-23.6	-36.2	-10.0	4.1		0.0	-4.1	10.0	36.2	23.6	10.7
15 0	17♏28	11♐37	4♑11	29♑31	10♓14	17♈52	21 0	12♒32	12♓8	19♈46	0♊29	25♊49	18♋23
15 10	19 57	13 52	6 31	2♒21	13 29	20 47	21 10	15 2	15 5	22 59	3 16	28 8	20 39
15 20	22 25	16 8	8 53	5 15	16 45	23 42	21 20	17 33	18 3	26 10	6 0	0♋26	22 55
15 30	24 51	18 24	11 17	8 13	20 3	26 35	21 30	20 6	21 2	29 19	8 40	2 43	25 12
15 40	27 17	20 40	13 42	11 15	23 21	29 27	21 40	22 39	24 1	2♉25	11 16	4 59	27 29
15 50	29 42	22 56	16 9	14 21	26 41	2♉17	21 50	25 14	27 0	5 29	13 50	7 14	29 46
DT	14.3	13.7	15.0	19.2	19.9	16.8		15.6	18.0	18.0	15.0	13.4	13.8
DL	0.0	-11.5	-23.7	-30.9	-0.0	7.5		0.0	-0.0	17.6	36.7	22.2	9.5
16 0	2♐5	25♐13	18♑38	17♒31	0♈0	5♉6	22 0	27♒49	0♈0	8♉30	16♊21	9♋28	2♌3
16 10	4 28	27 30	21 9	20 45	3 19	7 53	22 10	0♓26	3 0	11 29	18 50	11 42	4 21
16 20	6 50	29 47	23 42	24 4	6 39	10 38	22 20	3 3	5 59	14 25	21 16	13 55	6 40
16 30	9 11	2♑5	26 17	27 26	9 57	13 22	22 30	5 42	8 58	17 18	23 40	16 7	8 59
16 40	11 32	4 23	28 55	0♓52	13 15	16 3	22 40	8 22	11 57	20 9	26 2	18 19	11 18
16 50	13 52	6 42	1♒35	4 22	16 31	18 43	22 50	11 2	14 55	22 57	28 22	20 31	13 39
DT	13.9	14.1	16.4	21.4	19.4	15.7		16.1	17.6	16.4	13.7	13.1	14.1
DL	0.0	-11.7	-22.0	-18.6	10.0	9.9		0.0	4.1	22.0	34.7	20.0	7.7
17 0	16♐11	9♑2	4♒18	7♓55	19♈46	21♉21	23 0	13♓43	17♈52	25♉42	0♊39	22♊42	15♌59
17 10	18 30	11 23	7 3	11 30	22 59	23 58	23 10	16 25	20 47	28 25	2 56	24 53	18 21
17 20	20 49	13 45	9 51	15 9	26 10	26 32	23 20	19 7	23 42	1♊5	5 11	27 5	20 43
17 30	23 7	16 9	12 42	18 50	29 19	29 5	23 30	21 50	26 35	3 43	7 24	29 16	23 6
17 40	25 25	18 33	15 35	22 32	2♉25	1♊37	23 40	24 33	29 27	6 18	9 36	1♌27	25 30
17 50	27 42	20 58	18 31	26 16	5 29	4 6	23 50	27 17	2♉17	8 51	11 47	3 38	27 55

LATITUDE 33 DEGREES   PLACIDUS HOUSES

S.T.	10	11	12	1	2	3	S.T.	10	11	12	1	2	3
DT	*16.3*	*16.8*	*15.0*	*12.9*	*13.1*	*14.5*		*13.8*	*13.7*	*13.5*	*12.8*	*13.5*	*13.7*
DL	*0.0*	*7.7*	*24.4*	*32.1*	*17.4*	*5.6*		*0.0*	*9.7*	*9.6*	*0.0*	*-9.6*	*-9.7*
0 0	0♈0	5♉13	11♊46	14♋29	6♌7	0♍25	6 0	0♋0	2♌13	2♍40	0♎0	27♎20	27♏47
0 10	2 43	8 1	14 15	16 38	8 18	2 51	6 10	2 18	4 30	4 55	2 8	29 35	0♐5
0 20	5 27	10 47	16 42	18 45	10 29	5 16	6 20	4 35	6 48	7 10	4 15	1♏50	2 22
0 30	8 10	13 30	19 7	20 52	12 40	7 43	6 30	6 53	9 7	9 26	6 23	4 4	4 38
0 40	10 53	16 12	21 30	22 59	14 52	10 10	6 40	9 11	11 27	11 42	8 30	6 17	6 54
0 50	13 35	18 53	23 52	25 5	17 4	12 38	6 50	11 30	13 47	13 59	10 37	8 30	9 10
DT	*16.1*	*15.8*	*14.0*	*12.5*	*13.3*	*14.8*		*13.9*	*14.1*	*13.7*	*12.7*	*13.3*	*13.6*
DL	*0.0*	*10.2*	*24.2*	*28.0*	*13.8*	*2.9*		*0.0*	*7.9*	*5.0*	*-6.4*	*-13.8*	*-11.0*
1 0	16♈17	21♉31	26♊13	27♋10	19♌17	15♍6	7 0	13♋49	16♌7	16♍16	12♎45	10♏43	11♐26
1 10	19 58	24 0	00 00	00 18	21 00	17 ?	7 10	16 8	18 24	18 33	14 52	12 56	10 42
1 20	21 38	26 43	0♋50	1♌20	23 43	20 3	7 20	18 28	20 50	20 50	16 58	15 8	15 57
1 30	24 18	29 16	3 6	3 25	25 56	22 32	7 30	20 49	23 13	23 7	19 5	17 20	18 13
1 40	26 57	1♊48	5 22	5 29	28 10	25 1	7 40	23 10	25 37	25 25	21 12	19 31	20 29
1 50	29 34	4 18	7 37	7 33	0♍25	27 31	7 50	25 32	28 1	27 42	23 18	21 42	22 45
DT	*15.6*	*14.8*	*13.4*	*12.4*	*13.5*	*14.9*		*14.3*	*14.5*	*13.8*	*12.6*	*13.1*	*13.7*
DL	*0.0*	*11.5*	*22.7*	*23.4*	*9.6*	*0.0*		*0.0*	*5.6*	*0.0*	*-12.5*	*-17.4*	*-11.8*
2 0	2♉11	6♊46	9♋50	9♌37	2♍40	0♎0	8 0	27♋55	0♍25	0♎0	25♎24	23♏53	25♐1
2 10	4 46	9 13	12 4	11 42	4 55	2 29	8 10	0♌18	2 51	2 18	27 30	26 4	27 18
2 20	7 21	11 39	14 16	13 46	7 10	4 59	8 20	2 43	5 16	4 35	29 36	28 15	29 35
2 30	9 54	14 3	16 28	15 50	9 26	7 28	8 30	5 9	7 43	6 53	1♏41	0♐26	1♑53
2 40	12 27	16 26	18 40	17 55	11 42	9 57	8 40	7 35	10 9	9 10	3 46	2 36	4 11
2 50	14 58	18 48	20 51	19 59	13 59	12 26	8 50	10 3	12 38	11 27	5 51	4 47	6 31
DT	*14.9*	*14.1*	*13.1*	*12.5*	*13.7*	*14.8*		*14.9*	*14.8*	*13.7*	*12.5*	*13.1*	*14.1*
DL	*0.0*	*12.0*	*20.4*	*18.2*	*5.0*	*-2.9*		*0.0*	*2.9*	*-5.0*	*-18.2*	*-20.4*	*-12.0*
3 0	17♉28	21♊9	23♋2	22♌4	16♍16	14♎54	9 0	12♌32	15♍6	13♎44	7♏56	6♐58	8♑51
3 10	19 57	23 29	25 13	24 9	18 33	17 22	9 10	15 2	17 34	16 1	10 1	9 9	11 12
3 20	22 25	25 49	27 24	26 14	20 50	19 50	9 20	17 33	20 3	18 18	12 5	11 20	13 34
3 30	24 51	28 7	29 34	28 19	23 7	22 17	9 30	20 6	22 32	20 34	14 10	13 32	15 57
3 40	27 17	0♋25	1♌45	0♍24	25 25	24 44	9 40	22 39	25 1	22 50	16 14	15 44	18 21
3 50	29 42	2 42	3 56	2 30	27 42	27 9	9 50	25 14	27 31	25 5	18 18	17 56	20 47
DT	*14.3*	*13.7*	*13.1*	*12.6*	*13.8*	*14.5*		*15.6*	*14.9*	*13.5*	*12.4*	*13.4*	*14.8*
DL	*0.0*	*11.8*	*17.4*	*12.5*	*0.0*	*-5.6*		*0.0*	*0.0*	*-9.6*	*-23.4*	*-22.7*	*-11.5*
4 0	2♊5	4♋59	6♌7	4♍36	0♎0	29♎35	10 0	27♌49	0♎0	27♎20	20♏23	20♐10	23♑14
4 10	4 28	7 15	8 18	6 42	2 18	1♏59	10 10	0♍26	2 29	29 35	22 27	22 23	25 42
4 20	6 50	9 31	10 29	8 48	4 35	4 23	10 20	3 3	4 59	1♏50	24 31	24 38	28 12
4 30	9 11	11 47	12 40	10 55	6 53	6 47	10 30	5 42	7 28	4 4	26 35	26 54	0♒44
4 40	11 32	14 3	14 52	13 2	9 10	9 10	10 40	8 22	9 57	6 17	28 40	29 10	3 17
4 50	13 52	16 18	17 4	15 8	11 27	11 31	10 50	11 2	12 26	8 30	0♐45	1♑28	5 52
DT	*13.9*	*13.6*	*13.3*	*12.7*	*13.7*	*14.1*		*16.1*	*14.8*	*13.3*	*12.5*	*14.0*	*15.8*
DL	*0.0*	*11.0*	*13.8*	*6.4*	*-5.0*	*-7.9*		*0.0*	*-2.9*	*-13.8*	*-28.0*	*-24.2*	*-10.2*
5 0	16♊11	18♋34	19♌17	17♍15	13♎44	13♏53	11 0	13♍43	14♎54	10♏43	2♐50	3♑47	8♒29
5 10	18 30	20 50	21 30	19 23	16 1	16 13	11 10	16 25	17 22	12 56	4 55	6 8	11 7
5 20	20 49	23 6	23 43	21 30	18 18	18 33	11 20	19 7	19 50	15 8	7 1	8 30	13 48
5 30	23 7	25 22	25 56	23 37	20 34	20 53	11 30	21 50	22 17	17 20	9 8	10 53	16 30
5 40	25 25	27 38	28 10	25 45	22 50	23 12	11 40	24 33	24 44	19 31	11 15	13 18	19 13
5 50	27 42	29 55	0♍25	27 52	25 5	25 30	11 50	27 17	27 9	21 42	13 22	15 45	21 59

LATITUDE 33 DEGREES PLACIDUS HOUSES

S.T.	10	11	12	1	2	3	S.T.	10	11	12	1	2	3
DT	*16.3*	*14.5*	*13.1*	*12.9*	*15.0*	*16.8*		*13.8*	*14.8*	*18.1*	*22.7*	*18.1*	*14.8*
DL	*0.0*	*-5.6*	*-17.4*	*-32.1*	*-24.4*	*-7.7*		*0.0*	*-11.5*	*-18.3*	*-0.0*	*18.3*	*11.5*
12 0	0♎ 0	29♎35	23♏53	15♐31	18♑14	24♒47	18 0	0♑ 0	23♑14	21♒12	0♈ 0	8♉48	6♊46
12 10	2 43	1♏59	26 4	17 40	20 45	27 36	18 10	2 18	25 42	24 15	3 47	11 48	9 13
12 20	5 27	4 23	28 15	19 51	23 19	0♓26	18 20	4 35	28 12	27 20	7 34	14 45	11 39
12 30	8 10	6 47	0♐26	22 3	25 54	3 19	18 30	6 53	0♒44	0♓27	11 20	17 39	14 3
12 40	10 53	9 10	2 36	24 16	28 32	6 13	18 40	9 11	3 17	3 37	15 4	20 30	16 26
12 50	13 35	11 31	4 47	26 30	1♒13	9 8	18 50	11 30	5 52	6 50	18 45	23 18	18 48
DT	*16.1*	*14.1*	*13.1*	*13.7*	*16.4*	*17.7*		*13.9*	*15.8*	*19.5*	*21.7*	*16.4*	*14.1*
DL	*0.0*	*-7.9*	*-20.4*	*-35.5*	*-22.8*	*-4.2*		*0.0*	*-10.2*	*-10.4*	*19.5*	*22.8*	*12.0*
13 0	16♎17	13♏53	6♐58	28♐46	3♒56	12♓ 4	19 0	13♑49	8♒29	10♓ 4	22♈24	26♉ 4	21♊ 9
13 10	18 58	16 13	9 9	1♑ 3	6 42	15 2	19 10	16 8	11 7	13 21	26 0	28 47	23 29
13 20	21 38	18 33	11 20	3 23	9 30	18 0	19 20	18 28	13 48	16 39	29 32	1♊28	25 49
13 30	24 18	20 53	13 32	5 44	12 21	21 0	19 30	20 49	16 30	19 58	3♉ 0	4 6	28 7
13 40	26 57	23 12	15 44	8 8	15 15	23 59	19 40	23 10	19 13	23 18	6 24	6 41	0♋25
13 50	29 34	25 30	17 56	10 33	18 12	27 0	19 50	25 32	21 59	26 39	9 44	9 15	2 42
DT	*15.6*	*13.7*	*13.4*	*15.0*	*18.1*	*18.0*		*14.3*	*16.8*	*20.1*	*19.4*	*15.0*	*13.7*
DL	*0.0*	*-9.7*	*-22.7*	*-37.7*	*-18.3*	*-0.0*		*0.0*	*-7.7*	*-0.0*	*32.2*	*24.4*	*11.8*
14 0	2♏11	27♏47	20♐10	13♑ 2	21♒12	0♈ 0	20 0	27♑55	24♒47	0♈ 0	13♉ 0	11♊48	4♋59
14 10	4 46	0♐ 5	22 23	15 33	24 15	3 0	20 10	0♒18	27 36	3 21	16 11	14 15	7 15
14 20	7 21	2 22	24 38	18 7	27 20	6 1	20 20	2 43	0♓26	6 42	19 18	16 42	9 31
14 30	9 54	4 38	26 54	20 44	0♓27	9 0	20 30	5 9	3 19	10 2	22 21	19 7	11 47
14 40	12 27	6 54	29 10	23 24	3 37	12 0	20 40	7 35	6 13	13 21	25 20	21 30	14 3
14 50	14 58	9 10	1♑28	26 7	6 50	14 58	20 50	10 3	9 8	16 39	28 15	23 52	16 18
DT	*14.9*	*13.6*	*14.0*	*16.9*	*19.5*	*17.7*		*14.9*	*17.7*	*19.5*	*16.9*	*14.0*	*13.6*
DL	*0.0*	*-11.0*	*-24.2*	*-37.4*	*-10.4*	*4.2*		*0.0*	*-4.2*	*10.4*	*37.4*	*24.2*	*11.0*
15 0	17♏28	11♐26	3♑47	28♑54	10♓ 4	17♈56	21 0	12♒32	12♓ 4	19♈56	1♊ 6	26♊13	18♋34
15 10	19 57	13 42	6 8	1♒45	13 21	20 52	21 10	15 2	15 2	23 10	3 53	28 32	20 50
15 20	22 25	15 57	8 30	4 40	16 39	23 47	21 20	17 33	18 0	26 23	6 36	0♋50	23 6
15 30	24 51	18 13	10 53	7 39	19 58	26 41	21 30	20 6	21 0	29 33	9 16	3 6	25 22
15 40	27 17	20 29	13 18	10 42	23 18	29 34	21 40	22 39	23 59	2♉40	11 53	5 22	27 38
15 50	29 42	22 45	15 45	13 49	26 39	2♉24	21 50	25 14	27 0	5 45	14 27	7 37	29 55
DT	*14.3*	*13.7*	*15.0*	*19.4*	*20.1*	*16.8*		*15.6*	*18.0*	*18.1*	*15.0*	*13.4*	*13.7*
DL	*0.0*	*-11.8*	*-24.4*	*-32.2*	*-0.0*	*7.7*		*0.0*	*-0.0*	*18.3*	*37.7*	*22.7*	*9.7*
16 0	2♐ 5	25♐ 1	18♑14	17♒ 0	0♈ 0	5♉13	22 0	27♒49	0♈ 0	8♉48	16♊58	9♋50	2♌13
16 10	4 28	27 18	20 45	20 16	3 21	8 1	22 10	0♓26	3 0	11 48	19 27	12 4	4 30
16 20	6 50	29 35	23 19	23 36	6 42	10 47	22 20	3 3	6 1	14 45	21 52	14 16	6 48
16 30	9 11	1♑53	25 54	27 0	10 2	13 30	22 30	5 42	9 0	17 39	24 16	16 28	9 7
16 40	11 32	4 11	28 32	0♓28	13 21	16 12	22 40	8 22	12 0	20 30	26 37	18 40	11 27
16 50	13 52	6 31	1♒13	4 0	16 39	18 53	22 50	11 2	14 58	23 18	28 57	20 51	13 47
DT	*13.9*	*14.1*	*16.4*	*21.7*	*19.5*	*15.8*		*16.1*	*17.7*	*16.4*	*13.7*	*13.1*	*14.1*
DL	*0.0*	*-12.0*	*-22.8*	*-19.5*	*10.4*	*10.2*		*0.0*	*4.2*	*22.8*	*35.5*	*20.4*	*7.9*
17 0	16♐11	8♑51	3♒56	7♓36	19♈56	21♉31	23 0	13♓43	17♈56	26♉ 4	1♋14	23♋ 2	16♌ 7
17 10	18 30	11 12	6 42	11 15	23 10	24 8	23 10	16 25	20 52	28 47	3 30	25 13	18 29
17 20	20 49	13 34	9 30	14 56	26 23	26 43	23 20	19 7	23 47	1♊28	5 44	27 24	20 50
17 30	23 7	15 57	12 21	18 40	29 33	29 16	23 30	21 50	26 41	4 6	7 57	29 34	23 13
17 40	25 25	18 21	15 15	22 26	2♉40	1♊48	23 40	24 33	29 34	6 41	10 9	1♌45	25 37
17 50	27 42	20 47	18 12	26 13	5 45	4 18	23 50	27 17	2♉24	9 15	12 20	3 56	28 1

LATITUDE 34 DEGREES PLACIDUS HOUSES

S.T.	10	11	12	1	2	3
DT	*16.3*	*16.9*	*15.0*	*12.8*	*13.0*	*14.5*
DL	*0.0*	*8.0*	*25.2*	*32.7*	*17.7*	*5.7*
0 0	0♈ 0	5♉21	12♊10	15♋ 1	6♌24	0♍31
0 10	2 43	8 9	14 39	17 9	8 34	2 56
0 20	5 27	10 55	17 6	19 16	10 45	5 21
0 30	8 10	13 40	19 31	21 23	12 56	7 47
0 40	10 53	16 22	21 55	23 28	15 7	10 14
0 50	13 35	19 3	24 17	25 33	17 19	12 41
DT	*16.1*	*15.8*	*14.0*	*12.5*	*13.2*	*14.8*
DL	*0.0*	*10.5*	*24.8*	*28.4*	*14.0*	*3.0*
1 0	16♈17	21♉41	26♊37	27♋38	19♌31	15♍ 9
1 10	18 58	24 18	28 56	29 43	21 43	17 37
1 20	21 38	26 53	1♋13	1♌47	23 55	20 5
1 30	24 18	29 27	3 30	3 50	26 8	22 33
1 40	26 57	1♊59	5 45	5 54	28 21	25 2
1 50	29 34	4 29	8 0	7 57	0♍35	27 31
DT	*15.6*	*14.8*	*13.3*	*12.3*	*13.4*	*14.9*
DL	*0.0*	*11.9*	*23.2*	*23.7*	*9.8*	*0.0*
2 0	2♉11	6♊58	10♋13	10♌ 1	2♍49	0♎ 0
2 10	4 46	9 25	12 26	12 4	5 4	2 29
2 20	7 21	11 50	14 38	14 8	7 18	4 58
2 30	9 54	14 15	16 50	16 11	9 33	7 27
2 40	12 27	16 38	19 1	18 15	11 49	9 55
2 50	14 58	19 0	21 12	20 18	14 5	12 23
DT	*14.9*	*14.1*	*13.0*	*12.4*	*13.6*	*14.8*
DL	*0.0*	*12.4*	*20.8*	*18.4*	*5.0*	*-3.0*
3 0	17♉28	21♊21	23♋23	22♌22	16♍21	14♎51
3 10	19 57	23 41	25 33	24 26	18 37	17 19
3 20	22 25	26 1	27 43	26 30	20 53	19 46
3 30	24 51	28 19	29 53	28 34	23 10	22 13
3 40	27 17	0♋37	2♌ 3	0♍39	25 26	24 39
3 50	29 42	2 54	4 14	2 43	27 43	27 4
DT	*14.3*	*13.6*	*13.0*	*12.5*	*13.7*	*14.5*
DL	*0.0*	*12.1*	*17.7*	*12.6*	*0.0*	*-5.7*
4 0	2♊ 5	5♋11	6♌24	4♍48	0♎ 0	29♎29
4 10	4 28	7 27	8 34	6 54	2 17	1♏53
4 20	6 50	9 43	10 45	8 59	4 34	4 17
4 30	9 11	11 59	12 56	11 4	6 50	6 40
4 40	11 32	14 14	15 7	13 10	9 7	9 2
4 50	13 52	16 30	17 19	15 16	11 23	11 24
DT	*13.9*	*13.6*	*13.2*	*12.6*	*13.6*	*14.1*
DL	*0.0*	*11.3*	*14.0*	*6.4*	*-5.0*	*-8.0*
5 0	16♊11	18♋45	19♌31	17♍22	13♎39	13♏45
5 10	18 30	21 1	21 43	19 28	15 55	16 5
5 20	20 49	23 16	23 55	21 34	18 11	18 25
5 30	23 7	25 32	26 8	23 41	20 27	20 44
5 40	25 25	27 49	28 21	25 47	22 42	23 2
5 50	27 42	0♌ 5	0♍35	27 54	24 56	25 20

S.T.	10	11	12	1	2	3
	13.8	*13.7*	*13.4*	*12.6*	*13.4*	*13.7*
	0.0	*9.9*	*9.8*	*0.0*	*-9.8*	*-9.9*
6 0	0♋ 0	2♌22	2♍49	0♎ 0	27♎11	27♏38
6 10	2 18	4 40	5 4	2 6	29 25	29 55
6 20	4 35	6 58	7 18	4 13	1♏39	2♐11
6 30	6 53	9 16	9 33	6 19	3 52	4 28
6 40	9 11	11 35	11 49	8 26	6 5	6 44
6 50	11 30	13 55	14 5	10 32	8 17	8 59
	13.9	*14.1*	*13.6*	*12.6*	*13.2*	*13.6*
	0.0	*8.0*	*5.0*	*-6.4*	*-14.0*	*-11.3*
7 0	13♋49	16♌15	16♍21	12♎38	10♏29	11♐15
7 10	16 8	18 36	18 37	14 44	12 41	13 30
7 20	18 28	20 58	20 53	16 50	14 53	15 46
7 30	20 49	23 20	23 10	18 56	17 4	18 1
7 40	23 10	25 43	25 26	21 1	19 15	20 17
7 50	25 32	28 7	27 43	23 6	21 26	22 33
	14.3	*14.5*	*13.7*	*12.5*	*13.0*	*13.6*
	0.0	*5.7*	*0.0*	*-12.6*	*-17.7*	*-12.1*
8 0	27♋55	0♍31	0♎ 0	25♎12	23♏36	24♐49
8 10	0♌18	2 56	2 17	27 17	25 46	27 6
8 20	2 43	5 21	4 34	29 21	27 57	29 23
8 30	5 9	7 47	6 50	1♏26	0♐ 7	1♑41
8 40	7 35	10 14	9 7	3 30	2 17	3 59
8 50	10 3	12 41	11 23	5 34	4 27	6 19
	14.9	*14.8*	*13.6*	*12.4*	*13.0*	*14.1*
	0.0	*3.0*	*-5.0*	*-18.4*	*-20.8*	*-12.4*
9 0	12♌32	15♍ 9	13♎39	7♏38	6♐37	8♑39
9 10	15 2	17 37	15 55	9 42	8 48	11 0
9 20	17 33	20 5	18 11	11 45	10 59	13 22
9 30	20 6	22 33	20 27	13 49	13 10	15 45
9 40	22 39	25 2	22 42	15 52	15 22	18 10
9 50	25 14	27 31	24 56	17 56	17 34	20 35
	15.6	*14.9*	*13.4*	*12.3*	*13.3*	*14.8*
	0.0	*0.0*	*-9.8*	*-23.7*	*-23.2*	*-11.9*
10 0	27♌49	0♎ 0	27♎11	19♏59	19♐47	23♑ 2
10 10	0♍26	2 29	29 25	22 3	22 0	25 31
10 20	3 3	4 58	1♏39	24 6	24 15	28 1
10 30	5 42	7 27	3 52	26 10	26 30	0♒33
10 40	8 22	9 55	6 5	28 13	28 47	3 7
10 50	11 2	12 23	8 17	0♐17	1♑ 4	5 42
	16.1	*14.8*	*13.2*	*12.5*	*14.0*	*15.8*
	0.0	*-3.0*	*-14.0*	*-28.4*	*-24.8*	*-10.5*
11 0	13♍43	14♎51	10♏29	2♐22	3♑23	8♒19
11 10	16 25	17 19	12 41	4 27	5 43	10 57
11 20	19 7	19 46	14 53	6 32	8 5	13 38
11 30	21 50	22 13	17 4	8 37	10 29	16 20
11 40	24 33	24 39	19 15	10 44	12 54	19 5
11 50	27 17	27 4	21 26	12 51	15 21	21 51

LATITUDE 34 DEGREES PLACIDUS HOUSES

S.T.	10	11	12	1	2	3	S.T.	10	11	12	1	2	3
DT	*16.3*	*14.5*	*13.0*	*12.8*	*15.0*	*16.9*		*13.8*	*14.8*	*18.2*	*23.1*	*18.2*	*14.8*
DL	*0.0*	*-5.7*	*-17.7*	*-32.7*	*-25.2*	*-8.0*		*0.0*	*-11.9*	*-19.0*	*-0.0*	*19.0*	*11.9*
12 0	0♎ 0	29♎29	23♏36	14♐59	17♑50	24♒39	18 0	0♑ 0	23♑ 2	20♒54	0♈ 0	9♉ 6	6♊58
12 10	2 43	1♏53	25 46	17 8	20 21	27 28	18 10	2 18	25 31	23 57	3 51	12 7	9 25
12 20	5 27	4 17	27 57	19 18	22 55	0♓20	18 20	4 35	28 1	27 4	7 41	15 5	11 50
12 30	8 10	6 40	0♐ 7	21 29	25 30	3 13	18 30	6 53	0♒33	0♓13	11 30	18 0	14 15
12 40	10 53	9 2	2 17	23 41	28 9	6 7	18 40	9 11	3 7	3 24	15 17	20 52	16 38
12 50	13 35	11 24	4 27	25 55	0♒50	9 3	18 50	11 30	5 42	6 38	19 2	23 41	19 0
DT	*16.1*	*14.1*	*13.0*	*13.6*	*16.5*	*17.8*		*13.9*	*15.8*	*19.7*	*22.0*	*16.5*	*14.1*
DL	*0.0*	*-8.0*	*-20.8*	*-36.3*	*-23.5*	*-4.4*		*0.0*	*-10.5*	*-10.8*	*20.6*	*23.5*	*12.4*
13 0	16♎17	13♏45	6♐37	28♐10	3♒33	12♓ 0	19 0	13♑49	8♒19	9♓54	22♈44	26♉27	21♊21
13 10	18 58	16 5	8 48	0♑27	6 19	14 58	19 10	16 8	10 57	13 12	26 22	29 10	23 41
13 20	21 38	18 25	10 59	2 46	9 8	17 58	19 20	18 28	13 38	16 31	29 56	1♊51	26 1
13 30	24 18	20 44	13 10	5 7	12 0	20 57	19 30	20 49	16 20	19 52	3♉27	4 30	28 19
13 40	26 57	23 2	15 22	7 30	14 55	23 58	19 40	23 10	19 5	23 14	6 53	7 5	0♋37
13 50	29 34	25 20	17 34	9 56	17 53	26 59	19 50	25 32	21 51	26 37	10 15	9 39	2 54
DT	*15.6*	*13.7*	*13.3*	*14.9*	*18.2*	*18.1*		*14.3*	*16.9*	*20.3*	*19.5*	*15.0*	*13.6*
DL	*0.0*	*-9.9*	*-23.2*	*-38.8*	*-19.0*	*-0.0*		*0.0*	*-8.0*	*-0.0*	*33.7*	*25.2*	*12.1*
14 0	2♏11	27♏38	19♐47	12♑24	20♒54	0♈ 0	20 0	27♑55	24♒39	0♈ 0	13♉32	12♊10	5♋11
14 10	4 46	29 55	22 0	14 55	23 57	3 1	20 10	0♒18	27 28	3 23	16 45	14 39	7 27
14 20	7 21	2♐11	24 15	17 29	27 4	6 2	20 20	2 43	0♓20	6 46	19 53	17 6	9 43
14 30	9 54	4 28	26 30	20 6	0♓13	9 3	20 30	5 9	3 13	10 8	22 57	19 31	11 59
14 40	12 27	6 44	28 47	22 46	3 24	12 2	20 40	7 35	6 7	13 29	25 56	21 55	14 14
14 50	14 58	8 59	1♑ 4	25 30	6 38	15 2	20 50	10 3	9 3	16 48	28 52	24 17	16 30
DT	*14.9*	*13.6*	*14.0*	*16.9*	*19.7*	*17.8*		*14.9*	*17.8*	*19.7*	*16.9*	*14.0*	*13.6*
DL	*0.0*	*-11.3*	*-24.8*	*-38.8*	*-10.8*	*4.4*		*0.0*	*-4.4*	*10.8*	*38.8*	*24.8*	*11.3*
15 0	17♏28	11♐15	3♑23	28♑17	9♓54	18♈ 0	21 0	12♒32	12♓ 0	20♈ 6	1♊43	26♊37	18♋45
15 10	19 57	13 30	5 43	1♒ 8	13 12	20 57	21 10	15 2	14 58	23 22	4 30	28 56	21 1
15 20	22 25	15 46	8 5	4 4	16 31	23 53	21 20	17 33	17 58	26 36	7 14	1♋13	23 16
15 30	24 51	18 1	10 29	7 3	19 52	26 47	21 30	20 6	20 57	29 47	9 54	3 30	25 32
15 40	27 17	20 17	12 54	10 7	23 14	29 40	21 40	22 39	23 58	2♉56	12 31	5 45	27 49
15 50	29 42	22 33	15 21	13 15	26 37	2♉32	21 50	25 14	26 59	6 3	15 5	8 0	0♌ 5
DT	*14.3*	*13.6*	*15.0*	*19.5*	*20.3*	*16.9*		*15.6*	*18.1*	*18.2*	*14.9*	*13.3*	*13.7*
DL	*0.0*	*-12.1*	*-25.2*	*-33.7*	*-0.0*	*8.0*		*0.0*	*-0.0*	*19.0*	*38.8*	*23.2*	*9.9*
16 0	2♐ 5	24♐49	17♑50	16♒28	0♈ 0	5♉21	22 0	27♒49	0♈ 0	9♉ 6	17♊36	10♋13	2♌22
16 10	4 28	27 6	20 21	19 45	3 23	8 9	22 10	0♓26	3 1	12 7	20 4	12 26	4 40
16 20	6 50	29 23	22 55	23 7	6 46	10 55	22 20	3 3	6 2	15 5	22 30	14 38	6 58
16 30	9 11	1♑41	25 30	26 33	10 8	13 40	22 30	5 42	9 3	18 0	24 53	16 50	9 16
16 40	11 32	3 59	28 9	0♓ 4	13 29	16 22	22 40	8 22	12 2	20 52	27 14	19 1	11 35
16 50	13 52	6 19	0♒50	3 38	16 48	19 3	22 50	11 2	15 2	23 41	29 33	21 12	13 55
DT	*13.9*	*14.1*	*16.5*	*22.0*	*19.7*	*15.8*		*16.1*	*17.8*	*16.5*	*13.6*	*13.0*	*14.1*
DL	*0.0*	*-12.4*	*-23.5*	*-20.6*	*10.8*	*10.5*		*0.0*	*4.4*	*23.5*	*36.3*	*20.8*	*8.0*
17 0	16♐11	8♑39	3♒33	7♓16	20♈ 6	21♉41	23 0	13♓43	18♈ 0	26♉27	1♋50	23♋23	16♌15
17 10	18 30	11 0	6 19	10 58	23 22	24 18	23 10	16 25	20 57	29 10	4 5	25 33	18 36
17 20	20 49	13 22	9 8	14 43	26 36	26 53	23 20	19 7	23 53	1♊51	6 19	27 43	20 58
17 30	23 7	15 45	12 0	18 30	29 47	29 27	23 30	21 50	26 47	4 30	8 31	29 53	23 20
17 40	25 25	18 10	14 55	22 19	2♉56	1♊59	23 40	24 33	29 40	7 5	10 42	2♌ 3	25 43
17 50	27 42	20 35	17 53	26 9	6 3	4 29	23 50	27 17	2♉32	9 39	12 52	4 14	28 7

LATITUDE 35 DEGREES　　　PLACIDUS HOUSES

S.T.	10	11	12	1	2	3	S.T.	10	11	12	1	2	3
DT	*16.3*	*16.9*	*15.0*	*12.8*	*13.0*	*14.4*		*13.8*	*13.7*	*13.3*	*12.5*	*13.3*	*13.7*
DL	*0.0*	*8.2*	*26.0*	*33.3*	*18.0*	*5.8*		*0.0*	*10.1*	*9.9*	*0.0*	*-9.9*	*-10.1*
0 0	0♈ 0	5♉29	12♊35	15♋34	6♌42	0♍37	6 0	0♋ 0	2♌32	2♍59	0♎ 0	27♎ 1	27♏28
0 10	2 43	8 18	15 4	17 41	8 52	3 1	6 10	2 18	4 49	5 13	2 5	29 14	29 45
0 20	5 27	11 4	17 32	19 48	11 2	5 26	6 20	4 35	7 7	7 27	4 11	1♏27	2♐ 1
0 30	8 10	13 49	19 57	21 53	13 12	7 52	6 30	6 53	9 25	9 41	6 16	3 40	4 17
0 40	10 53	16 32	22 20	23 58	15 23	10 18	6 40	9 11	11 44	11 56	8 21	5 52	6 33
0 50	13 35	19 13	24 42	26 3	17 33	12 45	6 50	11 30	14 3	14 10	10 27	8 4	8 48
DT	*16.1*	*15.8*	*13.9*	*12.4*	*13.1*	*14.7*		*13.9*	*14.0*	*13.5*	*12.5*	*13.1*	*13.5*
DL	*0.0*	*10.8*	*25.5*	*28.9*	*14.2*	*3.0*		*0.0*	*8.2*	*5.1*	*-6.5*	*-14.2*	*-11.5*
1 0	16♈17	21♉52	27♊ 2	28♋ 7	19♌45	15♍12	7 0	13♋49	16♌23	16♍26	12♎32	10♏15	11♐ 4
1 10	18 58	24 29	29 20	0♌10	21 56	17 [illegible]	7 10	[illegible] 8	18 44	18 41	[illegible]	12 27	13 19
1 20	21 [illegible]	27 5	1♋38	2 13	24 8	20 7	7 20	18 28	21 5	20 57	16 41	14 37	15 34
1 30	24 18	29 38	3 54	4 16	26 20	22 35	7 30	20 49	23 27	23 12	18 46	16 48	17 50
1 40	26 57	2♊10	6 9	6 19	28 33	25 3	7 40	23 10	25 49	25 28	20 51	18 58	20 5
1 50	29 34	4 41	8 23	8 22	0♍46	27 32	7 50	25 32	28 13	27 44	22 55	21 8	22 21
DT	*15.6*	*14.8*	*13.3*	*12.3*	*13.3*	*14.8*		*14.3*	*14.4*	*13.6*	*12.4*	*13.0*	*13.6*
DL	*0.0*	*12.2*	*23.8*	*24.0*	*9.9*	*0.0*		*0.0*	*5.8*	*0.0*	*-12.7*	*-18.0*	*-12.4*
2 0	2♉11	7♊ 9	10♋36	10♌25	2♍59	0♎ 0	8 0	27♋55	0♍37	0♎ 0	24♎59	23♏18	24♐37
2 10	4 46	9 37	12 49	12 27	5 13	2 28	8 10	0♌18	3 1	2 16	27 3	25 28	26 54
2 20	7 21	12 3	15 1	14 30	7 27	4 57	8 20	2 43	5 26	4 32	29 7	27 38	29 11
2 30	9 54	14 27	17 12	16 32	9 41	7 25	8 30	5 9	7 52	6 48	1♏10	29 47	1♑29
2 40	12 27	16 50	19 23	18 35	11 56	9 53	8 40	7 35	10 18	9 3	3 13	1♐57	3 47
2 50	14 58	19 13	21 33	20 37	14 10	12 21	8 50	10 3	12 45	11 19	5 17	4 7	6 6
DT	*14.9*	*14.1*	*13.0*	*12.3*	*13.5*	*14.7*		*14.9*	*14.7*	*13.5*	*12.3*	*13.0*	*14.1*
DL	*0.0*	*12.7*	*21.2*	*18.6*	*5.1*	*-3.0*		*0.0*	*3.0*	*-5.1*	*-18.6*	*-21.2*	*-12.7*
3 0	17♉28	21♊34	23♋43	22♌40	16♍26	14♎48	9 0	12♌32	15♍12	13♎34	7♏20	6♐17	8♑26
3 10	19 57	23 54	25 53	24 43	18 41	17 15	9 10	15 2	17 39	15 50	9 23	8 27	10 47
3 20	22 25	26 13	28 3	26 47	20 57	19 42	9 20	17 33	20 7	18 4	11 25	10 37	13 10
3 30	24 51	28 31	0♌13	28 50	23 12	22 8	9 30	20 6	22 35	20 19	13 28	12 48	15 33
3 40	27 17	0♋49	2 22	0♍53	25 28	24 34	9 40	22 39	25 3	22 33	15 30	14 59	17 57
3 50	29 42	3 6	4 32	2 57	27 44	26 59	9 50	25 14	27 32	24 47	17 33	17 11	20 23
DT	*14.3*	*13.6*	*13.0*	*12.4*	*13.6*	*14.4*		*15.6*	*14.8*	*13.3*	*12.3*	*13.3*	*14.8*
DL	*0.0*	*12.4*	*18.0*	*12.7*	*0.0*	*-5.8*		*0.0*	*0.0*	*-9.9*	*-24.0*	*-23.8*	*-12.2*
4 0	2♊ 5	5♋23	6♌42	5♍ 1	0♎ 0	29♎23	10 0	27♌49	0♎ 0	27♎ 1	19♏35	19♐24	22♑51
4 10	4 28	7 39	8 52	7 5	2 16	1♏47	10 10	0♍26	2 28	29 14	21 38	21 37	25 19
4 20	6 50	9 55	11 2	9 9	4 32	4 11	10 20	3 3	4 57	1♏27	23 41	23 51	27 50
4 30	9 11	12 10	13 12	11 14	6 48	6 33	10 30	5 42	7 25	3 40	25 44	26 6	0♒22
4 40	11 32	14 26	15 23	13 19	9 3	8 55	10 40	8 22	9 53	5 52	27 47	28 22	2 55
4 50	13 52	16 41	17 33	15 23	11 19	11 16	10 50	11 2	12 21	8 4	29 50	0♑40	5 31
DT	*13.9*	*13.5*	*13.1*	*12.5*	*13.5*	*14.0*		*16.1*	*14.7*	*13.1*	*12.4*	*13.9*	*15.8*
DL	*0.0*	*11.5*	*14.2*	*6.5*	*-5.1*	*-8.2*		*0.0*	*-3.0*	*-14.2*	*-28.9*	*-25.5*	*-10.8*
5 0	16♊11	18♋56	19♌45	17♍28	13♎34	13♏37	11 0	13♍43	14♎48	10♏15	1♐53	2♑58	8♒ 8
5 10	18 30	21 12	21 56	19 33	15 50	15 57	11 10	16 25	17 15	12 27	3 57	5 18	10 47
5 20	20 49	23 27	24 8	21 39	18 4	18 16	11 20	19 7	19 42	14 37	6 2	7 40	13 28
5 30	23 7	25 43	26 20	23 44	20 19	20 35	11 30	21 50	22 8	16 48	8 7	10 3	16 11
5 40	25 25	27 59	28 33	25 49	22 33	22 53	11 40	24 33	24 34	18 58	10 12	12 28	18 56
5 50	27 42	0♌15	0♍46	27 55	24 47	25 11	11 50	27 17	26 59	21 8	12 19	14 56	21 42

LATITUDE 35 DEGREES PLACIDUS HOUSES

S.T.	10	11	12	1	2	3	S.T.	10	11	12	1	2	3
DT	*16.3*	*14.4*	*13.0*	*12.8*	*15.0*	*16.9*		*13.8*	*14.8*	*18.3*	*23.5*	*18.3*	*14.8*
DL	*0.0*	*-5.8*	*-18.0*	*-33.3*	*-26.0*	*-8.2*		*0.0*	*-12.2*	*-19.7*	*-0.0*	*19.7*	*12.2*
12 0	0♎ 0	29♎23	23♏18	14♐26	17♑25	24♒31	18 0	0♑ 0	22♑51	20♒35	0♈ 0	9♉25	7♊ 9
12 10	2 43	1♏47	25 28	16 34	19 56	27 21	18 10	2 18	25 19	23 39	3 55	12 27	9 37
12 20	5 27	4 11	27 38	18 44	22 30	0♓13	18 20	4 35	27 50	26 47	7 49	15 26	12 3
12 30	8 10	6 33	29 47	20 54	25 6	3 6	18 30	6 53	0♒22	29 57	11 41	18 21	14 27
12 40	10 53	8 55	1♐57	23 6	27 44	6 2	18 40	9 11	2 55	3♓10	15 32	21 14	16 50
12 50	13 35	11 16	4 7	25 19	0♒26	8 58	18 50	11 30	5 31	6 26	19 19	24 4	19 13
DT	*16.1*	*14.0*	*13.0*	*13.6*	*16.5*	*17.8*		*13.9*	*15.8*	*19.9*	*22.3*	*16.5*	*14.1*
DL	*0.0*	*-8.2*	*-21.2*	*-37.2*	*-24.4*	*-4.5*		*0.0*	*-10.8*	*-11.3*	*21.7*	*24.4*	*12.7*
13 0	16♎17	13♏37	6♐17	27♐34	3♒10	11♓56	19 0	13♑49	8♒ 8	9♓43	23♈ 4	26♉50	21♊34
13 10	18 58	15 57	8 27	29 51	5 56	14 55	19 10	16 8	10 47	10 3	26 45	29 34	23 54
13 20	21 38	18 16	10 37	2♑ 9	8 46	17 55	19 20	18 28	13 28	16 24	0♉22	2♊16	26 13
13 30	24 18	20 35	12 48	4 30	11 39	20 55	19 30	20 49	16 11	19 47	3 55	4 54	28 31
13 40	26 57	22 53	14 59	6 52	14 34	23 56	19 40	23 10	18 56	23 11	7 23	7 30	0♋49
13 50	29 34	25 11	17 11	9 17	17 33	26 58	19 50	25 32	21 42	26 35	10 47	10 4	3 6
DT	*15.0*	*13.7*	*13.3*	*14.9*	*18.3*	*18.2*		*14.3*	*16.9*	*20.5*	*19.6*	*15.0*	*13.6*
DL	*0.0*	*-10.1*	*-23.8*	*-40.0*	*-19.7*	*-0.0*		*0.0*	*-8.2*	*-0.0*	*35.2*	*26.0*	*12.4*
14 0	2♏11	27♏28	19♐24	11♑45	20♒35	0♈ 0	20 0	27♑55	24♒31	0♈ 0	14♉ 6	12♊35	5♋23
14 10	4 46	29 45	21 37	14 16	23 39	3 2	20 10	0♒18	27 21	3 25	17 20	15 4	7 39
14 20	7 21	2♐ 1	23 51	16 50	26 47	6 4	20 20	2 43	0♓13	6 49	20 29	17 32	9 55
14 30	9 54	4 17	26 6	19 26	29 57	9 5	20 30	5 9	3 6	10 13	23 34	19 57	12 10
14 40	12 27	6 33	28 22	22 7	3♓10	12 5	20 40	7 35	6 2	13 36	26 34	22 20	14 26
14 50	14 58	8 48	0♑40	24 50	6 26	15 5	20 50	10 3	8 58	16 57	29 30	24 42	16 41
DT	*14.9*	*13.5*	*13.9*	*17.0*	*19.9*	*17.8*		*14.9*	*17.8*	*19.9*	*17.0*	*13.9*	*13.5*
DL	*0.0*	*-11.5*	*-25.5*	*-40.2*	*-11.3*	*4.5*		*0.0*	*-4.5*	*11.3*	*40.2*	*25.5*	*11.5*
15 0	17♏28	11♐ 4	2♑58	27♑38	9♓43	18♈ 4	21 0	12♒32	11♓56	20♈17	2♊22	27♊ 2	18♋56
15 10	19 57	13 19	5 18	0♒30	13 3	21 2	21 10	15 2	14 55	23 34	5 10	29 20	21 12
15 20	22 25	15 34	7 40	3 26	16 24	23 58	21 20	17 33	17 55	26 50	7 53	1♋38	23 27
15 30	24 51	17 50	10 3	6 26	19 47	26 54	21 30	20 6	20 55	0♉ 3	10 34	3 54	25 43
15 40	27 17	20 5	12 28	9 31	23 11	29 47	21 40	22 39	23 56	3 13	13 10	6 9	27 59
15 50	29 42	22 21	14 56	12 40	26 35	2♉39	21 50	25 14	26 58	6 21	15 44	8 23	0♌15
DT	*14.3*	*13.6*	*15.0*	*19.6*	*20.5*	*16.9*		*15.6*	*18.2*	*18.3*	*14.9*	*13.3*	*13.7*
DL	*0.0*	*-12.4*	*-26.0*	*-35.2*	*-0.0*	*8.2*		*0.0*	*-0.0*	*19.7*	*40.0*	*23.8*	*10.1*
16 0	2♐ 5	24♐37	17♑25	15♒54	0♈ 0	5♉29	22 0	27♒49	0♈ 0	9♉25	18♊15	10♋36	2♌32
16 10	4 28	26 54	19 56	19 13	3 25	8 18	22 10	0♓26	3 2	12 27	20 43	12 49	4 49
16 20	6 50	29 11	22 30	22 37	6 49	11 4	22 20	3 3	6 4	15 26	23 8	15 1	7 7
16 30	9 11	1♑29	25 6	26 5	10 13	13 49	22 30	5 42	9 5	18 21	25 30	17 12	9 25
16 40	11 32	3 47	27 44	29 38	13 36	16 32	22 40	8 22	12 5	21 14	27 51	19 23	11 44
16 50	13 52	6 6	0♒26	3♓15	16 57	19 13	22 50	11 2	15 5	24 4	0♋ 9	21 33	14 3
DT	*13.9*	*14.1*	*16.5*	*22.3*	*19.9*	*15.8*		*16.1*	*17.8*	*16.5*	*13.6*	*13.0*	*14.0*
DL	*0.0*	*-12.7*	*-24.4*	*-21.7*	*11.3*	*10.8*		*0.0*	*4.5*	*24.4*	*37.2*	*21.2*	*8.2*
17 0	16♐11	8♑26	3♒10	6♓56	20♈17	21♉52	23 0	13♓43	18♈ 4	26♉50	2♋26	23♋43	16♌23
17 10	18 30	10 47	5 56	10 41	23 34	24 29	23 10	16 25	21 2	29 34	4 41	25 53	18 44
17 20	20 49	13 10	8 46	14 28	26 50	27 5	23 20	19 7	23 58	2♊16	6 54	28 3	21 5
17 30	23 7	15 33	11 39	18 19	0♉ 3	29 38	23 30	21 50	26 54	4 54	9 6	0♌13	23 27
17 40	25 25	17 57	14 34	22 11	3 13	2♊10	23 40	24 33	29 47	7 30	11 16	2 22	25 49
17 50	27 42	20 23	17 33	26 5	6 21	4 41	23 50	27 17	2♉39	10 4	13 26	4 32	28 13

LATITUDE 36 DEGREES PLACIDUS HOUSES

S.T.	10	11	12	1	2	3	S.T.	10	11	12	1	2	3
DT	*16.3*	*17.0*	*15.0*	*12.7*	*12.9*	*14.4*		*13.8*	*13.7*	*13.3*	*12.4*	*13.3*	*13.7*
DL	*0.0*	*8.5*	*26.8*	*34.0*	*18.4*	*5.9*		*0.0*	*10.4*	*10.0*	*0.0*	*-10.0*	*-10.4*
0 0	0♈ 0	5♉37	13♊ 1	16♋ 7	7♌ 0	0♍42	6 0	0♋ 0	2♌42	3♍ 9	0♎ 0	26♎51	27♏18
0 10	2 43	8 26	15 30	18 14	9 9	3 6	6 10	2 18	4 59	5 22	2 4	29 4	29 34
0 20	5 27	11 13	17 58	20 19	11 19	5 31	6 20	4 35	7 16	7 35	4 9	1♏16	1♐50
0 30	8 10	13 59	20 23	22 24	13 28	7 56	6 30	6 53	9 34	9 48	6 13	3 28	4 6
0 40	10 53	16 42	22 46	24 29	15 38	10 22	6 40	9 11	11 53	12 2	8 17	5 39	6 22
0 50	13 35	19 23	25 7	26 32	17 48	12 48	6 50	11 30	14 12	14 16	10 21	7 50	8 37
DT	*16.1*	*15.9*	*13.9*	*12.3*	*13.1*	*14.7*		*13.9*	*14.0*	*13.4*	*12.4*	*13.1*	*13.5*
DL	*0.0*	*11.2*	*26.2*	*29.3*	*14.5*	*3.1*		*0.0*	*8.4*	*5.2*	*-6.5*	*-14.5*	*-11.8*
1 0	16♈17	22♉ 3	27♊27	28♋36	19♌59	15♍15	7 0	13♋49	16♌31	16♍31	12♎25	10♏ 1	10♐52
1 10	18 59	24 10	29 40	0♌38	22 10	17 42	7 10	16 8	18 52	18 45	14 29	12 12	13 7
1 20	21 38	27 16	2♋ 3	2 41	24 21	20 9	7 20	18 28	21 12	21 0	16 33	14 22	15 22
1 30	24 18	29 50	4 19	4 43	26 32	22 36	7 30	20 49	23 34	23 15	18 36	16 32	17 38
1 40	26 57	2♊22	6 33	6 45	28 44	25 4	7 40	23 10	25 56	25 30	20 40	18 41	19 53
1 50	29 34	4 53	8 47	8 47	0♍56	27 32	7 50	25 32	28 19	27 45	22 43	20 51	22 9
DT	*15.6*	*14.8*	*13.3*	*12.2*	*13.3*	*14.8*		*14.3*	*14.4*	*13.5*	*12.3*	*12.9*	*13.6*
DL	*0.0*	*12.6*	*24.4*	*24.3*	*10.0*	*0.0*		*0.0*	*5.9*	*0.0*	*-12.9*	*-18.4*	*-12.8*
2 0	2♉11	7♊22	11♋ 0	10♌48	3♍ 9	0♎ 0	8 0	27♋55	0♍42	0♎ 0	24♎46	23♏ 0	24♐25
2 10	4 46	9 49	13 12	12 50	5 22	2 28	8 10	0♌18	3 6	2 15	26 49	25 9	26 41
2 20	7 21	12 15	15 24	14 52	7 35	4 56	8 20	2 43	5 31	4 30	28 52	27 19	28 58
2 30	9 54	14 40	17 35	16 53	9 48	7 24	8 30	5 9	7 56	6 45	0♏54	29 28	1♑16
2 40	12 27	17 3	19 45	18 55	12 2	9 51	8 40	7 35	10 22	9 0	2 57	1♐37	3 34
2 50	14 58	19 25	21 55	20 57	14 16	12 18	8 50	10 3	12 48	11 15	4 59	3 46	5 54
DT	*14.9*	*14.1*	*13.0*	*12.2*	*13.4*	*14.7*		*14.9*	*14.7*	*13.4*	*12.2*	*13.0*	*14.1*
DL	*0.0*	*13.1*	*21.7*	*18.8*	*5.2*	*-3.1*		*0.0*	*3.1*	*-5.2*	*-18.8*	*-21.7*	*-13.1*
3 0	17♉28	21♊46	24♋ 5	22♌59	16♍31	14♎45	9 0	12♌32	15♍15	13♎29	7♏ 1	5♐55	8♑14
3 10	19 57	24 6	26 14	25 1	18 45	17 12	9 10	15 2	17 42	15 44	9 3	8 5	10 35
3 20	22 25	26 26	28 23	27 3	21 0	19 38	9 20	17 33	20 9	17 58	11 5	10 15	12 57
3 30	24 51	28 44	0♌32	29 6	23 15	22 4	9 30	20 6	22 36	20 12	13 7	12 25	15 20
3 40	27 17	1♋ 2	2 41	1♍ 8	25 30	24 29	9 40	22 39	25 4	22 25	15 8	14 36	17 45
3 50	29 42	3 19	4 51	3 11	27 45	26 54	9 50	25 14	27 32	24 38	17 10	16 48	20 11
DT	*14.3*	*13.6*	*12.9*	*12.3*	*13.5*	*14.4*		*15.6*	*14.8*	*13.3*	*12.2*	*13.3*	*14.8*
DL	*0.0*	*12.8*	*18.4*	*12.9*	*0.0*	*-5.9*		*0.0*	*0.0*	*-10.0*	*-24.3*	*-24.4*	*-12.6*
4 0	2♊ 5	5♋35	7♌ 0	5♍14	0♎ 0	29♎18	10 0	27♌49	0♎ 0	26♎51	19♏12	19♐ 0	22♑38
4 10	4 28	7 51	9 9	7 17	2 15	1♏41	10 10	0♍26	2 28	29 4	21 13	21 13	25 7
4 20	6 50	10 7	11 19	9 20	4 30	4 4	10 20	3 3	4 56	1♏16	23 15	23 27	27 38
4 30	9 11	12 22	13 28	11 24	6 45	6 26	10 30	5 42	7 24	3 28	25 17	25 41	0♒10
4 40	11 32	14 38	15 38	13 27	9 0	8 48	10 40	8 22	9 51	5 39	27 19	27 57	2 44
4 50	13 52	16 53	17 48	15 31	11 15	11 8	10 50	11 2	12 18	7 50	29 22	0♑14	5 20
DT	*13.9*	*13.5*	*13.1*	*12.4*	*13.4*	*14.0*		*16.1*	*14.7*	*13.1*	*12.3*	*13.9*	*15.9*
DL	*0.0*	*11.8*	*14.5*	*6.5*	*-5.2*	*-8.4*		*0.0*	*-3.1*	*-14.5*	*-29.3*	*-26.2*	*-11.2*
5 0	16♊11	19♋ 8	19♌59	17♍35	13♎29	13♏29	11 0	13♍43	14♎45	10♏ 1	1♐24	2♑33	7♒57
5 10	18 30	21 23	22 10	19 39	15 44	15 48	11 10	16 25	17 12	12 12	3 28	4 53	10 37
5 20	20 49	23 38	24 21	21 43	17 58	18 7	11 20	19 7	19 38	14 22	5 31	7 14	13 18
5 30	23 7	25 54	26 32	23 47	20 12	20 26	11 30	21 50	22 4	16 32	7 36	9 37	16 1
5 40	25 25	28 10	28 44	25 51	22 25	22 44	11 40	24 33	24 29	18 41	9 41	12 2	18 47
5 50	27 42	0♌26	0♍56	27 56	24 38	25 1	11 50	27 17	26 54	20 51	11 46	14 30	21 34

LATITUDE 36 DEGREES PLACIDUS HOUSES

S.T.	10	11	12	1	2	3	S.T.	10	11	12	1	2	3
DT	*16.3*	*14.4*	*12.9*	*12.7*	*15.0*	*17.0*		*13.8*	*14.8*	*18.4*	*23.9*	*18.4*	*14.8*
DL	*0.0*	*-5.9*	*-18.4*	*-34.0*	*-26.8*	*-8.5*		*0.0*	*-12.6*	*-20.5*	*-0.0*	*20.5*	*12.6*
12 0	0♎ 0	29♎18	23♏ 0	13♐53	16♑59	24♒23	18 0	0♑ 0	22♑38	20♒15	0♈ 0	9♉45	7♊22
12 10	2 43	1♏41	25 9	16 0	19 30	27 13	18 10	2 18	25 7	23 21	3 59	12 48	9 49
12 20	5 27	4 4	27 19	18 9	22 4	0♓ 6	18 20	4 35	27 38	26 30	7 56	15 47	12 15
12 30	8 10	6 26	29 28	20 19	24 40	3 0	18 30	6 53	0♒10	29 41	11 53	18 44	14 40
12 40	10 53	8 48	1♐37	22 30	27 19	5 56	18 40	9 11	2 44	2♓56	15 47	21 37	17 3
12 50	13 35	11 8	3 46	24 43	0♒ 1	8 53	18 50	11 30	5 20	6 13	19 38	24 27	19 25
DT	*16.1*	*14.0*	*13.0*	*13.5*	*16.6*	*17.9*		*13.9*	*15.9*	*20.0*	*22.6*	*16.6*	*14.1*
DL	*0.0*	*-8.4*	*-21.7*	*-38.1*	*-25.3*	*-4.7*		*0.0*	*-11.2*	*-11.8*	*22.9*	*25.3*	*13.1*
13 0	16♎17	13♏29	5♐55	26♐57	2♒45	11♓51	19 0	13♑49	7♒57	9♓32	23♈26	27♉15	21♊46
13 10	18 58	15 48	8 5	29 13	5 33	14 51	19 10	16 8	10 37	12 53	27 10	[illegible]	[illegible] 6
13 20	21 38	18 7	10 15	1♑31	8 23	17 52	19 20	18 28	13 18	16 16	0♉50	2♊41	26 26
13 30	24 18	20 26	12 25	3 51	11 16	20 53	19 30	20 49	16 1	19 41	4 25	5 20	28 44
13 40	26 57	22 44	14 36	6 13	14 13	23 55	19 40	23 10	18 47	23 7	7 55	7 56	1♋ 2
13 50	29 34	25 1	16 48	8 38	17 12	26 57	19 50	25 32	21 34	26 33	11 21	10 30	3 19
DT	*15.6*	*13.7*	*13.3*	*14.9*	*18.4*	*18.3*		*14.3*	*17.0*	*20.7*	*19.8*	*15.0*	*13.6*
DL	*0.0*	*-10.4*	*-24.4*	*-41.2*	*-20.5*	*-0.0*		*0.0*	*-8.5*	*-0.0*	*36.9*	*26.8*	*12.8*
14 0	2♏11	27♏18	19♐ 0	11♑ 5	20♒15	0♈ 0	20 0	27♑55	24♒23	0♈ 0	14♉41	13♊ 1	5♋35
14 10	4 46	29 34	21 13	13 36	23 21	3 3	20 10	0♒18	27 13	3 27	17 56	15 30	7 51
14 20	7 21	1♐50	23 27	16 9	26 30	6 5	20 20	2 43	0♓ 6	6 53	21 7	17 58	10 7
14 30	9 54	4 6	25 41	18 46	29 41	9 7	20 30	5 9	3 0	10 19	24 13	20 23	12 22
14 40	12 27	6 22	27 57	21 26	2♓56	12 8	20 40	7 35	5 56	13 44	27 14	22 46	14 38
14 50	14 58	8 37	0♑14	24 10	6 13	15 9	20 50	10 3	8 53	17 7	0♊10	25 7	16 53
DT	*14.9*	*13.5*	*13.9*	*17.0*	*20.0*	*17.9*		*14.9*	*17.9*	*20.0*	*17.0*	*13.9*	*13.5*
DL	*0.0*	*-11.8*	*-26.2*	*-41.8*	*-11.8*	*4.7*		*0.0*	*-4.7*	*11.8*	*41.8*	*26.2*	*11.8*
15 0	17♏28	10♐52	2♑33	26♑58	9♓32	18♈ 9	21 0	12♒32	11♓51	20♈28	3♊ 2	27♊27	19♋ 8
15 10	19 57	13 7	4 53	29 50	12 53	21 7	21 10	15 2	14 51	23 47	5 50	29 46	21 23
15 20	22 25	15 22	7 14	2♒46	16 16	24 4	21 20	17 33	17 52	27 4	8 34	2♋ 3	23 38
15 30	24 51	17 38	9 37	5 47	19 41	27 0	21 30	20 6	20 53	0♉19	11 14	4 19	25 54
15 40	27 17	19 53	12 2	8 53	23 7	29 54	21 40	22 39	23 55	3 30	13 51	6 33	28 10
15 50	29 42	22 9	14 30	12 4	26 33	2♉47	21 50	25 14	26 57	6 39	16 24	8 47	0♌26
DT	*14.3*	*13.6*	*15.0*	*19.8*	*20.7*	*17.0*		*15.6*	*18.3*	*18.4*	*14.9*	*13.3*	*13.7*
DL	*0.0*	*-12.8*	*-26.8*	*-36.9*	*-0.0*	*8.5*		*0.0*	*-0.0*	*20.5*	*41.2*	*24.4*	*10.4*
16 0	2♐ 5	24♐25	16♑59	15♒19	0♈ 0	5♉37	22 0	27♒49	0♈ 0	9♉45	18♊55	11♋ 0	2♌42
16 10	4 28	26 41	19 30	18 39	3 27	8 26	22 10	0♓26	3 3	12 48	21 22	13 12	4 59
16 20	6 50	28 58	22 4	22 5	6 53	11 13	22 20	3 3	6 5	15 47	23 47	15 24	7 16
16 30	9 11	1♑16	24 40	25 35	10 19	13 59	22 30	5 42	9 7	18 44	26 9	17 35	9 34
16 40	11 32	3 34	27 19	29 10	13 44	16 42	22 40	8 22	12 8	21 37	28 29	19 45	11 53
16 50	13 52	5 54	0♒ 1	2♓50	17 7	19 23	22 50	11 2	15 9	24 27	0♋47	21 55	14 12
DT	*13.9*	*14.1*	*16.6*	*22.6*	*20.0*	*15.9*		*16.1*	*17.9*	*16.6*	*13.5*	*13.0*	*14.0*
DL	*0.0*	*-13.1*	*-25.3*	*-22.9*	*11.8*	*11.2*		*0.0*	*4.7*	*25.3*	*38.1*	*21.7*	*8.4*
17 0	16♐11	8♑14	2♒45	6♓34	20♈28	22♉ 3	23 0	13♓43	18♈ 9	27♉15	3♋ 3	24♋ 5	16♌31
17 10	18 30	10 35	5 33	10 22	23 47	24 40	23 10	16 25	21 7	29 59	5 17	26 14	18 52
17 20	20 49	12 57	8 23	14 13	27 4	27 16	23 20	19 7	24 4	2♊41	7 30	28 23	21 12
17 30	23 7	15 20	11 16	18 7	0♉19	29 50	23 30	21 50	27 0	5 20	9 41	0♌32	23 34
17 40	25 25	17 45	14 13	22 4	3 30	2♊22	23 40	24 33	29 54	7 56	11 51	2 41	25 56
17 50	27 42	20 11	17 12	26 1	6 39	4 53	23 50	27 17	2♉47	10 30	14 0	4 51	28 19

LATITUDE 37 DEGREES PLACIDUS HOUSES

S.T.	10	11	12	1	2	3	S.T.	10	11	12	1	2	3
DT	*16.3*	*17.0*	*15.0*	*12.6*	*12.9*	*14.3*		*13.8*	*13.6*	*13.2*	*12.3*	*13.2*	*13.6*
DL	*0.0*	*8.8*	*27.7*	*34.7*	*18.7*	*6.1*		*0.0*	*10.6*	*10.2*	*0.0*	*-10.2*	*-10.6*
0 0	0♈ 0	5♉46	13♊28	16♋41	7♌18	0♍48	6 0	0♋ 0	2♌53	3♍19	0♎ 0	26♎41	27♏ 7
0 10	2 43	8 35	15 57	18 47	9 27	3 12	6 10	2 18	5 9	5 31	2 3	28 53	29 24
0 20	5 27	11 23	18 24	20 52	11 36	5 36	6 20	4 35	7 26	7 43	4 6	1♏ 4	1♐39
0 30	8 10	14 9	20 49	22 56	13 45	8 1	6 30	6 53	9 44	9 56	6 10	3 15	3 55
0 40	10 53	16 52	23 12	25 0	15 54	10 26	6 40	9 11	12 2	12 9	8 13	5 26	6 10
0 50	13 35	19 34	25 34	27 2	18 3	12 52	6 50	11 30	14 20	14 22	10 16	7 37	8 25
DT	*16.1*	*15.9*	*13.9*	*12.2*	*13.0*	*14.6*		*13.9*	*14.0*	*13.4*	*12.3*	*13.0*	*13.5*
DL	*0.0*	*11.6*	*27.0*	*29.8*	*14.7*	*3.1*		*0.0*	*8.6*	*5.2*	*-6.6*	*-14.7*	*-12.2*
1 0	16♈17	22♉14	27♊53	29♋ 5	20♌13	15♍18	7 0	13♋49	16♌40	16♍36	12♎19	9♏47	10♐40
1 10	18 58	24 52	0♋12	1♌ 7	22 23	17 44	7 10	16 8	19 0	18 50	14 21	11 57	12 55
1 20	21 38	27 28	2 29	3 8	24 34	20 11	7 20	18 28	21 20	21 3	16 24	14 6	15 10
1 30	24 18	0♊ 2	4 44	5 10	26 45	22 38	7 30	20 49	23 41	23 17	18 27	16 15	17 25
1 40	26 57	2 34	6 59	7 11	28 56	25 5	7 40	23 10	26 3	25 32	20 29	18 24	19 41
1 50	29 34	5 5	9 12	9 12	1♍ 7	27 33	7 50	25 32	28 25	27 46	22 31	20 33	21 56
DT	*15.6*	*14.8*	*13.2*	*12.1*	*13.2*	*14.7*		*14.3*	*14.3*	*13.4*	*12.2*	*12.9*	*13.6*
DL	*0.0*	*13.1*	*25.0*	*24.6*	*10.2*	*0.0*		*0.0*	*6.1*	*0.0*	*-13.0*	*-18.7*	*-13.2*
2 0	2♉11	7♊34	11♋25	11♌13	3♍19	0♎ 0	8 0	27♋55	0♍48	0♎ 0	24♎33	22♏42	24♐12
2 10	4 46	10 2	13 36	13 14	5 31	2 27	8 10	0♌18	3 12	2 14	26 35	24 50	26 28
2 20	7 21	12 28	15 47	15 14	7 43	4 55	8 20	2 43	5 36	4 28	28 37	26 59	28 45
2 30	9 54	14 53	17 58	17 15	9 56	7 22	8 30	5 9	8 1	6 43	0♏39	29 8	1♑ 3
2 40	12 27	17 16	20 8	19 16	12 9	9 49	8 40	7 35	10 26	8 57	2 40	1♐16	3 21
2 50	14 58	19 38	22 17	21 17	14 22	12 16	8 50	10 3	12 52	11 10	4 41	3 25	5 41
DT	*14.9*	*14.1*	*12.9*	*12.1*	*13.4*	*14.6*		*14.9*	*14.6*	*13.4*	*12.1*	*12.9*	*14.1*
DL	*0.0*	*13.5*	*22.2*	*19.0*	*5.2*	*-3.1*		*0.0*	*3.1*	*-5.2*	*-19.0*	*-22.2*	*-13.5*
3 0	17♉28	21♊59	24♋26	23♌18	16♍36	14♎42	9 0	12♌32	15♍18	13♎24	6♏42	5♐34	8♑ 1
3 10	19 57	24 19	26 35	25 19	18 50	17 8	9 10	15 2	17 44	15 38	8 43	7 43	10 22
3 20	22 25	26 39	28 44	27 20	21 3	19 34	9 20	17 33	20 11	17 51	10 44	9 52	12 44
3 30	24 51	28 57	0♌52	29 21	23 17	21 59	9 30	20 6	22 38	20 4	12 45	12 2	15 7
3 40	27 17	1♋15	3 1	1♍23	25 32	24 24	9 40	22 39	25 5	22 17	14 46	14 13	17 32
3 50	29 42	3 32	5 10	3 25	27 46	26 48	9 50	25 14	27 33	24 29	16 46	16 24	19 58
DT	*14.3*	*13.6*	*12.9*	*12.2*	*13.4*	*14.3*		*15.6*	*14.7*	*13.2*	*12.1*	*13.2*	*14.8*
DL	*0.0*	*13.2*	*18.7*	*13.0*	*0.0*	*-6.1*		*0.0*	*0.0*	*-10.2*	*-24.6*	*-25.0*	*-13.1*
4 0	2♊ 5	5♋48	7♌18	5♍27	0♎ 0	29♎12	10 0	27♌49	0♎ 0	26♎41	18♏47	18♐35	22♑26
4 10	4 28	8 4	9 27	7 29	2 14	1♏35	10 10	0♍26	2 27	28 53	20 48	20 48	24 55
4 20	6 50	10 19	11 36	9 31	4 28	3 57	10 20	3 3	4 55	1♏ 4	22 49	23 1	27 26
4 30	9 11	12 35	13 45	11 33	6 43	6 19	10 30	5 42	7 22	3 15	24 50	25 16	29 58
4 40	11 32	14 50	15 54	13 36	8 57	8 40	10 40	8 22	9 49	5 26	26 52	27 31	2♒32
4 50	13 52	17 5	18 3	15 39	11 10	11 0	10 50	11 2	12 16	7 37	28 53	29 48	5 8
DT	*13.9*	*13.5*	*13.0*	*12.3*	*13.4*	*14.0*		*16.1*	*14.6*	*13.0*	*12.2*	*13.9*	*15.9*
DL	*0.0*	*12.2*	*14.7*	*6.6*	*-5.2*	*-8.6*		*0.0*	*-3.1*	*-14.7*	*-29.8*	*-27.0*	*-11.6*
5 0	16♊11	19♋20	20♌13	17♍41	13♎24	13♏20	11 0	13♍43	14♎42	9♏47	0♐55	2♑ 7	7♒46
5 10	18 30	21 35	22 23	19 44	15 38	15 40	11 10	16 25	17 8	11 57	2 58	4 26	10 26
5 20	20 49	23 50	24 34	21 47	17 51	17 58	11 20	19 7	19 34	14 6	5 0	6 48	13 8
5 30	23 7	26 5	26 45	23 50	20 4	20 16	11 30	21 50	21 59	16 15	7 4	9 11	15 51
5 40	25 25	28 21	28 56	25 54	22 17	22 34	11 40	24 33	24 24	18 24	9 8	11 36	18 37
5 50	27 42	0♌36	1♍ 7	27 57	24 29	24 51	11 50	27 17	26 48	20 33	11 13	14 3	21 25

LATITUDE 37 DEGREES   PLACIDUS HOUSES

S.T.	10	11	12	1	2	3	S.T.	10	11	12	1	2	3
DT	16.3	14.3	12.9	12.6	15.0	17.0		13.8	14.8	18.5	24.3	18.5	14.8
DL	0.0	-6.1	-18.7	-34.7	-27.7	-8.8		0.0	-13.1	-21.4	-0.0	21.4	13.1
12 0	0♎0	29♍12	22♏42	13♐19	16♑32	24♒14	18 0	0♑0	22♑26	19♒55	0♈0	10♉5	7♊34
12 10	2 43	1♏35	24 50	15 26	19 3	27 5	18 10	2 18	24 55	23 2	4 3	13 9	10 2
12 20	5 27	3 57	26 59	17 34	21 37	29 58	18 20	4 35	27 26	26 12	8 5	16 10	12 28
12 30	8 10	6 19	29 8	19 43	24 14	2♓53	18 30	6 53	29 58	29 25	12 5	19 7	14 53
12 40	10 53	8 40	1♐16	21 53	26 53	5 50	18 40	9 11	2♒32	2♓41	16 3	22 1	17 16
12 50	13 35	11 0	3 25	24 5	29 35	8 47	18 50	11 30	5 8	5 59	19 58	24 52	19 38
DT	16.1	14.0	12.9	13.4	16.6	18.0		13.9	15.9	20.2	22.9	16.6	14.1
DL	0.0	-8.6	-22.2	-39.1	-26.3	-4.8		0.0	-11.6	-12.3	24.3	26.3	13.5
13 0	16♎17	13♏20	5♐34	26♐19	2♒20	11♓47	19 0	13♑49	7♒46	9♓20	23♈49	27♉40	21♊59
13 10	18 58	15 40	7 43	28 34	5 8	14 47	19 10	16 8	10 26	12 43	27 36	0♊25	24 19
13 20	21 38	17 58	9 52	0♑51	7 59	17 48	19 20	18 28	13 8	16 8	1♉18	3 7	26 39
13 30	24 18	20 16	12 2	3 11	10 53	20 51	19 30	20 49	15 51	19 35	4 56	5 46	28 57
13 40	26 57	22 34	14 13	5 33	13 50	23 53	19 40	23 10	18 37	23 3	8 29	8 23	1♋15
13 50	29 34	24 51	16 24	7 57	16 51	26 57	19 50	25 32	21 25	26 31	11 56	10 57	3 32
DT	15.6	13.6	13.2	14.9	18.5	18.3		14.3	17.0	20.9	19.9	15.0	13.6
DL	0.0	-10.6	-25.0	-42.5	-21.4	-0.0		0.0	-8.8	-0.0	38.7	27.7	13.2
14 0	2♏11	27♏7	18♐35	10♑24	19♒55	0♈0	20 0	27♑55	24♒14	0♈0	15♉18	13♊28	5♋48
14 10	4 46	29 24	20 48	12 54	23 2	3 3	20 10	0♒18	27 5	3 29	18 35	15 57	8 4
14 20	7 21	1♐39	23 1	15 27	26 12	6 7	20 20	2 43	29 58	6 57	21 46	18 24	10 19
14 30	9 54	3 55	25 16	18 4	29 25	9 9	20 30	5 9	2♓53	10 25	24 53	20 49	12 35
14 40	12 27	6 10	27 31	20 44	2♓41	12 12	20 40	7 35	5 50	13 52	27 55	23 12	14 50
14 50	14 58	8 25	29 48	23 28	5 59	15 13	20 50	10 3	8 47	17 17	0♊51	25 34	17 5
DT	14.9	13.5	13.9	17.0	20.2	18.0		14.9	18.0	20.2	17.0	13.9	13.5
DL	0.0	-12.2	-27.0	-43.4	-12.3	4.8		0.0	-4.8	12.3	43.4	27.0	12.2
15 0	17♏28	10♐40	2♑7	26♑16	9♓20	18♈13	21 0	12♒32	11♓47	20♈40	3♊44	27♊53	19♋20
15 10	19 57	12 55	4 26	29 9	12 43	21 13	21 10	15 2	14 47	24 1	6 32	0♋12	21 35
15 20	22 25	15 10	6 48	2♒5	16 8	24 10	21 20	17 33	17 48	27 19	9 16	2 29	23 50
15 30	24 51	17 25	9 11	5 7	19 35	27 7	21 30	20 6	20 51	0♉35	11 56	4 44	26 5
15 40	27 17	19 41	11 36	8 14	23 3	0♉2	21 40	22 39	23 53	3 48	14 33	6 59	28 21
15 50	29 42	21 56	14 3	11 25	26 31	2 55	21 50	25 14	26 57	6 58	17 6	9 12	0♌36
DT	14.3	13.6	15.0	19.9	20.9	17.0		15.6	18.3	18.5	14.9	13.2	13.6
DL	0.0	-13.2	-27.7	-38.7	-0.0	8.8		0.0	-0.0	21.4	42.5	25.0	10.6
16 0	2♐5	24♐12	16♑32	14♒42	0♈0	5♉46	22 0	27♒49	0♈0	10♉5	19♊36	11♋25	2♌53
16 10	4 28	26 28	19 3	18 4	3 29	8 35	22 10	0♓26	3 3	13 9	22 3	13 36	5 9
16 20	6 50	28 45	21 37	21 31	6 57	11 23	22 20	3 3	6 7	16 10	24 27	15 47	7 26
16 30	9 11	1♑3	24 14	25 4	10 25	14 9	22 30	5 42	9 9	19 7	26 49	17 58	9 44
16 40	11 32	3 21	26 53	28 42	13 52	16 52	22 40	8 22	12 12	22 1	29 9	20 8	12 2
16 50	13 52	5 41	29 35	2♓24	17 17	19 34	22 50	11 2	15 13	24 52	1♋26	22 17	14 20
DT	13.9	14.1	16.6	22.9	20.2	15.9		16.1	18.0	16.6	13.4	12.9	14.0
DL	0.0	-13.5	-26.3	-24.3	12.3	11.6		0.0	4.8	26.3	39.1	22.2	8.6
17 0	16♐11	8♑1	2♒20	6♓11	20♈40	22♉14	23 0	13♓43	18♈13	27♉40	3♋41	24♋26	16♌40
17 10	18 30	10 22	5 8	10 2	24 1	24 52	23 10	16 25	21 13	0♊25	5 55	26 35	19 0
17 20	20 49	12 44	7 59	13 57	27 19	27 28	23 20	19 7	24 10	3 7	8 7	28 44	21 20
17 30	23 7	15 7	10 53	17 55	0♉35	0♊2	23 30	21 50	27 7	5 46	10 17	0♌52	23 41
17 40	25 25	17 32	13 50	21 55	3 48	2 34	23 40	24 33	0♉2	8 23	12 26	3 1	26 3
17 50	27 42	19 58	16 51	25 57	6 58	5 5	23 50	27 17	2 55	10 57	14 34	5 10	28 25

LATITUDE 38 DEGREES PLACIDUS HOUSES

S.T.	10	11	12	1	2	3	S.T.	10	11	12	1	2	3
DT	16.3	17.1	15.0	12.6	12.8	14.3		13.8	13.6	13.1	12.2	13.1	13.6
DL	0.0	9.1	28.7	35.4	19.1	6.2		0.0	10.9	10.3	0.0	-10.3	-10.9
0 0	0♈0	5♉55	13♊56	17♋16	7♌37	0♍54	6 0	0♋0	3♌3	3♍29	0♎0	26♎31	26♏57
0 10	2 43	8 45	16 25	19 21	9 45	3 17	6 10	2 18	5 19	5 40	2 2	28 42	29 13
0 20	5 27	11 33	18 52	21 25	11 53	5 41	6 20	4 35	7 36	7 52	4 4	0♏53	1♐28
0 30	8 10	14 19	21 17	23 28	14 1	8 5	6 30	6 53	9 53	10 4	6 6	3 3	3 43
0 40	10 53	17 3	23 40	25 31	16 10	10 30	6 40	9 11	12 11	12 16	8 8	5 13	5 58
0 50	13 35	19 45	26 1	27 33	18 19	12 55	6 50	11 30	14 29	14 28	10 10	7 23	8 13
DT	16.1	15.9	13.9	12.1	12.9	14.6		13.9	13.9	13.3	12.2	12.9	13.5
DL	0.0	12.0	27.9	30.4	15.0	3.2		0.0	8.8	5.3	-6.7	-15.0	-12.5
1 0	16♈17	22♉25	28♊21	29♋35	20♌28	15♍21	7 0	13♋49	16♌48	16♍41	12♎12	9♏32	10♐28
1 10	18 58	25 4	0♋20	1♌36	22 37	17 47	7 10	16 9	19 10	18 54	14 14	11 41	12 43
1 20	21 38	27 40	2 55	3 37	24 47	20 13	7 20	18 28	21 28	21 7	16 15	13 50	14 58
1 30	24 18	0♊14	5 10	5 37	26 57	22 40	7 30	20 49	23 49	23 20	18 17	15 59	17 13
1 40	26 57	2 47	7 24	7 37	29 7	25 6	7 40	23 10	26 10	25 33	20 18	18 7	19 28
1 50	29 34	5 18	9 37	9 37	1♍18	27 33	7 50	25 32	28 32	27 47	22 19	20 15	21 43
DT	15.6	14.9	13.2	12.0	13.1	14.7		14.3	14.3	13.3	12.1	12.8	13.6
DL	0.0	13.5	25.7	25.0	10.3	0.0		0.0	6.2	0.0	-13.1	-19.1	-13.6
2 0	2♉11	7♊47	11♋50	11♌37	3♍29	0♎0	8 0	27♋55	0♍54	0♎0	24♎20	22♏23	23♐59
2 10	4 46	10 15	14 1	13 37	5 40	2 27	8 10	0♌18	3 17	2 13	26 21	24 31	26 15
2 20	7 21	12 41	16 11	15 37	7 52	4 54	8 20	2 43	5 41	4 27	28 22	26 39	28 32
2 30	9 54	15 6	18 21	17 37	10 4	7 20	8 30	5 9	8 5	6 40	0♏22	28 47	0♑50
2 40	12 27	17 30	20 31	19 37	12 16	9 47	8 40	7 35	10 30	8 53	2 23	0♐55	3 8
2 50	14 58	19 52	22 40	21 37	14 28	12 13	8 50	10 3	12 55	11 6	4 23	3 3	5 27
DT	14.9	14.1	12.8	12.0	13.3	14.6		14.9	14.6	13.3	12.0	12.8	14.1
DL	0.0	14.0	22.7	19.2	5.3	-3.2		0.0	3.2	-5.3	-19.2	-22.7	-14.0
3 0	17♉28	22♊13	24♋48	23♌37	16♍41	14♎39	9 0	12♌32	15♍21	13♎19	6♏23	5♐12	7♑47
3 10	19 57	24 33	26 57	25 37	18 54	17 5	9 10	15 2	17 47	15 32	8 23	7 20	10 8
3 20	22 25	26 52	29 5	27 37	21 7	19 30	9 20	17 33	20 13	17 44	10 23	9 29	12 30
3 30	24 51	29 10	1♌13	29 38	23 20	21 55	9 30	20 6	22 40	19 56	12 23	11 39	14 54
3 40	27 17	1♋28	3 21	1♍38	25 33	24 19	9 40	22 39	25 6	22 8	14 23	13 49	17 19
3 50	29 42	3 45	5 29	3 39	27 47	26 43	9 50	25 14	27 33	24 20	16 23	15 59	19 45
DT	14.3	13.6	12.8	12.1	13.3	14.3		15.6	14.7	13.1	12.0	13.2	14.9
DL	0.0	13.6	19.1	13.1	0.0	-6.2		0.0	0.0	-10.3	-25.0	-25.7	-13.5
4 0	2♊5	6♋1	7♌37	5♍40	0♎0	29♎6	10 0	27♌49	0♎0	26♎31	18♏23	18♐10	22♑13
4 10	4 28	8 17	9 45	7 41	2 13	1♏28	10 10	0♍26	2 27	28 42	20 23	20 23	24 42
4 20	6 50	10 32	11 53	9 42	4 27	3 50	10 20	3 3	4 54	0♏53	22 23	22 36	27 13
4 30	9 11	12 47	14 1	11 43	6 40	6 11	10 30	5 42	7 20	3 3	24 23	24 50	29 46
4 40	11 32	15 2	16 10	13 45	8 53	8 32	10 40	8 22	9 47	5 13	26 23	27 5	2♒20
4 50	13 52	17 17	18 19	15 46	11 6	10 52	10 50	11 2	12 13	7 23	28 24	29 22	4 56
DT	13.9	13.5	12.9	12.2	13.3	13.9		16.1	14.6	12.9	12.1	13.9	15.9
DL	0.0	12.5	15.0	6.7	-5.3	-8.8		0.0	-3.2	-15.0	-30.4	-27.9	-12.0
5 0	16♊11	19♋32	20♌28	17♍48	13♎19	13♏12	11 0	13♍43	14♎39	9♏32	0♐25	1♑39	7♒35
5 10	18 30	21 47	22 37	19 50	15 32	15 31	11 10	16 25	17 5	11 41	2 27	3 59	10 15
5 20	20 49	24 2	24 47	21 52	17 44	17 49	11 20	19 7	19 30	13 50	4 29	6 20	12 57
5 30	23 7	26 17	26 57	23 54	19 56	20 7	11 30	21 50	21 55	15 59	6 32	8 43	15 41
5 40	25 25	28 32	29 7	25 56	22 8	22 24	11 40	24 33	24 19	18 7	8 35	11 8	18 27
5 50	27 42	0♌47	1♍18	27 58	24 20	24 41	11 50	27 17	26 43	20 15	10 39	13 35	21 15

LATITUDE 38 DEGREES PLACIDUS HOUSES

S.T.	10	11	12	1	2	3	S.T.	10	11	12	1	2	3
DT	*16.3*	*14.3*	*12.8*	*12.6*	*15.0*	*17.1*		*13.8*	*14.9*	*18.7*	*24.7*	*18.7*	*14.9*
DL	*0.0*	*-6.2*	*-19.1*	*-35.4*	*-28.7*	*-9.1*		*0.0*	*-13.5*	*-22.4*	*-0.0*	*22.4*	*13.5*
12 0	0♎ 0	29♎ 6	22♏23	12♐44	16♑ 4	24♒ 5	18 0	0♑ 0	22♑13	19♒33	0♈ 0	10♉27	7♊47
12 10	2 43	1♏28	24 31	14 50	18 36	26 57	18 10	2 18	24 42	22 41	4 7	13 32	10 15
12 20	5 27	3 50	26 39	16 57	21 10	29 51	18 20	4 35	27 13	25 53	8 13	16 33	12 41
12 30	8 10	6 11	28 47	19 6	23 46	2♓46	18 30	6 53	29 46	29 7	12 18	19 31	15 6
12 40	10 53	8 32	0♐55	21 15	26 26	5 43	18 40	9 11	2♒20	2♓25	16 20	22 26	17 30
12 50	13 35	10 52	3 3	23 27	29 8	8 42	18 50	11 30	4 56	5 45	20 18	25 18	19 52
DT	*16.1*	*13.9*	*12.8*	*13.4*	*16.7*	*18.1*		*13.9*	*15.9*	*20.4*	*23.2*	*16.7*	*14.1*
DL	*0.0*	*-8.8*	*-22.7*	*-40.1*	*-27.3*	*-5.0*		*0.0*	*-12.0*	*-12.9*	*25.8*	*27.3*	*14.0*
13 0	16♎17	13♏12	5♐12	25♐40	1♒54	11♓42	19 0	13♑49	7♒35	9♓ 8	24♈13	28♉ 6	22♊13
13 10	18 58	15 31	7 20	27 54	4 42	14 43	19 10	16 8	10 15	12 33	28 3	0♊52	24 33
13 20	21 38	17 49	9 29	0♑11	7 34	17 45	19 20	18 28	12 57	16 0	1♉49	3 34	26 52
13 30	24 18	20 7	11 39	2 30	10 29	20 48	19 30	20 49	15 41	19 28	5 29	6 14	29 10
13 40	26 57	22 24	13 49	4 51	13 27	23 52	19 40	23 10	18 27	22 58	9 4	8 50	1♋28
13 50	29 34	24 41	15 59	7 15	16 28	26 56	19 50	25 32	21 15	26 29	12 33	11 24	3 45
DT	*15.6*	*13.6*	*13.2*	*14.8*	*18.7*	*18.4*		*14.3*	*17.1*	*21.1*	*20.1*	*15.0*	*13.6*
DL	*0.0*	*-10.0*	*-25.7*	*-43.8*	*-22.4*	*-0.0*		*0.0*	*-9.1*	*-0.0*	*40.7*	*28.7*	*13.6*
14 0	2♏11	26♏57	18♐10	9♑42	19♒33	0♈ 0	20 0	27♑55	24♒ 5	0♈ 0	15♉57	13♊56	6♋ 1
14 10	4 46	29 13	20 23	12 11	22 41	3 4	20 10	0♒18	26 57	3 31	19 15	16 25	8 17
14 20	7 21	1♐28	22 36	14 44	25 53	6 8	20 20	2 43	29 51	7 2	22 28	18 52	10 32
14 30	9 54	3 43	24 50	17 21	29 7	9 12	20 30	5 9	2♓46	10 32	25 35	21 17	12 47
14 40	12 27	5 58	27 5	20 1	2♓25	12 15	20 40	7 35	5 43	14 0	28 37	23 40	15 2
14 50	14 58	8 13	29 22	22 45	5 45	15 17	20 50	10 3	8 42	17 27	1♊35	26 1	17 17
DT	*14.9*	*13.5*	*13.9*	*17.0*	*20.4*	*18.1*		*14.9*	*18.1*	*20.4*	*17.0*	*13.9*	*13.5*
DL	*0.0*	*-12.5*	*-27.9*	*-45.1*	*-12.9*	*5.0*		*0.0*	*-5.0*	*12.9*	*45.1*	*27.9*	*12.5*
15 0	17♏28	10♐28	1♑39	25♑33	9♓ 8	18♈18	21 0	12♒32	11♓42	20♈52	4♊27	28♊21	19♋32
15 10	19 57	12 43	3 59	28 25	12 33	21 18	21 10	15 2	14 43	24 15	7 15	0♋38	21 47
15 20	22 25	14 58	6 20	1♒23	16 0	24 17	21 20	17 33	17 45	27 35	9 59	2 55	24 2
15 30	24 51	17 13	8 43	4 25	19 28	27 14	21 30	20 6	20 48	0♉53	12 39	5 10	26 17
15 40	27 17	19 28	11 8	7 32	22 58	0♉ 9	21 40	22 39	23 52	4 7	15 16	7 24	28 32
15 50	29 42	21 43	13 35	10 45	26 29	3 3	21 50	25 14	26 56	7 19	17 49	9 37	0♌47
DT	*14.3*	*13.6*	*15.0*	*20.1*	*21.1*	*17.1*		*15.6*	*18.4*	*18.7*	*14.8*	*13.2*	*13.6*
DL	*0.0*	*-13.6*	*-28.7*	*-40.7*	*-0.0*	*9.1*		*0.0*	*-0.0*	*22.4*	*43.8*	*25.7*	*10.9*
16 0	2♐ 5	23♐59	16♑ 4	14♒ 3	0♈ 0	5♉55	22 0	27♒49	0♈ 0	10♉27	20♊18	11♋50	3♌ 3
16 10	4 28	26 15	18 36	17 27	3 31	8 45	22 10	0♓26	3 4	13 32	22 45	14 1	5 19
16 20	6 50	28 32	21 10	20 56	7 2	11 33	22 20	3 3	6 8	16 33	25 9	16 11	7 36
16 30	9 11	0♑50	23 46	24 31	10 32	14 19	22 30	5 42	9 12	19 31	27 30	18 21	9 53
16 40	11 32	3 8	26 26	28 11	14 0	17 3	22 40	8 22	12 15	22 26	29 49	20 31	12 11
16 50	13 52	5 27	29 8	1♓57	17 27	19 45	22 50	11 2	15 17	25 18	2♋ 6	22 40	14 29
DT	*13.9*	*14.1*	*16.7*	*23.2*	*20.4*	*15.9*		*16.1*	*18.1*	*16.7*	*13.4*	*12.8*	*13.9*
DL	*0.0*	*-14.0*	*-27.3*	*-25.8*	*12.9*	*12.0*		*0.0*	*5.0*	*27.3*	*40.1*	*22.7*	*8.8*
17 0	16♐11	7♑47	1♒54	5♓47	20♈52	22♉25	23 0	13♓43	18♈18	28♉ 6	4♋20	24♋48	16♌48
17 10	18 30	10 8	4 42	9 42	24 15	25 4	23 10	16 25	21 18	0♊52	6 33	26 57	19 8
17 20	20 49	12 30	7 34	13 40	27 35	27 40	23 20	19 7	24 17	3 34	8 45	29 5	21 28
17 30	23 7	14 54	10 29	17 42	0♉53	0♊14	23 30	21 50	27 14	6 14	10 54	1♌13	23 49
17 40	25 25	17 19	13 27	21 47	4 7	2 47	23 40	24 33	0♉ 9	8 50	13 3	3 21	26 10
17 50	27 42	19 45	16 28	25 53	7 19	5 18	23 50	27 17	3 3	11 24	15 10	5 29	28 32

LATITUDE 39 DEGREES   PLACIDUS HOUSES

S.T.	10	11	12	1	2	3	S.T.	10	11	12	1	2	3
DT	*16.3*	*17.2*	*15.0*	*12.5*	*12.7*	*14.2*		*13.8*	*13.6*	*13.0*	*12.1*	*13.0*	*13.6*
DL	*0.0*	*9.5*	*29.8*	*36.2*	*19.5*	*6.3*		*0.0*	*11.2*	*10.5*	*0.0*	*-10.5*	*-11.2*
0 0	0♈0	6♉4	14♊25	17♋51	7♌56	1♍1	6 0	0♋0	3♌14	3♍39	0♎0	26♎21	26♏46
0 10	2 43	8 54	16 54	19 55	10 3	3 23	6 10	2 18	5 30	5 50	2 1	28 31	29 1
0 20	5 27	11 43	19 21	21 59	12 11	5 46	6 20	4 35	7 46	8 1	4 2	0♏41	1♐17
0 30	8 10	14 30	21 45	24 1	14 19	8 10	6 30	6 53	10 3	10 12	6 3	2 50	3 32
0 40	10 53	17 14	24 8	26 3	16 26	10 34	6 40	9 11	12 21	12 23	8 4	4 59	5 46
0 50	13 35	19 57	26 29	28 4	18 35	12 59	6 50	11 30	14 39	14 35	10 5	7 8	8 1
DT	*16.1*	*16.0*	*13.8*	*12.0*	*12.9*	*14.5*		*13.9*	*13.9*	*13.2*	*12.1*	*12.9*	*13.5*
DL	*0.0*	*12.4*	*28.7*	*30.9*	*15.2*	*3.3*		*0.0*	*9.0*	*5.4*	*-6.7*	*-15.2*	*-12.9*
1 0	16♈17	22♉37	28♊48	0♌5	20♌43	15♍24	7 0	13♋49	16♌57	16♍46	12♎5	9♏17	10♐16
1 10	19 50	25 19	1♋0	2 8	22 06	17 49	7 10	16 8	19 16	18 58	14 8	11 25	12 30
1 20	21 38	27 53	3 22	4 5	25 1	20 15	7 20	18 28	21 36	21 10	16 7	13 34	14 45
1 30	24 18	0♊27	5 37	6 5	27 10	22 41	7 30	20 49	23 56	23 23	18 7	15 41	16 59
1 40	26 57	3 0	7 51	8 4	29 19	25 7	7 40	23 10	26 17	25 35	20 7	17 49	19 14
1 50	29 34	5 31	10 4	10 3	1♍29	27 34	7 50	25 32	28 38	27 48	22 7	19 57	21 30
DT	*15.6*	*14.9*	*13.1*	*11.9*	*13.0*	*14.6*		*14.3*	*14.2*	*13.2*	*12.0*	*12.7*	*13.6*
DL	*0.0*	*14.0*	*26.4*	*25.4*	*10.5*	*0.0*		*0.0*	*6.3*	*0.0*	*-13.3*	*-19.5*	*-14.0*
2 0	2♉11	8♊1	12♋15	12♌2	3♍39	0♎0	8 0	27♋55	1♍1	0♎0	24♎7	22♏4	23♐45
2 10	4 46	10 29	14 26	14 1	5 50	2 26	8 10	0♌18	3 23	2 12	26 7	24 11	26 2
2 20	7 21	12 55	16 36	16 0	8 1	4 53	8 20	2 43	5 46	4 25	28 7	26 19	28 18
2 30	9 54	15 20	18 46	17 59	10 12	7 19	8 30	5 9	8 10	6 37	0♏6	28 26	0♑36
2 40	12 27	17 43	20 55	19 58	12 23	9 45	8 40	7 35	10 34	8 50	2 6	0♐34	2 54
2 50	14 58	20 6	23 3	21 57	14 35	12 11	8 50	10 3	12 59	11 2	4 5	2 41	5 13
DT	*14.9*	*14.1*	*12.8*	*11.9*	*13.2*	*14.5*		*14.9*	*14.5*	*13.2*	*11.9*	*12.8*	*14.1*
DL	*0.0*	*14.4*	*23.2*	*19.5*	*5.4*	*-3.3*		*0.0*	*3.3*	*-5.4*	*-19.5*	*-23.2*	*-14.4*
3 0	17♉28	22♊27	25♋11	23♌56	16♍46	14♎36	9 0	12♌32	15♍24	13♎14	6♏4	4♐49	7♑33
3 10	19 57	24 47	27 19	25 55	18 58	17 1	9 10	15 2	17 49	15 25	8 3	6 57	9 54
3 20	22 25	27 6	29 26	27 54	21 10	19 26	9 20	17 33	20 15	17 37	10 2	9 5	12 17
3 30	24 51	29 24	1♋34	29 54	23 23	21 50	9 30	20 6	22 41	19 48	12 1	11 14	14 40
3 40	27 17	1♋42	3 41	1♍53	25 35	24 14	9 40	22 39	25 7	21 59	14 0	13 24	17 5
3 50	29 42	3 58	5 49	3 53	27 48	26 37	9 50	25 14	27 34	24 10	15 59	15 34	19 31
DT	*14.3*	*13.6*	*12.7*	*12.0*	*13.2*	*14.2*		*15.6*	*14.6*	*13.0*	*11.9*	*13.1*	*14.9*
DL	*0.0*	*14.0*	*19.5*	*13.3*	*0.0*	*-6.3*		*0.0*	*0.0*	*-10.5*	*-25.4*	*-26.4*	*-14.0*
4 0	2♊5	6♋15	7♌56	5♍53	0♎0	28♎59	10 0	27♌49	0♎0	26♎21	17♏58	17♐45	21♑59
4 10	4 28	8 30	10 3	7 53	2 12	1♏22	10 10	0♍26	2 26	28 31	19 57	19 56	24 29
4 20	6 50	10 46	12 11	9 53	4 25	3 43	10 20	3 3	4 53	0♏41	21 56	22 9	27 0
4 30	9 11	13 1	14 19	11 53	6 37	6 4	10 30	5 42	7 19	2 50	23 55	24 23	29 33
4 40	11 32	15 15	16 26	13 53	8 50	8 24	10 40	8 22	9 45	4 59	25 55	26 38	2♒7
4 50	13 52	17 30	18 35	15 54	11 2	10 44	10 50	11 2	12 11	7 8	27 55	28 54	4 44
DT	*13.9*	*13.5*	*12.9*	*12.1*	*13.2*	*13.9*		*16.1*	*14.5*	*12.9*	*12.0*	*13.8*	*16.0*
DL	*0.0*	*12.9*	*15.2*	*6.7*	*-5.4*	*-9.0*		*0.0*	*-3.3*	*-15.2*	*-30.9*	*-28.7*	*-12.4*
5 0	16♊11	19♋44	20♌43	17♍55	13♎14	13♏3	11 0	13♍43	14♎36	9♏17	29♏55	1♑12	7♒23
5 10	18 30	21 59	22 52	19 55	15 25	15 21	11 10	16 25	17 1	11 25	1♐56	3 31	10 3
5 20	20 49	24 14	25 1	21 56	17 37	17 39	11 20	19 7	19 26	13 34	3 57	5 52	12 46
5 30	23 7	26 28	27 10	23 57	19 48	19 57	11 30	21 50	21 50	15 41	5 59	8 15	15 30
5 40	25 25	28 43	29 19	25 58	21 59	22 14	11 40	24 33	24 14	17 49	8 1	10 39	18 17
5 50	27 42	0♌59	1♍29	27 59	24 10	24 30	11 50	27 17	26 37	19 57	10 5	13 6	21 6

LATITUDE 39 DEGREES — PLACIDUS HOUSES

S.T.	10	11	12	1	2	3	S.T.	10	11	12	1	2	3
DT	16.3	14.2	12.7	12.5	15.0	17.2		13.8	14.9	18.8	25.2	18.8	14.9
DL	0.0	−6.3	−19.5	−36.2	−29.8	−9.5		0.0	−14.0	−23.4	−0.0	23.4	14.0
12 0	0♎0	28♎59	22♏4	12♐9	15♑35	23♒56	18 0	0♑0	21♑59	19♒11	0♈0	10♉49	8♊1
12 10	2 43	1♏22	24 11	14 14	18 7	26 49	18 10	2 18	24 29	22 20	4 12	13 55	10 29
12 20	5 27	3 43	26 19	16 20	20 41	29 43	18 20	4 35	27 0	25 33	8 23	16 58	12 55
12 30	8 10	6 4	28 26	18 28	23 18	2♓39	18 30	6 53	29 33	28 49	12 32	19 57	15 20
12 40	10 53	8 24	0♐34	20 37	25 58	5 37	18 40	9 11	2♒7	2♓8	16 38	22 52	17 43
12 50	13 35	10 44	2 41	22 47	28 40	8 36	18 50	11 30	4 44	5 30	20 40	25 45	20 6
DT	16.1	13.9	12.8	13.3	16.7	18.1		13.9	16.0	20.6	23.6	16.7	14.1
DL	0.0	−9.0	−23.2	−41.1	−28.5	−5.2		0.0	−12.4	−13.6	27.4	28.5	14.4
13 0	16♎17	13♏3	4♐49	24♐59	1♒26	11♓37	19 0	13♑49	7♒23	8♓55	24♈39	28♉34	22♊27
13 10	18 58	15 21	6 57	27 14	4 15	14 39	19 10	16 8	10 3	12 22	28 32	1♊20	24 47
13 20	21 38	17 39	9 5	29 30	7 8	17 42	19 20	18 28	12 46	15 51	2♉21	4 2	27 6
13 30	24 18	19 57	11 14	1♑48	10 3	20 46	19 30	20 49	15 30	19 22	6 4	6 42	29 24
13 40	26 57	22 14	13 24	4 9	13 2	23 50	19 40	23 10	18 17	22 54	9 41	9 19	1♋42
13 50	29 34	24 30	15 34	6 32	16 5	26 55	19 50	25 32	21 6	26 27	13 12	11 53	3 58
DT	15.6	13.6	13.1	14.8	18.8	18.5		14.3	17.2	21.3	20.2	15.0	13.6
DL	0.0	−11.2	−26.4	−45.3	−23.4	−0.0		0.0	−9.5	−0.0	42.9	29.8	14.0
14 0	2♏11	26♏46	17♐45	8♑58	19♒11	0♈0	20 0	27♑55	23♒56	0♈0	16♉37	14♊25	6♋15
14 10	4 46	29 1	19 56	11 27	22 20	3 5	20 10	0♒18	26 49	3 33	19 57	16 54	8 30
14 20	7 21	1♐17	22 9	14 0	25 33	6 10	20 20	2 43	29 43	7 6	23 11	19 21	10 46
14 30	9 54	3 32	24 23	16 36	28 49	9 14	20 30	5 9	2♓39	10 38	26 19	21 45	13 1
14 40	12 27	5 46	26 38	19 15	2♓8	12 18	20 40	7 35	5 37	14 9	29 22	24 8	15 15
14 50	14 58	8 1	28 54	21 59	5 30	15 21	20 50	10 3	8 36	17 38	2♊19	26 29	17 30
DT	14.9	13.5	13.8	17.1	20.6	18.1		14.9	18.1	20.6	17.1	13.8	13.5
DL	0.0	−12.9	−28.7	−47.0	−13.6	5.2		0.0	−5.2	13.6	47.0	28.7	12.9
15 0	17♏28	10♐16	1♑12	24♑48	8♓55	18♈23	21 0	12♒32	11♓37	21♈5	5♊12	28♊48	19♋44
15 10	19 57	12 30	3 31	27 41	12 22	21 24	21 10	15 2	14 39	24 30	8 1	1♋6	21 59
15 20	22 25	14 45	5 52	0♒38	15 51	24 23	21 20	17 33	17 42	27 52	10 45	3 22	24 14
15 30	24 51	16 59	8 15	3 41	19 22	27 21	21 30	20 6	20 46	1♉11	13 24	5 37	26 28
15 40	27 17	19 14	10 39	6 49	22 54	0♉17	21 40	22 39	23 50	4 27	16 0	7 51	28 43
15 50	29 42	21 30	13 6	10 3	26 27	3 11	21 50	25 14	26 55	7 40	18 33	10 4	0♌59
DT	14.3	13.6	15.0	20.2	21.3	17.2		15.6	18.5	18.8	14.8	13.1	13.6
DL	0.0	−14.0	−29.8	−42.9	−0.0	9.5		0.0	−0.0	23.4	45.3	26.4	11.2
16 0	2♐5	23♐45	15♑35	13♒23	0♈0	6♉4	22 0	27♒49	0♈0	10♉49	21♊2	12♋15	3♌14
16 10	4 28	26 2	18 7	16 48	3 33	8 54	22 10	0♓26	3 5	13 55	23 28	14 26	5 30
16 20	6 50	28 18	20 41	20 19	7 6	11 43	22 20	3 3	6 10	16 58	25 51	16 36	7 46
16 30	9 11	0♑36	23 18	23 56	10 38	14 30	22 30	5 42	9 14	19 57	28 12	18 46	10 3
16 40	11 32	2 54	25 58	27 39	14 9	17 14	22 40	8 22	12 18	22 52	0♋30	20 55	12 21
16 50	13 52	5 13	28 40	1♓28	17 38	19 57	22 50	11 2	15 21	25 45	2 46	23 3	14 39
DT	13.9	14.1	16.7	23.6	20.6	16.0		16.1	18.1	16.7	13.3	12.8	13.9
DL	0.0	−14.4	−28.5	−27.4	13.6	12.4		0.0	5.2	28.5	41.1	23.2	9.0
17 0	16♐11	7♑33	1♒26	5♓21	21♈5	22♉37	23 0	13♓43	18♈23	28♉34	5♋1	25♋11	16♌57
17 10	18 30	9 54	4 15	9 20	24 30	25 16	23 10	16 25	21 24	1♊20	7 13	27 19	19 16
17 20	20 49	12 17	7 8	13 22	27 52	27 53	23 20	19 7	24 23	4 2	9 23	29 26	21 36
17 30	23 7	14 40	10 3	17 28	1♉11	0♊27	23 30	21 50	27 21	6 42	11 32	1♌34	23 56
17 40	25 25	17 5	13 2	21 37	4 27	3 0	23 40	24 33	0♉17	9 19	13 40	3 41	26 17
17 50	27 42	19 31	16 5	25 48	7 40	5 31	23 50	27 17	3 11	11 53	15 46	5 49	28 38

LATITUDE 40 DEGREES PLACIDUS HOUSES

S.T.	10	11	12	1	2	3	S.T.	10	11	12	1	2	3
DT	*16.3*	*17.2*	*15.0*	*12.4*	*12.7*	*14.2*		*13.8*	*13.5*	*13.0*	*12.0*	*13.0*	*13.5*
DL	*0.0*	*9.9*	*30.9*	*37.0*	*19.9*	*6.5*		*0.0*	*11.5*	*10.7*	*0.0*	*-10.7*	*-11.5*
0 0	0♈ 0	6♉13	14♊54	18♋27	8♌15	1♍ 7	6 0	0♋ 0	3♌25	3♍50	0♎ 0	26♎10	26♏35
0 10	2 43	9 4	17 23	20 31	10 22	3 29	6 10	2 18	5 41	6 0	2 0	28 19	28 50
0 20	5 27	11 54	19 50	22 33	12 29	5 52	6 20	4 35	7 57	8 9	4 0	0♏29	1♐ 5
0 30	8 10	14 41	22 15	24 35	14 36	8 15	6 30	6 53	10 13	10 20	6 0	2 37	3 20
0 40	10 53	17 26	24 37	26 36	16 43	10 39	6 40	9 11	12 30	12 30	7 59	4 46	5 34
0 50	13 35	20 9	26 58	28 36	18 51	13 3	6 50	11 30	14 48	14 41	9 59	6 54	7 48
DT	*16.1*	*16.0*	*13.8*	*12.0*	*12.8*	*14.5*		*13.9*	*13.8*	*13.1*	*12.0*	*12.8*	*13.4*
DL	*0.0*	*12.9*	*29.7*	*31.5*	*15.5*	*3.4*		*0.0*	*9.2*	*5.5*	*-6.8*	*-15.5*	*-13.3*
1 0	16♈17	22♉50	29♊17	0♌36	20♌58	15♍27	7 0	13♋49	17♌ 6	16♍52	11♎59	9♏ 2	10♐ 3
1 10	18 58	25 [illegible]	1♋01	[illegible]	[illegible]	[illegible]	7 10	[illegible]	[illegible]	19 3	13 58	11 9	12 17
1 20	21 38	28 6	3 50	4 34	25 14	20 17	7 20	18 28	21 44	21 14	15 58	13 17	14 31
1 30	24 18	0♊41	6 5	6 33	27 23	22 43	7 30	20 49	24 4	23 25	17 57	15 24	16 46
1 40	26 57	3 14	8 18	8 31	29 31	25 8	7 40	23 10	26 24	25 37	19 56	17 31	19 1
1 50	29 34	5 45	10 30	10 30	1♍41	27 34	7 50	25 32	28 45	27 48	21 55	19 38	21 16
DT	*15.6*	*14.9*	*13.1*	*11.8*	*13.0*	*14.6*		*14.3*	*14.2*	*13.2*	*11.9*	*12.7*	*13.6*
DL	*0.0*	*14.5*	*27.1*	*25.8*	*10.7*	*0.0*		*0.0*	*6.5*	*0.0*	*-13.4*	*-19.9*	*-14.5*
2 0	2♉11	8♊15	12♋42	12♌28	3♍50	0♎ 0	8 0	27♋55	1♍ 7	0♎ 0	23♎54	21♏45	23♐31
2 10	4 46	10 43	14 52	14 26	6 0	2 26	8 10	0♌18	3 29	2 12	25 53	23 51	25 47
2 20	7 21	13 9	17 2	16 24	8 9	4 52	8 20	2 43	5 52	4 23	27 51	25 58	28 4
2 30	9 54	15 34	19 11	18 22	10 20	7 17	8 30	5 9	8 15	6 35	29 50	28 5	0♑21
2 40	12 27	17 58	21 19	20 19	12 30	9 43	8 40	7 35	10 39	8 46	1♏48	0♐11	2 40
2 50	14 58	20 20	23 27	22 17	14 41	12 8	8 50	10 3	13 3	10 57	3 46	2 18	4 59
DT	*14.9*	*14.1*	*12.7*	*11.8*	*13.1*	*14.5*		*14.9*	*14.5*	*13.1*	*11.8*	*12.7*	*14.1*
DL	*0.0*	*15.0*	*23.8*	*19.8*	*5.5*	*-3.4*		*0.0*	*3.4*	*-5.5*	*-19.8*	*-23.8*	*-15.0*
3 0	17♉28	22♊41	25♋34	24♌15	16♍52	14♎33	9 0	12♌32	15♍27	13♎ 8	5♏45	4♐26	7♑19
3 10	19 57	25 1	27 42	26 14	19 3	16 57	9 10	15 2	17 52	15 19	7 43	6 33	9 40
3 20	22 25	27 20	29 49	28 12	21 14	19 21	9 20	17 33	20 17	17 30	9 41	8 41	12 2
3 30	24 51	29 39	1♌55	0♍10	23 25	21 45	9 30	20 6	22 43	19 40	11 38	10 49	14 26
3 40	27 17	1♋56	4 2	2 9	25 37	24 8	9 40	22 39	25 8	21 51	13 36	12 58	16 51
3 50	29 42	4 13	6 9	4 7	27 48	26 31	9 50	25 14	27 34	24 0	15 34	15 8	19 17
DT	*14.3*	*13.6*	*12.7*	*11.9*	*13.2*	*14.2*		*15.6*	*14.6*	*13.0*	*11.8*	*13.1*	*14.9*
DL	*0.0*	*14.5*	*19.9*	*13.4*	*0.0*	*-6.5*		*0.0*	*0.0*	*-10.7*	*-25.8*	*-27.1*	*-14.5*
4 0	2♊ 5	6♋29	8♌15	6♍ 6	0♎ 0	28♎53	10 0	27♌49	0♎ 0	26♎10	17♏32	17♐18	21♑45
4 10	4 28	8 44	10 22	8 5	2 12	1♏15	10 10	0♍26	2 26	28 19	19 30	19 30	24 15
4 20	6 50	10 59	12 29	10 4	4 23	3 36	10 20	3 3	4 52	0♏29	21 29	21 42	26 46
4 30	9 11	13 14	14 36	12 3	6 35	5 56	10 30	5 42	7 17	2 37	23 27	23 55	29 19
4 40	11 32	15 29	16 43	14 2	8 46	8 16	10 40	8 22	9 43	4 46	25 26	26 10	1♒54
4 50	13 52	17 43	18 51	16 2	10 57	10 35	10 50	11 2	12 8	6 54	27 25	28 26	4 31
DT	*13.9*	*13.4*	*12.8*	*12.0*	*13.1*	*13.8*		*16.1*	*14.5*	*12.8*	*12.0*	*13.8*	*16.0*
DL	*0.0*	*13.3*	*15.5*	*6.8*	*-5.5*	*-9.2*		*0.0*	*-3.4*	*-15.5*	*-31.5*	*-29.7*	*-12.9*
5 0	16♊11	19♋57	20♌58	18♍ 1	13♎ 8	12♏54	11 0	13♍43	14♎33	9♏ 2	29♏24	0♑43	7♒10
5 10	18 30	22 12	23 6	20 1	15 19	15 12	11 10	16 25	16 57	11 9	1♐24	3 2	9 51
5 20	20 49	24 26	25 14	22 1	17 30	17 30	11 20	19 7	19 21	13 17	3 24	5 23	12 34
5 30	23 7	26 40	27 23	24 0	19 40	19 47	11 30	21 50	21 45	15 24	5 25	7 45	15 19
5 40	25 25	28 55	29 31	26 0	21 51	22 3	11 40	24 33	24 8	17 31	7 27	10 10	18 6
5 50	27 42	1♌10	1♍41	28 0	24 0	24 19	11 50	27 17	26 31	19 38	9 29	12 37	20 56

LATITUDE 40 DEGREES PLACIDUS HOUSES

S.T.	10	11	12	1	2	3	S.T.	10	11	12	1	2	3
DT	16.3	14.2	12.7	12.4	15.0	17.2		13.8	14.9	18.9	25.7	18.9	14.9
DL	0.0	-6.5	-19.9	-37.0	-30.9	-9.9		0.0	-14.5	-24.5	-0.0	24.5	14.5
12 0	0♎0	28♎53	21♏45	11♐33	15♑6	23♒47	18 0	0♑0	21♑45	18♒47	0♈0	11♉13	8♊15
12 10	2 43	1♏15	23 51	13 37	17 37	26 40	18 10	2 18	24 15	21 58	4 17	14 20	10 43
12 20	5 27	3 36	25 58	15 42	20 12	29 35	18 20	4 35	26 46	25 12	8 33	17 23	13 9
12 30	8 10	5 56	28 5	17 49	22 49	2♓32	18 30	6 53	29 19	28 30	12 46	20 23	15 34
12 40	10 53	8 16	0♐11	19 57	25 29	5 30	18 40	9 11	1♒54	1♓51	16 57	23 20	17 58
12 50	13 35	10 35	2 18	22 7	28 12	8 30	18 50	11 30	4 31	5 15	21 4	26 13	20 20
DT	16.1	13.8	12.7	13.2	16.8	18.2		13.9	16.0	20.8	24.0	16.8	14.1
DL	0.0	-9.2	-23.8	-42.3	-29.7	-5.4		0.0	-12.9	-14.3	29.2	29.7	15.0
13 0	16♎17	12♏54	4♐26	24♐18	0♒58	11♓32	19 0	13♑49	7♒10	8♓41	25♈6	29♉2	22♊41
13 10	18 58	15 12	6 33	26 32	3 47	14 34	19 10	16 8	9 51	12 10	29 3	1♊48	25 1
13 20	21 38	17 30	8 41	28 47	6 40	17 38	19 20	18 28	12 34	15 42	2♉55	4 31	27 20
13 30	24 18	19 47	10 49	1♑4	9 37	20 43	19 30	20 49	15 19	19 15	6 41	7 11	29 39
13 40	26 57	22 3	12 58	3 24	12 37	23 48	19 40	23 10	18 6	22 49	10 20	9 48	1♋56
13 50	29 34	24 19	15 8	5 47	15 40	26 54	19 50	25 32	20 56	26 24	13 53	12 23	4 13
DT	15.6	13.5	13.1	14.7	18.9	18.6		14.3	17.2	21.6	20.4	15.0	13.6
DL	0.0	-11.5	-27.1	-46.8	-24.5	-0.0		0.0	-9.9	-0.0	45.2	30.9	14.5
14 0	2♏11	26♏35	17♐18	8♑13	18♒47	0♈0	20 0	27♑55	23♒47	0♈0	17♉20	14♊54	6♋29
14 10	4 46	28 50	19 30	10 41	21 58	3 6	20 10	0♒18	26 40	3 36	20 41	17 23	8 44
14 20	7 21	1♐5	21 42	13 13	25 12	6 12	20 20	2 43	29 35	7 11	23 56	19 50	10 59
14 30	9 54	3 20	23 55	15 49	28 30	9 17	20 30	5 9	2♓32	10 45	27 5	22 15	13 14
14 40	12 27	5 34	26 10	18 29	1♓51	12 22	20 40	7 35	5 30	14 18	0♊8	24 37	15 29
14 50	14 58	7 48	28 26	21 12	5 15	15 26	20 50	10 3	8 30	17 50	3 6	26 58	17 43
DT	14.9	13.4	13.8	17.1	20.8	18.2		14.9	18.2	20.8	17.1	13.8	13.4
DL	0.0	-13.3	-29.7	-49.0	-14.3	5.4		0.0	-5.4	14.3	49.0	29.7	13.3
15 0	17♏28	10♐3	0♑43	24♑1	8♓41	18♈28	21 0	12♒32	11♓32	21♈19	5♊59	29♊17	19♋57
15 10	19 57	12 17	3 2	26 54	12 10	21 30	21 10	15 2	14 34	24 45	8 48	1♋34	22 12
15 20	22 25	14 31	5 23	29 52	15 42	24 30	21 20	17 33	17 38	28 9	11 31	3 50	24 26
15 30	24 51	16 46	7 45	2♒55	19 15	27 28	21 30	20 6	20 43	1♉30	14 11	6 5	26 40
15 40	27 17	19 1	10 10	6 4	22 49	0♉25	21 40	22 39	23 48	4 48	16 47	8 18	28 55
15 50	29 42	21 16	12 37	9 19	26 24	3 20	21 50	25 14	26 54	8 2	19 19	10 30	1♌10
DT	14.3	13.6	15.0	20.4	21.6	17.2		15.6	18.6	18.9	14.7	13.1	13.5
DL	0.0	-14.5	-30.9	-45.2	-0.0	9.9		0.0	-0.0	24.5	46.8	27.1	11.5
16 0	2♐5	23♐31	15♑6	12♒40	0♈0	6♉13	22 0	27♒49	0♈0	11♉13	21♊47	12♋42	3♌25
16 10	4 28	25 47	17 37	16 7	3 36	9 4	22 10	0♓26	3 6	14 20	24 13	14 52	5 41
16 20	6 50	28 4	20 12	19 40	7 11	11 54	22 20	3 3	6 12	17 23	26 36	17 2	7 57
16 30	9 11	0♑21	22 49	23 19	10 45	14 41	22 30	5 42	9 17	20 23	28 56	19 11	10 13
16 40	11 32	2 40	25 29	27 5	14 18	17 26	22 40	8 22	12 22	23 20	1♋13	21 19	12 30
16 50	13 52	4 59	28 12	0♓57	17 50	20 9	22 50	11 2	15 26	26 13	3 28	23 27	14 48
DT	13.9	14.1	16.8	24.0	20.8	16.0		16.1	18.2	16.8	13.2	12.7	13.8
DL	0.0	-15.0	-29.7	-29.2	14.3	12.9		0.0	5.4	29.7	42.3	23.8	9.2
17 0	16♐11	7♑19	0♒58	4♓54	21♈19	22♉50	23 0	13♓43	18♈28	29♈2	5♋42	25♋34	17♌6
17 10	18 30	9 40	3 47	8 56	24 45	25 29	23 10	16 25	21 30	1♋48	7 53	27 42	19 25
17 20	20 49	12 2	6 40	13 3	28 9	28 6	23 20	19 7	24 30	4 31	10 3	29 49	21 44
17 30	23 7	14 26	9 37	17 14	1♉30	0♊41	23 30	21 50	27 28	7 11	12 11	1♌55	24 4
17 40	25 25	16 51	12 37	21 27	4 48	3 14	23 40	24 33	0♉25	9 48	14 18	4 2	26 24
17 50	27 42	19 17	15 40	25 43	8 2	5 45	23 50	27 17	3 20	12 23	16 23	6 9	28 45

LATITUDE 41 DEGREES							PLACIDUS HOUSES						
S.T.	10	11	12	1	2	3	S.T.	10	11	12	1	2	3
DT	*16.3*	*17.3*	*15.0*	*12.3*	*12.6*	*14.1*		*13.8*	*13.5*	*12.9*	*11.9*	*12.9*	*13.5*
DL	*0.0*	*10.3*	*32.1*	*37.9*	*20.4*	*6.6*		*0.0*	*11.8*	*10.9*	*0.0*	*-10.9*	*-11.8*
0 0	0♈0	6♉23	15♊25	19♋4	8♌35	1♍13	6 0	0♋0	3♌37	4♍1	0♎0	25♎59	26♏23
0 10	2 43	9 15	17 54	21 7	10 41	3 35	6 10	2 18	5 52	6 9	1 59	28 8	28 38
0 20	5 27	12 5	20 21	23 8	12 47	5 57	6 20	4 35	8 8	8 18	3 57	0♏16	0♐53
0 30	8 10	14 52	22 45	25 9	14 54	8 20	6 30	6 53	10 24	10 28	5 56	2 24	3 7
0 40	10 53	17 38	25 8	27 9	17 0	10 43	6 40	9 11	12 40	12 37	7 55	4 32	5 21
0 50	13 35	20 21	27 28	29 9	19 7	13 7	6 50	11 30	14 58	14 47	9 53	6 39	7 35
DT	*16.1*	*16.0*	*13.8*	*11.9*	*12.7*	*14.4*		*13.9*	*13.8*	*13.0*	*11.8*	*12.7*	*13.4*
DL	*0.0*	*13.4*	*30.7*	*32.1*	*15.8*	*3.4*		*0.0*	*9.5*	*5.6*	*-6.9*	*-15.8*	*-13.7*
1 0	16♈17	23♉3	29♊47	1♌7	21♌14	15♍31	7 0	13♋49	17♌15	16♍57	11♎52	8♏46	9♐49
1 10	[illegible]	[illegible]	[illegible]	[illegible]	[illegible]	[illegible]	7 10	[illegible]	[illegible]	[illegible]	[illegible]	[illegible]	[illegible]
1 20	21 38	28 19	4 19	5 4	25 28	20 20	7 20	18 28	21 52	21 18	15 49	13 0	14 18
1 30	24 18	0♊55	6 33	7 2	27 36	22 45	7 30	20 49	24 12	23 28	17 47	15 6	16 32
1 40	26 57	3 28	8 46	8 59	29 44	25 10	7 40	23 10	26 32	25 39	19 45	17 13	18 47
1 50	29 34	6 0	10 58	10 56	1♍52	27 35	7 50	25 32	28 52	27 49	21 43	19 19	21 1
DT	*15.6*	*14.9*	*13.0*	*11.7*	*12.9*	*14.5*		*14.3*	*14.1*	*13.1*	*11.8*	*12.6*	*13.6*
DL	*0.0*	*15.1*	*27.9*	*26.2*	*10.9*	*0.0*		*0.0*	*6.6*	*0.0*	*-13.6*	*-20.4*	*-15.0*
2 0	2♉11	8♊29	13♋9	12♌53	4♍1	0♎0	8 0	27♋55	1♍13	0♎0	23♎41	21♏25	23♐17
2 10	4 46	10 58	15 19	14 51	6 9	2 25	8 10	0♌18	3 35	2 11	25 38	23 31	25 33
2 20	7 21	13 24	17 28	16 47	8 18	4 50	8 20	2 43	5 57	4 21	27 36	25 37	27 49
2 30	9 54	15 49	19 36	18 44	10 28	7 15	8 30	5 9	8 20	6 32	29 33	27 43	0♑7
2 40	12 27	18 13	21 44	20 41	12 37	9 40	8 40	7 35	10 43	8 42	1♏30	29 49	2 25
2 50	14 58	20 35	23 51	22 38	14 47	12 5	8 50	10 3	13 7	10 53	3 28	1♐55	4 44
DT	*14.9*	*14.1*	*12.7*	*11.7*	*13.0*	*14.4*		*14.9*	*14.4*	*13.0*	*11.7*	*12.7*	*14.1*
DL	*0.0*	*15.5*	*24.4*	*20.0*	*5.6*	*-3.4*		*0.0*	*3.4*	*-5.6*	*-20.0*	*-24.4*	*-15.5*
3 0	17♉28	22♊56	25♋58	24♌35	16♍57	14♎29	9 0	12♌32	15♍31	13♎3	5♏25	4♐2	7♑4
3 10	19 57	25 16	28 5	26 32	19 7	16 53	9 10	15 2	17 55	15 13	7 22	6 9	9 25
3 20	22 25	27 35	0♌11	28 30	21 18	19 17	9 20	17 33	20 20	17 23	9 19	8 16	11 47
3 30	24 51	29 53	2 17	0♍27	23 28	21 40	9 30	20 6	22 45	19 32	11 16	10 24	14 11
3 40	27 17	2♋11	4 23	2 24	25 39	24 3	9 40	22 39	25 10	21 42	13 13	12 32	16 36
3 50	29 42	4 27	6 29	4 22	27 49	26 25	9 50	25 14	27 35	23 51	15 9	14 41	19 2
DT	*14.3*	*13.6*	*12.6*	*11.8*	*13.1*	*14.1*		*15.6*	*14.5*	*12.9*	*11.7*	*13.0*	*14.9*
DL	*0.0*	*15.0*	*20.4*	*13.6*	*0.0*	*-6.6*		*0.0*	*0.0*	*-10.9*	*-26.2*	*-27.9*	*-15.1*
4 0	2♊5	6♋43	8♌35	6♍19	0♎0	28♎47	10 0	27♌49	0♎0	25♎59	17♏7	16♐51	21♑31
4 10	4 28	8 59	10 41	8 17	2 11	1♏8	10 10	0♍26	2 25	28 8	19 4	19 2	24 0
4 20	6 50	11 13	12 47	10 15	4 21	3 28	10 20	3 3	4 50	0♏16	21 1	21 14	26 32
4 30	9 11	13 28	14 54	12 13	6 32	5 48	10 30	5 42	7 15	2 24	22 58	23 27	29 5
4 40	11 32	15 42	17 0	14 11	8 42	8 8	10 40	8 22	9 40	4 32	24 56	25 41	1♒41
4 50	13 52	17 57	19 7	16 10	10 53	10 27	10 50	11 2	12 5	6 39	26 54	27 56	4 18
DT	*13.9*	*13.4*	*12.7*	*11.8*	*13.0*	*13.8*		*16.1*	*14.4*	*12.7*	*11.9*	*13.8*	*16.0*
DL	*0.0*	*13.7*	*15.8*	*6.9*	*-5.6*	*-9.5*		*0.0*	*-3.4*	*-15.8*	*-32.1*	*-30.7*	*-13.4*
5 0	16♊11	20♋11	21♌14	18♍8	13♎3	12♏45	11 0	13♍43	14♎29	8♏46	28♏53	0♑13	6♒57
5 10	18 30	22 25	23 21	20 7	15 13	15 2	11 10	16 25	16 53	10 53	0♐51	2 32	9 39
5 20	20 49	24 39	25 28	22 5	17 23	17 20	11 20	19 7	19 17	13 0	2 51	4 52	12 22
5 30	23 7	26 53	27 36	24 4	19 32	19 36	11 30	21 50	21 40	15 6	4 51	7 15	15 8
5 40	25 25	29 7	29 44	26 3	21 42	21 52	11 40	24 33	24 3	17 13	6 52	9 39	17 55
5 50	27 42	1♌22	1♍52	28 1	23 51	24 8	11 50	27 17	26 25	19 19	8 53	12 6	20 45

LATITUDE 41 DEGREES PLACIDUS HOUSES

S.T.	10	11	12	1	2	3	S.T.	10	11	12	1	2	3
DT	*16.3*	*14.1*	*12.6*	*12.3*	*15.0*	*17.3*		*13.8*	*14.9*	*19.0*	*26.2*	*19.0*	*14.9*
DL	*0.0*	*-6.6*	*-20.4*	*-37.9*	*-32.1*	*-10.3*		*0.0*	*-15.1*	*-25.7*	*-0.0*	*25.7*	*15.1*
12 0	0♎ 0	28♎47	21♏25	10♐56	14♑35	23♒37	18 0	0♑ 0	21♑31	18♒23	0♈ 0	11♉37	8♊29
12 10	2 43	1♏ 8	23 31	12 59	17 6	26 31	18 10	2 18	24 0	21 35	4 22	14 45	10 58
12 20	5 27	3 28	25 37	15 4	19 41	29 26	18 20	4 35	26 32	24 51	8 43	17 50	13 24
12 30	8 10	5 48	27 43	17 9	22 18	2♓24	18 30	6 53	29 5	28 10	13 2	20 51	15 49
12 40	10 53	8 8	29 49	19 17	24 58	5 23	18 40	9 11	1♒41	1♓33	17 18	23 48	18 13
12 50	13 35	10 27	1♐55	21 26	27 41	8 24	18 50	11 30	4 18	4 58	21 29	26 42	20 35
DT	*16.1*	*13.8*	*12.7*	*13.1*	*16.8*	*18.3*		*13.9*	*16.0*	*21.0*	*24.4*	*16.8*	*14.1*
DL	*0.0*	*-9.5*	*-24.4*	*-43.4*	*-31.0*	*-5.6*		*0.0*	*-13.4*	*-15.0*	*31.3*	*31.0*	*15.5*
13 0	16♎17	12♏45	4♐ 2	23♐36	0♒28	11♓26	19 0	13♑49	6♒57	8♓27	25♈35	29♉32	22♊56
13 10	18 58	15 2	6 9	25 49	3 18	14 30	19 10	16 8	9 39	11 58	29 36	2♊19	25 16
13 20	21 38	17 20	8 16	28 3	6 12	17 35	19 20	18 28	12 22	15 32	3♉31	5 2	27 35
13 30	24 18	19 36	10 24	0♑20	9 9	20 40	19 30	20 49	15 8	19 7	7 20	7 42	29 53
13 40	26 57	21 52	12 32	2 39	12 10	23 46	19 40	23 10	17 55	22 44	11 1	10 19	2♋11
13 50	29 34	24 8	14 41	5 1	15 15	26 53	19 50	25 32	20 45	26 22	14 37	12 54	4 27
DT	*15.6*	*13.5*	*13.0*	*14.6*	*19.0*	*18.7*		*14.3*	*17.3*	*21.8*	*20.5*	*15.0*	*13.6*
DL	*0.0*	*-11.8*	*-27.9*	*-48.4*	*-25.7*	*-0.0*		*0.0*	*-10.3*	*-0.0*	*47.7*	*32.1*	*15.0*
14 0	2♏11	26♏23	16♐51	7♑26	18♒23	0♈ 0	20 0	27♑55	23♒37	0♈ 0	18♉ 5	15♊25	6♋43
14 10	4 46	28 38	19 2	9 54	21 35	3 7	20 10	0♒18	26 31	3 38	21 28	17 54	8 59
14 20	7 21	0♐53	21 14	12 25	24 51	6 14	20 20	2 43	29 26	7 16	24 43	20 21	11 13
14 30	9 54	3 7	23 27	15 1	28 10	9 20	20 30	5 9	2♓24	10 53	27 53	22 45	13 28
14 40	12 27	5 21	25 41	17 40	1♓33	12 25	20 40	7 35	5 23	14 28	0♊57	25 8	15 42
14 50	14 58	7 35	27 56	20 23	4 58	15 30	20 50	10 3	8 24	18 2	3 55	27 28	17 57
DT	*14.9*	*13.4*	*13.8*	*17.1*	*21.0*	*18.3*		*14.9*	*18.3*	*21.0*	*17.1*	*13.8*	*13.4*
DL	*0.0*	*-13.7*	*-30.7*	*-51.2*	*-15.0*	*5.6*		*0.0*	*-5.6*	*15.0*	*51.2*	*30.7*	*13.7*
15 0	17♏28	9♐49	0♑13	23♑12	8♓27	18♈34	21 0	12♒32	11♓26	21♈33	6♊48	29♊47	20♋11
15 10	19 57	12 3	2 32	26 5	11 58	21 36	21 10	15 2	14 30	25 2	9 37	2♋ 4	22 25
15 20	22 25	14 18	4 52	29 3	15 32	24 37	21 20	17 33	17 35	28 27	12 20	4 19	24 39
15 30	24 51	16 32	7 15	2♒ 7	19 7	27 36	21 30	20 6	20 40	1♉50	14 59	6 33	26 53
15 40	27 17	18 47	9 39	5 17	22 44	0♉34	21 40	22 39	23 46	5 9	17 35	8 46	29 7
15 50	29 42	21 1	12 6	8 32	26 22	3 29	21 50	25 14	26 53	8 25	20 6	10 58	1♌22
DT	*14.3*	*13.6*	*15.0*	*20.5*	*21.8*	*17.3*		*15.6*	*18.7*	*19.0*	*14.6*	*13.0*	*13.5*
DL	*0.0*	*-15.0*	*-32.1*	*-47.7*	*-0.0*	*10.3*		*0.0*	*-0.0*	*25.7*	*48.4*	*27.9*	*11.8*
16 0	2♐ 5	23♐17	14♑35	11♒55	0♈ 0	6♉23	22 0	27♒49	0♈ 0	11♉37	22♊34	13♋ 9	3♌37
16 10	4 28	25 33	17 6	15 23	3 38	9 15	22 10	0♓26	3 7	14 45	24 59	15 19	5 52
16 20	6 50	27 49	19 41	18 59	7 16	12 5	22 20	3 3	6 14	17 50	27 21	17 28	8 8
16 30	9 11	0♑ 7	22 18	22 40	10 53	14 52	22 30	5 42	9 20	20 51	29 40	19 36	10 24
16 40	11 32	2 25	24 58	26 29	14 28	17 38	22 40	8 22	12 25	23 48	1♋57	21 44	12 40
16 50	13 52	4 44	27 41	0♓24	18 2	20 21	22 50	11 2	15 30	26 42	4 11	23 51	14 58
DT	*13.9*	*14.1*	*16.8*	*24.4*	*21.0*	*16.0*		*16.1*	*18.3*	*16.8*	*13.1*	*12.7*	*13.8*
DL	*0.0*	*-15.5*	*-31.0*	*-31.3*	*15.0*	*13.4*		*0.0*	*5.6*	*31.0*	*43.4*	*24.4*	*9.5*
17 0	16♐11	7♑ 4	0♒28	4♓25	21♈33	23♉ 3	23 0	13♓43	18♈34	29♉32	6♋24	25♋58	17♌15
17 10	18 30	9 25	3 18	8 31	25 2	25 42	23 10	16 25	21 36	2♊19	8 34	28 5	19 33
17 20	20 49	11 47	6 12	12 42	28 27	28 19	23 20	19 7	24 37	5 2	10 43	0♌11	21 52
17 30	23 7	14 11	9 9	16 58	1♉50	0♊55	23 30	21 50	27 36	7 42	12 51	2 17	24 12
17 40	25 25	16 36	12 10	21 17	5 9	3 28	23 40	24 33	0♉34	10 19	14 56	4 23	26 32
17 50	27 42	19 2	15 15	25 38	8 25	6 0	23 50	27 17	3 29	12 54	17 1	6 29	28 52

LATITUDE 42 DEGREES   PLACIDUS HOUSES

S.T.	10	11	12	1	2	3	S.T.	10	11	12	1	2	3
DT	16.3	17.3	15.0	12.2	12.5	14.1		13.8	13.5	12.8	11.8	12.8	13.5
DL	0.0	10.7	33.4	38.8	20.8	6.8		0.0	12.2	11.1	0.0	-11.1	-12.2
0 0	0♈0	6♉33	15♊57	19♋42	8♌56	1♍20	6 0	0♋0	3♌49	4♍11	0♎0	25♎49	26♏11
0 10	2 43	9 26	18 26	21 44	11 1	3 41	6 10	2 18	6 4	6 19	1 58	27 56	28 26
0 20	5 27	12 16	20 53	23 44	13 6	6 3	6 20	4 35	8 19	8 28	3 55	0♏4	0♐40
0 30	8 10	15 4	23 17	25 44	15 12	8 25	6 30	6 53	10 35	10 36	5 53	2 11	2 54
0 40	10 53	17 50	25 39	27 43	17 18	10 48	6 40	9 11	12 51	12 45	7 50	4 18	5 8
0 50	13 35	20 34	27 59	29 42	19 23	13 11	6 50	11 30	15 7	14 54	9 48	6 24	7 22
DT	16.1	16.1	13.7	11.8	12.6	14.4		13.9	13.8	12.9	11.7	12.6	13.4
DL	0.0	14.0	31.8	32.7	16.2	3.5		0.0	9.7	5.7	-7.0	-16.2	-14.1
1 0	16♈17	23♉16	0♋18	1♌40	21♌30	15♍34	7 0	13♋49	17♌25	17♍3	11♎45	8♏30	9♐36
1 10	19 0	25 55	2 34	3 37	23 36	17 55	7 10	16 0	19 40	19 12	13 42	10 31	11 50
1 20	21 38	28 33	4 49	5 34	25 42	20 22	7 20	18 28	22 1	21 21	15 39	12 42	14 3
1 30	24 18	1♊9	7 3	7 31	27 49	22 46	7 30	20 49	24 20	23 31	17 36	14 48	16 18
1 40	26 57	3 43	9 15	9 27	29 56	25 11	7 40	23 10	26 39	25 41	19 33	16 54	18 32
1 50	29 34	6 14	11 26	11 24	2♍4	27 35	7 50	25 32	28 59	27 50	21 30	18 59	20 47
DT	15.6	14.9	13.0	11.6	12.8	14.5		14.3	14.1	13.0	11.7	12.5	13.5
DL	0.0	15.7	28.8	26.6	11.1	0.0		0.0	6.8	0.0	-13.8	-20.8	-15.5
2 0	2♉11	8♊44	13♋37	13♌20	4♍11	0♎0	8 0	27♋55	1♍20	0♎0	23♎27	21♏4	23♐2
2 10	4 46	11 13	15 46	15 16	6 19	2 25	8 10	0♌18	3 41	2 10	25 24	23 10	25 18
2 20	7 21	13 39	17 55	17 12	8 28	4 49	8 20	2 43	6 3	4 19	27 20	25 15	27 34
2 30	9 54	16 5	20 2	19 8	10 36	7 14	8 30	5 9	8 25	6 29	29 16	27 20	29 51
2 40	12 27	18 28	22 10	21 3	12 45	9 38	8 40	7 35	10 48	8 39	1♏13	29 26	2♑9
2 50	14 58	20 51	24 16	22 59	14 54	12 2	8 50	10 3	13 11	10 48	3 9	1♐31	4 28
DT	14.9	14.1	12.6	11.6	12.9	14.4		14.9	14.4	12.9	11.6	12.6	14.1
DL	0.0	16.1	25.1	20.3	5.7	-3.5		0.0	3.5	-5.7	-20.3	-25.1	-16.1
3 0	17♉28	23♊12	26♋23	24♌55	17♍3	14♎26	9 0	12♌32	15♍34	12♎57	5♏5	3♐37	6♑48
3 10	19 57	25 32	28 29	26 51	19 12	16 49	9 10	15 2	17 58	15 6	7 1	5 44	9 9
3 20	22 25	27 51	0♌34	28 47	21 21	19 12	9 20	17 33	20 22	17 15	8 57	7 50	11 32
3 30	24 51	0♋9	2 40	0♍44	23 31	21 35	9 30	20 6	22 46	19 24	10 52	9 58	13 55
3 40	27 17	2 26	4 45	2 40	25 41	23 57	9 40	22 39	25 11	21 32	12 48	12 5	16 21
3 50	29 42	4 42	6 50	4 36	27 50	26 19	9 50	25 14	27 35	23 41	14 44	14 14	18 47
DT	14.3	13.5	12.5	11.7	13.0	14.1		15.6	14.5	12.8	11.6	13.0	14.9
DL	0.0	15.5	20.8	13.8	0.0	-6.8		0.0	0.0	-11.1	-26.6	-28.8	-15.7
4 0	2♊5	6♋58	8♌56	6♍33	0♎0	28♎40	10 0	27♌49	0♎0	25♎49	16♏40	16♐23	21♑16
4 10	4 28	9 13	11 1	8 30	2 10	1♏1	10 10	0♍26	2 25	27 56	18 36	18 34	23 46
4 20	6 50	11 28	13 6	10 27	4 19	3 21	10 20	3 3	4 49	0♏4	20 33	20 45	26 17
4 30	9 11	13 42	15 12	12 24	6 29	5 40	10 30	5 42	7 14	2 11	22 29	22 57	28 51
4 40	11 32	15 57	17 18	14 21	8 39	7 59	10 40	8 22	9 38	4 18	24 26	25 11	1♒27
4 50	13 52	18 10	19 23	16 18	10 48	10 17	10 50	11 2	12 2	6 24	26 23	27 26	4 4
DT	13.9	13.4	12.6	11.7	12.9	13.8		16.1	14.4	12.6	11.8	13.7	16.1
DL	0.0	14.1	16.2	7.0	-5.7	-9.7		0.0	-3.5	-16.2	-32.7	-31.8	-14.0
5 0	16♊11	20♋24	21♌30	18♍15	12♎57	12♏35	11 0	13♌43	14♎26	8♏30	28♏20	29♐42	6♒44
5 10	18 30	22 38	23 36	20 12	15 6	14 53	11 10	16 25	16 49	10 37	0♐18	2♑1	9 26
5 20	20 49	24 52	25 42	22 10	17 15	17 9	11 20	19 7	19 12	12 42	2 17	4 21	12 10
5 30	23 7	27 6	27 49	24 7	19 24	19 25	11 30	21 50	21 35	14 48	4 16	6 43	14 56
5 40	25 25	29 20	29 56	26 5	21 32	21 41	11 40	24 33	23 57	16 54	6 16	9 7	17 44
5 50	27 42	1♌34	2♍4	28 2	23 41	23 56	11 50	27 17	26 19	18 59	8 16	11 34	20 34

LATITUDE 42 DEGREES PLACIDUS HOUSES

S.T.	10	11	12	1	2	3	S.T.	10	11	12	1	2	3
DT	16.3	14.1	12.5	12.2	15.0	17.3		13.8	14.9	19.2	26.8	19.2	14.9
DL	0.0	-6.8	-20.8	-38.8	-33.4	-10.7		0.0	-15.7	-27.1	-0.0	27.1	15.7
12 0	0♎0	28♎40	21♏4	10♐18	14♑3	23♒27	18 0	0♑0	21♑16	17♒57	0♈0	12♉3	8♊44
12 10	2 43	1♏1	23 10	12 20	16 34	26 21	18 10	2 18	23 46	21 11	4 28	15 12	11 13
12 20	5 27	3 21	25 15	14 24	19 9	29 17	18 20	4 35	26 17	24 28	8 55	18 18	13 39
12 30	8 10	5 40	27 20	16 29	21 46	2♓16	18 30	6 53	28 51	27 49	13 19	21 20	16 5
12 40	10 53	7 59	29 26	18 35	24 26	5 16	18 40	9 11	1♒27	1♓13	17 40	24 18	18 28
12 50	13 35	10 17	1♐31	20 43	27 10	8 17	18 50	11 30	4 4	4 41	21 56	27 12	20 51
DT	16.1	13.8	12.6	13.1	16.9	18.4		13.9	16.1	21.2	24.8	16.9	14.1
DL	0.0	-9.7	-25.1	-44.7	-32.5	-5.9		0.0	-14.0	-15.9	33.5	32.5	16.1
13 0	16♎17	12♏35	3♐37	22♐53	29♑57	11♓21	19 0	13♑49	6♒44	8♓12	26♈7	0♊3	23♊12
13 10	18 58	14 53	5 44	25 4	2♒48	14 25	19 10	16 8	9 26	11 45	0♉11	2 50	25 32
13 20	21 38	17 9	7 50	27 18	5 42	17 31	19 20	18 28	12 10	15 21	4 10	5 34	27 51
13 30	24 18	19 25	9 58	29 34	8 40	20 37	19 30	20 49	14 56	18 59	8 1	8 14	0♋9
13 40	26 57	21 41	12 5	1♑52	11 42	23 44	19 40	23 10	17 44	22 39	11 46	10 51	2 26
13 50	29 34	23 56	14 14	4 13	14 48	26 52	19 50	25 32	20 34	26 19	15 23	13 26	4 42
DT	15.6	13.5	13.0	14.6	19.2	18.8		14.3	17.3	22.1	20.7	15.0	13.5
DL	0.0	-12.2	-28.8	-50.1	-27.1	-0.0		0.0	-10.7	-0.0	50.5	33.4	15.5
14 0	2♏11	26♏11	16♐23	6♑37	17♒57	0♈0	20 0	27♑55	23♒27	0♈0	18♉53	15♊57	6♋58
14 10	4 46	28 26	18 34	9 5	21 11	3 8	20 10	0♒18	26 21	3 41	22 17	18 26	9 13
14 20	7 21	0♐40	20 45	11 36	24 28	6 16	20 20	2 43	29 17	7 21	25 33	20 53	11 28
14 30	9 54	2 54	22 57	14 10	27 49	9 23	20 30	5 9	2♓16	11 1	28 44	23 17	13 42
14 40	12 27	5 8	25 11	16 49	1♓13	12 29	20 40	7 35	5 16	14 39	1♊48	25 39	15 57
14 50	14 58	7 22	27 26	19 32	4 41	15 35	20 50	10 3	8 17	18 15	4 46	27 59	18 10
DT	14.9	13.4	13.7	17.1	21.2	18.4		14.9	18.4	21.2	17.1	13.7	13.4
DL	0.0	-14.1	-31.8	-53.5	-15.9	5.9		0.0	-5.9	15.9	53.5	31.8	14.1
15 0	17♏28	9♐36	29♐42	22♑20	8♓12	18♈39	21 0	12♒32	11♓21	21♈48	7♊40	0♋18	20♋24
15 10	19 57	11 50	2♑1	25 14	11 45	21 43	21 10	15 2	14 25	25 19	10 28	2 34	22 38
15 20	22 25	14 3	4 21	28 12	15 21	24 44	21 20	17 33	17 31	28 47	13 11	4 49	24 52
15 30	24 51	16 18	6 43	1♒16	18 59	27 44	21 30	20 6	20 37	2♉11	15 50	7 3	27 6
15 40	27 17	18 32	9 7	4 27	22 39	0♉43	21 40	22 39	23 44	5 32	18 24	9 15	29 20
15 50	29 42	20 47	11 34	7 43	26 19	3 39	21 50	25 14	26 52	8 49	20 55	11 26	1♌34
DT	14.3	13.5	15.0	20.7	22.1	17.3		15.6	18.8	19.2	14.6	13.0	13.5
DL	0.0	-15.5	-33.4	-50.5	-0.0	10.7		0.0	-0.0	27.1	50.1	28.8	12.2
16 0	2♐5	23♐2	14♑3	11♒7	0♈0	6♉33	22 0	27♒49	0♈0	12♉3	23♊23	13♋37	3♌49
16 10	4 28	25 18	16 34	14 37	3 41	9 26	22 10	0♓26	3 8	15 12	25 47	15 46	6 4
16 20	6 50	27 34	19 9	18 14	7 21	12 16	22 20	3 3	6 16	18 18	28 8	17 55	8 19
16 30	9 11	29 51	21 46	21 59	11 1	15 4	22 30	5 42	9 23	21 20	0♋26	20 2	10 35
16 40	11 32	2♑9	24 26	25 50	14 39	17 50	22 40	8 22	12 29	24 18	2 42	22 10	12 51
16 50	13 52	4 28	27 10	29 49	18 15	20 34	22 50	11 2	15 35	27 12	4 56	24 16	15 7
DT	13.9	14.1	16.9	24.8	21.2	16.1		16.1	18.4	16.9	13.1	12.6	13.8
DL	0.0	-16.1	-32.5	-33.5	15.9	14.0		0.0	5.9	32.5	44.7	25.1	9.7
17 0	16♐11	6♑48	29♑57	3♓53	21♈48	23♉16	23 0	13♓43	18♈39	0♊3	7♋7	26♋23	17♌25
17 10	18 30	9 9	2♒48	8 4	25 19	25 56	23 10	16 25	21 43	2 50	9 17	28 29	19 43
17 20	20 49	11 32	5 42	12 20	28 47	28 33	23 20	19 7	24 44	5 34	11 25	0♌34	22 1
17 30	23 7	13 55	8 40	16 41	2♉11	1♊9	23 30	21 50	27 44	8 14	13 31	2 40	24 20
17 40	25 25	16 21	11 42	21 5	5 32	3 43	23 40	24 33	0♉43	10 51	15 36	4 45	26 39
17 50	27 42	18 47	14 48	25 32	8 49	6 14	23 50	27 17	3 39	13 26	17 40	6 50	28 59

LATITUDE 43 DEGREES PLACIDUS HOUSES

S.T.	10	11	12	1	2	3	S.T.	10	11	12	1	2	3
DT	16.3	17.4	15.0	12.1	12.5	14.0		13.8	13.4	12.7	11.6	12.7	13.4
DL	0.0	11.2	34.8	39.7	21.3	7.0		0.0	12.6	11.3	0.0	-11.3	-12.6
0 0	0♈0	6♉44	16♊31	20♋21	9♌16	1♍27	6 0	0♋0	4♌1	4♍23	0♎0	25♎37	25♏59
0 10	2 43	9 37	19 0	22 22	11 21	3 47	6 10	2 18	6 15	6 30	1 56	27 44	28 13
0 20	5 27	12 28	21 26	24 21	13 26	6 9	6 20	4 35	8 30	8 37	3 53	29 51	0♐27
0 30	8 10	15 17	23 50	26 20	15 30	8 30	6 30	6 53	10 46	10 44	5 49	1♏57	2 41
0 40	10 53	18 3	26 12	28 18	17 35	10 52	6 40	9 11	13 1	12 52	7 46	4 3	4 55
0 50	13 35	20 48	28 31	0♌15	19 40	13 15	6 50	11 30	15 18	15 0	9 42	6 9	7 8
DT	16.1	16.1	13.7	11.7	12.5	14.3		13.9	13.7	12.8	11.6	12.5	13.3
DL	0.0	14.6	33.0	33.4	16.5	3.6		0.0	10.0	5.8	-7.1	-16.5	-14.6
1 0	16♈17	23♉30	0♋49	2♌12	21♌46	15♍38	7 0	13♋49	17♌34	17♍8	11♎38	8♏14	9♐22
1 10	18 58	26 10	3 5	4 9	23 51	18 1	7 10	16 8	19 52	19 17	13 34	10 20	11 35
1 20	21 38	28 48	5 20	6 5	25 57	20 24	7 20	18 28	22 10	21 25	15 30	12 25	13 49
1 30	24 18	1♊24	7 33	8 1	28 3	22 48	7 30	20 49	24 28	23 34	17 26	14 30	16 3
1 40	26 57	3 58	9 45	9 56	0♍9	25 12	7 40	23 10	26 47	25 42	19 22	16 34	18 17
1 50	29 34	6 30	11 56	11 51	2 16	27 36	7 50	25 32	29 7	27 51	21 18	18 39	20 31
DT	15.6	14.9	12.9	11.5	12.7	14.4		14.3	14.0	12.9	11.6	12.5	13.5
DL	0.0	16.4	29.7	27.1	11.3	0.0		0.0	7.0	0.0	-14.0	-21.3	-16.1
2 0	2♉11	9♊0	14♋5	13♌46	4♍23	0♎0	8 0	27♋55	1♍27	0♎0	23♎13	20♏44	22♐46
2 10	4 46	11 29	16 14	15 41	6 30	2 24	8 10	0♌18	3 47	2 9	25 9	22 48	25 2
2 20	7 21	13 55	18 22	17 36	8 37	4 48	8 20	2 43	6 9	4 18	27 4	24 53	27 18
2 30	9 54	16 21	20 29	19 31	10 44	7 12	8 30	5 9	8 30	6 26	28 59	26 57	29 35
2 40	12 27	18 44	22 36	21 26	12 52	9 36	8 40	7 35	10 52	8 35	0♏54	29 2	1♑53
2 50	14 58	21 7	24 42	23 21	15 0	11 59	8 50	10 3	13 15	10 43	2 49	1♐7	4 12
DT	14.9	14.1	12.5	11.5	12.8	14.3		14.9	14.3	12.8	11.5	12.5	14.1
DL	0.0	16.8	25.8	20.7	5.8	-3.6		0.0	3.6	-5.8	-20.7	-25.8	-16.8
3 0	17♉28	23♊28	26♋48	25♌16	17♍8	14♎22	9 0	12♌32	15♍38	12♎52	4♏44	3♐12	6♑32
3 10	19 57	25 48	28 53	27 11	19 17	16 45	9 10	15 2	18 1	15 0	6 39	5 18	8 53
3 20	22 25	28 7	0♌58	29 6	21 25	19 8	9 20	17 33	20 24	17 8	8 34	7 24	11 16
3 30	24 51	0♋25	3 3	1♍1	23 34	21 30	9 30	20 6	22 48	19 16	10 29	9 31	13 39
3 40	27 17	2 42	5 7	2 56	25 42	23 51	9 40	22 39	25 12	21 23	12 24	11 38	16 5
3 50	29 42	4 58	7 12	4 51	27 51	26 13	9 50	25 14	27 36	23 30	14 19	13 46	18 31
DT	14.3	13.5	12.5	11.6	12.9	14.0		15.6	14.4	12.7	11.5	12.9	14.9
DL	0.0	16.1	21.3	14.0	0.0	-7.0		0.0	0.0	-11.3	-27.1	-29.7	-16.4
4 0	2♊5	7♋14	9♌16	6♍47	0♎0	28♎33	10 0	27♌49	0♎0	25♎37	16♏14	15♐55	21♑0
4 10	4 28	9 29	11 21	8 42	2 9	0♏53	10 10	0♍26	2 24	27 44	18 9	18 4	23 30
4 20	6 50	11 43	13 26	10 38	4 18	3 13	10 20	3 3	4 48	29 51	20 4	20 15	26 2
4 30	9 11	13 57	15 30	12 34	6 26	5 32	10 30	5 42	7 12	1♏57	21 59	22 27	28 36
4 40	11 32	16 11	17 35	14 30	8 35	7 50	10 40	8 22	9 36	4 3	23 55	24 40	1♒12
4 50	13 52	18 25	19 40	16 26	10 43	10 8	10 50	11 2	11 59	6 9	25 51	26 55	3 50
DT	13.9	13.3	12.5	11.6	12.8	13.7		16.1	14.3	12.5	11.7	13.7	16.1
DL	0.0	14.6	16.5	7.1	-5.8	-10.0		0.0	-3.6	-16.5	-33.4	-33.0	-14.6
5 0	16♊11	20♋38	21♌46	18♍22	12♎52	12♏26	11 0	13♍43	14♎22	8♏14	27♏48	29♐11	6♒30
5 10	18 30	22 52	23 51	20 18	15 0	14 42	11 10	16 25	16 45	10 20	29 45	1♑29	9 12
5 20	20 49	25 5	25 57	22 14	17 8	16 59	11 20	19 7	19 8	12 25	1♐42	3 48	11 57
5 30	23 7	27 19	28 3	24 11	19 16	19 14	11 30	21 50	21 30	14 30	3 40	6 10	14 43
5 40	25 25	29 33	0♍9	26 7	21 23	21 30	11 40	24 33	23 51	16 34	5 39	8 34	17 32
5 50	27 42	1♌47	2 16	28 4	23 30	23 45	11 50	27 17	26 13	18 39	7 38	11 0	20 23

LATITUDE 43 DEGREES PLACIDUS HOUSES

S.T.	10	11	12	1	2	3	S.T.	10	11	12	1	2	3
DT	16.3	14.0	12.5	12.1	15.0	17.4		13.8	14.9	19.3	27.4	19.3	14.9
DL	0.0	−7.0	−21.3	−39.7	−34.8	−11.2		0.0	−16.4	−28.5	−0.0	28.5	16.4
12 0	0♎0	28♎33	20♏44	9♐39	13♑29	23♒16	18 0	0♑0	21♑0	17♒30	0♈0	12♉30	9♊0
12 10	2 43	0♏53	22 48	11 40	16 1	26 11	18 10	2 18	23 30	20 45	4 34	15 41	11 29
12 20	5 27	3 13	24 53	13 43	18 35	29 8	18 20	4 35	26 2	24 4	9 7	18 48	13 55
12 30	8 10	5 32	26 57	15 47	21 13	2♓7	18 30	6 53	28 36	27 27	13 37	21 50	16 21
12 40	10 53	7 50	29 2	17 52	23 53	5 8	18 40	9 11	1♒12	0♓53	18 3	24 49	18 44
12 50	13 35	10 8	1♐7	19 59	26 37	8 11	18 50	11 30	3 50	4 23	22 25	27 44	21 7
DT	16.1	13.7	12.5	13.0	16.9	18.5		13.9	16.1	21.5	25.2	16.9	14.1
DL	0.0	−10.0	−25.8	−46.0	−34.0	−6.1		0.0	−14.6	−16.8	36.0	34.0	16.8
13 0	16♎17	12♏26	3♐12	22♐8	29♑25	11♓15	19 0	13♑49	6♒30	7♓56	26♈40	0♊35	23♊28
13 10	18 58	14 42	5 18	24 19	2♒16	14 20	19 10	16 8	9 12	11 32	0♉49	3 23	25 48
13 20	21 38	16 59	7 24	26 31	5 11	17 27	19 20	18 28	11 57	15 10	4 51	6 7	28 7
13 30	24 18	19 14	9 31	28 46	8 10	20 34	19 30	20 49	14 43	18 51	8 45	8 47	0♋25
13 40	26 57	21 30	11 38	1♑4	11 12	23 42	19 40	23 10	17 32	22 33	12 32	11 25	2 42
13 50	29 34	23 45	13 46	3 24	14 19	26 51	19 50	25 32	20 23	26 16	16 12	13 59	4 58
DT	15.6	13.4	12.9	14.5	19.3	18.9		14.3	17.4	22.4	20.8	15.0	13.5
DL	0.0	−12.6	−29.7	−51.9	−28.5	−0.0		0.0	−11.2	−0.0	53.5	34.8	16.1
14 0	2♏11	25♏59	15♐55	5♑47	17♒30	0♈0	20 0	27♑55	23♒16	0♈0	19♉44	16♊31	7♋14
14 10	4 46	28 13	18 4	8 14	20 45	3 9	20 10	0♒18	26 11	3 44	23 8	19 0	9 29
14 20	7 21	0♐27	20 15	10 44	24 4	6 18	20 20	2 43	29 8	7 27	26 26	21 26	11 43
14 30	9 54	2 41	22 27	13 18	27 27	9 26	20 30	5 9	2♓7	11 9	29 37	23 50	13 57
14 40	12 27	4 55	24 40	15 56	0♈53	12 33	20 40	7 35	5 8	14 50	2♊41	26 12	16 11
14 50	14 58	7 8	26 55	18 39	4 23	15 40	20 50	10 3	8 11	18 28	5 40	28 31	18 25
DT	14.9	13.3	13.7	17.0	21.5	18.5		14.9	18.5	21.5	17.0	13.7	13.3
DL	0.0	−14.6	−33.0	−55.9	−16.8	6.1		0.0	−6.1	16.8	55.9	33.0	14.6
15 0	17♏28	9♐22	29♐11	21♑27	7♓56	18♈45	21 0	12♒32	11♓15	22♈4	8♊33	0♋49	20♋38
15 10	19 57	11 35	1♑29	24 20	11 32	21 49	21 10	15 2	14 20	25 37	11 21	3 5	22 52
15 20	22 25	13 49	3 48	27 19	15 10	24 52	21 20	17 33	17 27	29 7	14 4	5 20	25 5
15 30	24 51	16 3	6 10	0♒23	18 51	27 53	21 30	20 6	20 34	2♉33	16 42	7 33	27 19
15 40	27 17	18 17	8 34	3 34	22 33	0♉52	21 40	22 39	23 42	5 56	19 16	9 45	29 33
15 50	29 42	20 31	11 0	6 52	26 16	3 49	21 50	25 14	26 51	9 15	21 46	11 56	1♌47
DT	14.3	13.5	15.0	20.8	22.4	17.4		15.6	18.9	19.3	14.5	12.9	13.4
DL	0.0	−16.1	−34.8	−53.5	−0.0	11.2		0.0	−0.0	28.5	51.9	29.7	12.6
16 0	2♐5	22♐46	13♑29	10♒16	0♈0	6♉44	22 0	27♒49	0♈0	12♉30	24♊13	14♋5	4♌1
16 10	4 28	25 2	16 1	13 48	3 44	9 37	22 10	0♓26	3 9	15 41	26 36	16 14	6 15
16 20	6 50	27 18	18 35	17 28	7 27	12 28	22 20	3 3	6 18	18 48	28 56	18 22	8 30
16 30	9 11	29 35	21 13	21 15	11 9	15 17	22 30	5 42	9 26	21 50	1♋14	20 29	10 46
16 40	11 32	1♑53	23 53	25 9	14 50	18 3	22 40	8 22	12 33	24 49	3 29	22 36	13 1
16 50	13 52	4 12	26 37	29 11	18 28	20 48	22 50	11 2	15 40	27 44	5 41	24 42	15 18
DT	13.9	14.1	16.9	25.2	21.5	16.1		16.1	18.5	16.9	13.0	12.5	13.7
DL	0.0	−16.8	−34.0	−36.0	16.8	14.6		0.0	6.1	34.0	46.0	25.8	10.0
17 0	16♐11	6♑32	29♑25	3♓20	22♈4	23♉30	23 0	13♓43	18♈45	0♊35	7♋52	26♋48	17♌34
17 10	18 30	8 53	2♒16	7 35	25 37	26 10	23 10	16 25	21 49	3 23	10 1	28 53	19 52
17 20	20 49	11 16	5 11	11 57	29 7	28 48	23 20	19 7	24 52	6 7	12 8	0♌58	22 10
17 30	23 7	13 39	8 10	16 23	2♉33	1♊24	23 30	21 50	27 53	8 47	14 13	3 3	24 28
17 40	25 25	16 5	11 12	20 53	5 56	3 58	23 40	24 33	0♉52	11 25	16 17	5 7	26 47
17 50	27 42	18 31	14 19	25 26	9 15	6 30	23 50	27 17	3 49	13 59	18 20	7 12	29 7

LATITUDE 44 DEGREES   PLACIDUS HOUSES

S.T.	10	11	12	1	2	3	S.T.	10	11	12	1	2	3
DT	16.3	17.5	15.0	12.0	12.4	14.0		13.8	13.4	12.6	11.5	12.6	13.4
DL	0.0	11.7	36.4	40.7	21.9	7.2		0.0	13.0	11.5	0.0	-11.5	-13.0
0 0	0♈0	6♉55	17♊6	21♋1	9♌38	1♍34	6 0	0♋0	4♌13	4♍34	0♎0	25♎26	25♏47
0 10	2 43	9 49	19 34	23 0	11 42	3 54	6 10	2 18	6 27	6 40	1 55	27 32	28 0
0 20	5 27	12 41	22 0	24 59	13 46	6 14	6 20	4 35	8 42	8 46	3 50	29 38	0♐14
0 30	8 10	15 30	24 24	26 56	15 49	8 35	6 30	6 53	10 57	10 53	5 46	1♏43	2 27
0 40	10 53	18 17	26 45	28 53	17 54	10 57	6 40	9 11	13 12	13 0	7 41	3 48	4 41
0 50	13 35	21 2	29 5	0♌50	19 58	13 19	6 50	11 30	15 28	15 7	9 36	5 53	6 54
DT	16.1	16.2	13.7	11.6	12.5	14.2		13.9	13.7	12.7	11.5	12.5	13.3
DL	0.0	15.3	34.2	34.1	16.9	3.7		0.0	10.3	5.9	-7.2	-16.9	-15.2
1 0	16♈17	23♉45	1♋22	2♌46	22♌2	15♍41	7 0	13♋49	17♌44	17♍14	11♎31	7♏58	9♐7
1 10	18 58	26 25	3 38	4 41	24 7	18 4	7 10	16 8	20 1	19 22	13 26	10 2	11 20
1 20	21 38	29 3	5 52	6 36	26 12	20 27	7 20	18 28	22 19	21 29	15 21	12 6	13 34
1 30	24 18	1♊40	8 5	8 31	28 17	22 50	7 30	20 49	24 37	23 37	17 16	14 11	15 47
1 40	26 57	4 14	10 16	10 25	0♍22	25 13	7 40	23 10	26 55	25 44	19 10	16 14	18 1
1 50	29 34	6 46	12 26	12 19	2 28	27 37	7 50	25 32	29 14	27 52	21 5	18 18	20 15
DT	15.6	15.0	12.9	11.4	12.6	14.3		14.3	14.0	12.8	11.4	12.4	13.5
DL	0.0	17.1	30.7	27.6	11.5	0.0		0.0	7.2	0.0	-14.2	-21.9	-16.7
2 0	2♉11	9♊17	14♋35	14♌13	4♍34	0♎0	8 0	27♋55	1♍34	0♎0	22♎59	20♏22	22♐30
2 10	4 46	11 45	16 43	16 7	6 40	2 23	8 10	0♌18	3 54	2 8	24 54	22 26	24 46
2 20	7 21	14 12	18 51	18 1	8 46	4 47	8 20	2 43	6 14	4 16	26 48	24 30	27 2
2 30	9 54	16 37	20 57	19 55	10 53	7 10	8 30	5 9	8 35	6 23	28 42	26 34	29 19
2 40	12 27	19 1	23 3	21 49	13 0	9 33	8 40	7 35	10 57	8 31	0♍36	28 38	1♑37
2 50	14 58	21 24	25 8	23 42	15 7	11 56	8 50	10 3	13 19	10 38	2 30	0♐42	3 55
DT	14.9	14.1	12.5	11.4	12.7	14.2		14.9	14.2	12.7	11.4	12.5	14.1
DL	0.0	17.5	26.5	21.0	5.9	-3.7		0.0	3.7	-5.9	-21.0	-26.5	-17.5
3 0	17♉28	23♊45	27♋13	25♌36	17♍14	14♎19	9 0	12♌32	15♍41	12♎46	4♏24	2♐47	6♑15
3 10	19 57	26 5	29 18	27 30	19 22	16 41	9 10	15 2	18 4	14 53	6 18	4 52	8 36
3 20	22 25	28 23	1♋22	29 24	21 29	19 3	9 20	17 33	20 27	17 0	8 11	6 57	10 59
3 30	24 51	0♋41	3 26	1♍18	23 37	21 25	9 30	20 6	22 50	19 7	10 5	9 3	13 23
3 40	27 17	2 58	5 30	3 12	25 44	23 46	9 40	22 39	25 13	21 14	11 59	11 9	15 48
3 50	29 42	5 14	7 34	5 6	27 52	26 6	9 50	25 14	27 37	23 20	13 53	13 17	18 15
DT	14.3	13.5	12.4	11.4	12.8	14.0		15.6	14.3	12.6	11.4	12.9	15.0
DL	0.0	16.7	21.9	14.2	0.0	-7.2		0.0	0.0	-11.5	-27.6	-30.7	-17.1
4 0	2♊5	7♋30	9♌38	7♍1	0♎0	28♎26	10 0	27♌49	0♎0	25♎26	15♏47	15♐25	20♑43
4 10	4 28	9 45	11 42	8 55	2 8	0♏46	10 10	0♍26	2 23	27 32	17 41	17 34	23 14
4 20	6 50	11 59	13 46	10 50	4 16	3 5	10 20	3 3	4 47	29 38	19 35	19 44	25 46
4 30	9 11	14 13	15 49	12 44	6 23	5 23	10 30	5 42	7 10	1♏43	21 29	21 55	28 20
4 40	11 32	16 26	17 54	14 39	8 31	7 41	10 40	8 22	9 33	3 48	23 24	24 8	0♒57
4 50	13 52	18 40	19 58	16 34	10 38	9 59	10 50	11 2	11 56	5 53	25 19	26 22	3 35
DT	13.9	13.3	12.5	11.5	12.7	13.7		16.1	14.2	12.5	11.6	13.7	16.2
DL	0.0	15.2	16.9	7.2	-5.9	-10.3		0.0	-3.7	-16.9	-34.1	-34.2	-15.3
5 0	16♊11	20♋53	22♌2	18♍29	12♎46	12♏16	11 0	13♍43	14♎19	7♏58	27♏14	28♐38	6♒15
5 10	18 30	23 6	24 7	20 24	14 53	14 32	11 10	16 25	16 41	10 2	29 10	0♑55	8 58
5 20	20 49	25 19	26 12	22 19	17 0	16 48	11 20	19 7	19 3	12 6	1♐7	3 15	11 43
5 30	23 7	27 33	28 17	24 14	19 7	19 3	11 30	21 50	21 25	14 11	3 4	5 36	14 30
5 40	25 25	29 46	0♍22	26 10	21 14	21 18	11 40	24 33	23 46	16 14	5 1	8 0	17 19
5 50	27 42	2♌0	2 28	28 5	23 20	23 33	11 50	27 17	26 6	18 18	7 0	10 26	20 11

LATITUDE 44 DEGREES PLACIDUS HOUSES

S.T.	10	11	12	1	2	3	S.T.	10	11	12	1	2	3
DT	*16.3*	*14.0*	*12.4*	*12.0*	*15.0*	*17.5*		*13.8*	*15.0*	*19.4*	*28.1*	*19.4*	*15.0*
DL	*0.0*	*-7.2*	*-21.9*	*-40.7*	*-36.4*	*-11.7*		*0.0*	*-17.1*	*-30.1*	*-0.0*	*30.1*	*17.1*
12 0	0♎ 0	28♎26	20♏22	8♐59	12♑54	23♒ 5	18 0	0♑ 0	20♑43	17♒ 2	0♈ 0	12♉58	9♊17
12 10	2 43	0♏46	22 26	11 0	15 26	26 1	18 10	2 18	23 14	20 18	4 41	16 11	11 45
12 20	5 27	3 5	24 30	13 1	18 0	28 59	18 20	4 35	25 46	23 39	9 20	19 19	14 12
12 30	8 10	5 23	26 34	15 4	20 38	1♓58	18 30	6 53	28 20	27 3	13 57	22 22	16 37
12 40	10 53	7 41	28 38	17 8	23 18	5 0	18 40	9 11	0♒57	0♓32	18 29	25 22	19 1
12 50	13 35	9 59	0♐42	19 14	26 3	8 4	18 50	11 30	3 35	4 4	22 56	28 18	21 24
DT	*16.1*	*13.7*	*12.5*	*12.9*	*17.0*	*18.6*		*13.9*	*16.2*	*21.7*	*25.7*	*17.0*	*14.1*
DL	*0.0*	*-10.3*	*-26.5*	*-47.4*	*-35.7*	*-6.4*		*0.0*	*-15.3*	*-17.8*	*38.9*	*35.7*	*17.5*
13 0	16♎17	12♏16	2♐47	21♐22	28♑51	11♓ 9	19 0	13♑49	6♒15	7♓39	27♈16	1♊ 9	23♊45
13 10	18 58	14 32	4 52	23 32	1♒42	14 15	19 10	16 8	8 58	11 18	1♉29	3 57	26 5
13 20	21 38	16 48	6 57	25 43	4 38	17 23	19 20	18 28	11 43	14 59	5 35	6 42	28 23
13 30	24 18	19 3	9 3	27 57	7 38	20 31	19 30	20 49	14 30	18 42	9 33	9 22	0♋41
13 40	26 57	21 18	11 9	0♑14	10 41	23 40	19 40	23 10	17 19	22 27	13 22	12 0	2 58
13 50	29 34	23 33	13 17	2 33	13 49	26 50	19 50	25 32	20 11	26 13	17 4	14 34	5 14
DT	*15.6*	*13.4*	*12.9*	*14.4*	*19.4*	*19.0*		*14.3*	*17.5*	*22.7*	*21.0*	*15.0*	*13.5*
DL	*0.0*	*-13.0*	*-30.7*	*-53.8*	*-30.1*	*-0.0*		*0.0*	*-11.7*	*-0.0*	*56.8*	*36.4*	*16.7*
14 0	2♏11	25♏47	15♐25	4♑55	17♒ 2	0♈ 0	20 0	27♑55	23♒ 5	0♈ 0	20♉37	17♊ 6	7♋30
14 10	4 46	28 0	17 34	7 21	20 18	3 10	20 10	0♒18	26 1	3 47	24 3	19 34	9 45
14 20	7 21	0♐14	19 44	9 51	23 39	6 20	20 20	2 43	28 59	7 33	27 21	22 0	11 59
14 30	9 54	2 27	21 55	12 24	27 3	9 29	20 30	5 9	1♓58	11 18	0♊33	24 24	14 13
14 40	12 27	4 41	24 8	15 1	0♓32	12 37	20 40	7 35	5 0	15 1	3 38	26 45	16 26
14 50	14 58	6 54	26 22	17 44	4 4	15 45	20 50	10 3	8 4	18 42	6 36	29 5	18 40
DT	*14.9*	*13.3*	*13.7*	*17.0*	*21.7*	*18.6*		*14.9*	*18.6*	*21.7*	*17.0*	*13.7*	*13.3*
DL	*0.0*	*-15.2*	*-34.2*	*-58.6*	*-17.8*	*6.4*		*0.0*	*-6.4*	*17.8*	*58.6*	*34.2*	*15.2*
15 0	17♏28	9♐ 7	28♐38	20♑31	7♓39	18♈51	21 0	12♒32	11♓ 9	22♈21	9♊29	1♋22	20♋53
15 10	19 57	11 20	0♑55	23 24	11 18	21 56	21 10	15 2	14 15	25 56	12 16	3 38	23 6
15 20	22 25	13 34	3 15	26 22	14 59	25 0	21 20	17 33	17 23	29 28	14 59	5 52	25 19
15 30	24 51	15 47	5 36	29 27	18 42	28 2	21 30	20 6	20 31	2♉57	17 36	8 5	27 33
15 40	27 17	18 1	8 0	2♒39	22 27	1♉ 1	21 40	22 39	23 40	6 21	20 9	10 16	29 46
15 50	29 42	20 15	10 26	5 57	26 13	3 59	21 50	25 14	26 50	9 42	22 39	12 26	2♌ 0
DT	*14.3*	*13.5*	*15.0*	*21.0*	*22.7*	*17.5*		*15.6*	*19.0*	*19.4*	*14.4*	*12.9*	*13.4*
DL	*0.0*	*-16.7*	*-36.4*	*-56.8*	*-0.0*	*11.7*		*0.0*	*-0.0*	*30.1*	*53.8*	*30.7*	*13.0*
16 0	2♐ 5	22♐30	12♑54	9♒23	0♈ 0	6♉55	22 0	27♒49	0♈ 0	12♉58	25♊ 5	14♋35	4♌13
16 10	4 28	24 46	15 26	12 56	3 47	9 49	22 10	0♓26	3 10	16 11	27 27	16 43	6 27
16 20	6 50	27 2	18 0	16 38	7 33	12 41	22 20	3 3	6 20	19 19	29 46	18 51	8 42
16 30	9 11	29 19	20 38	20 27	11 18	15 30	22 30	5 42	9 29	22 22	2♋ 3	20 57	10 57
16 40	11 32	1♑37	23 18	24 25	15 1	18 17	22 40	8 22	12 37	25 22	4 17	23 3	13 12
16 50	13 52	3 55	26 3	28 31	18 42	21 2	22 50	11 2	15 45	28 18	6 28	25 8	15 28
DT	*13.9*	*14.1*	*17.0*	*25.7*	*21.7*	*16.2*		*16.1*	*18.6*	*17.0*	*12.9*	*12.5*	*13.7*
DL	*0.0*	*-17.5*	*-35.7*	*-38.9*	*17.8*	*15.3*		*0.0*	*6.4*	*35.7*	*47.4*	*26.5*	*10.3*
17 0	16♐11	6♑15	28♑51	2♓44	22♈21	23♉45	23 0	13♓43	18♈51	1♊ 9	8♋38	27♋13	17♌44
17 10	18 30	8 36	1♒42	7 4	25 56	26 25	23 10	16 25	21 56	3 57	10 46	29 18	20 1
17 20	20 49	10 59	4 38	11 31	29 28	29 3	23 20	19 7	25 0	6 42	12 52	1♌22	22 19
17 30	23 7	13 23	7 38	16 3	2♉57	1♊40	23 30	21 50	28 2	9 22	14 56	3 26	24 37
17 40	25 25	15 48	10 41	20 40	6 21	4 14	23 40	24 33	1♉ 1	12 0	16 59	5 30	26 55
17 50	27 42	18 15	13 49	25 19	9 42	6 46	23 50	27 17	3 59	14 34	19 0	7 34	29 14

LATITUDE 45 DEGREES PLACIDUS HOUSES

S.T.	10	11	12	1	2	3
DT	*16.3*	*17.6*	*15.0*	*11.9*	*12.3*	*13.9*
DL	*0.0*	*12.2*	*38.0*	*41.7*	*22.4*	*7.4*
0 0	0♈0	7♉7	17♊42	21♋41	10♌0	1♍41
0 10	2 43	10 1	20 10	23 40	12 3	4 0
0 20	5 27	12 54	22 36	25 37	14 6	6 20
0 30	8 10	15 44	25 0	27 34	16 9	8 41
0 40	10 53	18 31	27 21	29 30	18 12	11 2
0 50	13 35	21 17	29 40	1♌25	20 16	13 23
DT	*16.1*	*16.2*	*13.6*	*11.5*	*12.4*	*14.2*
DL	*0.0*	*16.0*	*35.6*	*34.9*	*17.3*	*3.8*
1 0	16♈17	24♉0	1♋57	3♌20	22♌19	15♍45
1 10	18 58	26 41	4 12	5 14	24 23	18 7
1 20	21 00	20 20	0 25	7 0	20 27	20 29
1 30	24 18	1♊56	8 37	9 2	28 31	22 52
1 40	26 57	4 31	10 48	10 55	0♍36	25 14
1 50	29 34	7 3	12 57	12 48	2 40	27 37
DT	*15.6*	*15.0*	*12.8*	*11.3*	*12.5*	*14.3*
DL	*0.0*	*17.9*	*31.7*	*28.1*	*11.8*	*0.0*
2 0	2♉11	9♊34	15♋6	14♌41	4♍45	0♎0
2 10	4 46	12 2	17 13	16 34	6 51	2 23
2 20	7 21	14 30	19 20	18 27	8 56	4 46
2 30	9 54	16 55	21 26	20 19	11 2	7 8
2 40	12 27	19 19	23 31	22 12	13 8	9 31
2 50	14 58	21 41	25 36	24 5	15 14	11 53
DT	*14.9*	*14.0*	*12.4*	*11.3*	*12.6*	*14.2*
DL	*0.0*	*18.3*	*27.3*	*21.3*	*6.0*	*-3.8*
3 0	17♉28	24♊2	27♋40	25♌57	17♍20	14♎15
3 10	19 57	26 22	29 44	27 50	19 26	16 37
3 20	22 25	28 41	1♌47	29 43	21 33	18 58
3 30	24 51	0♋59	3 51	1♍36	23 40	21 19
3 40	27 17	3 15	5 54	3 29	25 46	23 40
3 50	29 42	5 31	7 57	5 22	27 53	26 0
DT	*14.3*	*13.5*	*12.3*	*11.3*	*12.7*	*13.9*
DL	*0.0*	*17.4*	*22.4*	*14.4*	*0.0*	*-7.4*
4 0	2♊5	7♋46	10♌0	7♍15	0♎0	28♎19
4 10	4 28	10 1	12 3	9 8	2 7	0♏38
4 20	6 50	12 15	14 6	11 2	4 14	2 57
4 30	9 11	14 29	16 9	12 55	6 20	5 15
4 40	11 32	16 42	18 12	14 49	8 27	7 32
4 50	13 52	18 55	20 16	16 42	10 34	9 49
DT	*13.9*	*13.3*	*12.4*	*11.4*	*12.6*	*13.6*
DL	*0.0*	*15.7*	*17.3*	*7.3*	*-6.0*	*-10.6*
5 0	16♊11	21♋8	22♌19	18♍36	12♎40	12♏5
5 10	18 30	23 21	24 23	20 30	14 46	14 21
5 20	20 49	25 34	26 27	22 24	16 52	16 36
5 30	23 7	27 47	28 31	24 18	18 58	18 51
5 40	25 25	0♌0	0♍36	26 12	21 4	21 6
5 50	27 42	2 13	2 40	28 6	23 9	23 20

S.T.	10	11	12	1	2	3
	13.8	*13.4*	*12.5*	*11.4*	*12.5*	*13.4*
	0.0	*13.4*	*11.8*	*0.0*	*-11.8*	*-13.4*
6 0	0♋0	4♌26	4♍45	0♎0	25♎15	25♏34
6 10	2 18	6 40	6 51	1 54	27 20	27 47
6 20	4 35	8 54	8 56	3 48	29 24	0♐0
6 30	6 53	11 9	11 2	5 42	1♏29	2 13
6 40	9 11	13 24	13 8	7 36	3 33	4 26
6 50	11 30	15 39	15 14	9 30	5 37	6 39
	13.9	*13.6*	*12.6*	*11.4*	*12.4*	*13.3*
	0.0	*10.6*	*6.0*	*-7.3*	*-17.3*	*-15.7*
7 0	13♋49	17♌55	17♍20	11♎24	7♏41	8♐52
7 10	16 8	20 11	19 26	13 18	9 44	11 5
7 20	18 28	22 28	21 33	15 11	11 48	13 18
7 30	20 49	24 45	23 40	17 5	13 51	15 31
7 40	23 10	27 3	25 46	18 58	15 54	17 45
7 50	25 32	29 22	27 53	20 52	17 57	19 59
	14.3	*13.9*	*12.7*	*11.3*	*12.3*	*13.5*
	0.0	*7.4*	*0.0*	*-14.4*	*-22.4*	*-17.4*
8 0	27♋55	1♍41	0♎0	22♎45	20♏0	22♐14
8 10	0♌18	4 0	2 7	24 38	22 3	24 29
8 20	2 43	6 20	4 14	26 31	24 6	26 45
8 30	5 9	8 41	6 20	28 24	26 9	29 1
8 40	7 35	11 2	8 27	0♏17	28 13	1♑19
8 50	10 3	13 23	10 34	2 10	0♐16	3 38
	14.9	*14.2*	*12.6*	*11.3*	*12.4*	*14.0*
	0.0	*3.8*	*-6.0*	*-21.3*	*-27.3*	*-18.3*
9 0	12♌32	15♍45	12♎40	4♏3	2♐20	5♑58
9 10	15 2	18 7	14 46	5 55	4 24	8 19
9 20	17 33	20 29	16 52	7 48	6 29	10 41
9 30	20 6	22 52	18 58	9 41	8 34	13 5
9 40	22 39	25 14	21 4	11 33	10 40	15 30
9 50	25 14	27 37	23 9	13 26	12 47	17 58
	15.6	*14.3*	*12.5*	*11.3*	*12.8*	*15.0*
	0.0	*0.0*	*-11.8*	*-28.1*	*-31.7*	*-17.9*
10 0	27♌49	0♎0	25♎15	15♏19	14♐54	20♑26
10 10	0♍26	2 23	27 20	17 12	17 3	22 57
10 20	3 3	4 46	29 24	19 5	19 12	25 29
10 30	5 42	7 8	1♏29	20 58	21 23	28 4
10 40	8 22	9 31	3 33	22 52	23 35	0♒40
10 50	11 2	11 53	5 37	24 46	25 48	3 19
	16.1	*14.2*	*12.4*	*11.5*	*13.6*	*16.2*
	0.0	*-3.8*	*-17.3*	*-34.9*	*-35.6*	*-16.0*
11 0	13♍43	14♎15	7♏41	26♏40	28♐3	6♒0
11 10	16 25	16 37	9 44	28 35	0♑20	8 43
11 20	19 7	18 58	11 48	0♐30	2 39	11 29
11 30	21 50	21 19	13 51	2 26	5 0	14 16
11 40	24 33	23 40	15 54	4 23	7 24	17 6
11 50	27 17	26 0	17 57	6 20	9 50	19 59

LATITUDE 45 DEGREES PLACIDUS HOUSES

S.T.	10	11	12	1	2	3	S.T.	10	11	12	1	2	3
DT	*16.3*	*13.9*	*12.3*	*11.9*	*15.0*	*17.6*		*13.8*	*15.0*	*19.6*	*28.8*	*19.6*	*15.0*
DL	*0.0*	*-7.4*	*-22.4*	*-41.7*	*-38.0*	*-12.2*		*0.0*	*-17.9*	*-31.9*	*-0.0*	*31.9*	*17.9*
12 0	0♎ 0	28♎19	20♏ 0	8♐19	12♑18	22♒53	18 0	0♑ 0	20♑26	16♒31	0♈ 0	13♉29	9♊34
12 10	2 43	0♏38	22 3	10 18	14 49	25 50	18 10	2 18	22 57	19 49	4 48	16 42	12 2
12 20	5 27	2 57	24 6	12 18	17 24	28 48	18 20	4 35	25 29	23 12	9 35	19 51	14 30
12 30	8 10	5 15	26 9	14 20	20 1	1♓49	18 30	6 53	28 4	26 38	14 18	22 56	16 55
12 40	10 53	7 32	28 13	16 23	22 42	4 52	18 40	9 11	0♒40	0♓ 9	18 57	25 57	19 19
12 50	13 35	9 49	0♐16	18 28	25 27	7 56	18 50	11 30	3 19	3 43	23 30	28 53	21 41
DT	*16.1*	*13.6*	*12.4*	*12.7*	*17.0*	*18.7*		*13.9*	*16.2*	*22.0*	*26.2*	*17.0*	*14.0*
DL	*0.0*	*-10.6*	*-27.3*	*-48.8*	*-37.6*	*-6.7*		*0.0*	*-16.0*	*-19.0*	*42.1*	*37.6*	*18.3*
13 0	16♎17	12♏ 5	2♐20	20♐35	28♑15	11♓ 2	19 0	13♑49	6♒ 0	7♓21	27♈55	1♊45	24♊ 2
13 10	18 58	14 21	4 24	22 43	1♒ 7	14 10	19 10	16 8	8 43	11 3	2♉13	4 33	26 22
13 20	21 38	16 36	6 29	24 54	4 3	17 18	19 20	18 28	11 29	14 47	6 22	7 18	28 41
13 30	24 18	18 51	8 34	27 6	7 4	20 28	19 30	20 49	14 16	18 33	10 23	9 59	0♋59
13 40	26 57	21 6	10 40	29 22	10 9	23 38	19 40	23 10	17 6	22 21	14 15	12 36	3 15
13 50	29 34	23 20	12 47	1♑40	13 18	26 49	19 50	25 32	19 59	26 10	17 59	15 11	5 31
DT	*15.6*	*13.4*	*12.8*	*14.3*	*19.6*	*19.1*		*14.3*	*17.6*	*23.0*	*21.1*	*15.0*	*13.5*
DL	*0.0*	*-13.4*	*-31.7*	*-55.9*	*-31.9*	*-0.0*		*0.0*	*-12.2*	*-0.0*	*60.4*	*38.0*	*17.4*
14 0	2♏11	25♏34	14♐54	4♑ 2	16♒31	0♈ 0	20 0	27♑55	22♒53	0♈ 0	21♉34	17♊42	7♋46
14 10	4 46	27 47	17 3	6 26	19 49	3 11	20 10	0♒18	25 50	3 50	25 1	20 10	10 1
14 20	7 21	0♐ 0	19 12	8 55	23 12	6 22	20 20	2 43	28 48	7 39	28 20	22 36	12 15
14 30	9 54	2 13	21 23	11 27	26 38	9 32	20 30	5 9	1♓49	11 27	1♊32	25 0	14 29
14 40	12 27	4 26	23 35	14 4	0♓ 9	12 42	20 40	7 35	4 52	15 13	4 37	27 21	16 42
14 50	14 58	6 39	25 48	16 46	3 43	15 50	20 50	10 3	7 56	18 57	7 35	29 40	18 55
DT	*14.9*	*13.3*	*13.6*	*17.0*	*22.0*	*18.7*		*14.9*	*18.7*	*22.0*	*17.0*	*13.6*	*13.3*
DL	*0.0*	*-15.7*	*-35.6*	*-61.4*	*-19.0*	*6.7*		*0.0*	*-6.7*	*19.0*	*61.4*	*35.6*	*15.7*
15 0	17♏28	8♐52	28♐ 3	19♑33	7♓21	18♈58	21 0	12♒32	11♓ 2	22♈39	10♊27	1♋57	21♋ 8
15 10	19 57	11 5	0♑20	22 25	11 3	22 4	21 10	15 2	14 10	26 17	13 14	4 12	23 21
15 20	22 25	13 18	2 39	25 23	14 47	25 8	21 20	17 33	17 18	29 51	15 56	6 25	25 34
15 30	24 51	15 31	5 0	28 28	18 33	28 11	21 30	20 6	20 28	3♉22	18 33	8 37	27 47
15 40	27 17	17 45	7 24	1♒40	22 21	1♉12	21 40	22 39	23 38	6 48	21 5	10 48	0♌ 0
15 50	29 42	19 59	9 50	4 59	26 10	4 10	21 50	25 14	26 49	10 11	23 34	12 57	2 13
DT	*14.3*	*13.5*	*15.0*	*21.1*	*23.0*	*17.6*		*15.6*	*19.1*	*19.6*	*14.3*	*12.8*	*13.4*
DL	*0.0*	*-17.4*	*-38.0*	*-60.4*	*-0.0*	*12.2*		*0.0*	*-0.0*	*31.9*	*55.9*	*31.7*	*13.4*
16 0	2♐ 5	22♐14	12♑18	8♒26	0♈ 0	7♉ 7	22 0	27♒49	0♈ 0	13♉29	25♊58	15♋ 6	4♌26
16 10	4 28	24 29	14 49	12 1	3 50	10 1	22 10	0♓26	3 11	16 42	28 20	17 13	6 40
16 20	6 50	26 45	17 24	15 45	7 39	12 54	22 20	3 3	6 22	19 51	0♋38	19 20	8 54
16 30	9 11	29 1	20 1	19 37	11 27	15 44	22 30	5 42	9 32	22 56	2 54	21 26	11 9
16 40	11 32	1♑19	22 42	23 38	15 13	18 31	22 40	8 22	12 42	25 57	5 6	23 31	13 24
16 50	13 52	3 38	25 27	27 47	18 57	21 17	22 50	11 2	15 50	28 53	7 17	25 36	15 39
DT	*13.9*	*14.0*	*17.0*	*26.2*	*22.0*	*16.2*		*16.1*	*18.7*	*17.0*	*12.7*	*12.4*	*13.6*
DL	*0.0*	*-18.3*	*-37.6*	*-42.1*	*19.0*	*16.0*		*0.0*	*6.7*	*37.6*	*48.8*	*27.3*	*10.6*
17 0	16♐11	5♑58	28♑15	2♓ 5	22♈39	24♉ 0	23 0	13♓43	18♈58	1♊45	9♋25	27♋40	17♌55
17 10	18 30	8 19	1♒ 7	6 30	26 17	26 41	23 10	16 25	22 4	4 33	11 32	29 44	20 11
17 20	20 49	10 41	4 3	11 3	29 51	29 20	23 20	19 7	25 8	7 18	13 37	1♌47	22 28
17 30	23 7	13 5	7 4	15 42	3♉22	1♊56	23 30	21 50	28 11	9 59	15 40	3 51	24 45
17 40	25 25	15 30	10 9	20 25	6 48	4 31	23 40	24 33	1♉12	12 36	17 42	5 54	27 3
17 50	27 42	17 58	13 18	25 12	10 11	7 3	23 50	27 17	4 10	15 11	19 42	7 57	29 22

LATITUDE 46 DEGREES — PLACIDUS HOUSES

S.T.	10	11	12	1	2	3	S.T.	10	11	12	1	2	3
DT	*16.3*	*17.6*	*15.0*	*11.8*	*12.2*	*13.9*		*13.8*	*13.3*	*12.4*	*11.3*	*12.4*	*13.3*
DL	*0.0*	*12.8*	*39.8*	*42.8*	*23.0*	*7.6*		*0.0*	*13.9*	*12.0*	*0.0*	*-12.0*	*-13.9*
0 0	0♈ 0	7♉19	18♊20	22♋23	10♌22	1♍48	6 0	0♋ 0	4♌40	4♍57	0♎ 0	25♎ 3	25♏20
0 10	2 43	10 14	20 48	24 20	12 24	4 7	6 10	2 18	6 53	7 1	1 53	27 7	27 33
0 20	5 27	13 7	23 14	26 17	14 27	6 27	6 20	4 35	9 7	9 6	3 46	29 11	29 46
0 30	8 10	15 58	25 37	28 12	16 29	8 47	6 30	6 53	11 21	11 11	5 38	1♏14	1♐59
0 40	10 53	18 46	27 57	0♌ 7	18 31	11 7	6 40	9 11	13 35	13 16	7 31	3 18	4 11
0 50	13 35	21 32	0♋16	2 1	20 34	13 28	6 50	11 30	15 50	15 21	9 24	5 21	6 24
DT	*16.1*	*16.2*	*13.6*	*11.3*	*12.3*	*14.1*		*13.9*	*13.6*	*12.5*	*11.3*	*12.3*	*13.3*
DL	*0.0*	*16.8*	*37.0*	*35.7*	*17.7*	*3.9*		*0.0*	*10.9*	*6.1*	*-7.4*	*-17.7*	*-16.3*
1 0	16♈17	24♉16	2♋32	3♌55	22♌36	15♍49	7 0	13♋49	18♌ 5	17♍26	11♎17	7♏24	8♐36
1 10	18 58	26 57	4 47	5 48	24 39	18 10	7 10	16 8	20 21	19 31	13 9	9 26	10 49
1 20	21 38	29 35	7 0	7 41	20 42	20 32	7 20	18 28	22 38	21 37	15 2	11 29	13 1
1 30	24 18	2♊13	9 11	9 33	28 46	22 54	7 30	20 49	24 54	23 43	16 54	13 31	15 14
1 40	26 57	4 48	11 21	11 25	0♍49	25 16	7 40	23 10	27 12	25 48	18 46	15 33	17 28
1 50	29 34	7 21	13 30	13 17	2 53	27 38	7 50	25 32	29 30	27 54	20 39	17 36	19 42
DT	*15.6*	*15.0*	*12.7*	*11.2*	*12.4*	*14.2*		*14.3*	*13.9*	*12.6*	*11.2*	*12.2*	*13.5*
DL	*0.0*	*18.8*	*32.9*	*28.7*	*12.0*	*0.0*		*0.0*	*7.6*	*0.0*	*-14.6*	*-23.0*	*-18.2*
2 0	2♉11	9♊52	15♋38	15♌ 9	4♍57	0♎ 0	8 0	27♋55	1♍48	0♎ 0	22♎31	19♏38	21♐56
2 10	4 46	12 21	17 44	17 1	7 1	2 22	8 10	0♌18	4 7	2 6	24 23	21 40	24 11
2 20	7 21	14 48	19 50	18 52	9 6	4 44	8 20	2 43	6 27	4 12	26 15	23 42	26 27
2 30	9 54	17 13	21 55	20 44	11 11	7 6	8 30	5 9	8 47	6 17	28 6	25 45	28 44
2 40	12 27	19 37	24 0	22 36	13 16	9 28	8 40	7 35	11 7	8 23	29 58	27 47	1♑ 1
2 50	14 58	21 59	26 4	24 27	15 21	11 50	8 50	10 3	13 28	10 29	1♏50	29 50	3 20
DT	*14.9*	*14.0*	*12.3*	*11.2*	*12.5*	*14.1*		*14.9*	*14.1*	*12.5*	*11.2*	*12.3*	*14.0*
DL	*0.0*	*19.1*	*28.1*	*21.7*	*6.1*	*-3.9*		*0.0*	*3.9*	*-6.1*	*-21.7*	*-28.1*	*-19.1*
3 0	17♉28	24♊21	28♋ 7	26♌19	17♍26	14♎11	9 0	12♌32	15♍49	12♎34	3♏41	1♐53	5♑39
3 10	19 57	26 40	0♌10	28 10	19 31	16 32	9 10	15 2	18 10	14 39	5 33	3 56	8 1
3 20	22 25	28 59	2 13	0♍ 2	21 37	18 53	9 20	17 33	20 32	16 44	7 24	6 0	10 23
3 30	24 51	1♋16	4 15	1 54	23 43	21 13	9 30	20 6	22 54	18 49	9 16	8 5	12 47
3 40	27 17	3 33	6 18	3 45	25 48	23 33	9 40	22 39	25 16	20 54	11 8	10 10	15 12
3 50	29 42	5 49	8 20	5 37	27 54	25 53	9 50	25 14	27 38	22 59	12 59	12 16	17 39
DT	*14.3*	*13.5*	*12.2*	*11.2*	*12.6*	*13.9*		*15.6*	*14.2*	*12.4*	*11.2*	*12.7*	*15.0*
DL	*0.0*	*18.2*	*23.0*	*14.6*	*0.0*	*-7.6*		*0.0*	*0.0*	*-12.0*	*-28.7*	*-32.9*	*-18.8*
4 0	2♊ 5	8♋ 4	10♌22	7♍29	0♎ 0	28♎12	10 0	27♌49	0♎ 0	25♎ 3	14♏51	14♐22	20♑ 8
4 10	4 28	10 18	12 24	9 21	2 6	0♏30	10 10	0♍26	2 22	27 7	16 43	16 30	22 39
4 20	6 50	12 32	14 27	11 14	4 12	2 48	10 20	3 3	4 44	29 11	18 35	18 39	25 12
4 30	9 11	14 46	16 29	13 6	6 17	5 6	10 30	5 42	7 6	1♏14	20 27	20 49	27 47
4 40	11 32	16 59	18 31	14 58	8 23	7 22	10 40	8 22	9 28	3 18	22 19	23 0	0♒24
4 50	13 52	19 11	20 34	16 51	10 29	9 39	10 50	11 2	11 50	5 21	24 12	25 13	3 3
DT	*13.9*	*13.3*	*12.3*	*11.3*	*12.5*	*13.6*		*16.1*	*14.1*	*12.3*	*11.3*	*13.6*	*16.2*
DL	*0.0*	*16.3*	*17.7*	*7.4*	*-6.1*	*-10.9*		*0.0*	*-3.9*	*-17.7*	*-35.7*	*-37.0*	*-16.8*
5 0	16♊11	21♋24	22♌36	18♍43	12♎34	11♏55	11 0	13♍43	14♎11	7♏24	26♏ 5	27♐28	5♒44
5 10	18 30	23 36	24 39	20 36	14 39	14 10	11 10	16 25	16 32	9 26	27 59	29 44	8 28
5 20	20 49	25 49	26 42	22 29	16 44	16 25	11 20	19 7	18 53	11 29	29 53	2♑ 3	11 14
5 30	23 7	28 1	28 46	24 22	18 49	18 39	11 30	21 50	21 13	13 31	1♐48	4 23	14 2
5 40	25 25	0♌14	0♍49	26 14	20 54	20 53	11 40	24 33	23 33	15 33	3 43	6 46	16 53
5 50	27 42	2 27	2 53	28 7	22 59	23 7	11 50	27 17	25 53	17 36	5 40	9 12	19 46

LATITUDE 46 DEGREES PLACIDUS HOUSES

S.T.	10	11	12	1	2	3	S.T.	10	11	12	1	2	3
DT	*16.3*	*13.9*	*12.2*	*11.8*	*15.0*	*17.6*		*13.8*	*15.0*	*19.7*	*29.6*	*19.7*	*15.0*
DL	*0.0*	*-7.6*	*-23.0*	*-42.8*	*-39.8*	*-12.8*		*0.0*	*-18.8*	*-33.8*	*-0.0*	*33.8*	*18.8*
12 0	0♎0	28♎12	19♏38	7♐37	11♑40	22♒41	18 0	0♑0	20♑8	15♒59	0♈0	14♉1	9♊52
12 10	2 43	0♏30	21 40	9 35	14 11	25 38	18 10	2 18	22 39	19 19	4 56	17 15	12 21
12 20	5 27	2 48	23 42	11 34	16 45	28 38	18 20	4 35	25 12	22 43	9 51	20 26	14 48
12 30	8 10	5 6	25 45	13 35	19 23	1♓40	18 30	6 53	27 47	26 12	14 42	23 32	17 13
12 40	10 53	7 22	27 47	15 37	22 4	4 43	18 40	9 11	0♒24	29 45	19 27	26 33	19 37
12 50	13 35	9 39	29 50	17 40	24 49	7 49	18 50	11 30	3 3	3♓22	24 6	29 30	21 59
DT	*16.1*	*13.6*	*12.3*	*12.6*	*17.1*	*18.8*		*13.9*	*16.2*	*22.2*	*26.7*	*17.1*	*14.0*
DL	*0.0*	*-10.9*	*-28.1*	*-50.4*	*-39.6*	*-7.0*		*0.0*	*-16.8*	*-20.2*	*45.7*	*39.6*	*19.1*
13 0	16♎17	11♏55	1♐53	19♐46	27♑37	10♓56	19 0	13♑49	5♒44	7♓2	28♈37	2♊23	24♊21
13 10	18 58	14 10	3 56	21 53	0♒30	14 4	19 10	16 8	8 28	10 46	3♉0	5 11	26 40
13 20	21 38	16 25	6 0	24 2	3 27	17 14	19 20	18 28	11 14	14 33	7 13	7 56	28 59
13 30	24 18	18 39	8 5	26 14	6 28	20 24	19 30	20 49	14 2	18 23	11 17	10 37	1♋16
13 40	26 57	20 53	10 10	28 28	9 34	23 36	19 40	23 10	16 53	22 14	15 12	13 15	3 33
13 50	29 34	23 7	12 16	0♑45	12 45	26 48	19 50	25 32	19 46	26 7	18 58	15 49	5 49
DT	*15.6*	*13.3*	*12.7*	*14.2*	*19.7*	*19.2*		*14.3*	*17.6*	*23.3*	*21.2*	*15.0*	*13.5*
DL	*0.0*	*-13.9*	*-32.9*	*-58.0*	*-33.8*	*-0.0*		*0.0*	*-12.8*	*-0.0*	*64.4*	*39.8*	*18.2*
14 0	2♏11	25♏20	14♐22	3♑6	15♒59	0♈0	20 0	27♑55	22♒41	0♈0	22♉34	18♊20	8♋4
14 10	4 46	27 33	16 30	5 29	19 19	3 12	20 10	0♒18	25 38	3 53	26 2	20 48	10 18
14 20	7 21	29 46	18 39	7 57	22 43	6 24	20 20	2 43	28 38	7 46	29 22	23 14	12 32
14 30	9 54	1♐59	20 49	10 28	26 12	9 36	20 30	5 9	1♓40	11 37	2♊34	25 37	14 46
14 40	12 27	4 11	23 0	13 4	29 45	12 46	20 40	7 35	4 43	15 27	5 39	27 57	16 59
14 50	14 58	6 24	25 13	15 45	3♓22	15 56	20 50	10 3	7 49	19 14	8 37	0♋16	19 11
DT	*14.9*	*13.3*	*13.6*	*16.9*	*22.2*	*18.8*		*14.9*	*18.8*	*22.2*	*16.9*	*13.6*	*13.3*
DL	*0.0*	*-16.3*	*-37.0*	*-64.4*	*-20.2*	*7.0*		*0.0*	*-7.0*	*20.2*	*64.4*	*37.0*	*16.3*
15 0	17♏28	8♐36	27♐28	18♑31	7♓2	19♈4	21 0	12♒32	10♓56	22♈58	11♊29	2♋32	21♋24
15 10	19 57	10 49	29 44	21 23	10 46	22 11	21 10	15 2	14 4	26 38	14 15	4 47	23 36
15 20	22 25	13 1	2♑3	24 21	14 33	25 17	21 20	17 33	17 14	0♉15	16 56	7 0	25 49
15 30	24 51	15 14	4 23	27 26	18 23	28 20	21 30	20 6	20 24	3 48	19 32	9 11	28 1
15 40	27 17	17 28	6 46	0♒38	22 14	1♉22	21 40	22 39	23 36	7 17	22 3	11 21	0♌14
15 50	29 42	19 42	9 12	3 58	26 7	4 22	21 50	25 14	26 48	10 41	24 31	13 30	2 27
DT	*14.3*	*13.5*	*15.0*	*21.2*	*23.3*	*17.6*		*15.6*	*19.2*	*19.7*	*14.2*	*12.7*	*13.3*
DL	*0.0*	*-18.2*	*-39.8*	*-64.4*	*-0.0*	*12.8*		*0.0*	*-0.0*	*33.8*	*58.0*	*32.9*	*13.9*
16 0	2♐5	21♐56	11♑40	7♒26	0♈0	7♉19	22 0	27♒49	0♈0	14♉1	26♊54	15♋38	4♌40
16 10	4 28	24 11	14 11	11 2	3 53	10 14	22 10	0♓26	3 12	17 15	29 15	17 44	6 53
16 20	6 50	26 27	16 45	14 48	7 46	13 7	22 20	3 3	6 24	20 26	1♋32	19 50	9 7
16 30	9 11	28 44	19 23	18 43	11 37	15 58	22 30	5 42	9 36	23 32	3 46	21 55	11 21
16 40	11 32	1♑1	22 4	22 47	15 27	18 46	22 40	8 22	12 46	26 33	5 58	24 0	13 35
16 50	13 52	3 20	24 49	27 0	19 14	21 32	22 50	11 2	15 56	29 30	8 7	26 4	15 50
DT	*13.9*	*14.0*	*17.1*	*26.7*	*22.2*	*16.2*		*16.1*	*18.8*	*17.1*	*12.6*	*12.3*	*13.6*
DL	*0.0*	*-19.1*	*-39.6*	*-45.7*	*20.2*	*16.8*		*0.0*	*7.0*	*39.6*	*50.4*	*28.1*	*10.9*
17 0	16♐11	5♑39	27♑37	1♓23	22♈58	24♉16	23 0	13♓43	19♈4	2♊23	10♋14	28♋7	18♌5
17 10	18 30	8 1	0♒30	5 54	26 38	26 57	23 10	16 25	22 11	5 11	12 20	0♌10	20 21
17 20	20 49	10 23	3 27	10 33	0♉15	29 36	23 20	19 7	25 17	7 56	14 23	2 13	22 38
17 30	23 7	12 47	6 28	15 18	3 48	2♊13	23 30	21 50	28 20	10 37	16 25	4 15	24 54
17 40	25 25	15 12	9 34	20 9	7 17	4 48	23 40	24 33	1♉22	13 15	18 26	6 18	27 12
17 50	27 42	17 39	12 45	25 4	10 41	7 21	23 50	27 17	4 22	15 49	20 25	8 20	29 30

LATITUDE 47 DEGREES — PLACIDUS HOUSES

S.T.	10	11	12	1	2	3	S.T.	10	11	12	1	2	3
DT	16.3	17.7	14.9	11.6	12.1	13.8		13.8	13.3	12.3	11.2	12.3	13.3
DL	0.0	13.5	41.8	44.0	23.7	7.8		0.0	14.4	12.3	0.0	-12.3	-14.4
0 0	0♈0	7♉32	19♊0	23♋6	10♌45	1♍56	6 0	0♋0	4♌54	5♍9	0♎0	24♎51	25♏6
0 10	2 43	10 28	21 28	25 2	12 46	4 14	6 10	2 18	7 6	7 13	1 52	26 54	27 19
0 20	5 27	13 22	23 53	26 57	14 48	6 33	6 20	4 35	9 20	9 16	3 43	28 57	29 31
0 30	8 10	16 13	26 15	28 51	16 49	8 52	6 30	6 53	11 33	11 20	5 35	0♏59	1♐43
0 40	10 53	19 2	28 35	0♌45	18 51	11 12	6 40	9 11	13 47	13 24	7 26	3 2	3 56
0 50	13 35	21 49	0♋53	2 38	20 52	13 32	6 50	11 30	16 1	15 28	9 18	5 4	6 8
DT	16.1	16.3	13.5	11.2	12.2	14.1		13.9	13.5	12.4	11.1	12.2	13.2
DL	0.0	17.7	38.6	36.5	18.1	4.0		0.0	11.3	6.2	-7.5	-18.1	-17.0
1 0	16♈17	24♉33	3♊9	4♌30	22♌54	15♍53	7 0	13♋49	18♌16	17♍32	11♎9	7♏6	8♐20
1 10	18 58	27 14	5 23	6 22	24 56	18 13	7 10	16 8	20 32	19 37	13 1	9 8	10 32
1 20	21 38	29 54	7 35	8 14	26 58	20 34	7 20	18 28	22 47	21 41	14 52	11 9	12 44
1 30	24 18	2♊31	9 46	10 5	29 1	22 56	7 30	20 49	25 4	23 46	16 43	13 11	14 57
1 40	26 57	5 6	11 55	11 56	1♍3	25 17	7 40	23 10	27 21	25 50	18 34	15 12	17 10
1 50	29 34	7 39	14 3	13 47	3 6	27 38	7 50	25 32	29 38	27 55	20 25	17 14	19 24
DT	15.6	15.0	12.6	11.1	12.3	14.2		14.3	13.8	12.5	11.1	12.1	13.4
DL	0.0	19.7	34.0	29.3	12.3	0.0		0.0	7.8	0.0	-14.9	-23.7	-19.0
2 0	2♉11	10♊10	16♋10	15♌38	5♍9	0♎0	8 0	27♋55	1♍56	0♎0	22♎16	19♏15	21♐38
2 10	4 46	12 40	18 16	17 28	7 13	2 22	8 10	0♌18	4 14	2 5	24 7	21 16	23 53
2 20	7 21	15 7	20 22	19 19	9 16	4 43	8 20	2 43	6 33	4 10	25 58	23 17	26 8
2 30	9 54	17 32	22 26	21 9	11 20	7 4	8 30	5 9	8 52	6 14	27 48	25 19	28 25
2 40	12 27	19 56	24 30	23 0	13 24	9 26	8 40	7 35	11 12	8 19	29 39	27 21	0♑42
2 50	14 58	22 19	26 33	24 50	15 28	11 47	8 50	10 3	13 32	10 23	1♏29	29 23	3 1
DT	14.9	14.0	12.2	11.0	12.4	14.1		14.9	14.1	12.4	11.0	12.2	14.0
DL	0.0	20.0	29.0	22.1	6.2	-4.0		0.0	4.0	-6.2	-22.1	-29.0	-20.0
3 0	17♉28	24♊40	28♋35	26♌40	17♍32	14♎7	9 0	12♌32	15♍53	12♎28	3♏20	1♐25	5♑20
3 10	19 57	26 59	0♌37	28 31	19 37	16 28	9 10	15 2	18 13	14 32	5 10	3 27	7 41
3 20	22 25	29 18	2 39	0♍21	21 41	18 48	9 20	17 33	20 34	16 36	7 0	5 30	10 4
3 30	24 51	1♋35	4 41	2 12	23 46	21 8	9 30	20 6	22 56	18 40	8 51	7 34	12 28
3 40	27 17	3 52	6 43	4 2	25 50	23 27	9 40	22 39	25 17	20 44	10 41	9 38	14 53
3 50	29 42	6 7	8 44	5 53	27 55	25 46	9 50	25 14	27 38	22 47	12 32	11 44	17 20
DT	14.3	13.4	12.1	11.1	12.5	13.8		15.6	14.2	12.3	11.1	12.6	15.0
DL	0.0	19.0	23.7	14.9	0.0	-7.8		0.0	0.0	-12.3	-29.3	-34.0	-19.7
4 0	2♊5	8♋22	10♌45	7♍44	0♎0	28♎4	10 0	27♌49	0♎0	24♎51	14♏22	13♐50	19♑50
4 10	4 28	10 36	12 46	9 35	2 5	0♏22	10 10	0♍26	2 22	26 54	16 13	15 57	22 21
4 20	6 50	12 50	14 48	11 26	4 10	2 39	10 20	3 3	4 43	28 57	18 4	18 5	24 54
4 30	9 11	15 3	16 49	13 17	6 14	4 56	10 30	5 42	7 4	0♏59	19 55	20 14	27 29
4 40	11 32	17 16	18 51	15 8	8 19	7 13	10 40	8 22	9 26	3 2	21 46	22 25	0♒6
4 50	13 52	19 28	20 52	16 59	10 23	9 28	10 50	11 2	11 47	5 4	23 38	24 37	2 46
DT	13.9	13.2	12.2	11.1	12.4	13.5		16.1	14.1	12.2	11.2	13.5	16.3
DL	0.0	17.0	18.1	7.5	-6.2	-11.3		0.0	-4.0	-18.1	-36.5	-38.6	-17.7
5 0	16♊11	21♋40	22♌54	18♍51	12♎28	11♏44	11 0	13♍43	14♎7	7♏6	25♏30	26♐51	5♒27
5 10	18 30	23 52	24 56	20 42	14 32	13 59	11 10	16 25	16 28	9 8	27 22	29 7	8 11
5 20	20 49	26 4	26 58	22 34	16 36	16 13	11 20	19 7	18 48	11 9	29 15	1♑25	10 58
5 30	23 7	28 17	29 1	24 25	18 40	18 27	11 30	21 50	21 8	13 11	1♐9	3 45	13 47
5 40	25 25	0♌29	1♍3	26 17	20 44	20 40	11 40	24 33	23 27	15 12	3 3	6 7	16 38
5 50	27 42	2 41	3 6	28 8	22 47	22 54	11 50	27 17	25 46	17 14	4 58	8 32	19 32

LATITUDE 47 DEGREES PLACIDUS HOUSES

S.T.	10	11	12	1	2	3	S.T.	10	11	12	1	2	3
DT	16.3	13.8	12.1	11.6	14.9	17.7		13.8	15.0	19.9	30.5	19.9	15.0
DL	0.0	-7.8	-23.7	-44.0	-41.8	-13.5		0.0	-19.7	-36.0	-0.0	36.0	19.7
12 0	0♎0	28♎4	19♏15	6♐54	11♑0	22♒28	18 0	0♑0	19♑50	15♒26	0♈0	14♉34	10♊10
12 10	2 43	0♏22	21 16	8 51	13 31	25 26	18 10	2 18	22 21	18 47	5 5	17 51	12 40
12 20	5 27	2 39	23 17	10 49	16 5	28 27	18 20	4 35	24 54	22 13	10 8	21 2	15 7
12 30	8 10	4 56	25 19	12 48	18 43	1♓29	18 30	6 53	27 29	25 44	15 7	24 9	17 32
12 40	10 53	7 13	27 21	14 49	21 24	4 34	18 40	9 11	0♒6	29 19	20 0	27 11	19 56
12 50	13 35	9 28	29 23	16 51	24 9	7 40	18 50	11 30	2 46	2♓59	24 46	0♊9	22 19
DT	16.1	13.5	12.2	12.5	17.1	18.9		13.9	16.3	22.5	27.2	17.1	14.0
DL	0.0	-11.3	-29.0	-52.0	-41.9	-7.4		0.0	-17.7	-21.6	49.9	41.9	20.0
13 0	16♎17	11♏44	1♐25	18♐55	26♑58	10♓49	19 0	13♑49	5♒27	6♓42	29♈23	3♊2	24♊40
13 10	18 58	13 59	3 27	21 1	29 51	13 58	19 10	16 8	8 11	10 29	3♉51	5 51	26 59
13 20	21 38	16 13	5 30	23 9	2♒49	17 9	19 20	18 28	10 58	14 20	8 8	8 36	29 18
13 30	24 18	18 27	7 34	25 20	5 51	20 21	19 30	20 49	13 47	18 12	12 16	11 17	1♋35
13 40	26 57	20 40	9 38	27 33	8 58	23 33	19 40	23 10	16 38	22 7	16 13	13 55	3 52
13 50	29 34	22 54	11 44	29 49	12 9	26 47	19 50	25 32	19 32	26 3	20 1	16 29	6 7
DT	15.6	13.3	12.6	14.1	19.9	19.3		14.3	17.7	23.7	21.3	14.9	13.4
DL	0.0	-14.4	-34.0	-60.3	-36.0	-0.0		0.0	-13.5	-0.0	68.8	41.8	19.0
14 0	2♏11	25♏6	13♐50	2♑8	15♒26	0♈0	20 0	27♑55	22♒28	0♈0	23♉39	19♊0	8♋22
14 10	4 46	27 19	15 57	4 30	18 47	3 13	20 10	0♒18	25 26	3 57	27 8	21 28	10 36
14 20	7 21	29 31	18 5	6 56	22 13	6 27	20 20	2 43	28 27	7 53	0♊28	23 53	12 50
14 30	9 54	1♐43	20 14	9 27	25 44	9 39	20 30	5 9	1♓29	11 48	3 40	26 15	15 3
14 40	12 27	3 56	22 25	12 2	29 19	12 51	20 40	7 35	4 34	15 40	6 45	28 35	17 16
14 50	14 58	6 8	24 37	14 41	2♓59	16 2	20 50	10 3	7 40	19 31	9 42	0♋53	19 28
DT	14.9	13.2	13.5	16.8	22.5	18.9		14.9	18.9	22.5	16.8	13.5	13.2
DL	0.0	-17.0	-38.6	-67.7	-21.6	7.4		0.0	-7.4	21.6	67.7	38.6	17.0
15 0	17♏28	8♐20	26♐51	17♑27	6♓42	19♈11	21 0	12♒32	10♓49	23♈18	12♊33	3♋9	21♋40
15 10	19 57	10 32	29 7	20 18	10 29	22 20	21 10	15 2	13 58	27 1	15 19	5 23	23 52
15 20	22 25	12 44	1♑25	23 15	14 20	25 26	21 20	17 33	17 9	0♉41	17 58	7 35	26 4
15 30	24 51	14 57	3 45	26 20	18 12	28 31	21 30	20 6	20 21	4 16	20 33	9 46	28 17
15 40	27 17	17 10	6 7	29 32	22 7	1♉33	21 40	22 39	23 33	7 47	23 4	11 55	0♌29
15 50	29 42	19 24	8 32	2♒52	26 3	4 34	21 50	25 14	26 47	11 13	25 30	14 3	2 41
DT	14.3	13.4	14.9	21.3	23.7	17.7		15.6	19.3	19.9	14.1	12.6	13.3
DL	0.0	-19.0	-41.8	-68.8	-0.0	13.5		0.0	-0.0	36.0	60.3	34.0	14.4
16 0	2♐5	21♐38	11♑0	6♒21	0♈0	7♉32	22 0	27♒49	0♈0	14♉34	27♊52	16♋10	4♌54
16 10	4 28	23 53	13 31	9 59	3 57	10 28	22 10	0♓26	3 13	17 51	0♋11	18 16	7 6
16 20	6 50	26 8	16 5	13 47	7 53	13 22	22 20	3 3	6 27	21 2	2 27	20 22	9 20
16 30	9 11	28 25	18 43	17 44	11 48	16 13	22 30	5 42	9 39	24 9	4 40	22 26	11 33
16 40	11 32	0♑42	21 24	21 52	15 40	19 2	22 40	8 22	12 51	27 11	6 51	24 30	13 47
16 50	13 52	3 1	24 9	26 9	19 31	21 49	22 50	11 2	16 2	0♊9	8 59	26 33	16 1
DT	13.9	14.0	17.1	27.2	22.5	16.3		16.1	18.9	17.1	12.5	12.2	13.5
DL	0.0	-20.0	-41.9	-49.9	21.6	17.7		0.0	7.4	41.9	52.0	29.0	11.3
17 0	16♐11	5♑20	26♑58	0♓37	23♈18	24♉33	23 0	13♓43	19♈11	3♊2	11♋5	28♋35	18♌16
17 10	18 30	7 41	29 51	5 14	27 1	27 14	23 10	16 25	22 20	5 51	13 9	0♌37	20 32
17 20	20 49	10 4	2♒49	10 0	0♉41	29 54	23 20	19 7	25 26	8 36	15 11	2 39	22 47
17 30	23 7	12 28	5 51	14 53	4 16	2♊31	23 30	21 50	28 31	11 17	17 12	4 41	25 4
17 40	25 25	14 53	8 58	19 52	7 47	5 6	23 40	24 33	1♉33	13 55	19 11	6 43	27 21
17 50	27 42	17 20	12 9	24 55	11 13	7 39	23 50	27 17	4 34	16 29	21 9	8 44	29 38

LATITUDE 48 DEGREES   PLACIDUS HOUSES

S.T.	10	11	12	1	2	3	S.T.	10	11	12	1	2	3
DT	16.3	17.8	14.9	11.5	12.0	13.8		13.8	13.2	12.2	11.0	12.2	13.2
DL	0.0	14.2	43.9	45.2	24.4	8.1		0.0	14.9	12.6	0.0	-12.6	-14.9
0 0	0♈0	7♉46	19♊42	23♋50	11♌9	2♍4	6 0	0♋0	5♌8	5♍22	0♎0	24♎38	24♏52
0 10	2 43	10 42	22 9	25 45	13 9	4 21	6 10	2 18	7 20	7 24	1 50	26 41	27 4
0 20	5 27	13 37	24 34	27 39	15 10	6 40	6 20	4 35	9 33	9 26	3 41	28 42	29 16
0 30	8 10	16 29	26 56	29 32	17 10	8 58	6 30	6 53	11 46	11 29	5 31	0♏44	1♐28
0 40	10 53	19 19	29 15	1♌24	19 11	11 17	6 40	9 11	13 59	13 32	7 21	2 45	3 39
0 50	13 35	22 6	1♋33	3 16	21 11	13 37	6 50	11 30	16 13	15 35	9 12	4 47	5 51
DT	16.1	16.3	13.4	11.1	12.1	14.0		13.9	13.5	12.3	11.0	12.1	13.2
DL	0.0	18.6	40.3	37.4	18.6	4.1		0.0	11.7	6.4	-7.6	-18.6	-17.7
1 0	16♈17	24♉50	3♋48	5♌7	23♌12	15♍57	7 0	13♋49	18♌28	17♍38	11♎2	6♏48	8♐3
1 10	18 58	27 33	6 1	6 58	25 12	18 17	7 10	16 0	20 28	19 18	12 52	8 48	10 15
1 20	21 38	0♊13	8 12	8 48	27 15	20 37	7 20	18 28	22 58	21 45	14 42	10 49	12 27
1 30	24 18	2 50	10 22	10 38	29 16	22 58	7 30	20 49	25 13	23 49	16 32	12 50	14 39
1 40	26 57	5 26	12 31	12 28	1♍18	25 18	7 40	23 10	27 30	25 53	18 22	14 50	16 52
1 50	29 34	7 59	14 38	14 18	3 19	27 39	7 50	25 32	29 46	27 56	20 11	16 51	19 5
DT	15.6	15.0	12.6	10.9	12.2	14.1		14.3	13.8	12.4	11.0	12.0	13.4
DL	0.0	20.8	35.3	29.9	12.6	0.0		0.0	8.1	0.0	-15.1	-24.4	-19.9
2 0	2♉11	10♊30	16♋45	16♌7	5♍22	0♎0	8 0	27♋55	2♍4	0♎0	22♎1	18♏51	21♐19
2 10	4 46	12 59	18 50	17 56	7 24	2 21	8 10	0♌18	4 21	2 4	23 51	20 52	23 33
2 20	7 21	15 27	20 54	19 46	9 26	4 42	8 20	2 43	6 40	4 7	25 40	22 52	25 49
2 30	9 54	17 52	22 57	21 35	11 29	7 2	8 30	5 9	8 58	6 11	27 30	24 53	28 5
2 40	12 27	20 16	25 0	23 24	13 32	9 23	8 40	7 35	11 17	8 15	29 19	26 53	0♑22
2 50	14 58	22 39	27 2	25 13	15 35	11 43	8 50	10 3	13 37	10 18	1♏8	28 54	2 41
DT	14.9	14.0	12.2	10.9	12.3	14.0		14.9	14.0	12.3	10.9	12.2	14.0
DL	0.0	21.1	29.9	22.5	6.4	-4.1		0.0	4.1	-6.4	-22.5	-29.9	-21.1
3 0	17♉28	25♊0	29♋4	27♌2	17♍38	14♎3	9 0	12♌32	15♍57	12♎22	2♏58	0♐56	5♑0
3 10	19 57	27 19	1♌6	28 52	19 42	16 23	9 10	15 2	18 17	14 25	4 47	2 58	7 21
3 20	22 25	29 38	3 7	0♍41	21 45	18 43	9 20	17 33	20 37	16 28	6 36	5 0	9 44
3 30	24 51	1♋55	5 7	2 30	23 49	21 2	9 30	20 6	22 58	18 31	8 25	7 3	12 8
3 40	27 17	4 11	7 8	4 20	25 53	23 20	9 40	22 39	25 18	20 34	10 14	9 6	14 33
3 50	29 42	6 27	9 8	6 9	27 56	25 39	9 50	25 14	27 39	22 36	12 4	11 10	17 1
DT	14.3	13.4	12.0	11.0	12.4	13.8		15.6	14.1	12.2	10.9	12.6	15.0
DL	0.0	19.9	24.4	15.1	0.0	-8.1		0.0	0.0	-12.6	-29.9	-35.3	-20.8
4 0	2♊5	8♋41	11♌9	7♍59	0♎0	27♎56	10 0	27♌49	0♎0	24♎38	13♏53	13♐15	19♑30
4 10	4 28	10 55	13 9	9 49	2 4	0♏14	10 10	0♍26	2 21	26 41	15 42	15 22	22 1
4 20	6 50	13 8	15 10	11 38	4 7	2 30	10 20	3 3	4 42	28 42	17 32	17 29	24 34
4 30	9 11	15 21	17 10	13 28	6 11	4 47	10 30	5 42	7 2	0♏44	19 22	19 38	27 10
4 40	11 32	17 33	19 11	15 18	8 15	7 2	10 40	8 22	9 23	2 45	21 12	21 48	29 47
4 50	13 52	19 45	21 11	17 8	10 18	9 18	10 50	11 2	11 43	4 47	23 2	23 59	2♒27
DT	13.9	13.2	12.1	11.0	12.3	13.5		16.1	14.0	12.1	11.1	13.4	16.3
DL	0.0	17.7	18.6	7.6	-6.4	-11.7		0.0	-4.1	-18.6	-37.4	-40.3	-18.6
5 0	16♊11	21♋57	23♌12	18♍58	12♎22	11♏32	11 0	13♍43	14♎3	6♏48	24♏53	26♐12	5♒10
5 10	18 30	24 9	25 13	20 48	14 25	13 47	11 10	16 25	16 23	8 49	26 44	28 27	7 54
5 20	20 49	26 21	27 15	22 39	16 28	16 1	11 20	19 7	18 43	10 49	28 36	0♑45	10 41
5 30	23 7	28 32	29 16	24 29	18 31	18 14	11 30	21 50	21 2	12 50	0♐28	3 4	13 31
5 40	25 25	0♌44	1♍18	26 19	20 34	20 27	11 40	24 33	23 20	14 50	2 21	5 26	16 23
5 50	27 42	2 56	3 19	28 10	22 36	22 40	11 50	27 17	25 39	16 51	4 15	7 51	19 18

LATITUDE 48 DEGREES — PLACIDUS HOUSES

S.T.	10	11	12	1	2	3	S.T.	10	11	12	1	2	3
DT	16.3	13.8	12.0	11.5	14.9	17.8		13.8	15.0	20.1	31.5	20.1	15.0
DL	0.0	-8.1	-24.4	-45.2	-43.9	-14.2		0.0	-20.8	-38.4	-0.0	38.4	20.8
12 0	0♎0	27♎56	18♏51	6♐10	10♑18	22♒14	18 0	0♑0	19♒30	14♒50	0♈0	15♉10	10♊30
12 10	2 43	0♏14	20 52	8 6	12 49	25 14	18 10	2 18	22 1	18 13	5 15	18 28	12 59
12 20	5 27	2 30	22 52	10 2	15 23	28 15	18 20	4 35	24 34	21 41	10 27	21 41	15 27
12 30	8 10	4 47	24 53	12 0	18 0	1♓19	18 30	6 53	27 10	25 14	15 35	24 49	17 52
12 40	10 53	7 2	26 53	14 0	20 41	4 24	18 40	9 11	29 47	28 52	20 37	27 52	20 16
12 50	13 35	9 18	28 54	16 1	23 26	7 32	18 50	11 30	2♒27	2♓34	25 29	0♊50	22 39
DT	16.1	13.5	12.2	12.4	17.2	19.0		13.9	16.3	22.8	27.8	17.2	14.0
DL	0.0	-11.7	-29.9	-53.7	-44.3	-7.8		0.0	-18.6	-23.2	54.6	44.3	21.1
13 0	16♎17	11♏32	0♐56	18♐3	26♑16	10♓41	19 0	13♑49	5♒10	6♓21	0♉13	3♊44	25♊0
13 10	18 58	13 47	2 58	20 8	29 10	13 52	19 10	16 8	7 54	10 11	4 46	6 34	27 19
13 20	21 38	16 1	5 0	22 15	2♒8	17 4	19 20	18 28	10 41	14 5	9 8	9 19	29 38
13 30	24 18	18 14	7 3	24 24	5 11	20 17	19 30	20 49	13 31	18 1	13 19	12 0	1♋55
13 40	26 57	20 27	9 6	26 35	8 19	23 31	19 40	23 10	16 23	21 59	17 19	14 37	4 11
13 50	29 34	22 40	11 10	28 50	11 32	26 45	19 50	25 32	19 18	25 59	21 8	17 11	6 27
DT	15.6	13.2	12.6	13.9	20.1	19.5		14.3	17.8	24.1	21.4	14.9	13.4
DL	0.0	-14.9	-35.3	-62.8	-38.4	-0.0		0.0	-14.2	-0.0	73.7	43.9	19.9
14 0	2♏11	24♏52	13♐15	1♑7	14♒50	0♈0	20 0	27♑55	22♒14	0♈0	24♉48	19♊42	8♋41
14 10	4 46	27 4	15 22	3 28	18 13	3 15	20 10	0♒18	25 14	4 1	28 17	22 9	10 55
14 20	7 21	29 16	17 29	5 53	21 41	6 29	20 20	2 43	28 15	8 1	1♊38	24 34	13 8
14 30	9 54	1♐28	19 38	8 22	25 14	9 43	20 30	5 9	1♓19	11 59	4 50	26 56	15 21
14 40	12 27	3 39	21 48	10 56	28 52	12 56	20 40	7 35	4 24	15 55	7 54	29 15	17 33
14 50	14 58	5 51	23 59	13 35	2♓34	16 8	20 50	10 3	7 32	19 49	10 51	1♋33	19 45
DT	14.9	13.2	13.4	16.7	22.8	19.0		14.9	19.0	22.8	16.7	13.4	13.2
DL	0.0	-17.7	-40.3	-71.2	-23.2	7.8		0.0	-7.8	23.2	71.2	40.3	17.7
15 0	17♏28	8♐3	26♐12	16♑19	6♓21	19♈19	21 0	12♒32	10♓41	23♈39	13♊41	3♋48	21♋57
15 10	19 57	10 15	28 27	19 9	10 11	22 28	21 10	15 2	13 52	27 26	16 25	6 1	24 9
15 20	22 25	12 27	0♑45	22 6	14 5	25 36	21 20	17 33	17 4	1♉8	19 4	8 12	26 21
15 30	24 51	14 39	3 4	25 10	18 1	28 41	21 30	20 6	20 17	4 46	21 38	10 22	28 32
15 40	27 17	16 52	5 26	28 22	21 59	1♉45	21 40	22 39	23 31	8 19	24 7	12 31	0♌44
15 50	29 42	19 5	7 51	1♒43	25 59	4 46	21 50	25 14	26 45	11 47	26 32	14 38	2 56
DT	14.3	13.4	14.9	21.4	24.1	17.8		15.6	19.5	20.1	13.9	12.6	13.2
DL	0.0	-19.9	-43.9	-73.7	-0.0	14.2		0.0	-0.0	38.4	62.8	35.3	14.9
16 0	2♐5	21♐19	10♑18	5♒12	0♈0	7♉46	22 0	27♒49	0♈0	15♉10	28♊53	16♋45	5♌8
16 10	4 28	23 33	12 49	8 52	4 1	10 42	22 10	0♓26	3 15	18 28	1♋10	18 50	7 20
16 20	6 50	25 49	15 23	12 41	8 1	13 37	22 20	3 3	6 29	21 41	3 25	20 54	9 33
16 30	9 11	28 5	18 0	16 41	11 59	16 29	22 30	5 42	9 43	24 49	5 36	22 57	11 46
16 40	11 32	0♑22	20 41	20 52	15 55	19 19	22 40	8 22	12 56	27 52	7 45	25 0	13 59
16 50	13 52	2 41	23 26	25 14	19 49	22 6	22 50	11 2	16 8	0♊50	9 52	27 2	16 13
DT	13.9	14.0	17.2	27.8	22.8	16.3		16.1	19.0	17.2	12.4	12.2	13.5
DL	0.0	-21.1	-44.3	-54.6	23.2	18.6		0.0	7.8	44.3	53.7	29.9	11.7
17 0	16♐11	5♑0	26♑16	29♒47	23♈39	24♉50	23 0	13♓43	19♈19	3♊44	11♋57	29♋4	18♌28
17 10	18 30	7 21	29 10	4♓31	27 26	27 33	23 10	16 25	22 28	6 34	13 59	1♌6	20 42
17 20	20 49	9 44	2♒8	9 23	1♉8	0♊13	23 20	19 7	25 36	9 19	16 0	3 7	22 58
17 30	23 7	12 8	5 11	14 25	4 46	2 50	23 30	21 50	28 41	12 0	18 0	5 7	25 13
17 40	25 25	14 33	8 19	19 33	8 19	5 26	23 40	24 33	1♉45	14 37	19 58	7 8	27 30
17 50	27 42	17 1	11 32	24 45	11 47	7 59	23 50	27 17	4 46	17 11	21 54	9 8	29 46

LATITUDE 49 DEGREES   PLACIDUS HOUSES

S.T.	10	11	12	1	2	3
DT	16.3	17.9	14.9	11.4	11.9	13.7
DL	0.0	15.0	46.2	46.5	25.1	8.3
0 0	0♈0	8♉0	20♊26	24♋35	11♌33	2♍12
0 10	2 43	10 58	22 53	26 29	13 33	4 29
0 20	5 27	13 53	25 17	28 21	15 32	6 46
0 30	8 10	16 46	27 38	0♌13	17 32	9 4
0 40	10 53	19 36	29 57	2 4	19 31	11 23
0 50	13 35	22 24	2♋14	3 54	21 31	13 42
DT	16.1	16.4	13.3	11.0	12.0	13.9
DL	0.0	19.7	42.1	38.3	19.1	4.3
1 0	16♈17	25♉9	4♋28	5♌44	23♌31	16♍1
1 10	18 58	27 52	6 40	7 34	25 31	18 20
1 20	21 38	0♊32	8 51	9 23	27 31	20 40
1 30	24 18	3 10	11 0	11 12	29 32	23 0
1 40	26 57	5 46	13 8	13 0	1♍32	25 20
1 50	29 34	8 20	15 15	14 49	3 33	27 40
DT	15.6	15.0	12.5	10.8	12.1	14.0
DL	0.0	22.0	36.7	30.5	12.9	0.0
2 0	2♉11	10♊51	17♋20	16♌37	5♍34	0♎0
2 10	4 46	13 20	19 24	18 25	7 35	2 20
2 20	7 21	15 48	21 27	20 13	9 37	4 40
2 30	9 54	18 14	23 30	22 1	11 39	7 0
2 40	12 27	20 38	25 32	23 49	13 40	9 20
2 50	14 58	23 0	27 33	25 37	15 43	11 40
DT	14.9	14.0	12.1	10.8	12.2	13.9
DL	0.0	22.2	30.9	23.0	6.5	-4.3
3 0	17♉28	25♊21	29♋34	27♌25	17♍45	13♎59
3 10	19 57	27 40	1♌35	29 13	19 47	16 18
3 20	22 25	29 58	3 35	1♍1	21 49	18 37
3 30	24 51	2♋16	5 35	2 49	23 52	20 56
3 40	27 17	4 32	7 34	4 37	25 55	23 14
3 50	29 42	6 47	9 34	6 26	27 57	25 31
DT	14.3	13.4	11.9	10.8	12.3	13.7
DL	0.0	20.8	25.1	15.4	0.0	-8.3
4 0	2♊5	9♋1	11♌33	8♍14	0♎0	27♎48
4 10	4 28	11 15	13 33	10 2	2 3	0♏5
4 20	6 50	13 27	15 32	11 51	4 5	2 21
4 30	9 11	15 40	17 32	13 40	6 8	4 37
4 40	11 32	17 52	19 31	15 28	8 11	6 52
4 50	13 52	20 4	21 31	17 17	10 13	9 7
DT	13.9	13.1	12.0	10.9	12.2	13.4
DL	0.0	18.5	19.1	7.7	-6.5	-12.1
5 0	16♊11	22♋15	23♌31	19♍6	12♎15	11♏21
5 10	18 30	24 26	25 31	20 55	14 17	13 34
5 20	20 49	26 37	27 31	22 44	16 20	15 48
5 30	23 7	28 49	29 32	24 33	18 21	18 1
5 40	25 25	1♌0	1♍32	26 22	20 23	20 13
5 50	27 42	3 11	3 33	28 11	22 25	22 25

S.T.	10	11	12	1	2	3
DT	13.8	13.2	12.1	10.9	12.1	13.2
DL	0.0	15.5	12.9	0.0	-12.9	-15.5
6 0	0♋0	5♌23	5♍34	0♎0	24♎26	24♏37
6 10	2 18	7 35	7 35	1 49	26 27	26 49
6 20	4 35	9 47	9 37	3 38	28 28	29 0
6 30	6 53	11 59	11 39	5 27	0♏28	1♐11
6 40	9 11	14 12	13 40	7 16	2 29	3 23
6 50	11 30	16 26	15 43	9 5	4 29	5 34
DT	13.9	13.4	12.2	10.9	12.0	13.1
DL	0.0	12.1	6.5	-7.7	-19.1	-18.5
7 0	13♋49	18♌39	17♍45	10♎54	6♏29	7♐45
7 10	16 8	20 53	19 47	12 43	8 29	9 56
7 20	18 28	23 8	21 49	14 32	10 29	12 8
7 30	20 49	25 23	23 52	16 20	12 28	14 20
7 40	23 10	27 39	25 55	18 9	14 28	16 33
7 50	25 32	29 55	27 57	19 58	16 27	18 45
DT	14.3	13.7	12.3	10.8	11.9	13.4
DL	0.0	8.3	0.0	-15.4	-25.1	-20.8
8 0	27♋55	2♍12	0♎0	21♎46	18♏27	20♐59
8 10	0♌18	4 29	2 3	23 34	20 26	23 13
8 20	2 43	6 46	4 5	25 23	22 26	25 28
8 30	5 9	9 4	6 8	27 11	24 25	27 44
8 40	7 35	11 23	8 11	28 59	26 25	0♑2
8 50	10 3	13 42	10 13	0♏47	28 25	2 20
DT	14.9	13.9	12.2	10.8	12.1	14.0
DL	0.0	4.3	-6.5	-23.0	-30.9	-22.2
9 0	12♌32	16♍1	12♎15	2♏35	0♐26	4♑39
9 10	15 2	18 20	14 17	4 23	2 27	7 0
9 20	17 33	20 40	16 20	6 11	4 28	9 22
9 30	20 6	23 0	18 21	7 59	6 30	11 46
9 40	22 39	25 20	20 23	9 47	8 33	14 12
9 50	25 14	27 40	22 25	11 35	10 36	16 40
DT	15.6	14.0	12.1	10.8	12.5	15.0
DL	0.0	0.0	-12.9	-30.5	-36.7	-22.0
10 0	27♌49	0♎0	24♎26	13♏23	12♐40	19♑9
10 10	0♍26	2 20	26 27	15 11	14 45	21 40
10 20	3 3	4 40	28 28	17 0	16 52	24 14
10 30	5 42	7 0	0♏28	18 48	19 0	26 50
10 40	8 22	9 20	2 29	20 37	21 9	29 28
10 50	11 2	11 40	4 29	22 26	23 20	2♒8
DT	16.1	13.9	12.0	11.0	13.3	16.4
DL	0.0	-4.3	-19.1	-38.3	-42.1	-19.7
11 0	13♍43	13♎59	6♏29	24♏16	25♐32	4♒51
11 10	16 25	16 18	8 29	26 6	27 46	7 36
11 20	19 7	18 37	10 29	27 56	0♑3	10 24
11 30	21 50	20 56	12 28	29 47	2 22	13 14
11 40	24 33	23 14	14 28	1♐39	4 43	16 7
11 50	27 17	25 31	16 27	3 31	7 7	19 2

LATITUDE 49 DEGREES PLACIDUS HOUSES

S.T.	10	11	12	1	2	3
DT	*16.3*	*13.7*	*11.9*	*11.4*	*14.9*	*17.9*
DL	*0.0*	*-8.3*	*-25.1*	*-46.5*	*-46.2*	*-15.0*
12 0	0♎ 0	27♎48	18♏27	5♐25	9♑34	22♒ 0
12 10	2 43	0♏ 5	20 26	7 19	12 5	25 0
12 20	5 27	2 21	22 26	9 14	14 38	28 3
12 30	8 10	4 37	24 25	11 11	17 16	1♓ 7
12 40	10 53	6 52	26 25	13 9	19 57	4 14
12 50	13 35	9 7	28 25	15 9	22 42	7 23
DT	*16.1*	*13.4*	*12.1*	*12.2*	*17.2*	*19.1*
DL	*0.0*	*-12.1*	*-30.9*	*-55.5*	*-47.1*	*-8.2*
13 0	16♎17	11♏21	0♐26	17♐10	25♑31	10♓33
13 10	18 58	13 34	2 27	19 13	28 26	13 45
13 20	21 38	15 48	4 28	21 18	1♒25	16 59
13 30	24 18	18 1	6 30	23 26	4 28	20 13
13 40	26 57	20 13	8 33	25 36	7 37	23 28
13 50	29 34	22 25	10 36	27 49	10 52	26 44
DT	*15.6*	*13.2*	*12.5*	*13.8*	*20.2*	*19.6*
DL	*0.0*	*-15.5*	*-36.7*	*-65.3*	*-41.1*	*-0.0*
14 0	2♏11	24♏37	12♐40	0♑ 5	14♒11	0♈ 0
14 10	4 46	26 49	14 45	2 24	17 36	3 16
14 20	7 21	29 0	16 52	4 47	21 6	6 32
14 30	9 54	1♐11	19 0	7 15	24 42	9 47
14 40	12 27	3 23	21 9	9 47	28 22	13 1
14 50	14 58	5 34	23 20	12 25	2♓ 8	16 15
DT	*14.9*	*13.1*	*13.3*	*16.6*	*23.2*	*19.1*
DL	*0.0*	*-18.5*	*-42.1*	*-75.0*	*-24.9*	*8.2*
15 0	17♏28	7♐45	25♐32	15♑ 8	5♓57	19♈27
15 10	19 57	9 56	27 46	17 57	9 51	22 37
15 20	22 25	12 8	0♑ 3	20 53	13 48	25 46
15 30	24 51	14 20	2 22	23 57	17 49	28 53
15 40	27 17	16 33	4 43	27 8	21 51	1♉57
15 50	29 42	18 45	7 7	0♒29	25 55	5 0
DT	*14.3*	*13.4*	*14.9*	*21.5*	*24.5*	*17.9*
DL	*0.0*	*-20.8*	*-46.2*	*-79.0*	*-0.0*	*15.0*
16 0	2♐ 5	20♐59	9♑34	3♒59	0♈ 0	8♉ 0
16 10	4 28	23 13	12 5	7 39	4 5	10 58
16 20	6 50	25 28	14 38	11 30	8 9	13 53
16 30	9 11	27 44	17 16	15 33	12 11	16 46
16 40	11 32	0♑ 2	19 57	19 47	16 12	19 36
16 50	13 52	2 20	22 42	24 14	20 9	22 24
DT	*13.9*	*14.0*	*17.2*	*28.4*	*23.2*	*16.4*
DL	*0.0*	*-22.2*	*-47.1*	*-60.1*	*24.9*	*19.7*
17 0	16♐11	4♑39	25♑31	28♒53	24♈ 3	25♉ 9
17 10	18 30	7 0	28 26	3♓43	27 52	27 52
17 20	20 49	9 22	1♒25	8 43	1♉38	0♊32
17 30	23 7	11 46	4 28	13 54	5 18	3 10
17 40	25 25	14 12	7 37	19 11	8 54	5 46
17 50	27 42	16 40	10 52	24 34	12 24	8 20

S.T.	10	11	12	1	2	3
DT	*13.8*	*15.0*	*20.2*	*32.6*	*20.2*	*15.0*
DL	*0.0*	*-22.0*	*-41.1*	*-0.0*	*41.1*	*22.0*
18 0	0♑ 0	19♑ 9	14♒11	0♈ 0	15♉49	10♊51
18 10	2 18	21 40	17 36	5 26	19 8	13 20
18 20	4 35	24 14	21 6	10 49	22 23	15 48
18 30	6 53	26 50	24 42	16 6	25 32	18 14
18 40	9 11	29 28	28 22	21 17	28 35	20 38
18 50	11 30	2♒ 8	2♓ 8	26 17	1♊34	23 0
DT	*13.9*	*16.4*	*23.2*	*28.4*	*17.2*	*14.0*
DL	*0.0*	*-19.7*	*-24.9*	*60.1*	*47.1*	*22.2*
19 0	13♑49	4♒51	5♓57	1♉ 7	4♊29	25♊21
19 10	16 8	7 36	9 51	5 46	7 18	27 40
19 20	18 28	10 24	13 48	10 13	10 3	29 58
19 30	20 49	13 14	17 49	14 27	12 44	2♋16
19 40	23 10	16 7	21 51	18 30	15 22	4 32
19 50	25 32	19 2	25 55	22 21	17 55	6 47
DT	*14.3*	*17.9*	*24.5*	*21.5*	*14.9*	*13.4*
DL	*0.0*	*-15.0*	*-0.0*	*79.0*	*46.2*	*20.8*
20 0	27♑55	22♒ 0	0♈ 0	26♉ 1	20♊26	9♋ 1
20 10	0♒18	25 0	4 5	29 31	22 53	11 15
20 20	2 43	28 3	8 9	2♊52	25 17	13 27
20 30	5 9	1♓ 7	12 11	6 3	27 38	15 40
20 40	7 35	4 14	16 12	9 7	29 57	17 52
20 50	10 3	7 23	20 9	12 3	2♋14	20 4
DT	*14.9*	*19.1*	*23.2*	*16.6*	*13.3*	*13.1*
DL	*0.0*	*-8.2*	*24.9*	*75.0*	*42.1*	*18.5*
21 0	12♒32	10♓33	24♈ 3	14♊52	4♋28	22♋15
21 10	15 2	13 45	27 52	17 35	6 40	24 26
21 20	17 33	16 59	1♉38	20 13	8 51	26 37
21 30	20 6	20 13	5 18	22 45	11 0	28 49
21 40	22 39	23 28	8 54	25 13	13 8	1♌ 0
21 50	25 14	26 44	12 24	27 36	15 15	3 11
DT	*15.6*	*19.6*	*20.2*	*13.8*	*12.5*	*13.2*
DL	*0.0*	*-0.0*	*41.1*	*65.3*	*36.7*	*15.5*
22 0	27♒49	0♈ 0	15♉49	29♊55	17♋20	5♌23
22 10	0♓26	3 16	19 8	2♋11	19 24	7 35
22 20	3 3	6 32	22 23	4 24	21 27	9 47
22 30	5 42	9 47	25 32	6 34	23 30	11 59
22 40	8 22	13 1	28 35	8 42	25 32	14 12
22 50	11 2	16 15	1♊34	10 47	27 33	16 26
DT	*16.1*	*19.1*	*17.2*	*12.2*	*12.1*	*13.4*
DL	*0.0*	*8.2*	*47.1*	*55.5*	*30.9*	*12.1*
23 0	13♓43	19♈27	4♊29	12♋50	29♋34	18♌39
23 10	16 25	22 37	7 18	14 51	1♌35	20 53
23 20	19 7	25 46	10 3	16 51	3 35	23 8
23 30	21 50	28 53	12 44	18 49	5 35	25 23
23 40	24 33	1♉57	15 22	20 46	7 34	27 39
23 50	27 17	5 0	17 55	22 41	9 34	29 55

LATITUDE 50 DEGREES PLACIDUS HOUSES

S.T.	10	11	12	1	2	3	S.T.	10	11	12	1	2	3
DT	*16.3*	*18.0*	*14.8*	*11.2*	*11.8*	*13.6*		*13.8*	*13.1*	*12.0*	*10.8*	*12.0*	*13.1*
DL	*0.0*	*15.9*	*48.8*	*47.9*	*25.9*	*8.6*		*0.0*	*16.2*	*13.2*	*0.0*	*-13.2*	*-16.2*
0 0	0♈ 0	8♉15	21♊12	25♋22	11♌58	2♍20	6 0	0♋ 0	5♌38	5♍47	0♎ 0	24♎13	24♏22
0 10	2 43	11 14	23 38	27 14	13 57	4 37	6 10	2 18	7 50	7 47	1 48	26 13	26 33
0 20	5 27	14 10	26 2	29 5	15 55	6 53	6 20	4 35	10 1	9 48	3 36	28 13	28 43
0 30	8 10	17 3	28 23	0♌55	17 54	9 11	6 30	6 53	12 13	11 48	5 23	0♏12	0♐54
0 40	10 53	19 54	0♋41	2 45	19 52	11 29	6 40	9 11	14 26	13 49	7 11	2 12	3 5
0 50	13 35	22 43	2 56	4 34	21 51	13 47	6 50	11 30	16 38	15 50	8 59	4 11	5 16
DT	*16.1*	*16.5*	*13.3*	*10.8*	*11.9*	*13.9*		*13.9*	*13.3*	*12.1*	*10.8*	*11.9*	*13.1*
DL	*0.0*	*20.8*	*44.1*	*39.3*	*19.6*	*4.4*		*0.0*	*12.6*	*6.7*	*-7.9*	*-19.6*	*-19.3*
1 0	16♈17	25♉29	5♋10	6♌23	23♌50	16♍ 5	7 0	13♋49	18♌51	17♍51	10♎46	6♏10	7♐26
1 10	18 58	28 12	7 22	8 11	25 49	18 24	7 10	16 8	21 5	19 52	12 34	8 9	9 37
1 20	21 38	0♊53	9 32	9 59	27 48	20 43	7 20	18 28	23 19	21 54	14 21	10 8	11 49
1 30	24 18	3 31	11 40	11 46	29 48	23 2	7 30	20 49	25 34	23 55	16 9	12 6	14 0
1 40	26 57	6 7	13 47	13 33	1♍47	25 21	7 40	23 10	27 49	25 57	17 56	14 5	16 12
1 50	29 34	8 41	15 52	15 21	3 47	27 41	7 50	25 32	0♍ 4	27 58	19 43	16 3	18 25
DT	*15.6*	*15.1*	*12.4*	*10.7*	*12.0*	*13.9*		*14.3*	*13.6*	*12.2*	*10.7*	*11.8*	*13.4*
DL	*0.0*	*23.3*	*38.2*	*31.2*	*13.2*	*0.0*		*0.0*	*8.6*	*0.0*	*-15.7*	*-25.9*	*-21.9*
2 0	2♉11	11♊13	17♋57	17♌ 8	5♍47	0♎ 0	8 0	27♋55	2♍20	0♎ 0	21♎31	18♏ 2	20♐38
2 10	4 46	13 43	20 0	18 54	7 47	2 19	8 10	0♌18	4 37	2 2	23 18	20 0	22 52
2 20	7 21	16 10	22 2	20 41	9 48	4 39	8 20	2 43	6 53	4 3	25 5	21 59	25 7
2 30	9 54	18 36	24 4	22 28	11 48	6 58	8 30	5 9	9 11	6 5	26 52	23 57	27 23
2 40	12 27	21 0	26 5	24 15	13 49	9 17	8 40	7 35	11 29	8 6	28 39	25 56	29 40
2 50	14 58	23 22	28 5	26 1	15 50	11 36	8 50	10 3	13 47	10 8	0♏25	27 55	1♑58
DT	*14.9*	*14.0*	*12.0*	*10.7*	*12.1*	*13.9*		*14.9*	*13.9*	*12.1*	*10.7*	*12.0*	*14.0*
DL	*0.0*	*23.4*	*32.0*	*23.4*	*6.7*	*-4.4*		*0.0*	*4.4*	*-6.7*	*-23.4*	*-32.0*	*-23.4*
3 0	17♉28	25♊43	0♌ 5	27♌48	17♍51	13♎55	9 0	12♌32	16♍ 5	12♎ 9	2♏12	29♏55	4♑17
3 10	19 57	28 2	2 5	29 35	19 52	16 13	9 10	15 2	18 24	14 10	3 59	1♐55	6 38
3 20	22 25	0♋20	4 4	1♍21	21 54	18 31	9 20	17 33	20 43	16 11	5 45	3 55	9 0
3 30	24 51	2 37	6 3	3 8	23 55	20 49	9 30	20 6	23 2	18 12	7 32	5 56	11 24
3 40	27 17	4 53	8 1	4 55	25 57	23 7	9 40	22 39	25 21	20 12	9 19	7 58	13 50
3 50	29 42	7 8	10 0	6 42	27 58	25 23	9 50	25 14	27 41	22 13	11 6	10 0	16 17
DT	*14.3*	*13.4*	*11.8*	*10.7*	*12.2*	*13.6*		*15.6*	*13.9*	*12.0*	*10.7*	*12.4*	*15.1*
DL	*0.0*	*21.9*	*25.9*	*15.7*	*0.0*	*-8.6*		*0.0*	*0.0*	*-13.2*	*-31.2*	*-38.2*	*-23.3*
4 0	2♊ 5	9♋22	11♌58	8♍29	0♎ 0	27♎40	10 0	27♌49	0♎ 0	24♎13	12♏52	12♐ 3	18♑47
4 10	4 28	11 35	13 57	10 17	2 2	29 56	10 10	0♍26	2 19	26 13	14 39	14 8	21 19
4 20	6 50	13 48	15 55	12 4	4 3	2♏11	10 20	3 3	4 39	28 13	16 27	16 13	23 53
4 30	9 11	16 0	17 54	13 51	6 5	4 26	10 30	5 42	6 58	0♏12	18 14	18 20	26 29
4 40	11 32	18 11	19 52	15 39	8 6	6 41	10 40	8 22	9 17	2 12	20 1	20 28	29 7
4 50	13 52	20 23	21 51	17 26	10 8	8 55	10 50	11 2	11 36	4 11	21 49	22 38	1♒48
DT	*13.9*	*13.1*	*11.9*	*10.8*	*12.1*	*13.3*		*16.1*	*13.9*	*11.9*	*10.8*	*13.3*	*16.5*
DL	*0.0*	*19.3*	*19.6*	*7.9*	*-6.7*	*-12.6*		*0.0*	*-4.4*	*-19.6*	*-39.3*	*-44.1*	*-20.8*
5 0	16♊11	22♋34	23♌50	19♍14	12♎ 9	11♏ 9	11 0	13♍43	13♎55	6♏10	23♏37	24♐50	4♒31
5 10	18 30	24 44	25 49	21 1	14 10	13 22	11 10	16 25	16 13	8 9	25 26	27 4	7 17
5 20	20 49	26 55	27 48	22 49	16 11	15 34	11 20	19 7	18 31	10 8	27 15	29 19	10 6
5 30	23 7	29 6	29 48	24 37	18 12	17 47	11 30	21 50	20 49	12 6	29 5	1♑37	12 57
5 40	25 25	1♌17	1♍47	26 24	20 12	19 59	11 40	24 33	23 7	14 5	0♐55	3 58	15 50
5 50	27 42	3 27	3 47	28 12	22 13	22 10	11 50	27 17	25 23	16 3	2 46	6 22	18 46

LATITUDE 50 DEGREES PLACIDUS HOUSES

S.T.	10	11	12	1	2	3	S.T.	10	11	12	1	2	3
DT	*16.3*	*13.6*	*11.8*	*11.2*	*14.8*	*18.0*		*13.8*	*15.1*	*20.4*	*33.8*	*20.4*	*15.1*
DL	*0.0*	*-8.6*	*-25.9*	*-47.9*	*-48.8*	*-15.9*		*0.0*	*-23.3*	*-44.1*	*-0.0*	*44.1*	*23.3*
12 0	0♎ 0	27♎40	18♏ 2	4♐38	8♑48	21♒45	18 0	0♑ 0	18♑47	13♒30	0♈ 0	16♉30	11♊13
12 10	2 43	29 56	20 0	6 31	11 18	24 46	18 10	2 18	21 19	16 57	5 38	19 51	13 43
12 20	5 27	2♏11	21 59	8 25	13 51	27 50	18 20	4 35	23 53	20 29	11 12	23 7	16 10
12 30	8 10	4 26	23 57	10 20	16 28	0♓56	18 30	6 53	26 29	24 7	16 41	26 17	18 36
12 40	10 53	6 41	25 56	12 17	19 9	4 4	18 40	9 11	29 7	27 51	22 1	29 21	21 0
12 50	13 35	8 55	27 55	14 15	21 55	7 13	18 50	11 30	1♒48	1♓39	27 10	2♊21	23 22
DT	*16.1*	*13.3*	*12.0*	*12.1*	*17.2*	*19.2*		*13.9*	*16.5*	*23.5*	*29.1*	*17.2*	*14.0*
DL	*0.0*	*-12.6*	*-32.0*	*-57.4*	*-50.1*	*-8.7*		*0.0*	*-20.8*	*-26.9*	*66.4*	*50.1*	*23.4*
13 0	16♎17	11♏ 9	29♏55	16♐14	24♑44	10♓25	19 0	13♑49	4♒31	5♓32	2♉ 8	5♊16	25♊43
13 10	18 58	13 22	1♐55	18 16	27 39	13 38	19 10	16 8	7 17	9 30	6 52	8 5	28 2
13 20	21 38	15 34	3 55	20 19	0♒39	16 53	19 20	18 28	10 6	13 31	11 23	10 51	0♋20
13 30	24 18	17 47	5 56	22 25	3 43	20 9	19 30	20 49	12 57	17 36	15 41	13 32	2 37
13 40	26 57	19 59	7 58	24 34	6 53	23 25	19 40	23 10	15 50	21 42	19 46	16 9	4 53
13 50	29 34	22 10	10 0	26 45	10 9	26 43	19 50	25 32	18 46	25 51	23 39	18 42	7 8
DT	*15.6*	*13.1*	*12.4*	*13.6*	*20.4*	*19.7*		*14.3*	*18.0*	*24.9*	*21.6*	*14.8*	*13.4*
DL	*0.0*	*-16.2*	*-38.2*	*-68.1*	*-44.1*	*-0.0*		*0.0*	*-15.9*	*-0.0*	*84.9*	*48.8*	*21.9*
14 0	2♏11	24♏22	12♐ 3	28♐59	13♒30	0♈ 0	20 0	27♑55	21♒45	0♈ 0	27♉20	21♊12	9♋22
14 10	4 46	26 33	14 8	1♑17	16 57	3 17	20 10	0♒18	24 46	4 9	0♊51	23 38	11 35
14 20	7 21	28 43	16 13	3 39	20 29	6 35	20 20	2 43	27 50	8 18	4 11	26 2	13 48
14 30	9 54	0♐54	18 20	6 5	24 7	9 51	20 30	5 9	0♓56	12 24	7 22	28 23	16 0
14 40	12 27	3 5	20 28	8 35	27 51	13 7	20 40	7 35	4 4	16 29	10 25	0♋41	18 11
14 50	14 58	5 16	22 38	11 11	1♓39	16 22	20 50	10 3	7 13	20 30	13 19	2 56	20 23
DT	*14.9*	*13.1*	*13.3*	*16.5*	*23.5*	*19.2*		*14.9*	*19.2*	*23.5*	*16.5*	*13.3*	*13.1*
DL	*0.0*	*-19.3*	*-44.1*	*-79.1*	*-26.9*	*8.7*		*0.0*	*-8.7*	*26.9*	*79.1*	*44.1*	*19.3*
15 0	17♏28	7♐26	24♐50	13♑53	5♓32	19♈35	21 0	12♒32	10♓25	24♈28	16♊ 7	5♋10	22♋34
15 10	19 57	9 37	27 4	16 41	9 30	22 47	21 10	15 2	13 38	28 21	18 49	7 22	24 44
15 20	22 25	11 49	29 19	19 35	13 31	25 56	21 20	17 33	16 53	2♉ 9	21 25	9 32	26 55
15 30	24 51	14 0	1♑37	22 38	17 36	29 4	21 30	20 6	20 9	5 53	23 55	11 40	29 6
15 40	27 17	16 12	3 58	25 49	21 42	2♉10	21 40	22 39	23 25	9 31	26 21	13 47	1♌17
15 50	29 42	18 25	6 22	29 9	25 51	5 14	21 50	25 14	26 43	13 3	28 43	15 52	3 27
DT	*14.3*	*13.4*	*14.8*	*21.6*	*24.9*	*18.0*		*15.6*	*19.7*	*20.4*	*13.6*	*12.4*	*13.1*
DL	*0.0*	*-21.9*	*-48.8*	*-84.9*	*-0.0*	*15.9*		*0.0*	*-0.0*	*44.1*	*68.1*	*38.2*	*16.2*
16 0	2♐ 5	20♐38	8♑48	2♒40	0♈ 0	8♉15	22 0	27♒49	0♈ 0	16♉30	1♋ 1	17♋57	5♌38
16 10	4 28	22 52	11 18	6 21	4 9	11 14	22 10	0♓26	3 17	19 51	3 15	20 0	7 50
16 20	6 50	25 7	13 51	10 14	8 18	14 10	22 20	3 3	6 35	23 7	5 26	22 2	10 1
16 30	9 11	27 23	16 28	14 19	12 24	17 3	22 30	5 42	9 51	26 17	7 35	24 4	12 13
16 40	11 32	29 40	19 9	18 37	16 29	19 54	22 40	8 22	13 7	29 21	9 41	26 5	14 26
16 50	13 52	1♑58	21 55	23 8	20 30	22 43	22 50	11 2	16 22	2♊21	11 44	28 5	16 38
DT	*13.9*	*14.0*	*17.2*	*29.1*	*23.5*	*16.5*		*16.1*	*19.2*	*17.2*	*12.1*	*12.0*	*13.3*
DL	*0.0*	*-23.4*	*-50.1*	*-66.4*	*26.9*	*20.8*		*0.0*	*8.7*	*50.1*	*57.4*	*32.0*	*12.6*
17 0	16♐11	4♑17	24♑44	27♒52	24♈28	25♉29	23 0	13♓43	19♈35	5♊16	13♋46	0♌ 5	18♌51
17 10	18 30	6 38	27 39	2♓50	28 21	28 12	23 10	16 25	22 47	8 5	15 45	2 5	21 5
17 20	20 49	9 0	0♒39	7 59	2♉ 9	0♊53	23 20	19 7	25 56	10 51	17 43	4 4	23 19
17 30	23 7	11 24	3 43	13 19	5 53	3 31	23 30	21 50	29 4	13 32	19 40	6 3	25 34
17 40	25 25	13 50	6 53	18 48	9 31	6 7	23 40	24 33	2♉10	16 9	21 35	8 1	27 49
17 50	27 42	16 17	10 9	24 22	13 3	8 41	23 50	27 17	5 14	18 42	23 29	10 0	0♍ 4

LATITUDE 51 DEGREES								PLACIDUS HOUSES					
S.T.	10	11	12	1	2	3	S.T.	10	11	12	1	2	3
DT	*16.3*	*18.1*	*14.8*	*11.1*	*11.7*	*13.6*		*13.8*	*13.1*	*11.9*	*10.6*	*11.9*	*13.1*
DL	*0.0*	*16.9*	*51.6*	*49.3*	*26.7*	*8.9*		*0.0*	*16.8*	*13.6*	*0.0*	*-13.6*	*-16.8*
0 0	0♈ 0	8♉31	22♊ 1	26♋10	12♌24	2♍29	6 0	0♋ 0	5♌55	6♍ 0	0♎ 0	24♎ 0	24♏ 5
0 10	2 43	11 30	24 27	28 0	14 22	4 44	6 10	2 18	8 5	7 59	1 46	25 59	26 16
0 20	5 27	14 28	26 49	29 50	16 19	7 1	6 20	4 35	10 16	9 59	3 33	27 57	28 26
0 30	8 10	17 22	29 9	1♌39	18 17	9 17	6 30	6 53	12 28	11 58	5 19	29 56	0♐36
0 40	10 53	20 14	1♋27	3 27	20 14	11 34	6 40	9 11	14 39	13 58	7 6	1♏54	2 47
0 50	13 35	23 3	3 41	5 15	22 12	13 52	6 50	11 30	16 51	15 58	8 52	3 52	4 57
DT	*16.1*	*16.5*	*13.2*	*10.7*	*11.8*	*13.8*		*13.9*	*13.3*	*12.0*	*10.6*	*11.8*	*13.0*
DL	*0.0*	*22.2*	*46.2*	*40.3*	*20.2*	*4.5*		*0.0*	*13.0*	*6.8*	*-8.0*	*-20.2*	*-20.3*
1 0	16♈17	25♉49	5♋54	7♌ 2	24♌10	16♍ 9	7 0	13♋49	19♌ 4	17♍58	10♎39	5♏50	7♐ 7
1 10	18 58	28 33	8 5	8 49	26 8	18 27	7 10	16 8	21 17	19 58	12 25	7 48	9 18
1 20	21 38	1♊15	10 14	10 35	28 6	20 46	7 20	18 28	23 30	21 58	14 11	9 46	11 28
1 30	24 18	3 54	12 21	12 21	0♍ 4	23 4	7 30	20 49	25 44	23 59	15 57	11 43	13 40
1 40	26 57	6 30	14 27	14 7	2 3	25 23	7 40	23 10	27 59	25 59	17 43	13 41	15 51
1 50	29 34	9 4	16 31	15 53	4 1	27 41	7 50	25 32	0♍13	28 0	19 29	15 38	18 3
DT	*15.6*	*15.1*	*12.3*	*10.6*	*11.9*	*13.9*		*14.3*	*13.6*	*12.0*	*10.6*	*11.7*	*13.3*
DL	*0.0*	*24.7*	*39.8*	*32.0*	*13.6*	*0.0*		*0.0*	*8.9*	*0.0*	*-16.0*	*-26.7*	*-23.1*
2 0	2♉11	11♊36	18♋35	17♌39	6♍ 0	0♎ 0	8 0	27♋55	2♍29	0♎ 0	21♎15	17♏36	20♐16
2 10	4 46	14 6	20 37	19 24	7 59	2 19	8 10	0♌18	4 44	2 0	23 1	19 33	22 30
2 20	7 21	16 34	22 38	21 10	9 59	4 37	8 20	2 43	7 1	4 1	24 46	21 31	24 44
2 30	9 54	18 59	24 39	22 55	11 58	6 56	8 30	5 9	9 17	6 1	26 32	23 28	27 0
2 40	12 27	21 23	26 39	24 41	13 58	9 14	8 40	7 35	11 34	8 2	28 18	25 26	29 17
2 50	14 58	23 46	28 38	26 26	15 58	11 33	8 50	10 3	13 52	10 2	0♏ 3	27 24	1♑34
DT	*14.9*	*14.0*	*11.9*	*10.5*	*12.0*	*13.8*		*14.9*	*13.8*	*12.0*	*10.5*	*11.9*	*14.0*
DL	*0.0*	*24.8*	*33.2*	*23.9*	*6.8*	*-4.5*		*0.0*	*4.5*	*-6.8*	*-23.9*	*-33.2*	*-24.8*
3 0	17♉28	26♊ 6	0♌37	28♌11	17♍58	13♎51	9 0	12♌32	16♍ 9	12♎ 2	1♏49	29♏23	3♑54
3 10	19 57	28 26	2 36	29 57	19 58	16 8	9 10	15 2	18 27	14 2	3 34	1♐22	6 14
3 20	22 25	0♋43	4 34	1♍42	21 58	18 26	9 20	17 33	20 46	16 2	5 19	3 21	8 37
3 30	24 51	3 0	6 32	3 28	23 59	20 43	9 30	20 6	23 4	18 2	7 5	5 21	11 1
3 40	27 17	5 16	8 29	5 14	25 59	22 59	9 40	22 39	25 23	20 1	8 50	7 22	13 26
3 50	29 42	7 30	10 27	6 59	28 0	25 16	9 50	25 14	27 41	22 1	10 36	9 23	15 54
DT	*14.3*	*13.3*	*11.7*	*10.6*	*12.0*	*13.6*		*15.6*	*13.9*	*11.9*	*10.6*	*12.3*	*15.1*
DL	*0.0*	*23.1*	*26.7*	*16.0*	*0.0*	*-8.9*		*0.0*	*0.0*	*-13.6*	*-32.0*	*-39.8*	*-24.7*
4 0	2♊ 5	9♋44	12♌24	8♍45	0♎ 0	27♎31	10 0	27♌49	0♎ 0	24♎ 0	12♏21	11♐25	18♑24
4 10	4 28	11 57	14 22	10 31	2 0	29 47	10 10	0♍26	2 19	25 59	14 7	13 29	20 56
4 20	6 50	14 9	16 19	12 17	4 1	2♏ 1	10 20	3 3	4 37	27 57	15 53	15 33	23 30
4 30	9 11	16 20	18 17	14 3	6 1	4 16	10 30	5 42	6 56	29 56	17 39	17 39	26 6
4 40	11 32	18 32	20 14	15 49	8 2	6 30	10 40	8 22	9 14	1♏54	19 25	19 46	28 45
4 50	13 52	20 42	22 12	17 35	10 2	8 43	10 50	11 2	11 33	3 52	21 11	21 55	1♒27
DT	*13.9*	*13.0*	*11.8*	*10.6*	*12.0*	*13.3*		*16.1*	*13.8*	*11.8*	*10.7*	*13.2*	*16.5*
DL	*0.0*	*20.3*	*20.2*	*8.0*	*-6.8*	*-13.0*		*0.0*	*-4.5*	*-20.2*	*-40.3*	*-46.2*	*-22.2*
5 0	16♊11	22♋53	24♌10	19♍21	12♎ 2	10♏56	11 0	13♍43	13♎51	5♏50	22♏58	24♐ 6	4♒11
5 10	18 30	25 3	26 8	21 8	14 2	13 9	11 10	16 25	16 8	7 48	24 45	26 19	6 57
5 20	20 49	27 13	28 6	22 54	16 2	15 21	11 20	19 7	18 26	9 46	26 33	28 33	9 46
5 30	23 7	29 24	0♍ 4	24 41	18 2	17 32	11 30	21 50	20 43	11 43	28 21	0♑51	12 38
5 40	25 25	1♌34	2 3	26 27	20 1	19 44	11 40	24 33	22 59	13 41	0♐10	3 11	15 32
5 50	27 42	3 44	4 1	28 14	22 1	21 55	11 50	27 17	25 16	15 38	2 0	5 33	18 30

LATITUDE 51 DEGREES PLACIDUS HOUSES

S.T.	10	11	12	1	2	3	S.T.	10	11	12	1	2	3
DT	*16.3*	*13.6*	*11.7*	*11.1*	*14.8*	*18.1*		*13.8*	*15.1*	*20.6*	*35.1*	*20.6*	*15.1*
DL	*0.0*	*-8.9*	*-26.7*	*-49.3*	*-51.6*	*-16.9*		*0.0*	*-24.7*	*-47.5*	*-0.0*	*47.5*	*24.7*
12 0	0♎ 0	27♎31	17♏36	3♐50	7♑59	21♒29	18 0	0♑ 0	18♑24	12♒46	0♈ 0	17♉14	11♊36
12 10	2 43	29 47	19 33	5 42	10 29	24 31	18 10	2 18	20 56	16 15	5 51	20 37	14 6
12 20	5 27	2♏ 1	21 31	7 34	13 1	27 36	18 20	4 35	23 30	19 50	11 39	23 54	16 34
12 30	8 10	4 16	23 28	9 28	15 38	0♓43	18 30	6 53	26 6	23 30	17 20	27 5	18 59
12 40	10 53	6 30	25 26	11 23	18 19	3 52	18 40	9 11	28 45	27 17	22 50	0♊11	21 23
12 50	13 35	8 43	27 24	13 19	21 4	7 3	18 50	11 30	1♒27	1♓ 9	28 9	3 11	23 46
DT	*16.1*	*13.3*	*11.9*	*11.9*	*17.2*	*19.4*		*13.9*	*16.5*	*23.9*	*29.8*	*17.2*	*14.0*
DL	*0.0*	*-13.0*	*-33.2*	*-59.4*	*-53.5*	*-9.2*		*0.0*	*-22.2*	*-29.2*	*73.8*	*53.5*	*24.8*
13 0	16♎17	10♏56	29♏23	15♐17	23♑54	10♓16	19 0	13♑49	4♒11	5♓ 6	3♉14	6♊ 6	26♊ 6
13 10	18 58	13 9	1♐22	17 17	26 49	13 31	19 10	16 8	6 57	9 7	8 5	8 56	28 26
13 20	21 38	15 21	3 21	19 18	29 49	16 47	19 20	18 28	9 46	13 12	12 41	11 41	0♋43
13 30	24 18	17 32	5 21	21 23	2♒55	20 4	19 30	20 49	12 38	17 21	17 2	14 22	3 0
13 40	26 57	19 44	7 22	23 29	6 6	23 22	19 40	23 10	15 32	21 33	21 9	16 59	5 16
13 50	29 34	21 55	9 23	25 39	9 23	26 41	19 50	25 32	18 30	25 46	25 4	19 31	7 30
DT	*15.6*	*13.1*	*12.3*	*13.4*	*20.6*	*19.9*		*14.3*	*18.1*	*25.4*	*21.6*	*14.8*	*13.3*
DL	*0.0*	*-16.8*	*-39.8*	*-71.0*	*-47.5*	*-0.0*		*0.0*	*-16.9*	*-0.0*	*91.5*	*51.6*	*23.1*
14 0	2♏11	24♏ 5	11♐25	27♐51	12♒46	0♈ 0	20 0	27♑55	21♒29	0♈ 0	28♉45	22♊ 1	9♋44
14 10	4 46	26 16	13 29	0♑ 7	16 15	3 19	20 10	0♒18	24 31	4 14	2♊16	24 27	11 57
14 20	7 21	28 26	15 33	2 27	19 50	6 38	20 20	2 43	27 36	8 27	5 35	26 49	14 9
14 30	9 54	0♐36	17 39	4 51	23 30	9 56	20 30	5 9	0♓43	12 39	8 45	29 9	16 20
14 40	12 27	2 47	19 46	7 20	27 17	13 13	20 40	7 35	3 52	16 48	11 47	1♋27	18 32
14 50	14 58	4 57	21 55	9 54	1♓ 9	16 29	20 50	10 3	7 3	20 53	14 40	3 41	20 42
DT	*14.9*	*13.0*	*13.2*	*16.3*	*23.9*	*19.4*		*14.9*	*19.4*	*23.9*	*16.3*	*13.2*	*13.0*
DL	*0.0*	*-20.3*	*-46.2*	*-83.4*	*-29.2*	*9.2*		*0.0*	*-9.2*	*29.2*	*83.4*	*46.2*	*20.3*
15 0	17♏28	7♐ 7	24♐ 6	12♑34	5♓ 6	19♈44	21 0	12♒32	10♓16	24♈54	17♊26	5♋54	22♋53
15 10	19 57	9 18	26 19	15 20	9 7	22 57	21 10	15 2	13 31	28 51	20 6	8 5	25 3
15 20	22 25	11 28	28 33	18 13	13 12	26 8	21 20	17 33	16 47	2♉43	22 40	10 14	27 13
15 30	24 51	13 40	0♑51	21 15	17 21	29 17	21 30	20 6	20 4	6 30	25 9	12 21	29 24
15 40	27 17	15 51	3 11	24 25	21 33	2♉24	21 40	22 39	23 22	10 10	27 33	14 27	1♌34
15 50	29 42	18 3	5 33	27 44	25 46	5 29	21 50	25 14	26 41	13 45	29 53	16 31	3 44
DT	*14.3*	*13.3*	*14.8*	*21.6*	*25.4*	*18.1*		*15.6*	*19.9*	*20.6*	*13.4*	*12.3*	*13.1*
DL	*0.0*	*-23.1*	*-51.6*	*-91.5*	*-0.0*	*16.9*		*0.0*	*-0.0*	*47.5*	*71.0*	*39.8*	*16.8*
16 0	2♐ 5	20♐16	7♑59	1♒15	0♈ 0	8♉31	22 0	27♒49	0♈ 0	17♉14	2♋ 9	18♋35	5♌55
16 10	4 28	22 30	10 29	4 56	4 14	11 30	22 10	0♓26	3 19	20 37	4 21	20 37	8 5
16 20	6 50	24 44	13 1	8 51	8 27	14 28	22 20	3 3	6 38	23 54	6 31	22 38	10 16
16 30	9 11	27 0	15 38	12 58	12 39	17 22	22 30	5 42	9 56	27 5	8 37	24 39	12 28
16 40	11 32	29 17	18 19	17 19	16 48	20 14	22 40	8 22	13 13	0♊11	10 42	26 39	14 39
16 50	13 52	1♑34	21 4	21 55	20 53	23 3	22 50	11 2	16 29	3 11	12 43	28 38	16 51
DT	*13.9*	*14.0*	*17.2*	*29.8*	*23.9*	*16.5*		*16.1*	*19.4*	*17.2*	*11.9*	*11.9*	*13.3*
DL	*0.0*	*-24.8*	*-53.5*	*-73.8*	*29.2*	*22.2*		*0.0*	*9.2*	*53.5*	*59.4*	*33.2*	*13.0*
17 0	16♐11	3♑54	23♑54	26♒46	24♈54	25♉49	23 0	13♓43	19♈44	6♊ 6	14♋43	0♌37	19♌ 4
17 10	18 30	6 14	26 49	1♓51	28 51	28 33	23 10	16 25	22 57	8 56	16 41	2 36	21 17
17 20	20 49	8 37	29 49	7 10	2♉43	1♊15	23 20	19 7	26 8	11 41	18 37	4 34	23 30
17 30	23 7	11 1	2♒55	12 40	6 30	3 54	23 30	21 50	29 17	14 22	20 32	6 32	25 44
17 40	25 25	13 26	6 6	18 21	10 10	6 30	23 40	24 33	2♉24	16 59	22 26	8 29	27 59
17 50	27 42	15 54	9 23	24 9	13 45	9 4	23 50	27 17	5 29	19 31	24 18	10 27	0♍13

LATITUDE 52 DEGREES   PLACIDUS HOUSES

S.T.	10	11	12	1	2	3	S.T.	10	11	12	1	2	3
DT	16.3	18.2	14.7	10.9	11.6	13.5		13.8	13.0	11.8	10.5	11.8	13.0
DL	0.0	18.0	54.7	50.8	27.6	9.3		0.0	17.6	14.0	0.0	-14.0	-17.6
0 0	0♈0	8♉48	22♊52	26♋59	12♌51	2♍38	6 0	0♋0	6♌11	6♍14	0♎0	23♎46	23♏49
0 10	2 43	11 48	25 17	28 48	14 47	4 53	6 10	2 18	8 22	8 12	1 45	25 44	25 58
0 20	5 27	14 46	27 39	0♌36	16 44	7 8	6 20	4 35	10 32	10 10	3 30	27 42	28 8
0 30	8 10	17 42	29 58	2 23	18 40	9 24	6 30	6 53	12 43	12 9	5 15	29 39	0♐18
0 40	10 53	20 34	2♊15	4 10	20 36	11 40	6 40	9 11	14 54	14 7	7 0	1♏36	2 27
0 50	13 35	23 24	4 29	5 56	22 33	13 57	6 50	11 30	17 5	16 6	8 46	3 33	4 37
DT	16.1	16.6	13.1	10.6	11.7	13.7		13.9	13.2	11.9	10.5	11.7	13.0
DL	0.0	23.6	48.5	41.4	20.8	4.7		0.0	13.6	7.0	-8.2	-20.8	-21.3
1 0	16♈17	26♉12	6♊40	7♌42	24♌30	16♍14	7 0	13♋49	19♌17	18♍5	10♎30	5♏30	6♐47
1 10	18 58	28 56	8 50	9 28	26 27	18 31	7 10	16 8	21 29	20 4	12 15	7 27	8 57
1 20	21 38	1♊38	10 58	11 13	28 24	20 49	7 20	18 28	23 42	22 3	14 0	9 24	11 7
1 30	24 18	4 17	13 4	12 57	0♍21	23 6	7 30	20 49	25 55	24 2	15 45	11 20	13 18
1 40	26 57	6 54	15 9	14 42	2 18	25 24	7 40	23 10	28 9	26 1	17 30	13 16	15 29
1 50	29 34	9 29	17 12	16 26	4 16	27 42	7 50	25 32	0♍23	28 1	19 14	15 13	17 41
DT	15.6	15.1	12.2	10.4	11.8	13.8		14.3	13.5	11.9	10.5	11.6	13.3
DL	0.0	26.3	41.5	32.7	14.0	0.0		0.0	9.3	0.0	-16.3	-27.6	-24.4
2 0	2♉11	12♊1	19♋14	18♌11	6♍14	0♎0	8 0	27♋55	2♍38	0♎0	20♎59	17♏9	19♐53
2 10	4 46	14 31	21 16	19 55	8 12	2 18	8 10	0♌18	4 53	1 59	22 43	19 6	22 6
2 20	7 21	16 59	23 16	21 39	10 10	4 36	8 20	2 43	7 8	3 59	24 28	21 2	24 21
2 30	9 54	19 24	25 15	23 23	12 9	6 54	8 30	5 9	9 24	5 58	26 12	22 59	26 36
2 40	12 27	21 48	27 14	25 7	14 7	9 11	8 40	7 35	11 40	7 57	27 56	24 55	28 52
2 50	14 58	24 11	29 13	26 51	16 6	11 29	8 50	10 3	13 57	9 56	29 41	26 52	1♑10
DT	14.9	14.0	11.8	10.4	11.9	13.7		14.9	13.7	11.9	10.4	11.8	14.0
DL	0.0	26.3	34.4	24.5	7.0	-4.7		0.0	4.7	-7.0	-24.5	-34.4	-26.3
3 0	17♉28	26♊31	1♌10	28♌35	18♍5	13♎46	9 0	12♌32	16♍14	11♎55	1♏25	28♏50	3♑29
3 10	19 57	28 50	3 8	0♍19	20 4	16 3	9 10	15 2	18 31	13 54	3 9	0♐47	5 49
3 20	22 25	1♋8	5 5	2 4	22 3	18 20	9 20	17 33	20 49	15 53	4 53	2 46	8 12
3 30	24 51	3 24	7 1	3 48	24 2	20 36	9 30	20 6	23 6	17 51	6 37	4 45	10 36
3 40	27 17	5 39	8 58	5 32	26 1	22 52	9 40	22 39	25 24	19 50	8 21	6 44	13 1
3 50	29 42	7 54	10 54	7 17	28 1	25 7	9 50	25 14	27 42	21 48	10 5	8 44	15 29
DT	14.3	13.3	11.6	10.5	11.9	13.5		15.6	13.8	11.8	10.4	12.2	15.1
DL	0.0	24.4	27.6	16.3	0.0	-9.3		0.0	0.0	-14.0	-32.7	-41.5	-26.3
4 0	2♊5	10♋7	12♌51	9♍1	0♎0	27♎22	10 0	27♌49	0♎0	23♎46	11♏49	10♐46	17♑59
4 10	4 28	12 19	14 47	10 46	1 59	29 37	10 10	0♍26	2 18	25 44	13 34	12 48	20 31
4 20	6 50	14 31	16 44	12 30	3 59	1♏51	10 20	3 3	4 36	27 42	15 18	14 51	23 6
4 30	9 11	16 42	18 40	14 15	5 58	4 5	10 30	5 42	6 54	29 39	17 3	16 56	25 43
4 40	11 32	18 53	20 36	16 0	7 57	6 18	10 40	8 22	9 11	1♏36	18 47	19 2	28 22
4 50	13 52	21 3	22 33	17 45	9 56	8 31	10 50	11 2	11 29	3 33	20 32	21 10	1♒4
DT	13.9	13.0	11.7	10.5	11.9	13.2		16.1	13.7	11.7	10.6	13.1	16.6
DL	0.0	21.3	20.8	8.2	-7.0	-13.6		0.0	-4.7	-20.8	-41.4	-48.5	-23.6
5 0	16♊11	23♋13	24♌30	19♍30	11♎55	10♏43	11 0	13♍43	13♎46	5♏30	22♏18	23♐20	3♒48
5 10	18 30	25 23	26 27	21 14	13 54	12 55	11 10	16 25	16 3	7 27	24 4	25 31	6 36
5 20	20 49	27 33	28 24	23 0	15 53	15 6	11 20	19 7	18 20	9 24	25 50	27 45	9 26
5 30	23 7	29 42	0♍21	24 45	17 51	17 17	11 30	21 50	20 36	11 20	27 37	0♑2	12 18
5 40	25 25	1♌52	2 18	26 30	19 50	19 28	11 40	24 33	22 52	13 16	29 24	2 21	15 14
5 50	27 42	4 2	4 16	28 15	21 48	21 38	11 50	27 17	25 7	15 13	1♐12	4 43	18 12

LATITUDE 52 DEGREES PLACIDUS HOUSES

S.T.	10	11	12	1	2	3	S.T.	10	11	12	1	2	3
DT	*16.3*	*13.5*	*11.6*	*10.9*	*14.7*	*18.2*		*13.8*	*15.1*	*20.8*	*36.7*	*20.8*	*15.1*
DL	*0.0*	*-9.3*	*-27.6*	*-50.8*	*-54.7*	*-18.0*		*0.0*	*-26.3*	*-51.3*	*-0.0*	*51.3*	*26.3*
12 0	0♎ 0	27♎22	17♏ 9	3♐ 1	7♑ 8	21♒12	18 0	0♑ 0	17♑59	11♒59	0♈ 0	18♉ 1	12♊ 1
12 10	2 43	29 37	19 6	4 51	9 36	24 16	18 10	2 18	20 31	15 30	6 7	21 26	14 31
12 20	5 27	1♏51	21 2	6 42	12 9	27 21	18 20	4 35	23 6	19 7	12 9	24 44	16 59
12 30	8 10	4 5	22 59	8 33	14 45	0♓30	18 30	6 53	25 43	22 50	18 3	27 57	19 24
12 40	10 53	6 18	24 55	10 27	17 26	3 40	18 40	9 11	28 22	26 40	23 46	1♊ 3	21 48
12 50	13 35	8 31	26 52	12 21	20 11	6 53	18 50	11 30	1♒ 4	0♓36	29 15	4 4	24 11
DT	*16.1*	*13.2*	*11.8*	*11.7*	*17.3*	*19.5*		*13.9*	*16.6*	*24.3*	*30.5*	*17.3*	*14.0*
DL	*0.0*	*-13.6*	*-34.4*	*-61.5*	*-57.3*	*-9.8*		*0.0*	*-23.6*	*-31.7*	*82.5*	*57.3*	*26.3*
13 0	16♎17	10♏43	28♏50	14♐17	23♑ 1	10♓ 7	19 0	13♑49	3♒48	4♓36	4♉28	6♊59	26♊31
13 10	18 58	12 55	0♐47	16 15	25 56	13 23	19 10	16 8	6 36	8 42	9 25	9 49	28 50
13 20	21 38	15 6	2 46	18 15	28 57	16 41	19 20	18 28	9 26	12 52	14 6	12 34	1♋ 8
13 30	24 18	17 17	4 45	20 18	2♒ 3	20 0	19 30	20 49	12 18	17 6	18 30	15 15	3 24
13 40	26 57	19 28	6 44	22 22	5 16	23 19	19 40	23 10	15 14	21 22	22 40	17 51	5 39
13 50	29 34	21 38	8 44	24 30	8 34	26 39	19 50	25 32	18 12	25 41	26 35	20 24	7 54
DT	*15.6*	*13.0*	*12.2*	*13.2*	*20.8*	*20.1*		*14.3*	*18.2*	*25.9*	*21.6*	*14.7*	*13.3*
DL	*0.0*	*-17.6*	*-41.5*	*-74.0*	*-51.3*	*-0.0*		*0.0*	*-18.0*	*-0.0*	*98.7*	*54.7*	*24.4*
14 0	2♏11	23♏49	10♐46	26♐40	11♒59	0♈ 0	20 0	27♑55	21♒12	0♈ 0	0♊17	22♊52	10♋ 7
14 10	4 46	25 58	12 48	28 54	15 30	3 21	20 10	0♒18	24 16	4 19	3 47	25 17	12 19
14 20	7 21	28 8	14 51	1♑12	19 7	6 41	20 20	2 43	27 21	8 38	7 5	27 39	14 31
14 30	9 54	0♐18	16 56	3 34	22 50	10 0	20 30	5 9	0♓30	12 54	10 14	29 58	16 42
14 40	12 27	2 27	19 2	6 0	26 40	13 19	20 40	7 35	3 40	17 8	13 14	2♋15	18 53
14 50	14 58	4 37	21 10	8 32	0♓36	16 37	20 50	10 3	6 53	21 18	16 5	4 29	21 3
DT	*14.9*	*13.0*	*13.1*	*16.1*	*24.3*	*19.5*		*14.9*	*19.5*	*24.3*	*16.1*	*13.1*	*13.0*
DL	*0.0*	*-21.3*	*-48.5*	*-88.1*	*-31.7*	*9.8*		*0.0*	*-9.8*	*31.7*	*88.1*	*48.5*	*21.3*
15 0	17♏28	6♐47	23♐20	11♑10	4♓36	19♈53	21 0	12♒32	10♓ 7	25♈24	18♊50	6♋40	23♋13
15 10	19 57	8 57	25 31	13 55	8 42	23 7	21 10	15 2	13 23	29 24	21 28	8 50	25 23
15 20	22 25	11 7	27 45	16 46	12 52	26 20	21 20	17 33	16 41	3♉20	24 0	10 58	27 33
15 30	24 51	13 18	0♑ 2	19 46	17 6	29 30	21 30	20 6	20 0	7 10	26 26	13 4	29 42
15 40	27 17	15 29	2 21	22 55	21 22	2♉39	21 40	22 39	23 19	10 53	28 48	15 9	1♌52
15 50	29 42	17 41	4 43	26 13	25 41	5 44	21 50	25 14	26 39	14 30	1♋ 6	17 12	4 2
DT	*14.3*	*13.3*	*14.7*	*21.6*	*25.9*	*18.2*		*15.6*	*20.1*	*20.8*	*13.2*	*12.2*	*13.0*
DL	*0.0*	*-24.4*	*-54.7*	*-98.7*	*-0.0*	*18.0*		*0.0*	*-0.0*	*51.3*	*74.0*	*41.5*	*17.6*
16 0	2♐ 5	19♐53	7♑ 8	29♑43	0♈ 0	8♉48	22 0	27♒49	0♈ 0	18♉ 1	3♋20	19♋14	6♌11
16 10	4 28	22 6	9 36	3♒25	4 19	11 48	22 10	0♓26	3 21	21 26	5 30	21 16	8 22
16 20	6 50	24 21	12 9	7 20	8 38	14 46	22 20	3 3	6 41	24 44	7 38	23 16	10 32
16 30	9 11	26 36	14 45	11 30	12 54	17 42	22 30	5 42	10 0	27 57	9 42	25 15	12 43
16 40	11 32	28 52	17 26	15 54	17 8	20 34	22 40	8 22	13 19	1♊ 3	11 45	27 14	14 54
16 50	13 52	1♑10	20 11	20 35	21 18	23 24	22 50	11 2	16 37	4 4	13 45	29 13	17 5
DT	*13.9*	*14.0*	*17.3*	*30.5*	*24.3*	*16.6*		*16.1*	*19.5*	*17.3*	*11.7*	*11.8*	*13.2*
DL	*0.0*	*-26.3*	*-57.3*	*-82.5*	*31.7*	*23.6*		*0.0*	*9.8*	*57.3*	*61.5*	*34.4*	*13.6*
17 0	16♐11	3♑29	23♑ 1	25♒32	25♈24	26♉12	23 0	13♓43	19♈53	6♊59	15♋43	1♌10	19♌17
17 10	18 30	5 49	25 56	0♓45	29 24	28 56	23 10	16 25	23 7	9 49	17 39	3 8	21 29
17 20	20 49	8 12	28 57	6 14	3♉20	1♊38	23 20	19 7	26 20	12 34	19 33	5 5	23 42
17 30	23 7	10 36	2♒ 3	11 57	7 10	4 17	23 30	21 50	29 30	15 15	21 27	7 1	25 55
17 40	25 25	13 1	5 16	17 51	10 53	6 54	23 40	24 33	2♉39	17 51	23 18	8 58	28 9
17 50	27 42	15 29	8 34	23 53	14 30	9 29	23 50	27 17	5 44	20 24	25 9	10 54	0♍23

LATITUDE 53 DEGREES PLACIDUS HOUSES

S.T.	10	11	12	1	2	3		S.T.	10	11	12	1	2	3
DT	*16.3*	*18.3*	*14.6*	*10.8*	*11.5*	*13.4*			*13.8*	*12.9*	*11.7*	*10.4*	*11.7*	*12.9*
DL	*0.0*	*19.2*	*58.2*	*52.3*	*28.5*	*9.6*			*0.0*	*18.4*	*14.4*	*0.0*	*-14.4*	*-18.4*
0 0	0♈ 0	9♉ 6	23♊47	27♋50	13♌18	2♍47		6 0	0♋ 0	6♌29	6♍28	0♎ 0	23♎32	23♏31
0 10	2 43	12 8	26 11	29 37	15 14	5 1		6 10	2 18	8 39	8 25	1 44	25 29	25 40
0 20	5 27	15 7	28 32	1♌23	17 9	7 16		6 20	4 35	10 48	10 22	3 28	27 25	27 49
0 30	8 10	18 3	0♋50	3 9	19 4	9 31		6 30	6 53	12 58	12 19	5 11	29 22	29 58
0 40	10 53	20 57	3 6	4 54	20 59	11 47		6 40	9 11	15 9	14 16	6 55	1♏18	2♐ 7
0 50	13 35	23 47	5 18	6 39	22 55	14 2		6 50	11 30	17 19	16 14	8 39	3 14	4 16
DT	*16.1*	*16.7*	*13.0*	*10.4*	*11.6*	*13.6*			*13.9*	*13.1*	*11.8*	*10.4*	*11.6*	*12.9*
DL	*0.0*	*25.3*	*51.1*	*42.5*	*21.4*	*4.9*			*0.0*	*14.1*	*7.2*	*-8.3*	*-21.4*	*-22.4*
1 0	16♈17	26♉35	7♋29	8♌23	24♌51	16♍19		7 0	13♋49	19♌31	18♍12	10♎22	5♏ 9	6♐26
1 10	18 58	29 20	9 37	10 7	26 46	18 35		7 10	16 8	21 42	20 10	12 6	7 5	8 35
1 20	21 38	2♊ 3	11 44	11 51	28 42	20 52		7 20	18 28	23 54	22 8	13 49	9 1	10 45
1 30	24 18	4 43	13 49	13 34	0♍38	23 9		7 30	20 49	26 7	24 6	15 33	10 56	12 55
1 40	26 57	7 20	15 53	15 18	2 35	25 26		7 40	23 10	28 20	26 4	17 16	12 51	15 6
1 50	29 34	9 55	17 55	17 1	4 31	27 43		7 50	25 32	0♍33	28 2	18 59	14 46	17 17
DT	*15.6*	*15.1*	*12.1*	*10.3*	*11.7*	*13.7*			*14.3*	*13.4*	*11.8*	*10.3*	*11.5*	*13.2*
DL	*0.0*	*28.1*	*43.3*	*33.5*	*14.4*	*0.0*			*0.0*	*9.6*	*0.0*	*-16.7*	*-28.5*	*-25.8*
2 0	2♉11	12♊27	19♋56	18♌43	6♍28	0♎ 0		8 0	27♋55	2♍47	0♎ 0	20♎43	16♏42	19♐29
2 10	4 46	14 57	21 56	20 26	8 25	2 17		8 10	0♌18	5 1	1 58	22 26	18 37	21 42
2 20	7 21	17 25	23 55	22 9	10 22	4 34		8 20	2 43	7 16	3 56	24 9	20 32	23 55
2 30	9 54	19 51	25 53	23 52	12 19	6 51		8 30	5 9	9 31	5 54	25 52	22 28	26 10
2 40	12 27	22 15	27 51	25 34	14 16	9 8		8 40	7 35	11 47	7 52	27 35	24 23	28 26
2 50	14 58	24 37	29 48	27 17	16 14	11 25		8 50	10 3	14 2	9 50	29 17	26 19	0♑44
DT	*14.9*	*14.0*	*11.6*	*10.3*	*11.8*	*13.6*			*14.9*	*13.6*	*11.8*	*10.3*	*11.6*	*14.0*
DL	*0.0*	*28.1*	*35.7*	*25.0*	*7.2*	*-4.9*			*0.0*	*4.9*	*-7.2*	*-25.0*	*-35.7*	*-28.1*
3 0	17♉28	26♊58	1♌45	29♌ 0	18♍12	13♎41		9 0	12♌32	16♍19	11♎48	1♏ 0	28♏15	3♑ 2
3 10	19 57	29 16	3 41	0♍43	20 10	15 58		9 10	15 2	18 35	13 46	2 43	0♐12	5 23
3 20	22 25	1♋34	5 37	2 25	22 8	18 13		9 20	17 33	20 52	15 44	4 26	2 9	7 45
3 30	24 51	3 50	7 32	4 8	24 6	20 29		9 30	20 6	23 9	17 41	6 8	4 7	10 9
3 40	27 17	6 5	9 28	5 51	26 4	22 44		9 40	22 39	25 26	19 38	7 51	6 5	12 35
3 50	29 42	8 18	11 23	7 34	28 2	24 59		9 50	25 14	27 43	21 35	9 34	8 4	15 3
DT	*14.3*	*13.2*	*11.5*	*10.3*	*11.8*	*13.4*			*15.6*	*13.7*	*11.7*	*10.3*	*12.1*	*15.1*
DL	*0.0*	*25.8*	*28.5*	*16.7*	*0.0*	*-9.6*			*0.0*	*0.0*	*-14.4*	*-33.5*	*-43.3*	*-28.1*
4 0	2♊ 5	10♋31	13♌18	9♍17	0♎ 0	27♎13		10 0	27♌49	0♎ 0	23♎32	11♏17	10♐ 4	17♑33
4 10	4 28	12 43	15 14	11 1	1 58	29 27		10 10	0♍26	2 17	25 29	12 59	12 5	20 5
4 20	6 50	14 54	17 9	12 44	3 56	1♏40		10 20	3 3	4 34	27 25	14 42	14 7	22 40
4 30	9 11	17 5	19 4	14 27	5 54	3 53		10 30	5 42	6 51	29 22	16 26	16 11	25 17
4 40	11 32	19 15	20 59	16 11	7 52	6 6		10 40	8 22	9 8	1♏18	18 9	18 16	27 57
4 50	13 52	21 25	22 55	17 54	9 50	8 18		10 50	11 2	11 25	3 14	19 53	20 23	0♒40
DT	*13.9*	*12.9*	*11.6*	*10.4*	*11.8*	*13.1*			*16.1*	*13.6*	*11.6*	*10.4*	*13.0*	*16.7*
DL	*0.0*	*22.4*	*21.4*	*8.3*	*-7.2*	*-14.1*			*0.0*	*-4.9*	*-21.4*	*-42.5*	*-51.1*	*-25.3*
5 0	16♊11	23♋34	24♌51	19♍38	11♎48	10♏29		11 0	13♍43	13♎41	5♏ 9	21♏37	22♐31	3♒25
5 10	18 30	25 44	26 46	21 21	13 46	12 41		11 10	16 25	15 58	7 5	23 21	24 42	6 13
5 20	20 49	27 53	28 42	23 5	15 44	14 51		11 20	19 7	18 13	9 1	25 6	26 54	9 3
5 30	23 7	0♌ 2	0♍38	24 49	17 41	17 2		11 30	21 50	20 29	10 56	26 51	29 10	11 57
5 40	25 25	2 11	2 35	26 32	19 38	19 12		11 40	24 33	22 44	12 51	28 37	1♑28	14 53
5 50	27 42	4 20	4 31	28 16	21 35	21 21		11 50	27 17	24 59	14 46	0♐23	3 49	17 52

LATITUDE 53 DEGREES   PLACIDUS HOUSES

S.T.	10	11	12	1	2	3	S.T.	10	11	12	1	2	3
DT	*16.3*	*13.4*	*11.5*	*10.8*	*14.6*	*18.3*		*13.8*	*15.1*	*21.0*	*38.4*	*21.0*	*15.1*
DL	*0.0*	*-9.6*	*-28.5*	*-52.3*	*-58.2*	*-19.2*		*0.0*	*-28.1*	*-55.7*	*-0.0*	*55.7*	*28.1*
12 0	0♎0	27♎13	16♏42	2♐10	6♑13	20♒54	18 0	0♑0	17♑33	11♒7	0♈0	18♉53	12♊27
12 10	2 43	29 27	18 37	3 58	8 41	23 59	18 10	2 18	20 5	14 41	6 24	22 19	14 57
12 20	5 27	1♏40	20 32	5 47	11 12	27 6	18 20	4 35	22 40	18 21	12 43	25 39	17 25
12 30	8 10	3 53	22 28	7 38	13 48	0♓15	18 30	6 53	25 17	22 7	18 53	28 53	19 51
12 40	10 53	6 6	24 23	9 29	16 28	3 27	18 40	9 11	27 57	26 0	24 48	2♊0	22 15
12 50	13 35	8 18	26 19	11 22	19 13	6 41	18 50	11 30	0♒40	0♓0	0♉28	5 1	24 37
DT	*16.1*	*13.1*	*11.6*	*11.5*	*17.3*	*19.7*		*13.9*	*16.7*	*24.8*	*31.3*	*17.3*	*14.0*
DL	*0.0*	*-14.1*	*-35.7*	*-63.7*	*-61.5*	*-10.5*		*0.0*	*-25.3*	*-34.7*	*92.7*	*61.5*	*28.1*
13 0	16♎17	10♏29	28♏15	13♐16	22♑4	9♓57	19 0	13♑49	3♒25	4♓5	5♉50	7♊56	26♊58
13 10	18 58	12 41	0♐12	15 12	24 59	13 15	19 10	16 8	6 13	8 15	10 54	10 47	29 16
13 20	21 38	14 51	2 9	17 10	28 0	16 34	19 20	18 28	9 3	12 30	15 39	13 32	1♋34
13 30	24 18	17 2	4 7	19 10	1♒7	19 55	19 30	20 49	11 57	16 49	20 7	16 12	3 50
13 40	26 57	19 12	6 5	21 13	4 21	23 16	19 40	23 10	14 53	21 11	24 18	18 48	6 5
13 50	29 34	21 21	8 4	23 18	7 41	26 38	19 50	25 32	17 52	25 35	28 14	21 19	8 18
DT	*15.6*	*12.9*	*12.1*	*13.0*	*21.0*	*20.2*		*14.3*	*18.3*	*26.5*	*21.5*	*14.6*	*13.2*
DL	*0.0*	*-18.4*	*-43.3*	*-77.3*	*-55.7*	*-0.0*		*0.0*	*-19.2*	*-0.0*	*106.8*	*58.2*	*25.8*
14 0	2♏11	23♏31	10♐4	25♐26	11♒7	0♈0	20 0	27♑55	20♒54	0♈0	1♊55	23♊47	10♋31
14 10	4 46	25 40	12 5	27 38	14 41	3 22	20 10	0♒18	23 59	4 25	5 24	26 11	12 43
14 20	7 21	27 49	14 7	29 53	18 21	6 44	20 20	2 43	27 6	8 49	8 42	28 32	14 54
14 30	9 54	29 58	16 11	2♑13	22 7	10 5	20 30	5 9	0♓15	13 11	11 49	0♋50	17 5
14 40	12 27	2♐7	18 16	4 37	26 0	13 26	20 40	7 35	3 27	17 30	14 46	3 6	19 15
14 50	14 58	4 16	20 23	7 7	0♓0	16 45	20 50	10 3	6 41	21 45	17 36	5 18	21 25
DT	*14.9*	*12.9*	*13.0*	*15.9*	*24.8*	*19.7*		*14.9*	*19.7*	*24.8*	*15.9*	*13.0*	*12.9*
DL	*0.0*	*-22.4*	*-51.1*	*-93.1*	*-34.7*	*10.5*		*0.0*	*-10.5*	*34.7*	*93.1*	*51.1*	*22.4*
15 0	17♏28	6♐26	22♐31	9♑42	4♓5	20♈3	21 0	12♒32	9♓57	25♈55	20♊18	7♋29	23♋34
15 10	19 57	8 35	24 42	12 24	8 15	23 19	21 10	15 2	13 15	0♉0	22 53	9 37	25 44
15 20	22 25	10 45	26 54	15 14	12 30	26 33	21 20	17 33	16 34	4 0	25 23	11 44	27 53
15 30	24 51	12 55	29 10	18 11	16 49	29 45	21 30	20 6	19 55	7 53	27 47	13 49	0♌2
15 40	27 17	15 6	1♑28	21 18	21 11	2♉54	21 40	22 39	23 16	11 39	0♋7	15 53	2 11
15 50	29 42	17 17	3 49	24 36	25 35	6 1	21 50	25 14	26 38	15 19	2 22	17 55	4 20
DT	*14.3*	*13.2*	*14.6*	*21.5*	*26.5*	*18.3*		*15.6*	*20.2*	*21.0*	*13.0*	*12.1*	*12.9*
DL	*0.0*	*-25.8*	*-58.2*	*-107*	*-0.0*	*19.2*		*0.0*	*-0.0*	*55.7*	*77.3*	*43.3*	*18.4*
16 0	2♐5	19♐29	6♑13	28♑5	0♈0	9♉6	22 0	27♒49	0♈0	18♉53	4♋34	19♋56	6♌29
16 10	4 28	21 42	8 41	1♒46	4 25	12 8	22 10	0♓26	3 22	22 19	6 42	21 56	8 39
16 20	6 50	23 55	11 12	5 42	8 49	15 7	22 20	3 3	6 44	25 39	8 47	23 55	10 48
16 30	9 11	26 10	13 48	9 53	13 11	18 3	22 30	5 42	10 5	28 53	10 50	25 53	12 58
16 40	11 32	28 26	16 28	14 21	17 30	20 57	22 40	8 22	13 26	2♊0	12 50	27 51	15 9
16 50	13 52	0♑44	19 13	19 6	21 45	23 47	22 50	11 2	16 45	5 1	14 48	29 48	17 19
DT	*13.9*	*14.0*	*17.3*	*31.3*	*24.8*	*16.7*		*16.1*	*19.7*	*17.3*	*11.5*	*11.6*	*13.1*
DL	*0.0*	*-28.1*	*-61.5*	*-92.7*	*34.7*	*25.3*		*0.0*	*10.5*	*61.5*	*63.7*	*35.7*	*14.1*
17 0	16♐11	3♑2	22♑4	24♒10	25♈55	26♉35	23 0	13♓43	20♈3	7♊56	16♋44	1♌45	19♌31
17 10	18 30	5 23	24 59	29 32	0♉0	29 20	23 10	16 25	23 19	10 47	18 38	3 41	21 42
17 20	20 49	7 45	28 0	5♓12	4 0	2♊3	23 20	19 7	26 33	13 32	20 31	5 37	23 54
17 30	23 7	10 9	1♒7	11 7	7 53	4 43	23 30	21 50	29 45	16 12	22 22	7 32	26 7
17 40	25 25	12 35	4 21	17 17	11 39	7 20	23 40	24 33	2♉54	18 48	24 13	9 28	28 20
17 50	27 42	15 3	7 41	23 36	15 19	9 55	23 50	27 17	6 1	21 19	26 2	11 23	0♍33

LATITUDE 54 DEGREES — PLACIDUS HOUSES

S.T.	10	11	12	1	2	3	S.T.	10	11	12	1	2	3
DT	16.3	18.4	14.5	10.6	11.4	13.3		13.8	12.9	11.6	10.2	11.6	12.9
DL	0.0	20.6	62.0	54.0	29.5	10.0		0.0	19.3	14.8	0.0	-14.8	-19.3
0 0	0♈0	9♉25	24♊45	28♋42	13♌47	2♍57	6 0	0♋0	6♌47	6♍42	0♎0	23♎18	23♏13
0 10	2 43	12 28	27 8	0♌28	15 41	5 10	6 10	2 18	8 56	8 38	1 42	25 13	25 21
0 20	5 27	15 28	29 28	2 12	17 35	7 24	6 20	4 35	11 5	10 34	3 25	27 9	27 30
0 30	8 10	18 26	1♋45	3 56	19 29	9 38	6 30	6 53	13 15	12 30	5 7	29 4	29 38
0 40	10 53	21 20	3 59	5 40	21 23	11 53	6 40	9 11	15 24	14 26	6 49	0♏59	1♐46
0 50	13 35	24 12	6 11	7 23	23 18	14 8	6 50	11 30	17 34	16 22	8 32	2 53	3 55
DT	16.1	16.7	12.8	10.3	11.5	13.6		13.9	13.1	11.7	10.2	11.5	12.9
DL	0.0	27.1	53.9	43.7	22.1	5.1		0.0	14.7	7.4	-8.5	-22.1	-23.6
1 0	16♈17	27♉0	8♋20	9♌6	25♌12	16♍24	7 0	13♋49	19♌45	18♍19	10♎14	4♏48	6♐3
1 10	18 58	29 46	10 27	10 48	27 7	18 39	7 10	16 8	21 56	20 16	11 56	6 42	8 12
1 20	21 38	2♊29	12 33	12 30	29 1	20 55	7 20	18 28	24 7	22 12	13 38	8 37	10 21
1 30	24 18	5 10	14 36	14 12	0♍56	23 11	7 30	20 49	26 19	24 9	15 20	10 31	12 31
1 40	26 57	7 48	16 39	15 54	2 51	25 27	7 40	23 10	28 31	26 6	17 2	12 25	14 41
1 50	29 34	10 23	18 39	17 36	4 47	27 44	7 50	25 32	0♍43	28 3	18 44	14 19	16 52
DT	15.6	15.1	11.9	10.1	11.6	13.6		14.3	13.3	11.7	10.2	11.4	13.2
DL	0.0	30.2	45.3	34.4	14.8	0.0		0.0	10.0	0.0	-17.0	-29.5	-27.4
2 0	2♉11	12♊55	20♋39	19♌17	6♍42	0♎0	8 0	27♋55	2♍57	0♎0	20♎26	16♏13	19♐3
2 10	4 46	15 26	22 38	20 58	8 38	2 16	8 10	0♌18	5 10	1 57	22 8	18 7	21 15
2 20	7 21	17 54	24 36	22 40	10 34	4 33	8 20	2 43	7 24	3 54	23 49	20 1	23 29
2 30	9 54	20 20	26 33	24 21	12 30	6 49	8 30	5 9	9 38	5 51	25 31	21 56	25 43
2 40	12 27	22 43	28 29	26 2	14 26	9 5	8 40	7 35	11 53	7 48	27 12	23 50	27 59
2 50	14 58	25 5	0♌25	27 43	16 22	11 21	8 50	10 3	14 8	9 44	28 54	25 45	0♑16
DT	14.9	13.9	11.5	10.1	11.7	13.6		14.9	13.6	11.7	10.1	11.5	13.9
DL	0.0	30.0	37.1	25.6	7.4	-5.1		0.0	5.1	-7.4	-25.6	-37.1	-30.0
3 0	17♉28	27♊26	2♌20	29♌25	18♍19	13♎36	9 0	12♌32	16♍24	11♎41	0♏35	27♏40	2♑34
3 10	19 57	29 44	4 15	1♍6	20 16	15 52	9 10	15 2	18 39	13 38	2 17	29 35	4 55
3 20	22 25	2♋1	6 10	2 48	22 12	18 7	9 20	17 33	20 55	15 34	3 58	1♐31	7 17
3 30	24 51	4 17	8 4	4 29	24 9	20 22	9 30	20 6	23 11	17 30	5 39	3 27	9 40
3 40	27 17	6 31	9 59	6 11	26 6	22 36	9 40	22 39	25 27	19 26	7 20	5 24	12 6
3 50	29 42	8 45	11 53	7 52	28 3	24 50	9 50	25 14	27 44	21 22	9 2	7 22	14 34
DT	14.3	13.2	11.4	10.2	11.7	13.3		15.6	13.6	11.6	10.1	11.9	15.1
DL	0.0	27.4	29.5	17.0	0.0	-10.0		0.0	0.0	-14.8	-34.4	-45.3	-30.2
4 0	2♊5	10♋57	13♌47	9♍34	0♎0	27♎3	10 0	27♌49	0♎0	23♎18	10♏43	9♐21	17♑5
4 10	4 28	13 8	15 41	11 16	1 57	29 17	10 10	0♍26	2 16	25 13	12 24	11 21	19 37
4 20	6 50	15 19	17 35	12 58	3 54	1♏29	10 20	3 3	4 33	27 9	14 6	13 21	22 12
4 30	9 11	17 29	19 29	14 40	5 51	3 41	10 30	5 42	6 49	29 4	15 48	15 24	24 50
4 40	11 32	19 39	21 23	16 22	7 48	5 53	10 40	8 22	9 5	0♏59	17 30	17 27	27 31
4 50	13 52	21 48	23 18	18 4	9 44	8 4	10 50	11 2	11 21	2 53	19 12	19 33	0♒14
DT	13.9	12.9	11.5	10.2	11.7	13.1		16.1	13.6	11.5	10.3	12.8	16.7
DL	0.0	23.6	22.1	8.5	-7.4	-14.7		0.0	-5.1	-22.1	-43.7	-53.9	-27.1
5 0	16♊11	23♋57	25♌12	19♍46	11♎41	10♏15	11 0	13♍43	13♎36	4♏48	20♏54	21♐40	2♒59
5 10	18 30	26 5	27 7	21 28	13 38	12 26	11 10	16 25	15 52	6 42	22 37	23 49	5 48
5 20	20 49	28 14	29 1	23 11	15 34	14 36	11 20	19 7	18 7	8 37	24 20	26 1	8 40
5 30	23 7	0♌22	0♍56	24 53	17 30	16 45	11 30	21 50	20 22	10 31	26 4	28 15	11 34
5 40	25 25	2 30	2 51	26 35	19 26	18 55	11 40	24 33	22 36	12 25	27 48	0♑32	14 32
5 50	27 42	4 39	4 47	28 18	21 22	21 4	11 50	27 17	24 50	14 19	29 32	2 52	17 32

LATITUDE 54 DEGREES PLACIDUS HOUSES

S.T.	10	11	12	1	2	3	S.T.	10	11	12	1	2	3
DT	*16.3*	*13.3*	*11.4*	*10.6*	*14.5*	*18.4*		*13.8*	*15.1*	*21.2*	*40.4*	*21.2*	*15.1*
DL	*0.0*	*-10.0*	*-29.5*	*-54.0*	*-62.0*	*-20.6*		*0.0*	*-30.2*	*-60.7*	*-0.0*	*60.7*	*30.2*
12 0	0♎ 0	27♎ 3	16♏13	1♐18	5♑15	20♒35	18 0	0♑ 0	17♑ 5	10♒12	0♈ 0	19♉48	12♊55
12 10	2 43	29 17	18 7	3 4	7 42	23 41	18 10	2 18	19 37	13 47	6 44	23 17	15 26
12 20	5 27	1♏29	20 1	4 52	10 13	26 49	18 20	4 35	22 12	17 30	13 23	26 38	17 54
12 30	8 10	3 41	21 56	6 40	12 48	0♓ 0	18 30	6 53	24 50	21 20	19 49	29 53	20 20
12 40	10 53	5 53	23 50	8 29	15 27	3 14	18 40	9 11	27 31	25 17	26 0	3♊ 1	22 43
12 50	13 35	8 4	25 45	10 20	18 12	6 29	18 50	11 30	0♒14	29 20	1♉52	6 2	25 5
DT	*16.1*	*13.1*	*11.5*	*11.3*	*17.3*	*19.8*		*13.9*	*16.7*	*25.3*	*32.1*	*17.3*	*13.9*
DL	*0.0*	*-14.7*	*-37.1*	*-66.0*	*-66.4*	*-11.2*		*0.0*	*-27.1*	*-38.1*	*104.8*	*66.4*	*30.0*
13 0	16♎17	10♏15	27♏40	12♐12	21♑ 2	9♓47	19 0	13♑49	2♒59	3♓30	7♉23	8♊58	27♊26
13 10	18 58	12 26	29 35	14 6	23 58	13 6	19 10	16 8	5 48	7 45	12 33	11 48	29 44
13 20	21 38	14 36	1♐31	16 2	26 59	16 27	19 20	18 28	8 40	12 6	17 23	14 33	2♋ 1
13 30	24 18	16 45	3 27	18 0	0♒ 7	19 49	19 30	20 49	11 34	16 31	21 54	17 12	4 17
13 40	26 57	18 55	5 24	20 0	3 22	23 12	19 40	23 10	14 32	20 59	26 6	19 47	6 31
13 50	29 34	21 4	7 22	22 3	6 43	26 36	19 50	25 32	17 32	25 29	0♊ 1	22 18	8 45
DT	*15.6*	*12.9*	*11.9*	*12.7*	*21.2*	*20.4*		*14.3*	*18.4*	*27.1*	*21.4*	*14.5*	*13.2*
DL	*0.0*	*-19.3*	*-45.3*	*-80.7*	*-60.7*	*-0.0*		*0.0*	*-20.6*	*-0.0*	*115.6*	*62.0*	*27.4*
14 0	2♏11	23♏13	9♐21	24♐ 9	10♒12	0♈ 0	20 0	27♑55	20♒35	0♈ 0	3♊42	24♊45	10♋57
14 10	4 46	25 21	11 21	26 18	13 47	3 24	20 10	0♒18	23 41	4 31	7 10	27 8	13 8
14 20	7 21	27 30	13 21	28 31	17 30	6 48	20 20	2 43	26 49	9 1	10 25	29 28	15 19
14 30	9 54	29 38	15 24	0♑48	21 20	10 11	20 30	5 9	0♓ 0	13 29	13 30	1♋45	17 29
14 40	12 27	1♐46	17 27	3 9	25 17	13 33	20 40	7 35	3 14	17 54	16 25	3 59	19 39
14 50	14 58	3 55	19 33	5 36	29 20	16 54	20 50	10 3	6 29	22 15	19 12	6 11	21 48
DT	*14.9*	*12.9*	*12.8*	*15.6*	*25.3*	*19.8*		*14.9*	*19.8*	*25.3*	*15.6*	*12.8*	*12.9*
DL	*0.0*	*-23.6*	*-53.9*	*-98.5*	*-38.1*	*11.2*		*0.0*	*-11.2*	*38.1*	*98.5*	*53.9*	*23.6*
15 0	17♏28	6♐ 3	21♐40	8♑ 9	3♓30	20♈13	21 0	12♒32	9♓47	26♈30	21♊51	8♋20	23♋57
15 10	19 57	8 12	23 49	10 48	7 45	23 31	21 10	15 2	13 6	0♉40	24 24	10 27	26 5
15 20	22 25	10 21	26 1	13 35	12 6	26 46	21 20	17 33	16 27	4 43	26 51	12 33	28 14
15 30	24 51	12 31	28 15	16 30	16 31	0♉ 0	21 30	20 6	19 49	8 40	29 12	14 36	0♌22
15 40	27 17	14 41	0♑32	19 35	20 59	3 11	21 40	22 39	23 12	12 30	1♋29	16 39	2 30
15 50	29 42	16 52	2 52	22 50	25 29	6 19	21 50	25 14	26 36	16 13	3 42	18 39	4 39
DT	*14.3*	*13.2*	*14.5*	*21.4*	*27.1*	*18.4*		*15.6*	*20.4*	*21.2*	*12.7*	*11.9*	*12.9*
DL	*0.0*	*-27.4*	*-62.0*	*-116*	*-0.0*	*20.6*		*0.0*	*-0.0*	*60.7*	*80.7*	*45.3*	*19.3*
16 0	2♐ 5	19♐ 3	5♑15	26♑18	0♈ 0	9♉25	22 0	27♒49	0♈ 0	19♉48	5♋51	20♋39	6♌47
16 10	4 28	21 15	7 42	29 59	4 31	12 28	22 10	0♓26	3 24	23 17	7 57	22 38	8 56
16 20	6 50	23 29	10 13	3♒54	9 1	15 28	22 20	3 3	6 48	26 38	10 0	24 36	11 5
16 30	9 11	25 43	12 48	8 6	13 29	18 26	22 30	5 42	10 11	29 53	12 0	26 33	13 15
16 40	11 32	27 59	15 27	12 37	17 54	21 20	22 40	8 22	13 33	3♊ 1	13 58	28 29	15 24
16 50	13 52	0♑16	18 12	17 27	22 15	24 12	22 50	11 2	16 54	6 2	15 54	0♌25	17 34
DT	*13.9*	*13.9*	*17.3*	*32.1*	*25.3*	*16.7*		*16.1*	*19.8*	*17.3*	*11.3*	*11.5*	*13.1*
DL	*0.0*	*-30.0*	*-66.4*	*-105*	*38.1*	*27.1*		*0.0*	*11.2*	*66.4*	*66.0*	*37.1*	*14.7*
17 0	16♐11	2♑34	21♑ 2	22♒37	26♈30	27♉ 0	23 0	13♓43	20♈13	8♊58	17♋48	2♌20	19♌45
17 10	18 30	4 55	23 58	28 8	0♉40	29 46	23 10	16 25	23 31	11 48	19 40	4 15	21 56
17 20	20 49	7 17	26 59	4♓ 0	4 43	2♊29	23 20	19 7	26 46	14 33	21 31	6 10	24 7
17 30	23 7	9 40	0♒ 7	10 11	8 40	5 10	23 30	21 50	0♉ 0	17 12	23 20	8 4	26 19
17 40	25 25	12 6	3 22	16 37	12 30	7 48	23 40	24 33	3 11	19 47	25 8	9 59	28 31
17 50	27 42	14 34	6 43	23 16	16 13	10 23	23 50	27 17	6 19	22 18	26 56	11 53	0♍43

LATITUDE 55 DEGREES PLACIDUS HOUSES

S.T.	10	11	12	1	2	3	S.T.	10	11	12	1	2	3
DT	*16.3*	*18.6*	*14.4*	*10.4*	*11.3*	*13.3*		*13.8*	*12.8*	*11.4*	*10.1*	*11.4*	*12.8*
DL	*0.0*	*22.2*	*66.2*	*55.7*	*30.5*	*10.4*		*0.0*	*20.2*	*15.2*	*0.0*	*-15.2*	*-20.2*
0 0	0♈0	9♉46	25♊47	29♋36	14♌16	3♍6	6 0	0♋0	7♌7	6♍57	0♎0	23♎3	22♏53
0 10	2 43	12 50	28 9	1♌20	16 9	5 19	6 10	2 18	9 15	8 51	1 41	24 57	25 1
0 20	5 27	15 51	0♋28	3 3	18 2	7 32	6 20	4 35	11 23	10 46	3 22	26 51	27 9
0 30	8 10	18 50	2 43	4 45	19 55	9 46	6 30	6 53	13 32	12 41	5 3	28 45	29 16
0 40	10 53	21 45	4 56	6 27	21 48	12 0	6 40	9 11	15 40	14 36	6 44	0♏39	1♐24
0 50	13 35	24 38	7 6	8 9	23 41	14 14	6 50	11 30	17 50	16 31	8 25	2 33	3 32
DT	*16.1*	*16.8*	*12.7*	*10.1*	*11.3*	*13.5*		*13.9*	*13.0*	*11.5*	*10.1*	*11.3*	*12.8*
DL	*0.0*	*29.3*	*56.9*	*44.9*	*22.8*	*5.2*		*0.0*	*15.4*	*7.6*	*-8.7*	*-22.8*	*-24.9*
1 0	16♈17	27♉28	9♋14	9♌50	25♌34	16♍29	7 0	13♋49	19♌59	18♍26	10♎5	4♏26	5♐40
1 10	18 58	0♊14	11 20	11 30	27 27	18 43	7 10	16 8	22 9	20 22	11 46	6 19	7 48
1 20	21 38	2 58	13 24	13 11	29 21	20 58	7 20	18 28	24 20	22 17	13 27	8 12	9 56
1 30	24 18	5 39	15 26	14 51	1♍15	23 14	7 30	20 49	26 31	24 13	15 8	10 5	12 5
1 40	26 57	8 17	17 27	16 31	3 9	25 29	7 40	23 10	28 42	26 9	16 48	11 58	14 15
1 50	29 34	10 53	19 26	18 11	5 3	27 44	7 50	25 32	0♍54	28 4	18 29	13 51	16 25
DT	*15.6*	*15.2*	*11.8*	*10.0*	*11.4*	*13.6*		*14.3*	*13.3*	*11.6*	*10.0*	*11.3*	*13.1*
DL	*0.0*	*32.6*	*47.4*	*35.3*	*15.2*	*0.0*		*0.0*	*10.4*	*0.0*	*-17.4*	*-30.5*	*-29.2*
2 0	2♉11	13♊26	21♋24	19♌51	6♍57	0♎0	8 0	27♋55	3♍6	0♎0	20♎9	15♏44	18♐36
2 10	4 46	15 56	23 22	21 31	8 51	2 16	8 10	0♌18	5 19	1 56	21 49	17 36	20 47
2 20	7 21	18 24	25 18	23 11	10 46	4 31	8 20	2 43	7 32	3 51	23 30	19 29	23 0
2 30	9 54	20 50	27 14	24 51	12 41	6 46	8 30	5 9	9 46	5 47	25 10	21 22	25 14
2 40	12 27	23 14	29 9	26 31	14 36	9 2	8 40	7 35	12 0	7 43	26 50	23 15	27 29
2 50	14 58	25 36	1♌4	28 10	16 31	11 17	8 50	10 3	14 14	9 38	28 30	25 9	29 46
DT	*14.9*	*13.9*	*11.4*	*10.0*	*11.5*	*13.5*		*14.9*	*13.5*	*11.5*	*10.0*	*11.4*	*13.9*
DL	*0.0*	*32.2*	*38.6*	*26.2*	*7.6*	*-5.2*		*0.0*	*5.2*	*-7.6*	*-26.2*	*-38.6*	*-32.2*
3 0	17♉28	27♊56	2♌58	29♌50	18♍26	13♎31	9 0	12♌32	16♍29	11♎34	0♏10	27♏2	2♑4
3 10	19 57	0♋14	4 51	1♍30	20 22	15 46	9 10	15 2	18 43	13 29	1 50	28 56	4 24
3 20	22 25	2 31	6 45	3 10	22 17	18 0	9 20	17 33	20 58	15 24	3 29	0♐51	6 46
3 30	24 51	4 46	8 38	4 50	24 13	20 14	9 30	20 6	23 14	17 19	5 9	2 46	9 10
3 40	27 17	7 0	10 31	6 30	26 9	22 28	9 40	22 39	25 29	19 14	6 49	4 42	11 36
3 50	29 42	9 13	12 24	8 11	28 4	24 41	9 50	25 14	27 44	21 9	8 29	6 38	14 4
DT	*14.3*	*13.1*	*11.3*	*10.0*	*11.6*	*13.3*		*15.6*	*13.6*	*11.4*	*10.0*	*11.8*	*15.2*
DL	*0.0*	*29.2*	*30.5*	*17.4*	*0.0*	*-10.4*		*0.0*	*0.0*	*-15.2*	*-35.3*	*-47.4*	*-32.6*
4 0	2♊5	11♋24	14♌16	9♍51	0♎0	26♎54	10 0	27♌49	0♎0	23♎3	10♏9	8♐36	16♑34
4 10	4 28	13 35	16 9	11 31	1 56	29 6	10 10	0♍26	2 16	24 57	11 49	10 34	19 7
4 20	6 50	15 45	18 2	13 12	3 51	1♏18	10 20	3 3	4 31	26 51	13 29	12 33	21 43
4 30	9 11	17 55	19 55	14 52	5 47	3 29	10 30	5 42	6 46	28 45	15 9	14 34	24 21
4 40	11 32	20 4	21 48	16 33	7 43	5 40	10 40	8 22	9 2	0♏39	16 49	16 36	27 2
4 50	13 52	22 12	23 41	18 14	9 38	7 51	10 50	11 2	11 17	2 33	18 30	18 40	29 46
DT	*13.9*	*12.8*	*11.3*	*10.1*	*11.5*	*13.0*		*16.1*	*13.5*	*11.3*	*10.1*	*12.7*	*16.8*
DL	*0.0*	*24.9*	*22.8*	*8.7*	*-7.6*	*-15.4*		*0.0*	*-5.2*	*-22.8*	*-44.9*	*-56.9*	*-29.3*
5 0	16♊11	24♋20	25♌34	19♍55	11♎34	10♏1	11 0	13♍43	13♎31	4♏26	20♏10	20♐46	2♒32
5 10	18 30	26 28	27 27	21 35	13 29	12 10	11 10	16 25	15 46	6 19	21 51	22 54	5 22
5 20	20 49	28 36	29 21	23 16	15 24	14 20	11 20	19 7	18 0	8 12	23 33	25 4	8 15
5 30	23 7	0♌44	1♍15	24 57	17 19	16 28	11 30	21 50	20 14	10 5	25 15	27 17	11 10
5 40	25 25	2 51	3 9	26 38	19 14	18 37	11 40	24 33	22 28	11 58	26 57	29 32	14 9
5 50	27 42	4 59	5 3	28 19	21 9	20 45	11 50	27 17	24 41	13 51	28 40	1♑51	17 10

LATITUDE 55 DEGREES   PLACIDUS HOUSES

S.T.	10	11	12	1	2	3	S.T.	10	11	12	1	2	3
DT	16.3	13.3	11.3	10.4	14.4	18.6		13.8	15.2	21.4	42.8	21.4	15.2
DL	0.0	-10.4	-30.5	-55.7	-66.2	-22.2		0.0	-32.6	-66.5	-0.0	66.5	32.6
12 0	0♎0	26♎54	15♏44	0♐24	4♑13	20♑14	18 0	0♑0	16♑34	9♒11	0♈0	20♉49	13♊26
12 10	2 43	29 6	17 36	2 8	6 39	23 22	18 10	2 18	19 7	12 49	7 8	24 19	15 56
12 20	5 27	1♏18	19 29	3 54	9 8	26 32	18 20	4 35	21 43	16 35	14 9	27 42	18 24
12 30	8 10	3 29	21 22	5 40	11 43	29 44	18 30	6 53	24 21	20 28	20 55	0♊58	20 50
12 40	10 53	5 40	23 15	7 27	14 22	2♓59	18 40	9 11	27 2	24 29	27 22	4 7	23 14
12 50	13 35	7 51	25 9	9 16	17 6	6 16	18 50	11 30	29 46	28 37	3♉27	7 9	25 36
DT	16.1	13.0	11.4	11.1	17.3	20.0		13.9	16.8	25.8	32.9	17.3	13.9
DL	0.0	-15.4	-38.6	-68.5	-71.9	-12.0		0.0	-29.3	-42.1	119.3	71.9	32.2
13 0	16♎17	10♏1	27♏2	11♐6	19♑56	9♓36	19 0	13♑49	2♒32	2♓52	9♉8	10♊4	27♊56
13 10	18 58	12 10	28 56	12 58	22 51	12 57	19 10	16 8	5 22	7 13	14 25	12 54	0♋14
13 20	21 38	14 20	0♐51	14 51	25 53	16 19	19 20	18 28	8 15	11 39	19 19	15 38	2 31
13 30	24 18	16 28	2 46	16 47	29 2	19 43	19 30	20 49	11 10	16 10	23 51	18 17	4 46
13 40	26 57	18 37	4 42	18 45	2♒18	23 8	19 40	23 10	14 9	20 45	28 4	20 52	7 0
13 50	29 34	20 45	6 38	20 45	5 41	26 34	19 50	25 32	17 10	25 22	1♊59	23 21	9 13
DT	15.6	12.8	11.8	12.5	21.4	20.6		14.3	18.6	27.8	21.2	14.4	13.1
DL	0.0	-20.2	-47.4	-84.3	-66.5	-0.0		0.0	-22.2	-0.0	125.5	66.2	29.2
14 0	2♏11	22♏53	8♐36	22♐48	9♒11	0♈0	20 0	27♑55	20♒14	0♈0	5♊38	25♊47	11♋24
14 10	4 46	25 1	10 34	24 55	12 49	3 26	20 10	0♒18	23 22	4 38	9 3	28 9	13 35
14 20	7 21	27 9	12 33	27 5	16 35	6 52	20 20	2 43	26 32	9 15	12 16	0♋28	15 45
14 30	9 54	29 16	14 34	29 19	20 28	10 17	20 30	5 9	29 44	13 50	15 17	2 43	17 55
14 40	12 27	1♐24	16 36	1♑37	24 29	13 41	20 40	7 35	2♓59	18 21	18 10	4 56	20 4
14 50	14 58	3 32	18 40	4 1	28 37	17 3	20 50	10 3	6 16	22 47	20 53	7 6	22 12
DT	14.9	12.8	12.7	15.3	25.8	20.0		14.9	20.0	25.8	15.3	12.7	12.8
DL	0.0	-24.9	-56.9	-104	-42.1	12.0		0.0	-12.0	42.1	104.2	56.9	24.9
15 0	17♏28	5♐40	20♐46	6♑31	2♓52	20♈24	21 0	12♒32	9♓36	27♈8	23♊29	9♋14	24♋20
15 10	19 57	7 48	22 54	9 7	7 13	23 44	21 10	15 2	12 57	1♉23	25 59	11 20	26 28
15 20	22 25	9 56	25 4	11 50	11 39	27 1	21 20	17 33	16 19	5 31	28 23	13 24	28 36
15 30	24 51	12 5	27 17	14 43	16 10	0♉16	21 30	20 6	19 43	9 32	0♋41	15 26	0♌44
15 40	27 17	14 15	29 32	17 44	20 45	3 28	21 40	22 39	23 8	13 25	2 55	17 27	2 51
15 50	29 42	16 25	1♑51	20 57	25 22	6 38	21 50	25 14	26 34	17 11	5 5	19 26	4 59
DT	14.3	13.1	14.4	21.2	27.8	18.6		15.6	20.6	21.4	12.5	11.8	12.8
DL	0.0	-29.2	-66.2	-125	-0.0	22.2		0.0	-0.0	66.5	84.3	47.4	20.2
16 0	2♐5	18♐36	4♑13	24♑22	0♈0	9♉46	22 0	27♒49	0♈0	20♉49	7♋12	21♋24	7♌7
16 10	4 28	20 47	6 39	28 1	4 38	12 50	22 10	0♓26	3 26	24 19	9 15	23 22	9 15
16 20	6 50	23 0	9 8	1♒56	9 15	15 51	22 20	3 3	6 52	27 42	11 15	25 18	11 23
16 30	9 11	25 14	11 43	6 9	13 50	18 50	22 30	5 42	10 17	0♊58	13 13	27 14	13 32
16 40	11 32	27 29	14 22	10 41	18 21	21 45	22 40	8 22	13 41	4 7	15 9	29 9	15 40
16 50	13 52	29 46	17 6	15 35	22 47	24 38	22 50	11 2	17 3	7 9	17 2	1♌4	17 50
DT	13.9	13.9	17.3	32.9	25.8	16.8		16.1	20.0	17.3	11.1	11.4	13.0
DL	0.0	-32.2	-71.9	-119	42.1	29.3		0.0	12.0	71.9	68.5	38.6	15.4
17 0	16♐11	2♑4	19♑56	20♒52	27♈8	27♉28	23 0	13♓43	20♈24	10♊4	18♋54	2♌58	19♌59
17 10	18 30	4 24	22 51	26 33	1♉23	0♊14	23 10	16 25	23 44	12 54	20 44	4 51	22 9
17 20	20 49	6 46	25 53	2♓38	5 31	2 58	23 20	19 7	27 1	15 38	22 33	6 45	24 20
17 30	23 7	9 10	29 2	9 5	9 32	5 39	23 30	21 50	0♉16	18 17	24 20	8 38	26 31
17 40	25 25	11 36	2♒18	15 51	13 25	8 17	23 40	24 33	3 28	20 52	26 6	10 31	28 42
17 50	27 42	14 4	5 41	22 52	17 11	10 53	23 50	27 17	6 38	23 21	27 52	12 24	0♏54

LATITUDE 56 DEGREES   PLACIDUS HOUSES

S.T.	10	11	12	1	2	3	S.T.	10	11	12	1	2	3
DT	16.3	18.7	14.2	10.2	11.1	13.2		13.8	12.7	11.3	10.0	11.3	12.7
DL	0.0	24.0	71.0	57.6	31.7	10.8		0.0	21.3	15.7	0.0	-15.7	-21.3
0 0	0♈0	10♉8	26♊53	0♋32	14♌47	3♍17	6 0	0♋0	7♌27	7♍12	0♎0	22♎48	22♏33
0 10	2 43	13 14	29 14	2 14	16 38	5 29	6 10	2 18	9 34	9 5	1 40	24 41	24 40
0 20	5 27	16 16	1♋31	3 55	18 30	7 41	6 20	4 35	11 42	10 59	3 19	26 34	26 47
0 30	8 10	19 16	3 45	5 35	20 21	9 54	6 30	6 53	13 49	12 52	4 59	28 26	28 54
0 40	10 53	22 13	5 56	7 15	22 13	12 7	6 40	9 11	15 57	14 46	6 38	0♏19	1♐1
0 50	13 35	25 6	8 5	8 55	24 5	14 20	6 50	11 30	18 6	16 40	8 17	2 11	3 8
DT	16.1	16.9	12.5	9.9	11.2	13.4		13.9	12.9	11.4	9.9	11.2	12.7
DL	0.0	31.7	60.2	46.3	23.6	5.5		0.0	16.1	7.8	-8.9	-23.6	-26.4
1 0	16♈17	27♉57	10♋11	10♌35	25♌57	16♍34	7 0	13♍49	20♌15	18♍34	9♎57	4♏3	5♐15
1 10	18 58	0♊44	12 15	12 14	27 49	18 48	7 10	16 8	22 24	20 28	11 36	5 55	7 22
1 20	21 38	3 29	14 17	13 53	29 41	21 2	7 20	18 28	24 34	22 22	13 15	7 47	9 30
1 30	24 18	6 10	16 18	15 31	1♍34	23 16	7 30	20 49	26 44	24 17	14 55	9 39	11 38
1 40	26 57	8 49	18 17	17 10	3 26	25 31	7 40	23 10	28 54	26 11	16 34	11 30	13 47
1 50	29 34	11 25	20 15	18 48	5 19	27 45	7 50	25 32	1♍5	28 6	18 13	13 22	15 56
DT	15.6	15.2	11.6	9.8	11.3	13.5		14.3	13.2	11.4	9.9	11.1	13.1
DL	0.0	35.4	49.7	36.2	15.7	0.0		0.0	10.8	0.0	-17.8	-31.7	-31.3
2 0	2♉11	13♊58	22♋12	20♌27	7♍12	0♎0	8 0	27♋55	3♍17	0♎0	19♎52	15♏13	18♐6
2 10	4 46	16 29	24 8	22 5	9 5	2 15	8 10	0♌18	5 29	1 54	21 30	17 5	20 17
2 20	7 21	18 57	26 3	23 43	10 59	4 29	8 20	2 43	7 41	3 49	23 9	18 56	22 30
2 30	9 54	21 23	27 57	25 22	12 52	6 44	8 30	5 9	9 54	5 43	24 48	20 48	24 43
2 40	12 27	23 47	29 51	27 0	14 46	8 58	8 40	7 35	12 7	7 38	26 26	22 40	26 58
2 50	14 58	26 8	1♌44	28 38	16 40	11 12	8 50	10 3	14 20	9 32	28 5	24 32	29 14
DT	14.9	13.9	11.2	9.8	11.4	13.4		14.9	13.4	11.4	9.8	11.2	13.9
DL	0.0	34.8	40.3	26.9	7.8	-5.5		0.0	5.5	-7.8	-26.9	-40.3	-34.8
3 0	17♉28	28♊28	3♌36	0♍17	18♍34	13♎26	9 0	12♌32	16♍34	11♎26	29♎43	26♏24	1♑32
3 10	19 57	0♋46	5 28	1 55	20 28	15 40	9 10	15 2	18 48	13 20	1♏22	28 16	3 52
3 20	22 25	3 2	7 20	3 34	22 22	17 53	9 20	17 33	21 2	15 14	3 0	0♐9	6 13
3 30	24 51	5 17	9 12	5 12	24 17	20 6	9 30	20 6	23 16	17 8	4 38	2 3	8 37
3 40	27 17	7 30	11 4	6 51	26 11	22 19	9 40	22 39	25 31	19 1	6 17	3 57	11 3
3 50	29 42	9 43	12 55	8 30	28 6	24 31	9 50	25 14	27 45	20 55	7 55	5 52	13 31
DT	14.3	13.1	11.1	9.9	11.4	13.2		15.6	13.5	11.3	9.8	11.6	15.2
DL	0.0	31.3	31.7	17.8	0.0	-10.8		0.0	0.0	-15.7	-36.2	-49.7	-35.4
4 0	2♊5	11♋54	14♌47	10♍8	0♎0	26♎43	10 0	27♌49	0♎0	22♎48	9♏33	7♐48	16♑2
4 10	4 28	14 4	16 38	11 47	1 54	28 55	10 10	0♍26	2 15	24 41	11 12	9 45	18 35
4 20	6 50	16 13	18 30	13 26	3 49	1♏6	10 20	3 3	4 29	26 34	12 50	11 43	21 11
4 30	9 11	18 22	20 21	15 5	5 43	3 16	10 30	5 42	6 44	28 26	14 29	13 42	23 50
4 40	11 32	20 30	22 13	16 45	7 38	5 26	10 40	8 22	8 58	0♏19	16 7	15 43	26 31
4 50	13 52	22 38	24 5	18 24	9 32	7 36	10 50	11 2	11 12	2 11	17 46	17 45	29 16
DT	13.9	12.7	11.2	9.9	11.4	12.9		16.1	13.4	11.2	9.9	12.5	16.9
DL	0.0	26.4	23.6	8.9	-7.8	-16.1		0.0	-5.5	-23.6	-46.3	-60.2	-31.7
5 0	16♊11	24♋45	25♌57	20♍3	11♎26	9♏45	11 0	13♍43	13♎26	4♏3	19♏25	19♐49	2♒3
5 10	18 30	26 52	27 49	21 43	13 20	11 54	11 10	16 25	15 40	5 55	21 5	21 55	4 54
5 20	20 49	28 59	29 41	23 22	15 14	14 3	11 20	19 7	17 53	7 47	22 45	24 4	7 47
5 30	23 7	1♌6	1♍34	25 1	17 8	16 11	11 30	21 50	20 6	9 39	24 25	26 15	10 44
5 40	25 25	3 13	3 26	26 41	19 1	18 18	11 40	24 33	22 19	11 30	26 5	28 29	13 44
5 50	27 42	5 20	5 19	28 20	20 55	20 26	11 50	27 17	24 31	13 22	27 46	0♑46	16 46

LATITUDE 56 DEGREES   PLACIDUS HOUSES

S.T.	10	11	12	1	2	3	S.T.	10	11	12	1	2	3
DT	16.3	13.2	11.1	10.2	14.2	18.7		13.8	15.2	21.7	45.6	21.7	15.2
DL	0.0	-10.8	-31.7	-57.6	-71.0	-24.0		0.0	-35.4	-73.4	-0.0	73.4	35.4
12 0	0♎0	26♎43	15♏13	29♏28	3♑7	19♒52	18 0	0♒0	16♑2	8♒4	0♈0	21♉56	13♊58
12 10	2 43	28 55	17 5	1♐11	5 31	23 1	18 10	2 18	18 35	11 45	7 36	25 28	16 29
12 20	5 27	1♏6	18 56	2 54	8 0	26 12	18 20	4 35	21 11	15 34	15 3	28 52	18 57
12 30	8 10	3 16	20 48	4 38	10 33	29 27	18 30	6 53	23 50	19 31	22 12	2♊9	21 23
12 40	10 53	5 26	22 40	6 24	13 11	2♓43	18 40	9 11	26 31	23 36	28 57	5 18	23 47
12 50	13 35	7 36	24 32	8 10	15 54	6 2	18 50	11 30	29 16	27 49	5♉16	8 21	26 8
DT	16.1	12.9	11.2	10.9	17.2	20.2		13.9	16.9	26.4	33.7	17.2	13.9
DL	0.0	-16.1	-40.3	-71.1	-78.3	-12.9		0.0	-31.7	-46.7	136.8	78.3	34.8
13 0	16♎17	9♏45	26♏24	9♐58	18♑44	9♓24	19 0	13♑49	2♒3	2♓10	11♉7	11♊16	28♊28
13 10	18 58	11 54	28 16	11 47	21 39	12 47	19 10	16 8	4 54	6 37	16 30	14 6	0♋46
13 20	21 38	14 3	0♐9	13 38	24 41	16 11	19 20	18 28	7 47	11 10	21 28	16 49	3 2
13 30	24 18	16 11	2 3	15 31	27 51	19 37	19 30	20 49	10 44	15 48	26 1	19 27	5 17
13 40	26 57	18 18	3 57	17 26	1♒8	23 4	19 40	23 10	13 44	20 30	0♊13	22 0	7 30
13 50	29 34	20 26	5 52	19 24	4 32	26 32	19 50	25 32	16 46	25 14	4 7	24 29	9 43
DT	15.6	12.7	11.6	12.2	21.7	20.8		14.3	18.7	28.6	20.9	14.2	13.1
DL	0.0	-21.3	-49.7	-88.1	-73.4	-0.0		0.0	-24.0	-0.0	136.3	71.0	31.3
14 0	2♏11	22♏33	7♐48	21♐24	8♒4	0♈0	20 0	27♑55	19♒52	0♈0	7♊43	26♊53	11♋54
14 10	4 46	24 40	9 45	23 27	11 45	3 28	20 10	0♒18	23 1	4 46	11 5	29 14	14 4
14 20	7 21	26 47	11 43	25 34	15 34	6 56	20 20	2 43	26 12	9 30	14 15	1♋31	16 13
14 30	9 54	28 54	13 42	27 45	19 31	10 23	20 30	5 9	29 27	14 12	17 13	3 45	18 22
14 40	12 27	1♐1	15 43	0♑0	23 36	13 49	20 40	7 35	2♓43	18 50	20 1	5 56	20 30
14 50	14 58	3 8	17 45	2 20	27 49	17 13	20 50	10 3	6 2	23 23	22 41	8 5	22 38
DT	14.9	12.7	12.5	14.9	26.4	20.2		14.9	20.2	26.4	14.9	12.5	12.7
DL	0.0	-26.4	-60.2	-110	-46.7	12.9		0.0	-12.9	46.7	110.3	60.2	26.4
15 0	17♏28	5♐15	19♐49	4♑46	2♓10	20♈36	21 0	12♒32	9♓24	27♈50	25♊14	10♋11	24♋45
15 10	19 57	7 22	21 55	7 19	6 37	23 58	21 10	15 2	12 47	2♉11	27 40	12 15	26 52
15 20	22 25	9 30	24 4	9 59	11 10	27 17	21 20	17 33	16 11	6 24	0♋0	14 17	28 59
15 30	24 51	11 38	26 15	12 47	15 48	0♉33	21 30	20 6	19 37	10 29	2 15	16 18	1♌6
15 40	27 17	13 47	28 29	15 45	20 30	3 48	21 40	22 39	23 4	14 26	4 26	18 17	3 13
15 50	29 42	15 56	0♑46	18 55	25 14	6 59	21 50	25 14	26 32	18 15	6 33	20 15	5 20
DT	14.3	13.1	14.2	20.9	28.6	18.7		15.6	20.8	21.7	12.2	11.6	12.7
DL	0.0	-31.3	-71.0	-136	-0.0	24.0		0.0	-0.0	73.4	88.1	49.7	21.3
16 0	2♐5	18♐6	3♑7	22♑17	0♈0	10♉8	22 0	27♒49	0♈0	21♉56	8♋36	22♋12	7♌27
16 10	4 28	20 17	5 31	25 53	4 46	13 14	22 10	0♓26	3 28	25 28	10 36	24 8	9 34
16 20	6 50	22 30	8 0	29 47	9 30	16 16	22 20	3 3	6 56	28 52	12 34	26 3	11 42
16 30	9 11	24 43	10 33	3♒59	14 12	19 16	22 30	5 42	10 23	2♊9	14 29	27 57	13 49
16 40	11 32	26 58	13 11	8 32	18 50	22 13	22 40	8 22	13 49	5 18	16 22	29 51	15 57
16 50	13 52	29 14	15 54	13 30	23 23	25 6	22 50	11 2	17 13	8 21	18 13	1♌44	18 6
DT	13.9	13.9	17.2	33.7	26.4	16.9		16.1	20.2	17.2	10.9	11.2	12.9
DL	0.0	-34.8	-78.3	-137	46.7	31.7		0.0	12.9	78.3	71.1	40.3	16.1
17 0	16♐11	1♑32	18♑44	18♒53	27♈50	27♉57	23 0	13♓43	20♈36	11♊16	20♋2	3♌36	20♌15
17 10	18 30	3 52	21 39	24 44	2♉11	0♊44	23 10	16 25	23 58	14 6	21 50	5 28	22 24
17 20	20 49	6 13	24 41	1♓3	6 24	3 29	23 20	19 7	27 17	16 49	23 36	7 20	24 34
17 30	23 7	8 37	27 51	7 48	10 29	6 10	23 30	21 50	0♉33	19 27	25 22	9 12	26 44
17 40	25 25	11 3	1♒8	14 57	14 26	8 49	23 40	24 33	3 48	22 0	27 6	11 4	28 54
17 50	27 42	13 31	4 32	22 24	18 15	11 25	23 50	27 17	6 59	24 29	28 49	12 55	1♍5

LATITUDE 57 DEGREES   PLACIDUS HOUSES

S.T.	10	11	12	1	2	3	S.T.	10	11	12	1	2	3
DT	16.3	18.9	14.1	10.0	11.0	13.1		13.8	12.6	11.2	9.8	11.2	12.6
DL	0.0	26.0	76.4	59.5	32.9	11.3		0.0	22.4	16.2	0.0	-16.2	-22.4
0 0	0♈0	10♉32	28♊4	1♋29	15♌19	3♍28	6 0	0♋0	7♌48	7♍28	0♎0	22♎32	22♏12
0 10	2 43	13 39	0♋23	3 9	17 9	5 39	6 10	2 18	9 55	9 20	1 38	24 24	24 18
0 20	5 27	16 43	2 38	4 48	18 59	7 50	6 20	4 35	12 1	11 12	3 16	26 15	26 24
0 30	8 10	19 44	4 51	6 27	20 49	10 2	6 30	6 53	14 8	13 4	4 54	28 7	28 30
0 40	10 53	22 42	7 0	8 5	22 39	12 14	6 40	9 11	16 15	14 57	6 32	29 58	0♐36
0 50	13 35	25 37	9 7	9 43	24 30	14 26	6 50	11 30	18 23	16 49	8 10	1♏49	2 42
DT	16.1	17.0	12.3	9.8	11.1	13.3		13.9	12.8	11.3	9.8	11.1	12.6
DL	0.0	34.6	63.9	47.7	24.4	5.7		0.0	16.9	8.1	-9.1	-24.4	-28.1
1 0	16♈17	28♉29	11♋11	11♌21	26♌20	16♍39	7 0	13♋49	20♌31	18♍42	9♎48	3♏40	4♐48
1 10	18 58	1♊17	13 13	12 58	28 11	18 52	7 10	16 8	22 39	20 35	11 26	5 30	6 55
1 20	21 38	4 2	15 14	14 35	0♍2	21 6	7 20	18 28	24 48	22 28	13 3	7 21	9 2
1 30	24 18	6 45	17 13	16 12	1 53	23 19	7 30	20 49	26 57	24 21	14 41	9 11	11 9
1 40	26 57	9 24	19 10	17 49	3 45	25 33	7 40	23 10	29 7	26 14	16 19	11 1	13 17
1 50	29 34	12 0	21 6	19 26	5 36	27 46	7 50	25 32	1♍17	28 7	17 56	12 51	15 26
DT	15.6	15.2	11.5	9.7	11.2	13.4		14.3	13.1	11.3	9.7	11.0	13.0
DL	0.0	38.6	52.2	37.2	16.2	0.0		0.0	11.3	0.0	-18.3	-32.9	-33.6
2 0	2♉11	14♊34	23♋2	21♌3	7♍28	0♎0	8 0	27♋55	3♍28	0♎0	19♎34	14♏41	17♐35
2 10	4 46	17 4	24 56	22 40	9 20	2 14	8 10	0♌18	5 39	1 53	21 11	16 32	19 45
2 20	7 21	19 33	26 49	24 16	11 12	4 27	8 20	2 43	7 50	3 46	22 48	18 22	21 57
2 30	9 54	21 58	28 42	25 53	13 4	6 41	8 30	5 9	10 2	5 39	24 26	20 12	24 10
2 40	12 27	24 22	0♌34	27 30	14 57	8 54	8 40	7 35	12 14	7 32	26 3	22 2	26 24
2 50	14 58	26 43	2 25	29 7	16 49	11 8	8 50	10 3	14 26	9 25	27 40	23 53	28 40
DT	14.9	13.8	11.1	9.7	11.3	13.3		14.9	13.3	11.3	9.7	11.1	13.8
DL	0.0	37.8	42.0	27.6	8.1	-5.7		0.0	5.7	-8.1	-27.6	-42.0	-37.8
3 0	17♉28	29♊3	4♌16	0♍43	18♍42	13♎21	9 0	12♌32	16♍39	11♎18	29♎17	25♏44	0♑57
3 10	19 57	1♋20	6 7	2 20	20 35	15 34	9 10	15 2	18 52	13 11	0♏53	27 35	3 17
3 20	22 25	3 36	7 58	3 57	22 28	17 46	9 20	17 33	21 6	15 3	2 30	29 26	5 38
3 30	24 51	5 50	9 48	5 34	24 21	19 58	9 30	20 6	23 19	16 56	4 7	1♐18	8 2
3 40	27 17	8 3	11 38	7 12	26 14	22 10	9 40	22 39	25 33	18 48	5 44	3 11	10 27
3 50	29 42	10 15	13 28	8 49	28 7	24 21	9 50	25 14	27 46	20 40	7 20	5 4	12 56
DT	14.3	13.0	11.0	9.7	11.3	13.1		15.6	13.4	11.2	9.7	11.5	15.2
DL	0.0	33.6	32.9	18.3	0.0	-11.3		0.0	0.0	-16.2	-37.2	-52.2	-38.6
4 0	2♊5	12♋25	15♌19	10♍26	0♎0	26♎32	10 0	27♌49	0♎0	22♎32	8♏57	6♐58	15♑26
4 10	4 28	14 34	17 9	12 4	1 53	28 43	10 10	0♍26	2 14	24 24	10 34	8 54	18 0
4 20	6 50	16 43	18 59	13 41	3 46	0♏53	10 20	3 3	4 27	26 15	12 11	10 50	20 36
4 30	9 11	18 51	20 49	15 19	5 39	3 3	10 30	5 42	6 41	28 7	13 48	12 47	23 15
4 40	11 32	20 58	22 39	16 57	7 32	5 12	10 40	8 22	8 54	29 58	15 25	14 46	25 58
4 50	13 52	23 5	24 30	18 34	9 25	7 21	10 50	11 2	11 8	1♏49	17 2	16 47	28 43
DT	13.9	12.6	11.1	9.8	11.3	12.8		16.1	13.3	11.1	9.8	12.3	17.0
DL	0.0	28.1	24.4	9.1	-8.1	-16.9		0.0	-5.7	-24.4	-47.7	-63.9	-34.6
5 0	16♊11	25♋12	26♌20	20♍12	11♎18	9♏29	11 0	13♍43	13♎21	3♏40	18♏39	18♐49	1♒31
5 10	18 30	27 18	28 11	21 50	13 11	11 37	11 10	16 25	15 34	5 30	20 17	20 53	4 23
5 20	20 49	29 24	0♍2	23 28	15 3	13 45	11 20	19 7	17 46	7 21	21 55	23 0	7 18
5 30	23 7	1♌30	1 53	25 6	16 56	15 52	11 30	21 50	19 58	9 11	23 33	25 9	10 16
5 40	25 25	3 36	3 45	26 44	18 48	17 59	11 40	24 33	22 10	11 1	25 12	27 22	13 17
5 50	27 42	5 42	5 36	28 22	20 40	20 5	11 50	27 17	24 21	12 51	26 51	29 37	16 21

LATITUDE 57 DEGREES   PLACIDUS HOUSES

S.T.	10	11	12	1	2	3	S.T.	10	11	12	1	2	3
DT	*16.3*	*13.1*	*11.0*	*10.0*	*14.1*	*18.9*		*13.8*	*15.2*	*21.9*	*49.0*	*21.9*	*15.2*
DL	*0.0*	*-11.3*	*-32.9*	*-59.5*	*-76.4*	*-26.0*		*0.0*	*-38.6*	*-81.5*	*-0.0*	*81.5*	*38.6*
12 0	0♎ 0	26♎32	14♏41	28♏31	1♑56	19♒28	18 0	0♑ 0	15♑26	6♒51	0♈ 0	23♉ 9	14♊34
12 10	2 43	28 43	16 32	0♐11	4 18	22 39	18 10	2 18	18 0	10 34	8 10	26 44	17 4
12 20	5 27	0♏53	18 22	1 52	6 45	25 52	18 20	4 35	20 36	14 27	16 7	0♊10	19 33
12 30	8 10	3 3	20 12	3 34	9 17	29 8	18 30	6 53	23 15	18 28	23 43	3 27	21 58
12 40	10 53	5 12	22 2	5 17	11 54	2♓26	18 40	9 11	25 58	22 38	0♉49	6 37	24 22
12 50	13 35	7 21	23 53	7 1	14 37	5 47	18 50	11 30	28 43	26 57	7 23	9 39	26 43
DT	*16.1*	*12.8*	*11.1*	*10.6*	*17.2*	*20.4*		*13.9*	*17.0*	*27.0*	*34.5*	*17.2*	*13.8*
DL	*0.0*	*-16.9*	*-42.0*	*-73.8*	*-85.6*	*-14.0*		*0.0*	*-34.6*	*-52.3*	*158.1*	*85.6*	*37.8*
13 0	16♎17	9♏29	25♏44	8♐47	17♑25	9♓11	19 0	13♑49	1♒31	1♓23	13♉24	12♊35	29♊ 3
13 10	18 58	11 37	27 35	10 34	20 21	12 36	19 10	16 8	4 23	5 57	18 53	15 23	1♋20
13 20	21 38	13 45	29 26	12 22	23 23	16 3	19 20	18 28	7 18	10 37	23 53	18 6	3 36
13 30	24 18	15 52	1♐18	14 12	26 33	19 31	19 30	20 49	10 16	15 23	28 26	20 43	5 50
13 40	26 57	17 59	3 11	16 4	29 50	23 0	19 40	23 10	13 17	20 13	2♊36	23 15	8 3
13 50	29 34	20 5	5 4	17 59	3♒16	26 30	19 50	25 32	16 21	25 6	6 27	25 42	10 15
DT	*15.6*	*12.6*	*11.5*	*11.9*	*21.9*	*21.0*		*14.3*	*18.9*	*29.4*	*20.5*	*14.1*	*13.0*
DL	*0.0*	*-22.4*	*-52.2*	*-92.1*	*-81.5*	*-0.0*		*0.0*	*-26.0*	*-0.0*	*148.2*	*76.4*	*33.6*
14 0	2♏11	22♏12	6♐58	19♐56	6♒51	0♈ 0	20 0	27♑55	19♒28	0♈ 0	10♊ 0	28♊ 4	12♋25
14 10	4 46	24 18	8 54	21 56	10 34	3 30	20 10	0♒18	22 39	4 54	13 18	0♋23	14 34
14 20	7 21	26 24	10 50	23 59	14 27	7 0	20 20	2 43	25 52	9 47	16 22	2 38	16 43
14 30	9 54	28 30	12 47	26 6	18 28	10 29	20 30	5 9	29 8	14 37	19 16	4 51	18 51
14 40	12 27	0♐36	14 46	28 18	22 38	13 57	20 40	7 35	2♓26	19 23	22 0	7 0	20 58
14 50	14 58	2 42	16 47	0♑34	26 57	17 24	20 50	10 3	5 47	24 3	24 36	9 7	23 5
DT	*14.9*	*12.6*	*12.3*	*14.5*	*27.0*	*20.4*		*14.9*	*20.4*	*27.0*	*14.5*	*12.3*	*12.6*
DL	*0.0*	*-28.1*	*-63.9*	*-117*	*-52.3*	*14.0*		*0.0*	*-14.0*	*52.3*	*116.8*	*63.9*	*28.1*
15 0	17♏28	4♐48	18♐49	2♑56	1♓23	20♈49	21 0	12♒32	9♓11	28♈37	27♊ 4	11♋11	25♋12
15 10	19 57	6 55	20 53	5 24	5 57	24 13	21 10	15 2	12 36	3♉ 3	29 26	13 13	27 18
15 20	22 25	9 2	23 0	8 0	10 37	27 34	21 20	17 33	16 3	7 22	1♋42	15 14	29 24
15 30	24 51	11 9	25 9	10 44	15 23	0♉52	21 30	20 6	19 31	11 32	3 54	17 13	1♌30
15 40	27 17	13 17	27 22	13 38	20 13	4 8	21 40	22 39	23 0	15 33	6 1	19 10	3 36
15 50	29 42	15 26	29 37	16 42	25 6	7 21	21 50	25 14	26 30	19 26	8 4	21 6	5 42
DT	*14.3*	*13.0*	*14.1*	*20.5*	*29.4*	*18.9*		*15.6*	*21.0*	*21.9*	*11.9*	*11.5*	*12.6*
DL	*0.0*	*-33.6*	*-76.4*	*-148*	*-0.0*	*26.0*		*0.0*	*-0.0*	*81.5*	*92.1*	*52.2*	*22.4*
16 0	2♐ 5	17♐35	1♑56	20♑ 0	0♈ 0	10♉32	22 0	27♒49	0♈ 0	23♉ 9	10♋ 4	23♋ 2	7♌48
16 10	4 28	19 45	4 18	23 33	4 54	13 39	22 10	0♓26	3 30	26 44	12 1	24 56	9 55
16 20	6 50	21 57	6 45	27 24	9 47	16 43	22 20	3 3	7 0	0♊10	13 56	26 49	12 1
16 30	9 11	24 10	9 17	1♒34	14 37	19 44	22 30	5 42	10 29	3 27	15 48	28 42	14 8
16 40	11 32	26 24	11 54	6 7	19 23	22 42	22 40	8 22	13 57	6 37	17 38	0♌34	16 15
16 50	13 52	28 40	14 37	11 7	24 3	25 37	22 50	11 2	17 24	9 39	19 26	2 25	18 23
DT	*13.9*	*13.8*	*17.2*	*34.5*	*27.0*	*17.0*		*16.1*	*20.4*	*17.2*	*10.6*	*11.1*	*12.8*
DL	*0.0*	*-37.8*	*-85.6*	*-158*	*52.3*	*34.6*		*0.0*	*14.0*	*85.6*	*73.8*	*42.0*	*16.9*
17 0	16♐11	0♑57	17♑25	16♒36	28♈37	28♉29	23 0	13♓43	20♈49	12♊35	21♋13	4♌16	20♌31
17 10	18 30	3 17	20 21	22 37	3♉ 3	1♊17	23 10	16 25	24 13	15 23	22 59	6 7	22 39
17 20	20 49	5 38	23 23	29 11	7 22	4 2	23 20	19 7	27 34	18 6	24 43	7 58	24 48
17 30	23 7	8 2	26 33	6♓17	11 32	6 45	23 30	21 50	0♉52	20 43	26 26	9 48	26 57
17 40	25 25	10 27	29 50	13 53	15 33	9 24	23 40	24 33	4 8	23 15	28 8	11 38	29 7
17 50	27 42	12 56	3♒16	21 50	19 26	12 0	23 50	27 17	7 21	25 42	29 49	13 28	1♍17

LATITUDE 58 DEGREES PLACIDUS HOUSES

S.T.	10	11	12	1	2	3	S.T.	10	11	12	1	2	3
DT	*16.3*	*19.1*	*13.9*	*9.8*	*10.9*	*13.0*		*13.8*	*12.5*	*11.0*	*9.7*	*11.0*	*12.5*
DL	*0.0*	*28.3*	*82.5*	*61.5*	*34.1*	*11.8*		*0.0*	*23.7*	*16.7*	*0.0*	*-16.7*	*-23.7*
0 0	0♈0	10♉58	29♊21	2♌29	15♌51	3♍39	6 0	0♋0	8♌11	7♍44	0♎0	22♎16	21♏49
0 10	2 43	14 7	1♋38	4 6	17 40	5 49	6 10	2 18	10 16	9 35	1 37	24 6	23 55
0 20	5 27	17 13	3 51	5 44	19 29	8 0	6 20	4 35	12 22	11 25	3 13	25 57	26 0
0 30	8 10	20 15	6 1	7 20	21 18	10 10	6 30	6 53	14 28	13 16	4 50	27 46	28 5
0 40	10 53	23 15	8 8	8 57	23 6	12 22	6 40	9 11	16 34	15 7	6 26	29 36	0♐10
0 50	13 35	26 11	10 13	10 33	24 56	14 33	6 50	11 30	18 41	16 59	8 2	1♏26	2 15
DT	*16.1*	*17.1*	*12.1*	*9.6*	*10.9*	*13.2*		*13.9*	*12.7*	*11.1*	*9.6*	*10.9*	*12.5*
DL	*0.0*	*38.0*	*68.0*	*49.1*	*25.2*	*5.9*		*0.0*	*17.7*	*8.3*	*-9.3*	*-25.2*	*-30.0*
1 0	16♈17	29♉3	12♋15	12♌8	26♌45	16♍45	7 0	13♋49	20♌48	18♍50	9♎39	3♏15	4♐20
1 10	18 58	1♊53	14 15	13 44	28 34	18 57	7 10	[illegible]	[illegible]	20 41	11 15	5 4	6 26
1 20	21 38	4 39	16 14	15 19	0♍24	21 9	7 20	18 28	25 3	22 33	12 51	6 54	8 32
1 30	24 18	7 22	18 11	16 55	2 14	23 22	7 30	20 49	27 11	24 25	14 27	8 42	10 38
1 40	26 57	10 2	20 6	18 30	4 3	25 34	7 40	23 10	29 20	26 16	16 4	10 31	12 45
1 50	29 34	12 38	22 1	20 5	5 54	27 47	7 50	25 32	1♍29	28 8	17 40	12 20	14 53
DT	*15.6*	*15.2*	*11.3*	*9.5*	*11.0*	*13.3*		*14.3*	*13.0*	*11.2*	*9.6*	*10.9*	*12.9*
DL	*0.0*	*42.5*	*55.0*	*38.3*	*16.7*	*0.0*		*0.0*	*11.8*	*0.0*	*-18.7*	*-34.1*	*-36.2*
2 0	2♉11	15♊12	23♋54	21♌40	7♍44	0♎0	8 0	27♋55	3♍39	0♎0	19♎15	14♏9	17♐1
2 10	4 46	17 43	25 46	23 15	9 35	2 13	8 10	0♌18	5 49	1 52	20 51	15 57	19 11
2 20	7 21	20 11	27 38	24 50	11 25	4 26	8 20	2 43	8 0	3 44	22 27	17 46	21 22
2 30	9 54	22 37	29 29	26 25	13 16	6 38	8 30	5 9	10 10	5 35	24 3	19 35	23 34
2 40	12 27	25 1	1♌19	28 0	15 7	8 51	8 40	7 35	12 22	7 27	25 38	21 23	25 47
2 50	14 58	27 22	3 9	29 36	16 59	11 3	8 50	10 3	14 33	9 19	27 14	23 12	28 3
DT	*14.9*	*13.8*	*10.9*	*9.5*	*11.1*	*13.2*		*14.9*	*13.2*	*11.1*	*9.5*	*10.9*	*13.8*
DL	*0.0*	*41.3*	*43.9*	*28.3*	*8.3*	*-5.9*		*0.0*	*5.9*	*-8.3*	*-28.3*	*-43.9*	*-41.3*
3 0	17♉28	29♊40	4♌58	1♍11	18♍50	13♎15	9 0	12♌32	16♍45	11♎10	28♎49	25♏2	0♑20
3 10	19 57	1♋57	6 48	2 46	20 41	15 27	9 10	15 2	18 57	13 1	0♏24	26 51	2 38
3 20	22 25	4 13	8 37	4 22	22 33	17 38	9 20	17 33	21 9	14 53	2 0	28 41	4 59
3 30	24 51	6 26	10 25	5 57	24 25	19 50	9 30	20 6	23 22	16 44	3 35	0♐31	7 23
3 40	27 17	8 38	12 14	7 33	26 16	22 0	9 40	22 39	25 34	18 35	5 10	2 22	9 48
3 50	29 42	10 49	14 3	9 9	28 8	24 11	9 50	25 14	27 47	20 25	6 45	4 14	12 17
DT	*14.3*	*12.9*	*10.9*	*9.6*	*11.2*	*13.0*		*15.6*	*13.3*	*11.0*	*9.5*	*11.3*	*15.2*
DL	*0.0*	*36.2*	*34.1*	*18.7*	*0.0*	*-11.8*		*0.0*	*0.0*	*-16.7*	*-38.3*	*-55.0*	*-42.5*
4 0	2♊5	12♋59	15♌51	10♍45	0♎0	26♎21	10 0	27♌49	0♎0	22♎16	8♏20	6♐6	14♑48
4 10	4 28	15 7	17 40	12 20	1 52	28 31	10 10	0♍26	2 13	24 6	9 55	7 59	17 22
4 20	6 50	17 15	19 29	13 56	3 44	0♏40	10 20	3 3	4 26	25 57	11 30	9 54	19 58
4 30	9 11	19 22	21 18	15 33	5 35	2 49	10 30	5 42	6 38	27 46	13 5	11 49	22 38
4 40	11 32	21 28	23 6	17 9	7 27	4 57	10 40	8 22	8 51	29 36	14 41	13 46	25 21
4 50	13 52	23 34	24 56	18 45	9 19	7 5	10 50	11 2	11 3	1♏26	16 16	15 45	28 7
DT	*13.9*	*12.5*	*10.9*	*9.6*	*11.1*	*12.7*		*16.1*	*13.2*	*10.9*	*9.6*	*12.1*	*17.1*
DL	*0.0*	*30.0*	*25.2*	*9.3*	*-8.3*	*-17.7*		*0.0*	*-5.9*	*-25.2*	*-49.1*	*-68.0*	*-38.0*
5 0	16♊11	25♋40	26♌45	20♍21	11♎10	9♏12	11 0	13♍43	13♎15	3♏15	17♏52	17♐45	0♒57
5 10	18 30	27 45	28 34	21 58	13 1	11 19	11 10	16 25	15 27	5 4	19 27	19 47	3 49
5 20	20 49	29 50	0♍24	23 34	14 53	13 26	11 20	19 7	17 38	6 54	21 3	21 52	6 45
5 30	23 7	1♌55	2 14	25 10	16 44	15 32	11 30	21 50	19 50	8 42	22 40	23 59	9 45
5 40	25 25	4 0	4 3	26 47	18 35	17 38	11 40	24 33	22 0	10 31	24 16	26 9	12 47
5 50	27 42	6 5	5 54	28 23	20 25	19 44	11 50	27 17	24 11	12 20	25 54	28 22	15 53

LATITUDE 58 DEGREES PLACIDUS HOUSES

S.T.	10	11	12	1	2	3	S.T.	10	11	12	1	2	3
DT	*16.3*	*13.0*	*10.9*	*9.8*	*13.9*	*19.1*		*13.8*	*15.2*	*22.2*	*53.1*	*22.2*	*15.2*
DL	*0.0*	*-11.8*	*-34.1*	*-61.5*	*-82.5*	*-28.3*		*0.0*	*-42.5*	*-91.2*	*-0.0*	*91.2*	*42.5*
12 0	0♎ 0	26♎21	14♏ 9	27♏31	0♑39	19♒ 2	18 0	0♑ 0	14♑48	5♒30	0♈ 0	24♉30	15♊12
12 10	2 43	28 31	15 57	29 9	3 0	22 14	18 10	2 18	17 22	9 16	8 51	28 7	17 43
12 20	5 27	0♏40	17 46	0♐48	5 25	25 30	18 20	4 35	19 58	13 12	17 26	1♊35	20 11
12 30	8 10	2 49	19 35	2 28	7 55	28 48	18 30	6 53	22 38	17 18	25 33	4 53	22 37
12 40	10 53	4 57	21 23	4 9	10 31	2♓ 8	18 40	9 11	25 21	21 33	3♉ 3	8 3	25 1
12 50	13 35	7 5	23 12	5 50	13 12	5 31	18 50	11 30	28 7	25 57	9 52	11 6	27 22
DT	*16.1*	*12.7*	*10.9*	*10.3*	*17.1*	*20.6*		*13.9*	*17.1*	*27.7*	*35.2*	*17.1*	*13.8*
DL	*0.0*	*-17.7*	*-43.9*	*-76.6*	*-94.3*	*-15.2*		*0.0*	*-38.0*	*-59.0*	*183.9*	*94.3*	*41.3*
13 0	16♎17	9♏12	25♏ 2	7♐33	16♑ 0	8♓57	19 0	13♑49	0♒57	0♓31	16♉ 2	14♊ 0	29♊40
13 10	18 58	11 19	26 51	9 17	18 54	12 24	19 10	16 8	3 49	5 12	21 35	16 48	1♋57
13 20	21 38	13 26	28 41	11 3	21 57	15 53	19 20	18 28	6 45	10 0	26 36	19 29	4 13
13 30	24 18	15 32	0♐31	12 50	25 7	19 24	19 30	20 49	9 45	14 55	1♊ 7	22 5	6 26
13 40	26 57	17 38	2 22	14 39	28 25	22 55	19 40	23 10	12 47	19 54	5 14	24 35	8 38
13 50	29 34	19 44	4 14	16 30	1♒53	26 27	19 50	25 32	15 53	24 56	9 0	27 0	10 49
DT	*15.6*	*12.5*	*11.3*	*11.5*	*22.2*	*21.3*		*14.3*	*19.1*	*30.4*	*20.0*	*13.9*	*12.9*
DL	*0.0*	*-23.7*	*-55.0*	*-96.3*	*-91.2*	*-0.0*		*0.0*	*-28.3*	*-0.0*	*161.2*	*82.5*	*36.2*
14 0	2♏11	21♏49	6♐ 6	18♐24	5♒30	0♈ 0	20 0	27♑55	19♒ 2	0♈ 0	12♊28	29♊21	12♋59
14 10	4 46	23 55	7 59	20 20	9 16	3 33	20 10	0♒18	22 14	5 4	15 40	1♋38	15 7
14 20	7 21	26 0	9 54	22 20	13 12	7 5	20 20	2 43	25 30	10 6	18 40	3 51	17 15
14 30	9 54	28 5	11 49	24 23	17 18	10 36	20 30	5 9	28 48	15 5	21 28	6 1	19 22
14 40	12 27	0♐10	13 46	26 30	21 33	14 7	20 40	7 35	2♓ 8	20 0	24 7	8 8	21 28
14 50	14 58	2 15	15 45	28 42	25 57	17 36	20 50	10 3	5 31	24 48	26 37	10 13	23 34
DT	*14.9*	*12.5*	*12.1*	*14.0*	*27.7*	*20.6*		*14.9*	*20.6*	*27.7*	*14.0*	*12.1*	*12.5*
DL	*0.0*	*-30.0*	*-68.0*	*-124*	*-59.0*	*15.2*		*0.0*	*-15.2*	*59.0*	*123.6*	*68.0*	*30.0*
15 0	17♏28	4♐20	17♐45	0♑59	0♓31	21♈ 3	21 0	12♒32	8♓57	29♈29	29♊ 1	12♋15	25♋40
15 10	19 57	6 26	19 47	3 23	5 12	24 29	21 10	15 2	12 24	4♉ 3	1♋18	14 15	27 45
15 20	22 25	8 32	21 52	5 53	10 0	27 52	21 20	17 33	15 53	8 27	3 30	16 14	29 50
15 30	24 51	10 38	23 59	8 32	14 55	1♉12	21 30	20 6	19 24	12 42	5 37	18 11	1♌55
15 40	27 17	12 45	26 9	11 20	19 54	4 30	21 40	22 39	22 55	16 48	7 40	20 6	4 0
15 50	29 42	14 53	28 22	14 20	24 56	7 46	21 50	25 14	26 27	20 44	9 40	22 1	6 5
DT	*14.3*	*12.9*	*13.9*	*20.0*	*30.4*	*19.1*		*15.6*	*21.3*	*22.2*	*11.5*	*11.3*	*12.5*
DL	*0.0*	*-36.2*	*-82.5*	*-161*	*-0.0*	*28.3*		*0.0*	*-0.0*	*91.2*	*96.3*	*55.0*	*23.7*
16 0	2♐ 5	17♐ 1	0♑39	17♑32	0♈ 0	10♉58	22 0	27♒49	0♈ 0	24♉30	11♋36	23♋54	8♌11
16 10	4 28	19 11	3 0	21 0	5 4	14 7	22 10	0♓26	3 33	28 7	13 30	25 46	10 16
16 20	6 50	21 22	5 25	24 46	10 6	17 13	22 20	3 3	7 5	1♊35	15 21	27 38	12 22
16 30	9 11	23 34	7 55	28 53	15 5	20 15	22 30	5 42	10 36	4 53	17 10	29 29	14 28
16 40	11 32	25 47	10 31	3♒24	20 0	23 15	22 40	8 22	14 7	8 3	18 57	1♌19	16 34
16 50	13 52	28 3	13 12	8 25	24 48	26 11	22 50	11 2	17 36	11 6	20 43	3 9	18 41
DT	*13.9*	*13.8*	*17.1*	*35.2*	*27.7*	*17.1*		*16.1*	*20.6*	*17.1*	*10.3*	*10.9*	*12.7*
DL	*0.0*	*-41.3*	*-94.3*	*-184*	*59.0*	*38.0*		*0.0*	*15.2*	*94.3*	*76.6*	*43.9*	*17.7*
17 0	16♐11	0♑20	16♑ 0	13♒58	29♈29	29♉ 3	23 0	13♓43	21♈ 3	14♊ 0	22♋27	4♌58	20♌48
17 10	18 30	2 38	18 54	20 8	4♉ 3	1♊53	23 10	16 25	24 29	16 48	24 10	6 48	22 55
17 20	20 49	4 59	21 57	26 57	8 27	4 39	23 20	19 7	27 52	19 29	25 51	8 37	25 3
17 30	23 7	7 23	25 7	4♓27	12 42	7 22	23 30	21 50	1♉12	22 5	27 32	10 25	27 11
17 40	25 25	9 48	28 25	12 34	16 48	10 2	23 40	24 33	4 30	24 35	29 12	12 14	29 20
17 50	27 42	12 17	1♒53	21 9	20 44	12 38	23 50	27 17	7 46	27 0	0♌51	14 3	1♍29

LATITUDE 59 DEGREES   PLACIDUS HOUSES

S.T.	10	11	12	1	2	3	S.T.	10	11	12	1	2	3
DT	16.3	19.3	13.6	9.6	10.7	12.9		13.8	12.4	10.9	9.5	10.9	12.4
DL	0.0	31.1	89.4	63.6	35.5	12.4		0.0	25.1	17.2	0.0	-17.2	-25.1
0 0	0♈0	11♉26	0♋43	3♌30	16♌26	3♍51	6 0	0♋0	8♌34	8♍1	0♎0	21♎59	21♏26
0 10	2 43	14 37	2 58	5 6	18 13	6 0	6 10	2 18	10 39	9 50	1 35	23 48	23 30
0 20	5 27	17 45	5 8	6 41	20 0	8 9	6 20	4 35	12 43	11 39	3 10	25 37	25 34
0 30	8 10	20 49	7 16	8 15	21 47	10 19	6 30	6 53	14 48	13 29	4 45	27 26	27 38
0 40	10 53	23 50	9 21	9 50	23 35	12 29	6 40	9 11	16 54	15 18	6 20	29 14	29 42
0 50	13 35	26 47	11 23	11 24	25 22	14 40	6 50	11 30	18 59	17 8	7 55	1♏2	1♐46
DT	16.1	17.2	11.9	9.4	10.8	13.1		13.9	12.6	11.0	9.5	10.8	12.4
DL	0.0	42.1	72.4	50.7	26.1	6.2		0.0	18.6	8.5	-9.6	-26.1	-32.0
1 0	16♈17	29♉41	13♋23	12♌58	27♌10	16♍51	7 0	13♋49	21♌5	18♍58	9♎29	2♏50	3♐50
1 10	18 58	2♊32	15 21	14 31	28 58	19 2	7 10	16 8	23 12	20 48	11 4	4 38	5 55
1 20	21 38	5 19	17 17	16 5	0♍46	21 13	7 20	18 28	25 19	22 39	12 39	6 25	8 0
1 30	24 18	8 3	19 12	17 38	2 34	23 25	7 30	20 49	27 26	24 29	14 13	8 13	10 5
1 40	26 57	10 43	21 5	19 12	4 23	25 36	7 40	23 10	29 34	26 19	15 48	10 0	12 11
1 50	29 34	13 21	22 58	20 45	6 12	27 48	7 50	25 32	1♍42	28 10	17 22	11 47	14 18
DT	15.6	15.3	11.1	9.3	10.9	13.2		14.3	12.9	11.0	9.4	10.7	12.8
DL	0.0	47.2	57.9	39.4	17.2	0.0		0.0	12.4	0.0	-19.2	-35.5	-39.3
2 0	2♉11	15♊55	24♋49	22♌18	8♍1	0♎0	8 0	27♋55	3♍51	0♎0	18♎57	13♏34	16♐25
2 10	4 46	18 26	26 39	23 52	9 50	2 12	8 10	0♌18	6 0	1 50	20 31	15 22	18 34
2 20	7 21	20 54	28 29	25 25	11 39	4 24	8 20	2 43	8 9	3 41	22 5	17 9	20 44
2 30	9 54	23 20	0♌18	26 59	13 29	6 35	8 30	5 9	10 19	5 31	23 39	18 56	22 55
2 40	12 27	25 43	2 6	28 32	15 18	8 47	8 40	7 35	12 29	7 21	25 13	20 43	25 8
2 50	14 58	28 3	3 55	0♍6	17 8	10 58	8 50	10 3	14 40	9 12	26 47	22 30	27 22
DT	14.9	13.7	10.8	9.4	11.0	13.1		14.9	13.1	11.0	9.4	10.8	13.7
DL	0.0	45.4	45.9	29.1	8.5	-6.2		0.0	6.2	-8.5	-29.1	-45.9	-45.4
3 0	17♉28	0♋22	5♌42	1♍39	18♍58	13♎9	9 0	12♌32	16♍51	11♎2	28♎21	24♏18	29♐38
3 10	19 57	2 38	7 30	3 13	20 48	15 20	9 10	15 2	19 2	12 52	29 54	26 5	1♑57
3 20	22 25	4 52	9 17	4 47	22 39	17 31	9 20	17 33	21 13	14 42	1♏28	27 54	4 17
3 30	24 51	7 5	11 4	6 21	24 29	19 41	9 30	20 6	23 25	16 31	3 1	29 42	6 40
3 40	27 17	9 16	12 51	7 55	26 19	21 51	9 40	22 39	25 36	18 21	4 35	1♐31	9 6
3 50	29 42	11 26	14 38	9 29	28 10	24 0	9 50	25 14	27 48	20 10	6 8	3 21	11 34
DT	14.3	12.8	10.7	9.4	11.0	12.9		15.6	13.2	10.9	9.3	11.1	15.3
DL	0.0	39.3	35.5	19.2	0.0	-12.4		0.0	0.0	-17.2	-39.4	-57.9	-47.2
4 0	2♊5	13♋35	16♌26	11♍3	0♎0	26♎9	10 0	27♌49	0♎0	21♎59	7♏42	5♐11	14♑5
4 10	4 28	15 42	18 13	12 38	1 50	28 18	10 10	0♍26	2 12	23 48	9 15	7 2	16 39
4 20	6 50	17 49	20 0	14 12	3 41	0♏26	10 20	3 3	4 24	25 37	10 48	8 55	19 17
4 30	9 11	19 55	21 47	15 47	5 31	2 34	10 30	5 42	6 35	27 26	12 22	10 48	21 57
4 40	11 32	22 0	23 35	17 21	7 21	4 41	10 40	8 22	8 47	29 14	13 55	12 43	24 41
4 50	13 52	24 5	25 22	18 56	9 12	6 48	10 50	11 2	10 58	1♏2	15 29	14 39	27 28
DT	13.9	12.4	10.8	9.5	11.0	12.6		16.1	13.1	10.8	9.4	11.9	17.2
DL	0.0	32.0	26.1	9.6	-8.5	-18.6		0.0	-6.2	-26.1	-50.7	-72.4	-42.1
5 0	16♊11	26♋10	27♌10	20♍31	11♎2	8♏55	11 0	13♍43	13♎9	2♏50	17♏2	16♐37	0♒19
5 10	18 30	28 14	28 58	22 5	12 52	11 1	11 10	16 25	15 20	4 38	18 36	18 37	3 13
5 20	20 49	0♌18	0♍46	23 40	14 42	13 6	11 20	19 7	17 31	6 25	20 10	20 39	6 10
5 30	23 7	2 22	2 34	25 15	16 31	15 12	11 30	21 50	19 41	8 13	21 45	22 44	9 11
5 40	25 25	4 26	4 23	26 50	18 21	17 17	11 40	24 33	21 51	10 0	23 19	24 52	12 15
5 50	27 42	6 30	6 12	28 25	20 10	19 21	11 50	27 17	24 0	11 47	24 54	27 2	15 23

LATITUDE 59 DEGREES   PLACIDUS HOUSES

S.T.	10	11	12	1	2	3	S.T.	10	11	12	1	2	3
DT	16.3	12.9	10.7	9.6	13.6	19.3		13.8	15.3	22.4	58.3	22.4	15.3
DL	0.0	-12.4	-35.5	-63.6	-89.4	-31.1		0.0	-47.2	-103	-0.0	103.2	47.2
12 0	0♎0	26♎9	13♏34	26♏30	29♐17	18♒34	18 0	0♑0	14♑5	3♒58	0♈0	26♉2	15♊55
12 10	2 43	28 18	15 22	28 6	1♑35	21 48	18 10	2 18	16 39	7 48	9 43	29 41	18 26
12 20	5 27	0♏26	17 9	29 42	3 58	25 5	18 20	4 35	19 17	11 48	19 5	3♊10	20 54
12 30	8 10	2 34	18 56	1♐19	6 26	28 25	18 30	6 53	21 57	15 58	27 48	6 29	23 20
12 40	10 53	4 41	20 43	2 57	9 0	1♓48	18 40	9 11	24 41	20 20	5♉43	9 39	25 43
12 50	13 35	6 48	22 30	4 36	11 39	5 14	18 50	11 30	27 28	24 51	12 48	12 41	28 3
DT	16.1	12.6	10.8	10.1	17.0	20.9		13.9	17.2	28.5	35.7	17.0	13.7
DL	0.0	-18.6	-45.9	-79.6	-105	-16.5		0.0	-42.1	-67.1	215.4	104.6	45.4
13 0	16♎17	8♏55	24♏18	6♐16	14♒25	8♓42	19 0	13♑49	0♒19	29♒32	19♈6	15♊35	0♋22
13 10	18 58	11 1	26 5	7 58	17 19	12 11	19 10	16 8	3 13	4♓22	24 41	18 21	2 38
13 20	21 38	13 6	27 54	9 40	20 21	15 43	19 20	18 28	6 10	9 19	29 40	21 0	4 52
13 30	24 18	15 12	29 42	11 24	23 31	19 16	19 30	20 49	9 11	14 23	4♊7	23 34	7 5
13 40	26 57	17 17	1♐31	13 10	26 50	22 50	19 40	23 10	12 15	19 33	8 9	26 2	9 16
13 50	29 34	19 21	3 21	14 57	0♒19	26 25	19 50	25 32	15 23	24 45	11 48	28 25	11 26
DT	15.6	12.4	11.1	11.1	22.4	21.5		14.3	19.3	31.5	19.3	13.6	12.8
DL	0.0	-25.1	-57.9	-101	-103	0.0		0.0	-31.1	-0.0	175.4	89.4	39.3
14 0	2♏11	21♏26	5♐11	16♐47	3♒58	0♈0	20 0	27♑55	18♒34	0♈0	15♊9	0♋43	13♋35
14 10	4 46	23 30	7 2	18 40	7 48	3 35	20 10	0♒18	21 48	5 15	18 15	2 58	15 42
14 20	7 21	25 34	8 55	20 35	11 48	7 10	20 20	2 43	25 5	10 27	21 8	5 8	17 49
14 30	9 54	27 38	10 48	22 34	15 58	10 44	20 30	5 9	28 25	15 37	23 49	7 16	19 55
14 40	12 27	29 42	12 43	24 37	20 20	14 17	20 40	7 35	1♓48	20 41	26 22	9 21	22 0
14 50	14 58	1♐46	14 39	26 44	24 51	17 49	20 50	10 3	5 14	25 38	28 47	11 23	24 5
DT	14.9	12.4	11.9	13.5	28.5	20.9		14.9	20.9	28.5	13.5	11.9	12.4
DL	0.0	-32.0	-72.4	-131	-67.1	16.5		0.0	-16.5	67.1	130.9	72.4	32.0
15 0	17♏28	3♐50	16♐37	28♐56	29♒32	21♈18	21 0	12♒32	8♓42	0♉28	1♋4	13♋23	26♋10
15 10	19 57	5 55	18 37	1♑13	4♓22	24 46	21 10	15 2	12 11	5 9	3 16	15 21	28 14
15 20	22 25	8 0	20 39	3 38	9 19	28 12	21 20	17 33	15 43	9 40	5 23	17 17	0♌18
15 30	24 51	10 5	22 44	6 11	14 23	1♉35	21 30	20 6	19 16	14 2	7 26	19 12	2 22
15 40	27 17	12 11	24 52	8 52	19 33	4 55	21 40	22 39	22 50	18 12	9 25	21 5	4 26
15 50	29 42	14 18	27 2	11 45	24 45	8 12	21 50	25 14	26 25	22 12	11 20	22 58	6 30
DT	14.3	12.8	13.6	19.3	31.5	19.3		15.6	21.5	22.4	11.1	11.1	12.4
DL	0.0	-39.3	-89.4	-175	-0.0	31.1		0.0	-0.0	103.2	100.7	57.9	25.1
16 0	2♐5	16♐25	29♐17	14♑51	0♈0	11♉26	22 0	27♒49	0♈0	26♉2	13♋13	24♋49	8♌34
16 10	4 28	18 34	1♑35	18 12	5 15	14 37	22 10	0♓26	3 35	29 41	15 3	26 39	10 39
16 20	6 50	20 44	3 58	21 51	10 27	17 45	22 20	3 3	7 10	3♊10	16 50	28 29	12 43
16 30	9 11	22 55	6 26	25 53	15 37	20 49	22 30	5 42	10 44	6 29	18 36	0♌18	14 48
16 40	11 32	25 8	9 0	0♒20	20 41	23 50	22 40	8 22	14 17	9 39	20 20	2 6	16 54
16 50	13 52	27 22	11 39	5 19	25 38	26 47	22 50	11 2	17 49	12 41	22 2	3 55	18 59
DT	13.9	13.7	17.0	35.7	28.5	17.2		16.1	20.9	17.0	10.1	10.8	12.6
DL	0.0	-45.4	-105	-215	67.1	42.1		0.0	16.5	104.6	79.6	45.9	18.6
17 0	16♐11	29♐38	14♑25	10♒54	0♈28	29♈41	23 0	13♓43	21♈18	15♊35	23♋44	5♌42	21♌5
17 10	18 30	1♑57	17 19	17 12	5 9	2♊32	23 10	16 25	24 46	18 21	25 24	7 30	23 12
17 20	20 49	4 17	20 21	24 17	9 40	5 19	23 20	19 7	28 12	21 0	27 3	9 17	25 19
17 30	23 7	6 40	23 31	2♓12	14 2	8 3	23 30	21 50	1♉35	23 34	28 41	11 4	27 26
17 40	25 25	9 6	26 50	10 55	18 12	10 43	23 40	24 33	4 55	26 2	0♌18	12 51	29 34
17 50	27 42	11 34	0♒19	20 17	22 12	13 21	23 50	27 17	8 12	28 25	1 54	14 38	1♍42

LATITUDE 60 DEGREES PLACIDUS HOUSES

S.T.	10	11	12	1	2	3	S.T.	10	11	12	1	2	3
DT	16.3	19.5	13.3	9.3	10.5	12.8		13.8	12.3	10.8	9.3	10.8	12.3
DL	0.0	34.3	97.4	65.9	36.9	13.0		0.0	26.6	17.7	0.0	-17.7	-26.6
0 0	0♈0	11♉57	2♋13	4♌34	17♌1	4♍3	6 0	0♋0	8♌59	8♍18	0♎0	21♎42	21♏1
0 10	2 43	15 10	4 24	6 7	18 46	6 11	6 10	2 18	11 3	10 6	1 33	23 30	23 4
0 20	5 27	18 20	6 32	7 40	20 32	8 20	6 20	4 35	13 6	11 53	3 7	25 17	25 7
0 30	8 10	21 26	8 37	9 12	22 18	10 29	6 30	6 53	15 10	13 42	4 40	27 4	27 9
0 40	10 53	24 29	10 39	10 44	24 4	12 38	6 40	9 11	17 14	15 30	6 13	28 51	29 12
0 50	13 35	27 28	12 38	12 16	25 50	14 47	6 50	11 30	19 19	17 18	7 47	0♏38	1♐15
DT	16.1	17.4	11.6	9.2	10.6	13.0		13.9	12.5	10.9	9.3	10.6	12.3
DL	0.0	47.0	77.4	52.3	26.9	6.5		0.0	19.6	8.8	-9.8	-26.9	-34.4
1 0	16♈17	0♊23	14♋35	13♌48	27♌36	16♍57	7 0	13♋49	21♌24	19♍7	9♎20	2♏24	3♐18
1 10	18 58	3 15	16 21	15 20	29 22	19 7	7 10	16 8	23 29	20 55	10 50	4 10	5 21
1 20	21 38	6 4	18 24	16 52	1♍9	21 17	7 20	18 28	25 35	22 44	12 26	5 56	7 25
1 30	24 18	8 48	20 17	18 23	2 56	23 28	7 30	20 49	27 42	24 33	13 59	7 42	9 29
1 40	26 57	11 30	22 8	19 55	4 43	25 39	7 40	23 10	29 48	26 22	15 32	9 28	11 34
1 50	29 34	14 7	23 58	21 26	6 30	27 49	7 50	25 32	1♍56	28 11	17 5	11 14	13 40
DT	15.6	15.3	10.9	9.2	10.8	13.1		14.3	12.8	10.9	9.3	10.5	12.7
DL	0.0	53.0	61.1	40.6	17.7	0.0		0.0	13.0	0.0	-19.7	-36.9	-42.9
2 0	2♉11	16♊42	25♋47	22♌58	8♍18	0♎0	8 0	27♋55	4♍3	0♎0	18♎38	12♏59	15♐46
2 10	4 46	19 13	27 35	24 29	10 6	2 11	8 10	0♌18	6 11	1 49	20 10	14 44	17 53
2 20	7 21	21 41	29 23	26 1	11 53	4 21	8 20	2 43	8 20	3 38	21 43	16 30	20 2
2 30	9 54	24 7	1♌10	27 33	13 42	6 32	8 30	5 9	10 29	5 27	23 15	18 15	22 12
2 40	12 27	26 29	2 56	29 5	15 30	8 43	8 40	7 35	12 38	7 16	24 47	20 1	24 24
2 50	14 58	28 49	4 42	0♍36	17 18	10 53	8 50	10 3	14 47	9 5	26 20	21 46	26 37
DT	14.9	13.7	10.6	9.2	10.9	13.0		14.9	13.0	10.9	9.2	10.6	13.7
DL	0.0	50.5	48.0	29.9	8.8	-6.5		0.0	6.5	-8.8	-29.9	-48.0	-50.5
3 0	17♉28	1♋7	6♌28	2♍8	19♍7	13♎3	9 0	12♌32	16♍57	10♎53	27♎52	23♏32	28♐53
3 10	19 57	3 23	8 14	3 40	20 55	15 13	9 10	15 2	19 7	12 42	29 24	25 18	1♑11
3 20	22 25	5 36	9 59	5 13	22 44	17 22	9 20	17 33	21 17	14 30	0♏55	27 4	3 31
3 30	24 51	7 48	11 45	6 45	24 33	19 31	9 30	20 6	23 28	16 18	2 27	28 50	5 53
3 40	27 17	9 58	13 30	8 17	26 22	21 40	9 40	22 39	25 39	18 7	3 59	0♐37	8 19
3 50	29 42	12 7	15 16	9 50	28 11	23 49	9 50	25 14	27 49	19 54	5 31	2 25	10 47
DT	14.3	12.7	10.5	9.3	10.9	12.8		15.6	13.1	10.8	9.2	10.9	15.3
DL	0.0	42.9	36.9	19.7	0.0	-13.0		0.0	0.0	-17.7	-40.6	-61.1	-53.0
4 0	2♊5	14♋14	17♌1	11♍22	0♎0	25♎57	10 0	27♌49	0♎0	21♎42	7♏2	4♐13	13♑18
4 10	4 28	16 20	18 46	12 55	1 49	28 4	10 10	0♍26	2 11	23 30	8 34	6 2	15 53
4 20	6 50	18 26	20 32	14 28	3 38	0♏12	10 20	3 3	4 21	25 17	10 5	7 52	18 30
4 30	9 11	20 31	22 18	16 1	5 27	2 18	10 30	5 42	6 32	27 4	11 37	9 43	21 12
4 40	11 32	22 35	24 4	17 34	7 16	4 25	10 40	8 22	8 43	28 51	13 8	11 36	23 56
4 50	13 52	24 39	25 50	19 7	9 5	6 31	10 50	11 2	10 53	0♏38	14 40	13 29	26 45
DT	13.9	12.3	10.6	9.3	10.9	12.5		16.1	13.0	10.6	9.2	11.6	17.4
DL	0.0	34.4	26.9	9.8	-8.8	-19.6		0.0	-6.5	-26.9	-52.3	-77.4	-47.0
5 0	16♊11	26♋42	27♌36	20♍40	10♎53	8♏36	11 0	13♍43	13♎3	2♏24	16♏12	15♐25	29♑37
5 10	18 30	28 45	29 22	22 13	12 42	10 41	11 10	16 25	15 13	4 10	17 44	17 22	2♒32
5 20	20 49	0♌48	1♍9	23 47	14 30	12 46	11 20	19 7	17 22	5 56	19 16	19 21	5 31
5 30	23 7	2 51	2 56	25 20	16 18	14 50	11 30	21 50	19 31	7 42	20 48	21 23	8 34
5 40	25 25	4 53	4 43	26 53	18 7	16 54	11 40	24 33	21 40	9 28	22 20	23 28	11 40
5 50	27 42	6 56	6 30	28 27	19 54	18 57	11 50	27 17	23 49	11 14	23 53	25 36	14 50

LATITUDE 60 DEGREES PLACIDUS HOUSES

S.T.	10	11	12	1	2	3	S.T.	10	11	12	1	2	3
DT	*16.3*	*12.8*	*10.5*	*9.3*	*13.3*	*19.5*		*13.8*	*15.3*	*22.7*	*65.1*	*22.7*	*15.3*
DL	*0.0*	*-13.0*	*-36.9*	*-65.9*	*-97.4*	*-34.3*		*0.0*	*-53.0*	*-118*	*-0.0*	*118.1*	*53.0*
12 0	0♎ 0	25♎57	12♏59	25♏26	27♐47	18♒ 3	18 0	0♑ 0	13♑18	2♒15	0♈ 0	27♉45	16♊42
12 10	2 43	28 4	14 44	27 0	0♑ 3	21 19	18 10	2 18	15 53	6 8	10 51	1♊26	19 13
12 20	5 27	0♏12	16 30	28 34	2 23	24 39	18 20	4 35	18 30	10 12	21 10	4 56	21 41
12 30	8 10	2 18	18 15	0♐ 8	4 48	28 1	18 30	6 53	21 12	14 28	0♉36	8 16	24 7
12 40	10 53	4 25	20 1	1 44	7 19	1♓27	18 40	9 11	23 56	18 56	8 59	11 26	26 29
12 50	13 35	6 31	21 46	3 20	9 56	4 55	18 50	11 30	26 45	23 35	16 19	14 27	28 49
DT	*16.1*	*12.5*	*10.6*	*9.8*	*16.8*	*21.1*		*13.9*	*17.4*	*29.4*	*35.8*	*16.8*	*13.7*
DL	*0.0*	*-19.6*	*-48.0*	*-82.7*	*-117*	*-18.1*		*0.0*	*-47.0*	*-77.2*	*253.7*	*117.0*	*50.5*
13 0	16♎17	8♏36	23♏32	4♐57	12♑41	8♓25	19 0	13♑49	29♑37	28♒25	22♉41	17♊19	1♋ 7
10 10	18 58	10 41	25 18	6 35	15 33	11 57	19 10	16 8	2♒32	3♓24	28 15	20 4	3 23
13 20	21 38	12 46	27 4	8 14	18 34	15 32	19 20	18 28	5 31	8 32	3♊ 9	22 41	5 30
13 30	24 18	14 50	28 50	9 55	21 44	19 7	19 30	20 49	8 34	13 47	7 29	25 12	7 48
13 40	26 57	16 54	0♐37	11 37	25 4	22 44	19 40	23 10	11 40	19 8	11 22	27 37	9 58
13 50	29 34	18 57	2 25	13 21	28 34	26 22	19 50	25 32	14 50	24 33	14 52	29 57	12 7
DT	*15.6*	*12.3*	*10.9*	*10.7*	*22.7*	*21.8*		*14.3*	*19.5*	*32.7*	*18.5*	*13.3*	*12.7*
DL	*0.0*	*-26.6*	*-61.1*	*-105*	*-118*	*-0.0*		*0.0*	*-34.3*	*-0.0*	*190.5*	*97.4*	*42.9*
14 0	2♏11	21♏ 1	4♐13	15♐ 7	2♒15	0♈ 0	20 0	27♑55	18♒ 3	0♈ 0	18♊ 5	2♋13	14♋14
14 10	4 46	23 4	6 2	16 55	6 8	3 38	20 10	0♒18	21 19	5 27	21 2	4 24	16 20
14 20	7 21	25 7	7 52	18 46	10 12	7 16	20 20	2 43	24 39	10 52	23 46	6 32	18 26
14 30	9 54	27 9	9 43	20 40	14 28	10 53	20 30	5 9	28 1	16 13	26 21	8 37	20 31
14 40	12 27	29 12	11 36	22 37	18 56	14 28	20 40	7 35	1♓27	21 28	28 46	10 39	22 35
14 50	14 58	1♐15	13 29	24 39	23 35	18 3	20 50	10 3	4 55	26 36	1♋ 4	12 38	24 39
DT	*14.9*	*12.3*	*11.6*	*12.9*	*29.4*	*21.1*		*14.9*	*21.1*	*29.4*	*12.9*	*11.6*	*12.3*
DL	*0.0*	*-34.4*	*-77.4*	*-138*	*-77.2*	*18.1*		*0.0*	*-18.1*	*77.2*	*138.4*	*77.4*	*34.4*
15 0	17♏28	3♐18	15♐25	26♐45	28♒25	21♈35	21 0	12♒32	8♓25	1♉35	3♋15	14♋35	26♋42
15 10	19 57	5 21	17 22	28 56	3♓24	25 5	21 10	15 2	11 57	6 25	5 21	16 31	28 45
15 20	22 25	7 25	19 21	1♑14	8 32	28 33	21 20	17 33	15 32	11 4	7 23	18 24	0♌48
15 30	24 51	9 29	21 23	3 39	13 47	1♉59	21 30	20 6	19 7	15 32	9 20	20 17	2 51
15 40	27 17	11 34	23 28	6 14	19 8	5 21	21 40	22 39	22 44	19 48	11 14	22 8	4 53
15 50	29 42	13 40	25 36	8 58	24 33	8 41	21 50	25 14	26 22	23 52	13 5	23 58	6 56
DT	*14.3*	*12.7*	*13.3*	*18.5*	*32.7*	*19.5*		*15.6*	*21.8*	*22.7*	*10.7*	*10.9*	*12.3*
DL	*0.0*	*-42.9*	*-97.4*	*-191*	*-0.0*	*34.3*		*0.0*	*-0.0*	*118.1*	*105.3*	*61.1*	*26.6*
16 0	2♐ 5	15♐46	27♐47	11♑55	0♈ 0	11♉57	22 0	27♒49	0♈ 0	27♉45	14♋53	25♋47	8♌59
16 10	4 28	17 53	0♑ 3	15 8	5 27	15 10	22 10	0♓26	3 38	1♊26	16 39	27 35	11 3
16 20	6 50	20 2	2 23	18 38	10 52	18 20	22 20	3 3	7 16	4 56	18 23	29 23	13 6
16 30	9 11	22 12	4 48	22 31	16 13	21 26	22 30	5 42	10 53	8 16	20 5	1♌10	15 10
16 40	11 32	24 24	7 19	26 51	21 28	24 29	22 40	8 22	14 28	11 26	21 46	2 56	17 14
16 50	13 52	26 37	9 56	1♒45	26 36	27 28	22 50	11 2	18 3	14 27	23 25	4 42	19 19
DT	*13.9*	*13.7*	*16.8*	*35.8*	*29.4*	*17.4*		*16.1*	*21.1*	*16.8*	*9.8*	*10.6*	*12.5*
DL	*0.0*	*-50.5*	*-117*	*-254*	*77.2*	*47.0*		*0.0*	*18.1*	*117.0*	*82.7*	*48.0*	*19.6*
17 0	16♐11	28♐53	12♑41	7♒19	1♉35	0♊23	23 0	13♓43	21♈35	17♊19	25♋ 3	6♌28	21♌24
17 10	18 30	1♑11	15 33	13 41	6 25	3 15	23 10	16 25	25 5	20 4	26 40	8 14	23 29
17 20	20 49	3 31	18 34	21 1	11 4	6 4	23 20	19 7	28 33	22 41	28 16	9 59	25 35
17 30	23 7	5 53	21 44	29 24	15 32	8 48	23 30	21 50	1♉59	25 12	29 52	11 45	27 42
17 40	25 25	8 19	25 4	8♓50	19 48	11 30	23 40	24 33	5 21	27 37	1♌26	13 30	29 48
17 50	27 42	10 47	28 34	19 9	23 52	14 7	23 50	27 17	8 41	29 57	3 0	15 16	1♍56

LATITUDE 61 DEGREES PLACIDUS HOUSES

S.T.	10	11	12	1	2	3	S.T.	10	11	12	1	2	3
DT	*16.3*	*19.7*	*13.0*	*9.1*	*10.4*	*12.7*		*13.8*	*12.2*	*10.6*	*9.2*	*10.6*	*12.2*
DL	*0.0*	*38.2*	*106.7*	*68.2*	*38.2*	*13.6*		*0.0*	*28.4*	*18.2*	*0.0*	*-18.2*	*-28.4*
0 0	0♈ 0	12♉32	3♋50	5♌40	17♌38	4♍16	6 0	0♋ 0	9♌26	8♍36	0♎ 0	21♎24	20♏34
0 10	2 43	15 47	5 58	7 10	19 22	6 23	6 10	2 18	11 28	10 22	1 32	23 10	22 36
0 20	5 27	18 59	8 2	8 41	21 6	8 30	6 20	4 35	13 31	12 8	3 3	24 56	24 37
0 30	8 10	22 7	10 4	10 11	22 50	10 38	6 30	6 53	15 33	13 55	4 35	26 42	26 39
0 40	10 53	25 12	12 2	11 41	24 34	12 46	6 40	9 11	17 36	15 42	6 7	28 27	28 40
0 50	13 35	28 13	13 59	13 11	26 18	14 55	6 50	11 30	19 40	17 28	7 38	0♏12	0♐42
DT	*16.1*	*17.5*	*11.3*	*9.0*	*10.5*	*12.9*		*13.9*	*12.4*	*10.7*	*9.2*	*10.5*	*12.2*
DL	*0.0*	*53.2*	*82.9*	*54.0*	*27.8*	*6.8*		*0.0*	*20.7*	*9.0*	*-10.1*	*-27.8*	*-37.1*
1 0	16♈17	1♊10	15♋53	14♌41	28♌ 3	17♍ 4	7 0	13♋49	21♌44	19♍16	9♎10	1♏57	2♐44
1 10	18 58	4 4	17 45	16 10	29 48	19 13	7 10	16 8	23 48	21 3	10 42	3 42	4 40
1 20	21 38	6 53	19 36	17 40	1♍33	21 22	7 20	18 28	25 53	22 50	12 13	5 26	6 48
1 30	24 18	9 39	21 25	19 9	3 18	23 31	7 30	20 49	27 58	24 37	13 44	7 10	8 51
1 40	26 57	12 21	23 14	20 39	5 4	25 41	7 40	23 10	0♍ 3	26 25	15 16	8 54	10 54
1 50	29 34	15 0	25 1	22 9	6 50	27 50	7 50	25 32	2 10	28 12	16 47	10 38	12 58
DT	*15.6*	*15.3*	*10.6*	*9.0*	*10.6*	*13.0*		*14.3*	*12.7*	*10.8*	*9.1*	*10.4*	*12.6*
DL	*0.0*	*60.5*	*64.6*	*41.9*	*18.2*	*0.0*		*0.0*	*13.6*	*0.0*	*-20.3*	*-38.2*	*-47.1*
2 0	2♉11	17♊35	26♋48	23♌38	8♍36	0♎ 0	8 0	27♋55	4♍16	0♎ 0	18♎18	12♏22	15♐ 3
2 10	4 46	20 6	28 34	25 8	10 22	2 10	8 10	0♌18	6 23	1 48	19 49	14 6	17 9
2 20	7 21	22 35	0♌19	26 38	12 8	4 19	8 20	2 43	8 30	3 35	21 20	15 49	19 16
2 30	9 54	25 0	2 4	28 8	13 55	6 29	8 30	5 9	10 38	5 23	22 50	17 33	21 25
2 40	12 27	27 22	3 48	29 38	15 42	8 38	8 40	7 35	12 46	7 10	24 21	19 17	23 36
2 50	14 58	29 41	5 32	1♍ 8	17 28	10 47	8 50	10 3	14 55	8 57	25 51	21 0	25 48
DT	*14.9*	*13.6*	*10.4*	*9.0*	*10.7*	*12.9*		*14.9*	*12.9*	*10.7*	*9.0*	*10.4*	*13.6*
DL	*0.0*	*56.8*	*50.2*	*30.8*	*9.0*	*-6.8*		*0.0*	*6.8*	*-9.0*	*-30.8*	*-50.2*	*-56.8*
3 0	17♉28	1♋58	7♌16	2♍38	19♍16	12♎56	9 0	12♌32	17♍ 4	10♎44	27♎22	22♏44	28♐ 2
3 10	19 57	4 12	9 0	4 9	21 3	15 5	9 10	15 2	19 13	12 32	28 52	24 28	0♑19
3 20	22 25	6 24	10 43	5 39	22 50	17 14	9 20	17 33	21 22	14 18	0♏22	26 12	2 38
3 30	24 51	8 35	12 27	7 10	24 37	19 22	9 30	20 6	23 31	16 5	1 52	27 56	5 0
3 40	27 17	10 44	14 11	8 40	26 25	21 30	9 40	22 39	25 41	17 52	3 22	29 41	7 25
3 50	29 42	12 51	15 54	10 11	28 12	23 37	9 50	25 14	27 50	19 38	4 52	1♐26	9 54
DT	*14.3*	*12.6*	*10.4*	*9.1*	*10.8*	*12.7*		*15.6*	*13.0*	*10.6*	*9.0*	*10.6*	*15.3*
DL	*0.0*	*47.1*	*38.2*	*20.3*	*0.0*	*-13.6*		*0.0*	*0.0*	*-18.2*	*-41.9*	*-64.6*	*-60.5*
4 0	2♊ 5	14♋57	17♌38	11♍42	0♎ 0	25♎44	10 0	27♌49	0♎ 0	21♎24	6♏22	3♐12	12♑25
4 10	4 28	17 2	19 22	13 13	1 48	27 50	10 10	0♍26	2 10	23 10	7 51	4 59	15 0
4 20	6 50	19 6	21 6	14 44	3 35	29 57	10 20	3 3	4 19	24 56	9 21	6 46	17 39
4 30	9 11	21 9	22 50	16 16	5 23	2♏ 2	10 30	5 42	6 29	26 42	10 51	8 35	20 21
4 40	11 32	23 12	24 34	17 47	7 10	4 7	10 40	8 22	8 38	28 27	12 20	10 24	23 7
4 50	13 52	25 14	26 18	19 18	8 57	6 12	10 50	11 2	10 47	0♏12	13 50	12 15	25 56
DT	*13.9*	*12.2*	*10.5*	*9.2*	*10.7*	*12.4*		*16.1*	*12.9*	*10.5*	*9.0*	*11.3*	*17.5*
DL	*0.0*	*37.1*	*27.8*	*10.1*	*-9.0*	*-20.7*		*0.0*	*-6.8*	*-27.8*	*-54.0*	*-82.9*	*-53.2*
5 0	16♊11	27♋16	28♌ 3	20♍50	10♎44	8♏16	11 0	13♍43	12♎56	1♏57	15♏19	14♐ 7	28♑50
5 10	18 30	29 18	29 48	22 22	12 32	10 20	11 10	16 25	15 5	3 42	16 49	16 1	1♒47
5 20	20 49	1♌20	1♍33	23 53	14 18	12 24	11 20	19 7	17 14	5 26	18 19	17 58	4 48
5 30	23 7	3 21	3 18	25 25	16 5	14 27	11 30	21 50	19 22	7 10	19 49	19 56	7 53
5 40	25 25	5 23	5 4	26 57	17 52	16 29	11 40	24 33	21 30	8 54	21 19	21 58	11 1
5 50	27 42	7 24	6 50	28 28	19 38	18 32	11 50	27 17	23 37	10 38	22 50	24 2	14 13

LATITUDE 61 DEGREES   PLACIDUS HOUSES

S.T.	10	11	12	1	2	3	S.T.	10	11	12	1	2	3
DT	16.3	12.7	10.4	9.1	13.0	19.7		13.8	15.3	23.0	74.2	23.0	15.3
DL	0.0	-13.6	-38.2	-68.2	-107	-38.2		0.0	-60.5	-137	-0.0	137.4	60.5
12 0	0♎0	25♎44	12♏22	24♏20	26♐10	17♒28	18 0	0♑0	12♑25	0♒17	0♈0	29♉43	17♊35
12 10	2 43	27 50	14 6	25 51	28 22	20 47	18 10	2 18	15 0	4 13	12 22	3♊27	20 6
12 20	5 27	29 57	15 49	27 23	0♑38	24 10	18 20	4 35	17 39	8 23	23 56	6 58	22 35
12 30	8 10	2♏2	17 33	28 55	3 0	27 35	18 30	6 53	20 21	12 45	4♉12	10 18	25 0
12 40	10 53	4 7	19 17	0♐27	5 28	1♓3	18 40	9 11	23 7	17 20	13 3	13 27	27 22
12 50	13 35	6 12	21 0	2 0	8 2	4 34	18 50	11 30	25 56	22 8	20 33	16 26	29 41
DT	16.1	12.4	10.4	9.4	16.6	21.4		13.9	17.5	30.5	35.5	16.6	13.6
DL	0.0	-20.7	-50.2	-85.9	-132	-19.9		0.0	-53.2	-90.0	299.9	132.4	56.8
13 0	16♎17	8♏16	22♏44	3♐34	10♑44	8♓7	19 0	13♑49	28♑50	27♒7	26♉55	19♊16	1♋58
13 10	18 58	10 20	24 28	5 9	13 34	11 42	19 10	16 8	1♒47	2♓18	2♊22	21 58	4 12
13 20	21 38	12 24	26 12	6 45	16 33	15 20	19 20	18 28	4 48	7 38	7 5	24 32	6 24
13 30	24 18	14 27	27 56	8 22	19 42	18 58	19 30	20 49	7 53	13 6	11 14	27 0	8 35
13 40	26 57	16 29	29 41	10 0	23 2	22 38	19 40	23 10	11 1	18 40	14 55	29 22	10 44
13 50	29 34	18 32	1♐26	11 40	26 33	26 19	19 50	25 32	14 13	24 19	18 14	1♋38	12 51
DT	15.6	12.2	10.6	10.3	23.0	22.1		14.3	19.7	34.1	17.4	13.0	12.6
DL	0.0	-28.4	-64.6	-110	-137	-0.0		0.0	-38.2	-0.0	206.5	106.7	47.1
14 0	2♏11	20♏34	3♐12	13♐21	0♒17	0♈0	20 0	27♑55	17♒28	0♈0	21♊15	3♋50	14♋57
14 10	4 46	22 36	4 59	15 5	4 13	3 41	20 10	0♒18	20 47	5 41	24 2	5 58	17 2
14 20	7 21	24 37	6 46	16 51	8 23	7 22	20 20	2 43	24 10	11 20	26 37	8 2	19 6
14 30	9 54	26 39	8 35	18 40	12 45	11 2	20 30	5 9	27 35	16 54	29 2	10 4	21 9
14 40	12 27	28 40	10 24	20 31	17 20	14 40	20 40	7 35	1♓3	22 22	1♋19	12 2	23 12
14 50	14 58	0♐42	12 15	22 27	22 8	18 18	20 50	10 3	4 34	27 42	3 29	13 59	25 14
DT	14.9	12.2	11.3	12.2	30.5	21.4		14.9	21.4	30.5	12.2	11.3	12.2
DL	0.0	-37.1	-82.9	-146	-90.0	19.9		0.0	-19.9	90.0	146.2	82.9	37.1
15 0	17♏28	2♐44	14♐7	24♐26	27♒7	21♈53	21 0	12♒32	8♓7	2♉53	5♋34	15♋53	27♋16
15 10	19 57	4 46	16 1	26 31	2♓18	25 26	21 10	15 2	11 42	7 52	7 33	17 45	29 18
15 20	22 25	6 48	17 58	28 41	7 38	28 57	21 20	17 33	15 20	12 40	9 29	19 36	1♌20
15 30	24 51	8 51	19 56	0♑58	13 6	2♉25	21 30	20 6	18 58	17 15	11 20	21 25	3 21
15 40	27 17	10 54	21 58	3 23	18 40	5 50	21 40	22 39	22 38	21 37	13 9	23 14	5 23
15 50	29 42	12 58	24 2	5 58	24 19	9 13	21 50	25 14	26 19	25 47	14 55	25 1	7 24
DT	14.3	12.6	13.0	17.4	34.1	19.7		15.6	22.1	23.0	10.3	10.6	12.2
DL	0.0	-47.1	-107	-207	-0.0	38.2		0.0	-0.0	137.4	110.0	64.6	28.4
16 0	2♐5	15♐3	26♐10	8♑45	0♈0	12♉32	22 0	27♒49	0♈0	29♉43	16♋39	26♋48	9♌26
16 10	4 28	17 9	28 22	11 46	5 41	15 47	22 10	0♓26	3 41	3♊27	18 20	28 34	11 28
16 20	6 50	19 16	0♑38	15 5	11 20	18 59	22 20	3 3	7 22	6 58	20 0	0♌19	13 31
16 30	9 11	21 25	3 0	18 46	16 54	22 7	22 30	5 42	11 2	10 18	21 38	2 4	15 33
16 40	11 32	23 36	5 28	22 55	22 22	25 12	22 40	8 22	14 40	13 27	23 15	3 48	17 36
16 50	13 52	25 48	8 2	27 38	27 42	28 13	22 50	11 2	18 18	16 26	24 51	5 32	19 40
DT	13.9	13.6	16.6	35.5	30.5	17.5		16.1	21.4	16.6	9.4	10.4	12.4
DL	0.0	-56.8	-132	-300	90.0	53.2		0.0	19.9	132.4	85.9	50.2	20.7
17 0	16♐11	28♐2	10♑44	3♒5	2♉53	1♊10	23 0	13♓43	21♈53	19♊16	26♋26	7♌16	21♌44
17 10	18 30	0♑19	13 34	9 27	7 52	4 4	23 10	16 25	25 26	21 58	28 0	9 0	23 48
17 20	20 49	2 38	16 33	16 57	12 40	6 53	23 20	19 7	28 57	24 32	29 33	10 43	25 53
17 30	23 7	5 0	19 42	25 48	17 15	9 39	23 30	21 50	2♉25	27 0	1♌5	12 27	27 58
17 40	25 25	7 25	23 2	6♓4	21 37	12 21	23 40	24 33	5 50	29 22	2 37	14 11	0♍3
17 50	27 42	9 54	26 33	17 38	25 47	15 0	23 50	27 17	9 13	1♋38	4 9	15 54	2 10

LATITUDE 62 DEGREES   PLACIDUS HOUSES

S.T.	10	11	12	1	2	3	S.T.	10	11	12	1	2	3
DT	*16.3*	*20.0*	*12.6*	*8.8*	*10.2*	*12.6*		*13.8*	*12.1*	*10.5*	*9.0*	*10.5*	*12.1*
DL	*0.0*	*42.9*	*117.5*	*70.7*	*39.5*	*14.3*		*0.0*	*30.3*	*18.6*	*0.0*	*-18.6*	*-30.3*
0 0	0♈0	13♉10	5♋37	6♌48	18♍16	4♎30	6 0	0♋0	9♌54	8♍54	0♎0	21♎6	20♏6
0 10	2 43	16 28	7 40	8 16	19 58	6 36	6 10	2 18	11 55	10 38	1 30	22 51	22 6
0 20	5 27	19 43	9 41	9 44	21 40	8 42	6 20	4 35	13 56	12 23	3 0	24 35	24 6
0 30	8 10	22 54	11 38	11 12	23 22	10 48	6 30	6 53	15 58	14 8	4 30	26 19	26 6
0 40	10 53	26 1	13 32	12 39	25 5	12 55	6 40	9 11	17 59	15 54	6 0	28 3	28 6
0 50	13 35	29 4	15 25	14 7	26 48	15 3	6 50	11 30	20 2	17 39	7 30	29 46	0♐6
DT	*16.1*	*17.7*	*11.0*	*8.8*	*10.3*	*12.8*		*13.9*	*12.3*	*10.6*	*9.0*	*10.3*	*12.0*
DL	*0.0*	*61.3*	*89.0*	*55.8*	*28.5*	*7.1*		*0.0*	*21.9*	*9.2*	*-10.4*	*-28.5*	*-40.2*
1 0	16♈17	2♊4	17♋16	15♌35	28♍31	17♎10	7 0	13♋49	22♌4	19♍25	9♎0	1♏29	2♐7
1 10	18 58	4 59	19 5	17 2	0♎14	19 18	7 10	16 0	24 7	21 10	10 30	3 12	4 7
1 20	21 38	7 50	20 52	18 30	1 57	21 26	7 20	18 28	26 11	22 56	11 59	4 55	6 8
1 30	24 18	10 38	22 39	19 57	3 41	23 35	7 30	20 49	28 15	24 42	13 29	6 38	8 9
1 40	26 57	13 21	24 24	21 25	5 25	25 43	7 40	23 10	0♍19	26 28	14 59	8 20	10 10
1 50	29 34	16 0	26 9	22 52	7 9	27 51	7 50	25 32	2 24	28 14	16 28	10 2	12 13
DT	*15.6*	*15.3*	*10.4*	*8.8*	*10.5*	*12.9*		*14.3*	*12.6*	*10.6*	*8.9*	*10.2*	*12.4*
DL	*0.0*	*70.6*	*68.3*	*43.2*	*18.6*	*0.0*		*0.0*	*14.3*	*0.0*	*-20.9*	*-39.5*	*-52.3*
2 0	2♉11	18♊35	27♋52	24♌20	8♎54	0♏0	8 0	27♋55	4♍30	0♎0	17♎57	11♏44	14♐16
2 10	4 46	21 7	29 36	25 48	10 38	2 9	8 10	0♌18	6 36	1 46	19 27	13 26	16 20
2 20	7 21	23 35	1♌18	27 16	12 23	4 17	8 20	2 43	8 42	3 32	20 56	15 7	18 26
2 30	9 54	25 59	3 1	28 44	14 8	6 25	8 30	5 9	10 48	5 18	22 25	16 49	20 33
2 40	12 27	28 21	4 43	0♍12	15 54	8 34	8 40	7 35	12 55	7 4	23 54	18 31	22 42
2 50	14 58	0♋39	6 25	1 41	17 39	10 42	8 50	10 3	15 3	8 50	25 22	20 12	24 53
DT	*14.9*	*13.4*	*10.2*	*8.9*	*10.6*	*12.8*		*14.9*	*12.8*	*10.6*	*8.9*	*10.2*	*13.4*
DL	*0.0*	*65.0*	*52.4*	*31.7*	*9.2*	*-7.1*		*0.0*	*7.1*	*-9.2*	*-31.7*	*-52.4*	*-65.0*
3 0	17♉28	2♋54	8♌6	3♍9	19♎25	12♏50	9 0	12♌32	17♍10	10♎35	26♎51	21♏54	27♐6
3 10	19 57	5 7	9 48	4 38	21 10	14 57	9 10	15 2	19 18	12 21	28 19	23 35	29 21
3 20	22 25	7 18	11 29	6 6	22 56	17 5	9 20	17 33	21 26	14 6	29 48	25 17	1♑39
3 30	24 51	9 27	13 11	7 35	24 42	19 12	9 30	20 6	23 35	15 52	1♏16	26 59	4 1
3 40	27 17	11 34	14 53	9 4	26 28	21 18	9 40	22 39	25 43	17 37	2 44	28 42	6 25
3 50	29 42	13 40	16 34	10 33	28 14	23 24	9 50	25 14	27 51	19 22	4 12	0♐24	8 53
DT	*14.3*	*12.4*	*10.2*	*8.9*	*10.6*	*12.6*		*15.6*	*12.9*	*10.5*	*8.8*	*10.4*	*15.3*
DL	*0.0*	*52.3*	*39.5*	*20.9*	*0.0*	*-14.3*		*0.0*	*0.0*	*-18.6*	*-43.2*	*-68.3*	*-70.6*
4 0	2♊5	15♋44	18♌16	12♍3	0♏0	25♏30	10 0	27♌49	0♎0	21♎6	5♏40	2♐8	11♑25
4 10	4 28	17 47	19 58	13 32	1 46	27 36	10 10	0♍26	2 9	22 51	7 8	3 51	14 0
4 20	6 50	19 50	21 40	15 1	3 32	29 41	10 20	3 3	4 17	24 35	8 35	5 36	16 39
4 30	9 11	21 51	23 22	16 31	5 18	1♐45	10 30	5 42	6 25	26 19	10 3	7 21	19 22
4 40	11 32	23 52	25 5	18 1	7 4	3 49	10 40	8 22	8 34	28 3	11 30	9 8	22 10
4 50	13 52	25 53	26 48	19 30	8 50	5 53	10 50	11 2	10 42	29 46	12 58	10 55	25 1
DT	*13.9*	*12.0*	*10.3*	*9.0*	*10.6*	*12.3*		*16.1*	*12.8*	*10.3*	*8.8*	*11.0*	*17.7*
DL	*0.0*	*40.2*	*28.5*	*10.4*	*-9.2*	*-21.9*		*0.0*	*-7.1*	*-28.5*	*-55.8*	*-89.0*	*-61.3*
5 0	16♊11	27♋53	28♌31	21♍0	10♏35	7♐56	11 0	13♍43	12♎50	1♏29	14♏25	12♐44	27♑56
5 10	18 30	29 54	0♍14	22 30	12 21	9 58	11 10	16 25	14 57	3 12	15 53	14 35	0♒56
5 20	20 49	1♌54	1 57	24 0	14 6	12 1	11 20	19 7	17 5	4 55	17 21	16 28	3 59
5 30	23 7	3 54	3 41	25 30	15 52	14 2	11 30	21 50	19 12	6 38	18 48	18 22	7 6
5 40	25 25	5 54	5 25	27 0	17 37	16 4	11 40	24 33	21 18	8 20	20 16	20 19	10 17
5 50	27 42	7 54	7 9	28 30	19 22	18 5	11 50	27 17	23 24	10 2	21 44	22 20	13 32

LATITUDE 62 DEGREES PLACIDUS HOUSES

S.T.	10	11	12	1	2	3	S.T.	10	11	12	1	2	3
DT	*16.3*	*12.6*	*10.2*	*8.8*	*12.6*	*20.0*		*13.8*	*15.3*	*23.3*	*87.1*	*23.3*	*15.3*
DL	*0.0*	*-14.3*	*-39.5*	*-70.7*	*-117*	*-42.9*		*0.0*	*-70.6*	*-164*	*-0.0*	*163.6*	*70.6*
12 0	0♎ 0	25♎30	11♏44	23♏12	24♐23	16♒50	18 0	0♑ 0	11♑25	28♑ 0	0♈ 0	2♊ 0	18♊35
12 10	2 43	27 36	13 26	24 40	26 31	20 12	18 10	2 18	14 0	2♒ 0	14 31	5 46	21 7
12 20	5 27	29 41	15 7	26 9	28 43	23 37	18 20	4 35	16 39	6 15	27 43	9 19	23 35
12 30	8 10	1♏45	16 49	27 38	1♑ 0	27 5	18 30	6 53	19 22	10 44	8♉56	12 38	25 59
12 40	10 53	3 49	18 31	29 8	3 23	0♓37	18 40	9 11	22 10	15 28	18 10	15 45	28 21
12 50	13 35	5 53	20 12	0♐38	5 54	4 11	18 50	11 30	25 1	20 26	25 42	18 42	0♋39
DT	*16.1*	*12.3*	*10.2*	*9.1*	*16.2*	*21.8*		*13.9*	*17.7*	*31.7*	*34.2*	*16.2*	*13.4*
DL	*0.0*	*-21.9*	*-52.4*	*-89.3*	*-152*	*-22.0*		*0.0*	*-61.3*	*-107*	*354.1*	*152.0*	*65.0*
13 0	16♎17	7♏56	21♏54	2♐ 8	8♑31	7♓47	19 0	13♑49	27♑56	25♒37	1♊55	21♊29	2♋54
13 10	18 58	9 58	23 35	3 40	11 18	11 26	19 10	16 8	0♒56	1♓ 1	7 7	24 6	5 7
13 20	21 38	12 1	25 17	5 12	14 15	15 6	19 20	18 28	3 59	6 35	11 34	26 37	7 18
13 30	24 18	14 2	26 59	6 45	17 22	18 48	19 30	20 49	7 6	12 18	15 25	29 0	9 27
13 40	26 57	16 4	28 42	8 19	20 41	22 32	19 40	23 10	10 17	18 8	18 50	1♋17	11 34
13 50	29 34	18 5	0♐24	9 54	24 14	26 16	19 50	25 32	13 32	24 3	21 54	3 29	13 40
DT	*15.6*	*12.1*	*10.4*	*9.8*	*23.3*	*22.4*		*14.3*	*20.0*	*35.7*	*16.1*	*12.6*	*12.4*
DL	*0.0*	*-30.3*	*-68.3*	*-115*	*-164*	*-0.0*		*0.0*	*-42.9*	*-0.0*	*223.1*	*117.5*	*52.3*
14 0	2♏11	20♏ 6	2♐ 8	11♐31	28♑ 0	0♈ 0	20 0	27♑55	16♒50	0♈ 0	24♊42	5♋37	15♋44
14 10	4 46	22 6	3 51	13 10	2♒ 0	3 44	20 10	0♒18	20 12	5 57	27 16	7 40	17 47
14 20	7 21	24 6	5 36	14 51	6 15	7 28	20 20	2 43	23 37	11 52	29 39	9 41	19 50
14 30	9 54	26 6	7 21	16 34	10 44	11 12	20 30	5 9	27 5	17 42	1♋54	11 38	21 51
14 40	12 27	28 6	9 8	18 19	15 28	14 54	20 40	7 35	0♓37	23 25	4 2	13 32	23 52
14 50	14 58	0♐ 6	10 55	20 8	20 26	18 34	20 50	10 3	4 11	28 59	6 3	15 25	25 53
DT	*14.9*	*12.0*	*11.0*	*11.4*	*31.7*	*21.8*		*14.9*	*21.8*	*31.7*	*11.4*	*11.0*	*12.0*
DL	*0.0*	*-40.2*	*-89.0*	*-154*	*-107*	*22.0*		*0.0*	*-22.0*	*106.6*	*154.2*	*89.0*	*40.2*
15 0	17♏28	2♐ 7	12♐44	22♐ 0	25♒37	22♈13	21 0	12♒32	7♓47	4♉23	8♋ 0	17♋16	27♋53
15 10	19 57	4 7	14 35	23 57	1♓ 1	25 49	21 10	15 2	11 26	9 34	9 52	19 5	29 54
15 20	22 25	6 8	16 28	25 58	6 35	29 23	21 20	17 33	15 6	14 32	11 41	20 52	1♌54
15 30	24 51	8 9	18 22	28 6	12 18	2♉55	21 30	20 6	18 48	19 16	13 26	22 39	3 54
15 40	27 17	10 10	20 19	0♑21	18 8	6 23	21 40	22 39	22 32	23 45	15 9	24 24	5 54
15 50	29 42	12 13	22 20	2 44	24 3	9 48	21 50	25 14	26 16	28 0	16 50	26 9	7 54
DT	*14.3*	*12.4*	*12.6*	*16.1*	*35.7*	*20.0*		*15.6*	*22.4*	*23.3*	*9.8*	*10.4*	*12.1*
DL	*0.0*	*-52.3*	*-117*	*-223*	*-0.0*	*42.9*		*0.0*	*-0.0*	*163.6*	*115.0*	*68.3*	*30.3*
16 0	2♐ 5	14♐16	24♐23	5♑18	0♈ 0	13♉10	22 0	27♒49	0♈ 0	2♊ 0	18♋29	27♋52	9♌54
16 10	4 28	16 20	26 31	8 6	5 57	16 28	22 10	0♓26	3 44	5 46	20 6	29 36	11 55
16 20	6 50	18 26	28 43	11 10	11 52	19 43	22 20	3 3	7 28	9 19	21 41	1♌18	13 56
16 30	9 11	20 33	1♑ 0	14 35	17 42	22 54	22 30	5 42	11 12	12 38	23 15	3 1	15 58
16 40	11 32	22 42	3 23	18 26	23 25	26 1	22 40	8 22	14 54	15 45	24 48	4 43	17 59
16 50	13 52	24 53	5 54	22 53	28 59	29 4	22 50	11 2	18 34	18 42	26 20	6 25	20 2
DT	*13.9*	*13.4*	*16.2*	*34.2*	*31.7*	*17.7*		*16.1*	*21.8*	*16.2*	*9.1*	*10.2*	*12.3*
DL	*0.0*	*-65.0*	*-152*	*-354*	*106.6*	*61.3*		*0.0*	*22.0*	*152.0*	*89.3*	*52.4*	*21.9*
17 0	16♐11	27♐ 6	8♑31	28♑ 5	4♉23	2♊ 4	23 0	13♓43	22♈13	21♊29	27♋52	8♌ 6	22♌ 4
17 10	18 30	29 21	11 18	4♒18	9 34	4 59	23 10	16 25	25 49	24 6	29 22	9 48	24 7
17 20	20 49	1♑39	14 15	11 50	14 32	7 50	23 20	19 7	29 23	26 37	0♌52	11 29	26 11
17 30	23 7	4 1	17 22	21 4	19 16	10 38	23 30	21 50	2♉55	29 0	2 22	13 11	28 15
17 40	25 25	6 25	20 41	2♓17	23 45	13 21	23 40	24 33	6 23	1♋17	3 51	14 53	0♍19
17 50	27 42	8 53	24 14	15 29	28 0	16 0	23 50	27 17	9 48	3 29	5 20	16 34	2 24

LATITUDE 63 DEGREES   PLACIDUS HOUSES

S.T.	10	11	12	1	2	3	S.T.	10	11	12	1	2	3
DT	16.3	20.3	12.0	8.6	10.0	12.4		13.8	11.9	10.3	8.8	10.3	11.9
DL	0.0	48.8	130.3	73.3	40.4	15.1		0.0	32.4	18.8	0.0	-18.8	-32.4
0 0	0♈0	13♉53	7♊34	7♋59	18♋56	4♍44	6 0	0♋0	10♌25	9♍12	0♎0	20♎48	19♏35
0 10	2 43	17 14	9 32	9 24	20 36	6 49	6 10	2 18	12 24	10 55	1 28	22 31	21 34
0 20	5 27	20 32	11 28	10 49	22 16	8 54	6 20	4 35	14 24	12 39	2 57	24 13	23 33
0 30	8 10	23 46	13 20	12 15	23 56	10 59	6 30	6 53	16 24	14 22	4 25	25 55	25 31
0 40	10 53	26 57	15 10	13 40	25 37	13 5	6 40	9 11	18 24	16 6	5 53	27 37	27 30
0 50	13 35	0♊3	16 58	15 5	27 18	15 11	6 50	11 30	20 25	17 50	7 21	29 19	29 28
DT	16.1	18.0	10.6	8.5	10.1	12.7		13.9	12.2	10.4	8.8	10.1	11.8
DL	0.0	72.3	95.9	57.8	28.9	7.5		0.0	23.2	9.3	-10.7	-28.9	-43.8
1 0	16♈17	3♊5	18♊45	16♋30	28♋59	17♍17	7 0	13♋49	22♌26	19♍34	8♎50	1♏1	1♐26
1 10	18 58	6 3	20 30	17 56	0♍41	19 24	7 10	16 8	24 28	21 18	10 18	2 42	3 25
1 20	21 38	8 56	22 14	19 21	2 23	21 31	7 20	18 28	26 30	23 2	11 46	4 23	5 24
1 30	24 18	11 45	23 57	20 47	4 5	23 38	7 30	20 49	28 33	24 47	13 14	6 4	7 23
1 40	26 57	14 30	25 39	22 12	5 47	25 45	7 40	23 10	0♍36	26 31	14 41	7 44	9 22
1 50	29 34	17 10	27 20	23 38	7 29	27 53	7 50	25 32	2 40	28 15	16 9	9 24	11 23
DT	15.6	15.4	10.1	8.6	10.3	12.7		14.3	12.4	10.5	8.8	10.0	12.2
DL	0.0	85.2	72.1	44.6	18.8	0.0		0.0	15.1	0.0	-21.5	-40.4	-58.6
2 0	2♉11	19♊46	29♋1	25♌3	9♍12	0♎0	8 0	27♋55	4♍44	0♎0	17♎37	11♏4	13♐24
2 10	4 46	22 18	0♌41	26 29	10 55	2 7	8 10	0♌18	6 49	1 45	19 4	12 44	15 26
2 20	7 21	24 45	2 21	27 55	12 39	4 15	8 20	2 43	8 54	3 29	20 31	14 24	17 29
2 30	9 54	27 9	4 1	29 21	14 22	6 22	8 30	5 9	10 59	5 13	21 59	16 3	19 34
2 40	12 27	29 29	5 40	0♍48	16 6	8 29	8 40	7 35	13 5	6 58	23 26	17 43	21 41
2 50	14 58	1♋46	7 20	2 14	17 50	10 36	8 50	10 3	15 11	8 42	24 52	19 22	23 50
DT	14.9	13.2	9.9	8.7	10.4	12.7		14.9	12.7	10.4	8.7	9.9	13.2
DL	0.0	76.1	54.3	32.7	9.3	-7.5		0.0	7.5	-9.3	-32.7	-54.3	-76.1
3 0	17♉28	3♋59	8♌59	3♍41	19♍34	12♎43	9 0	12♌32	17♍17	10♎26	26♎19	21♏1	26♐1
3 10	19 57	6 10	10 38	5 8	21 18	14 49	9 10	15 2	19 24	12 10	27 46	22 40	28 14
3 20	22 25	8 19	12 17	6 34	23 2	16 55	9 20	17 33	21 31	13 54	29 12	24 20	0♑31
3 30	24 51	10 26	13 57	8 1	24 47	19 1	9 30	20 6	23 38	15 38	0♏39	25 59	2 51
3 40	27 17	12 31	15 36	9 29	26 31	21 6	9 40	22 39	25 45	17 21	2 5	27 39	5 15
3 50	29 42	14 34	17 16	10 56	28 15	23 11	9 50	25 14	27 53	19 5	3 31	29 19	7 42
DT	14.3	12.2	10.0	8.8	10.5	12.4		15.6	12.7	10.3	8.6	10.1	15.4
DL	0.0	58.6	40.4	21.5	0.0	-15.1		0.0	0.0	-18.8	-44.6	-72.1	-85.2
4 0	2♊5	16♋36	18♌56	12♍23	0♎0	25♎16	10 0	27♌49	0♎0	20♎48	4♏57	0♐59	10♑14
4 10	4 28	18 37	20 36	13 51	1 45	27 20	10 10	0♍26	2 7	22 31	6 22	2 40	12 50
4 20	6 50	20 38	22 16	15 19	3 29	29 24	10 20	3 3	4 15	24 13	7 48	4 21	15 30
4 30	9 11	22 37	23 56	16 46	5 13	1♏27	10 30	5 42	6 22	25 55	9 13	6 3	18 15
4 40	11 32	24 36	25 37	18 14	6 58	3 30	10 40	8 22	8 29	27 37	10 39	7 46	21 4
4 50	13 52	26 35	27 18	19 42	8 42	5 32	10 50	11 2	10 36	29 19	12 4	9 30	23 57
DT	13.9	11.8	10.1	8.8	10.4	12.2		16.1	12.7	10.1	8.5	10.6	18.0
DL	0.0	43.8	28.9	10.7	-9.3	-23.2		0.0	-7.5	-28.9	-57.8	-95.9	-72.3
5 0	16♊11	28♋34	28♌59	21♍10	10♎26	7♏34	11 0	13♍43	12♎43	1♏1	13♏30	11♐15	26♑55
5 10	18 30	0♌32	0♍41	22 39	12 10	9 35	11 10	16 25	14 49	2 42	14 55	13 2	29 57
5 20	20 49	2 30	2 23	24 7	13 54	11 36	11 20	19 7	16 55	4 23	16 20	14 50	3♒3
5 30	23 7	4 29	4 5	25 35	15 38	13 36	11 30	21 50	19 1	6 4	17 45	16 40	6 14
5 40	25 25	6 27	5 47	27 3	17 21	15 36	11 40	24 33	21 6	7 44	19 11	18 32	9 28
5 50	27 42	8 26	7 29	28 32	19 5	17 36	11 50	27 17	23 11	9 24	20 36	20 28	12 46

LATITUDE 63 DEGREES PLACIDUS HOUSES

S.T.	10	11	12	1	2	3	S.T.	10	11	12	1	2	3
DT	*16.3*	*12.4*	*10.0*	*8.6*	*12.0*	*20.3*		*13.8*	*15.4*	*23.6*	*106.7*	*23.6*	*15.4*
DL	*0.0*	*-15.1*	*-40.4*	*-73.3*	*-130*	*-48.8*		*0.0*	*-85.2*	*-201*	*-0.0*	*201.5*	*85.2*
12 0	0 ♎ 0	25 ♎ 16	11 ♏ 4	22 ♏ 1	22 ♐ 26	16 ♒ 7	18 0	0 ♑ 0	10 ♑ 14	25 ♑ 16	0 ♈ 0	4 ♊ 44	19 ♊ 46
12 10	2 43	27 20	12 44	23 27	24 28	19 32	18 10	2 18	12 50	29 21	17 47	8 32	22 18
12 20	5 27	29 24	14 24	24 53	26 34	23 1	18 20	4 35	15 30	3 ♒ 42	3 ♉ 11	12 4	24 45
12 30	8 10	1 ♏ 27	16 3	26 19	28 45	26 33	18 30	6 53	18 15	8 20	15 21	15 22	27 9
12 40	10 53	3 30	17 43	27 45	1 ♑ 3	0 ♓ 7	18 40	9 11	21 4	13 15	24 43	18 27	29 29
12 50	13 35	5 32	19 22	29 12	3 27	3 45	18 50	11 30	23 57	18 25	2 ♊ 0	21 19	1 ♋ 46
DT	*16.1*	*12.2*	*9.9*	*8.7*	*15.7*	*22.1*		*13.9*	*18.0*	*33.2*	*31.7*	*15.7*	*13.2*
DL	*0.0*	*-23.2*	*-54.3*	*-92.9*	*-178*	*-24.5*		*0.0*	*-72.3*	*-129*	*414.9*	*177.9*	*76.1*
13 0	16 ♎ 17	7 ♏ 34	21 ♏ 1	0 ♐ 39	5 ♑ 59	7 ♓ 25	19 0	13 ♑ 49	26 ♑ 55	23 ♒ 51	7 ♊ 49	24 ♊ 1	3 ♋ 59
13 10	18 58	9 35	22 40	2 7	8 41	11 7	19 10	16 8	29 57	29 30	12 35	26 33	6 10
13 20	21 38	11 36	24 20	3 35	11 33	14 51	19 20	18 28	3 ♒ 3	5 ♓ 20	16 36	28 57	8 19
13 30	24 18	13 36	25 59	5 4	14 38	18 37	19 30	20 49	6 14	11 21	20 4	1 ♋ 15	10 26
13 40	26 57	15 36	27 39	6 34	17 56	22 24	19 40	23 10	9 28	17 30	23 8	3 26	12 31
13 50	29 34	17 36	29 19	8 4	21 28	26 12	19 50	25 32	12 46	23 43	25 54	5 32	14 34
DT	*15.6*	*11.8*	*10.1*	*9.3*	*23.6*	*22.8*		*14.3*	*20.3*	*37.7*	*14.5*	*12.0*	*12.2*
DL	*0.0*	*-32.4*	*-72.1*	*-120*	*-201*	*-0.0*		*0.0*	*-48.8*	*-0.0*	*239.7*	*130.3*	*58.6*
14 0	2 ♏ 11	19 ♏ 35	0 ♐ 59	9 ♐ 36	25 ♑ 16	0 ♈ 0	20 0	27 ♑ 55	16 ♒ 7	0 ♈ 0	28 ♊ 25	7 ♋ 34	16 ♋ 36
14 10	4 46	21 34	2 40	11 10	29 21	3 48	20 10	0 ♒ 18	19 32	6 17	0 ♋ 44	9 32	18 37
14 20	7 21	23 33	4 21	12 45	3 ♒ 42	7 36	20 20	2 43	23 1	12 30	2 54	11 28	20 38
14 30	9 54	25 31	6 3	14 21	8 20	11 23	20 30	5 9	26 33	18 39	4 57	13 20	22 37
14 40	12 27	27 30	7 46	16 0	13 15	15 9	20 40	7 35	0 ♓ 7	24 40	6 54	15 10	24 36
14 50	14 58	29 28	9 30	17 42	18 25	18 53	20 50	10 3	3 45	0 ♉ 30	8 46	16 58	26 35
DT	*14.9*	*11.8*	*10.6*	*10.6*	*33.2*	*22.1*		*14.9*	*22.1*	*33.2*	*10.6*	*10.6*	*11.8*
DL	*0.0*	*-43.8*	*-95.9*	*-162*	*-129*	*24.5*		*0.0*	*-24.5*	*128.9*	*162.3*	*95.9*	*43.8*
15 0	17 ♏ 28	1 ♐ 26	11 ♐ 15	19 ♐ 26	23 ♒ 51	22 ♈ 35	21 0	12 ♒ 32	7 ♓ 25	6 ♉ 9	10 ♋ 34	18 ♋ 45	28 ♋ 34
15 10	19 57	3 25	13 2	21 14	29 30	26 15	21 10	15 2	11 7	11 35	12 18	20 30	0 ♌ 32
15 20	22 25	5 24	14 50	23 6	5 ♓ 20	29 53	21 20	17 33	14 51	16 45	14 0	22 14	2 30
15 30	24 51	7 23	16 40	25 3	11 21	3 ♉ 27	21 30	20 6	18 37	21 40	15 39	23 57	4 29
15 40	27 17	9 22	18 32	27 6	17 30	6 59	21 40	22 39	22 24	26 18	17 15	25 39	6 27
15 50	29 42	11 23	20 28	29 16	23 43	10 28	21 50	25 14	26 12	0 ♊ 39	18 50	27 20	8 26
DT	*14.3*	*12.2*	*12.0*	*14.5*	*37.7*	*20.3*		*15.6*	*22.8*	*23.6*	*9.3*	*10.1*	*11.9*
DL	*0.0*	*-58.6*	*-130*	*-240*	*-0.0*	*48.8*		*0.0*	*-0.0*	*201.5*	*120.0*	*72.1*	*32.4*
16 0	2 ♐ 5	13 ♐ 24	22 ♐ 26	1 ♑ 35	0 ♈ 0	13 ♉ 53	22 0	27 ♒ 49	0 ♈ 0	4 ♊ 44	20 ♋ 24	29 ♋ 1	10 ♌ 25
16 10	4 28	15 26	24 28	4 6	6 17	17 14	22 10	0 ♓ 26	3 48	8 32	21 56	0 ♌ 41	12 24
16 20	6 50	17 29	26 34	6 52	12 30	20 32	22 20	3 3	7 36	12 4	23 26	2 21	14 24
16 30	9 11	19 34	28 45	9 56	18 39	23 46	22 30	5 42	11 23	15 22	24 56	4 1	16 24
16 40	11 32	21 41	1 ♑ 3	13 24	24 40	26 57	22 40	8 22	15 9	18 27	26 25	5 40	18 24
16 50	13 52	23 50	3 27	17 25	0 ♉ 30	0 ♊ 3	22 50	11 2	18 53	21 19	27 53	7 20	20 25
DT	*13.9*	*13.2*	*15.7*	*31.7*	*33.2*	*18.0*		*16.1*	*22.1*	*15.7*	*8.7*	*9.9*	*12.2*
DL	*0.0*	*-76.1*	*-178*	*-415*	*128.9*	*72.3*		*0.0*	*24.5*	*177.9*	*92.9*	*54.3*	*23.2*
17 0	16 ♐ 11	26 ♐ 1	5 ♑ 59	22 ♑ 11	6 ♉ 9	3 ♊ 5	23 0	13 ♓ 43	22 ♈ 35	24 ♊ 1	29 ♋ 21	8 ♌ 59	22 ♌ 26
17 10	18 30	28 14	8 41	28 0	11 35	6 3	23 10	16 25	26 15	26 33	0 ♌ 48	10 38	24 28
17 20	20 49	0 ♑ 31	11 33	5 ♒ 17	16 45	8 56	23 20	19 7	29 53	28 57	2 15	12 17	26 30
17 30	23 7	2 51	14 38	14 39	21 40	11 45	23 30	21 50	3 ♉ 27	1 ♋ 15	3 41	13 57	28 33
17 40	25 25	5 15	17 56	26 49	26 18	14 30	23 40	24 33	6 59	3 26	5 7	15 36	0 ♍ 36
17 50	27 42	7 42	21 28	12 ♓ 13	0 ♊ 39	17 10	23 50	27 17	10 28	5 32	6 33	17 16	2 40

LATITUDE 64 DEGREES — PLACIDUS HOUSES

S.T.	10	11	12	1	2	3
DT	*16.3*	*20.7*	*11.3*	*8.3*	*9.8*	*12.3*
DL	*0.0*	*56.4*	*145.6*	*76.0*	*40.3*	*16.0*
0 0	0♈ 0	14♉41	9♋44	9♌12	19♌36	4♍59
0 10	2 43	18 7	11 36	10 35	21 14	7 3
0 20	5 27	21 29	13 25	11 57	22 52	9 6
0 30	8 10	24 47	15 11	13 20	24 31	11 10
0 40	10 53	28 1	16 56	14 43	26 10	13 15
0 50	13 35	1♊11	18 39	16 5	27 49	15 20
DT	*16.1*	*18.3*	*10.1*	*8.3*	*10.0*	*12.5*
DL	*0.0*	*88.5*	*103.3*	*59.8*	*28.7*	*7.9*
1 0	16♈17	4♊17	20♋20	17♌28	29♌28	17♍25
1 10	18 58	7 18	22 1	18 51	1♍ 0	19 30
1 20	21 38	10 15	23 41	20 14	2 48	21 36
1 30	24 18	13 6	25 20	21 37	4 28	23 42
1 40	26 57	15 53	26 58	23 1	6 9	25 48
1 50	29 34	18 35	28 35	24 24	7 50	27 54
DT	*15.6*	*15.4*	*9.7*	*8.4*	*10.1*	*12.6*
DL	*0.0*	*109.3*	*75.1*	*46.1*	*18.6*	*0.0*
2 0	2♉11	21♊11	0♌13	25♌48	9♍31	0♎ 0
2 10	4 46	23 43	1 50	27 12	11 13	2 6
2 20	7 21	26 10	3 27	28 36	12 54	4 12
2 30	9 54	28 32	5 3	0♍ 0	14 36	6 18
2 40	12 27	0♋50	6 40	1 24	16 18	8 24
2 50	14 58	3 4	8 16	2 49	18 1	10 30
DT	*14.9*	*13.0*	*9.7*	*8.5*	*10.3*	*12.5*
DL	*0.0*	*92.5*	*54.9*	*33.7*	*9.2*	*-7.9*
3 0	17♉28	5♋16	9♌53	4♍13	19♍43	12♎35
3 10	19 57	7 24	11 30	5 38	21 26	14 40
3 20	22 25	9 30	13 7	7 3	23 8	16 45
3 30	24 51	11 33	14 44	8 28	24 51	18 50
3 40	27 17	13 35	16 21	9 54	26 34	20 54
3 50	29 42	15 36	17 58	11 19	28 17	22 57
DT	*14.3*	*11.9*	*9.8*	*8.6*	*10.3*	*12.3*
DL	*0.0*	*66.7*	*40.3*	*22.2*	*0.0*	*-16.0*
4 0	2♊ 5	17♋35	19♌36	12♍45	0♎ 0	25♎ 1
4 10	4 28	19 33	21 14	14 11	1 43	27 4
4 20	6 50	21 31	22 52	15 37	3 26	29 6
4 30	9 11	23 28	24 31	17 3	5 9	1♏ 8
4 40	11 32	25 25	26 10	18 29	6 52	3 9
4 50	13 52	27 21	27 49	19 55	8 34	5 10
DT	*13.9*	*11.6*	*10.0*	*8.6*	*10.3*	*12.0*
DL	*0.0*	*48.0*	*28.7*	*11.0*	*-9.2*	*-24.7*
5 0	16♊11	29♋17	29♌28	21♍21	10♎17	7♏11
5 10	18 30	1♌14	1♍ 8	22 48	11 59	9 10
5 20	20 49	3 10	2 48	24 14	13 42	11 10
5 30	23 7	5 6	4 28	25 40	15 24	13 9
5 40	25 25	7 3	6 9	27 7	17 6	15 7
5 50	27 42	9 0	7 50	28 33	18 47	17 5

S.T.	10	11	12	1	2	3
	13.8	*11.7*	*10.1*	*8.7*	*10.1*	*11.7*
	0.0	*34.9*	*18.6*	*0.0*	*-18.6*	*-34.9*
6 0	0♋ 0	10♌57	9♍31	0♎ 0	20♎29	19♏ 3
6 10	2 18	12 55	11 13	1 27	22 10	21 0
6 20	4 35	14 53	12 54	2 53	23 51	22 57
6 30	6 53	16 51	14 36	4 20	25 32	24 54
6 40	9 11	18 50	16 18	5 46	27 12	26 50
6 50	11 30	20 50	18 1	7 12	28 52	28 46
	13.9	*12.0*	*10.3*	*8.6*	*10.0*	*11.6*
	0.0	*24.7*	*9.2*	*-11.0*	*-28.7*	*-48.0*
7 0	13♋49	22♌49	19♍43	8♎39	0♏32	0♐40
7 10	16 8	24 50	21 26	10 5	2 11	2 39
7 20	18 28	26 51	23 8	11 31	3 50	4 35
7 30	20 49	28 52	24 51	12 57	5 29	6 32
7 40	23 10	0♍54	26 34	14 23	7 8	8 29
7 50	25 32	2 56	28 17	15 49	8 46	10 27
	14.3	*12.3*	*10.3*	*8.6*	*9.8*	*11.9*
	0.0	*16.0*	*0.0*	*-22.2*	*-40.3*	*-66.7*
8 0	27♋55	4♍59	0♎ 0	17♎15	10♏24	12♐25
8 10	0♌18	7 3	1 43	18 41	12 2	14 24
8 20	2 43	9 6	3 26	20 6	13 39	16 25
8 30	5 9	11 10	5 9	21 32	15 16	18 27
8 40	7 35	13 15	6 52	22 57	16 53	20 30
8 50	10 3	15 20	8 34	24 22	18 30	22 36
	14.9	*12.5*	*10.3*	*8.5*	*9.7*	*13.0*
	0.0	*7.9*	*-9.2*	*-33.7*	*-54.9*	*-92.5*
9 0	12♌32	17♍25	10♎17	25♎47	20♏ 7	24♐44
9 10	15 2	19 30	11 59	27 11	21 44	26 56
9 20	17 33	21 36	13 42	28 36	23 20	29 10
9 30	20 6	23 42	15 24	0♏ 0	24 57	1♑28
9 40	22 39	25 48	17 6	1 24	26 33	3 50
9 50	25 14	27 54	18 47	2 48	28 10	6 17
	15.6	*12.6*	*10.1*	*8.4*	*9.7*	*15.4*
	0.0	*0.0*	*-18.6*	*-46.1*	*-75.1*	*-109*
10 0	27♌49	0♎ 0	20♎29	4♏12	29♏47	8♑49
10 10	0♍26	2 6	22 10	5 36	1♐25	11 25
10 20	3 3	4 12	23 51	6 59	3 2	14 7
10 30	5 42	6 18	25 32	8 23	4 40	16 54
10 40	8 22	8 24	27 12	9 46	6 19	19 45
10 50	11 2	10 30	28 52	11 9	7 59	22 42
	16.1	*12.5*	*10.0*	*8.3*	*10.1*	*18.3*
	0.0	*-7.9*	*-28.7*	*-59.8*	*-103*	*-88.5*
11 0	13♍43	12♎35	0♏32	12♏32	9♐40	25♑43
11 10	16 25	14 40	2 11	13 55	11 21	28 49
11 20	19 7	16 45	3 50	15 17	13 4	1♒59
11 30	21 50	18 50	5 29	16 40	14 49	5 13
11 40	24 33	20 54	7 8	18 3	16 35	8 31
11 50	27 17	22 57	8 46	19 25	18 24	11 53

LATITUDE 64 DEGREES PLACIDUS HOUSES

S.T.	10	11	12	1	2	3	S.T.	10	11	12	1	2	3
DT	*16.3*	*12.3*	*9.8*	*8.3*	*11.3*	*20.7*		*13.8*	*15.4*	*24.0*	*140.1*	*24.0*	*15.4*
DL	*0.0*	*-16.0*	*-40.3*	*-76.0*	*-146*	*-56.4*		*0.0*	*-109*	*-264*	*-0.0*	*264.0*	*109.3*
12 0	0♎ 0	25♎ 1	10♏24	20♏48	20♐16	15♒19	18 0	0♑ 0	8♑49	21♑55	0♈ 0	8♊ 5	21♊11
12 10	2 43	27 4	12 2	22 11	22 10	18 48	18 10	2 18	11 25	26 4	23 21	11 55	23 43
12 20	5 27	29 6	13 39	23 33	24 9	22 20	18 20	4 35	14 7	0♒34	11♉31	15 27	26 10
12 30	8 10	1♏ 8	15 16	24 56	26 12	25 56	18 30	6 53	16 54	5 23	24 13	18 41	28 32
12 40	10 53	3 9	16 53	26 19	28 22	29 35	18 40	9 11	19 45	10 32	3♊ 8	21 39	0♋50
12 50	13 35	5 10	18 30	27 43	0♑37	3♓16	18 50	11 30	22 42	15 59	9 41	24 25	3 4
DT	*16.1*	*12.0*	*9.7*	*8.4*	*14.9*	*22.5*		*13.9*	*18.3*	*35.1*	*27.4*	*14.9*	*13.0*
DL	*0.0*	*-24.7*	*-54.9*	*-96.5*	*-214*	*-27.6*		*0.0*	*-88.5*	*-160*	*477.8*	*214.2*	*92.5*
13 0	16♎17	7♏11	20♏ 7	29♏ 6	3♑ 2	7♓ 0	19 0	13♑49	25♑43	21♒42	14♊44	26♊58	5♋16
13 10	18 58	9 10	21 44	0♐30	5 35	10 47	19 10	16 8	28 49	27 40	18 49	29 23	7 24
13 20	21 38	11 10	23 20	1 54	8 21	14 35	19 20	18 28	1♒59	3♓51	22 15	1♋38	9 30
13 30	24 18	13 9	24 57	3 19	11 19	18 25	19 30	20 49	5 13	10 13	25 12	3 48	11 33
13 40	26 57	15 7	26 33	4 44	14 33	22 16	19 40	23 10	8 31	16 44	27 50	5 51	13 35
13 50	29 34	17 5	28 10	6 10	18 5	26 8	19 50	25 32	11 53	23 20	0♋13	7 50	15 36
DT	*15.6*	*11.7*	*9.7*	*8.7*	*24.0*	*23.2*		*14.3*	*20.7*	*40.0*	*12.7*	*11.3*	*11.9*
DL	*0.0*	*-34.9*	*-75.1*	*-125*	*-264*	*-0.0*		*0.0*	*-50.4*	*-0.0*	*255.9*	*145.6*	*66.7*
14 0	2♏11	19♏ 3	29♏47	7♐36	21♑55	0♈ 0	20 0	27♑55	15♒19	0♈ 0	2♋24	9♋44	17♋35
14 10	4 46	21 0	1♐25	9 4	26 4	3 52	20 10	0♒18	18 48	6 40	4 27	11 36	19 33
14 20	7 21	22 57	3 2	10 33	0♒34	7 44	20 20	2 43	22 20	13 16	6 22	13 25	21 31
14 30	9 54	24 54	4 40	12 3	5 23	11 35	20 30	5 9	25 56	19 47	8 12	15 11	23 28
14 40	12 27	26 50	6 19	13 35	10 32	15 25	20 40	7 35	29 35	26 9	9 57	16 56	25 25
14 50	14 58	28 46	7 59	15 8	15 59	19 13	20 50	10 3	3♓16	2♉20	11 38	18 39	27 21
DT	*14.9*	*11.6*	*10.1*	*9.7*	*35.1*	*22.5*		*14.9*	*22.5*	*35.1*	*9.7*	*10.1*	*11.6*
DL	*0.0*	*-48.0*	*-103*	*-170*	*-160*	*27.6*		*0.0*	*-27.6*	*160.4*	*170.4*	*103.3*	*48.0*
15 0	17♏28	0♐43	9♐40	16♐44	21♒42	23♈ 0	21 0	12♒32	7♓ 0	8♉18	13♋16	20♋20	29♋17
15 10	19 57	2 39	11 21	18 22	27 40	26 44	21 10	15 2	10 47	14 1	14 52	22 1	1♌14
15 20	22 25	4 35	13 4	20 3	3♓51	0♉25	21 20	17 33	14 35	19 28	16 25	23 41	3 10
15 30	24 51	6 32	14 49	21 48	10 13	4 4	21 30	20 6	18 25	24 37	17 57	25 20	5 6
15 40	27 17	8 29	16 35	23 38	16 44	7 40	21 40	22 39	22 16	29 26	19 27	26 58	7 3
15 50	29 42	10 27	18 24	25 33	23 20	11 12	21 50	25 14	26 8	3♊56	20 56	28 35	9 0
DT	*14.3*	*11.9*	*11.3*	*12.7*	*40.0*	*20.7*		*15.6*	*23.2*	*24.0*	*8.7*	*9.7*	*11.7*
DL	*0.0*	*-66.7*	*-146*	*-256*	*-0.0*	*56.4*		*0.0*	*-0.0*	*264.0*	*125.2*	*75.1*	*34.9*
16 0	2♐ 5	12♐25	20♐16	27♐36	0♈ 0	14♉41	22 0	27♒49	0♈ 0	8♊ 5	22♋24	0♌13	10♌57
16 10	4 28	14 24	22 10	29 47	6 40	18 7	22 10	0♓26	3 52	11 55	23 50	1 50	12 55
16 20	6 50	16 25	24 9	2♑10	13 16	21 29	22 20	3 3	7 44	15 27	25 16	3 27	14 53
16 30	9 11	18 27	26 12	4 48	19 47	24 47	22 30	5 42	11 35	18 41	26 41	5 3	16 51
16 40	11 32	20 30	28 22	7 45	26 9	28 1	22 40	8 22	15 25	21 39	28 6	6 40	18 50
16 50	13 52	22 36	0♑37	11 11	2♉20	1♊11	22 50	11 2	19 13	24 25	29 30	8 16	20 50
DT	*13.9*	*13.0*	*14.9*	*27.4*	*35.1*	*18.3*		*16.1*	*22.5*	*14.9*	*8.4*	*9.7*	*12.0*
DL	*0.0*	*-92.5*	*-214*	*-478*	*160.4*	*88.5*		*0.0*	*27.6*	*214.2*	*96.5*	*54.9*	*24.7*
17 0	16♐11	24♐44	3♑ 2	15♑16	8♉18	4♊17	23 0	13♓43	23♈ 0	26♊58	0♌54	9♌53	22♌49
17 10	18 30	26 56	5 35	20 19	14 1	7 18	23 10	16 25	26 44	29 23	2 17	11 30	24 50
17 20	20 49	29 10	8 21	26 52	19 28	10 15	23 20	19 7	0♉25	1♋38	3 41	13 7	26 51
17 30	23 7	1♑28	11 19	5♒47	24 37	13 6	23 30	21 50	4 4	3 48	5 4	14 44	28 52
17 40	25 25	3 50	14 33	18 29	29 26	15 53	23 40	24 33	7 40	5 51	6 27	16 21	0♍54
17 50	27 42	6 17	18 5	6♓39	3♊56	18 35	23 50	27 17	11 12	7 50	7 49	17 58	2 56

LATITUDE 65 DEGREES PLACIDUS HOUSES

S.T.	10	11	12	1	2	3	S.T.	10	11	12	1	2	3
DT	*16.3*	*21.3*	*10.4*	*8.0*	*9.6*	*12.2*		*13.8*	*11.6*	*10.0*	*8.5*	*10.0*	*11.6*
DL	*0.0*	*66.6*	*165.1*	*78.8*	*37.7*	*16.9*		*0.0*	*37.6*	*17.8*	*0.0*	*-17.8*	*-37.6*
0 0	0♈ 0	15♉38	12♋10	10♌28	20♌16	5♍15	6 0	0♋ 0	11♌32	9♍50	0♎ 0	20♎10	18♏28
0 10	2 43	19 9	13 53	11 48	21 52	7 17	6 10	2 18	13 28	11 30	1 25	21 50	20 23
0 20	5 27	22 36	15 34	13 7	23 28	9 20	6 20	4 35	15 24	13 10	2 49	23 29	22 18
0 30	8 10	25 59	17 13	14 27	25 5	11 22	6 30	6 53	17 21	14 50	4 14	25 8	24 13
0 40	10 53	29 19	18 51	15 47	26 42	13 25	6 40	9 11	19 18	16 31	5 39	26 47	26 7
0 50	13 35	2♊35	20 28	17 8	28 19	15 29	6 50	11 30	21 16	18 11	7 3	28 25	28 1
DT	*16.1*	*18.9*	*9.6*	*8.0*	*9.8*	*12.4*		*13.9*	*11.9*	*10.1*	*8.4*	*9.8*	*11.4*
DL	*0.0*	*116.5*	*109.6*	*61.9*	*27.2*	*8.3*		*0.0*	*26.4*	*8.8*	*-11.4*	*-27.2*	*-53.0*
1 0	16♈17	5♊46	22♋ 4	18♌28	29♌57	17♍33	7 0	13♋49	23♌14	19♍52	8♎28	0♏ 3	29♏55
1 10	18 58	8 52	23 39	19 49	1♍35	10 07	7 10	16 8	25 13	21 33	9 52	1 41	1♐48
1 20	21 38	11 53	25 13	21 9	3 13	21 41	7 20	18 28	27 12	23 14	11 17	3 18	3 42
1 30	24 18	14 49	26 48	22 30	4 52	23 46	7 30	20 49	29 12	24 56	12 41	4 55	5 36
1 40	26 57	17 39	28 21	23 51	6 31	25 50	7 40	23 10	1♍13	26 37	14 5	6 32	7 29
1 50	29 34	20 23	29 55	25 13	8 10	27 55	7 50	25 32	3 14	28 19	15 29	8 8	9 24
DT	*15.6*	*15.4*	*9.3*	*8.2*	*10.0*	*12.5*		*14.3*	*12.2*	*10.1*	*8.4*	*9.6*	*11.5*
DL	*0.0*	*163.8*	*72.7*	*47.6*	*17.8*	*0.0*		*0.0*	*16.9*	*0.0*	*-22.9*	*-37.7*	*-77.3*
2 0	2♉11	23♊ 0	1♌28	26♌34	9♍50	0♎ 0	8 0	27♋55	5♍15	0♎ 0	16♎53	9♏44	11♐18
2 10	4 46	25 32	3 1	27 56	11 30	2 5	8 10	0♌18	7 17	1 41	18 17	11 19	13 14
2 20	7 21	27 57	4 34	29 18	13 10	4 10	8 20	2 43	9 20	3 23	19 40	12 54	15 10
2 30	9 54	0♋16	6 7	0♍40	14 50	6 14	8 30	5 9	11 22	5 4	21 4	14 29	17 8
2 40	12 27	2 31	7 41	2 2	16 31	8 19	8 40	7 35	13 25	6 46	22 27	16 4	19 7
2 50	14 58	4 41	9 14	3 25	18 11	10 23	8 50	10 3	15 29	8 27	23 50	17 38	21 8
DT	*14.9*	*12.5*	*9.4*	*8.3*	*10.1*	*12.4*		*14.9*	*12.4*	*10.1*	*8.3*	*9.4*	*12.5*
DL	*0.0*	*120.7*	*51.2*	*34.9*	*8.8*	*-8.3*		*0.0*	*8.3*	*-8.8*	*-34.9*	*-51.2*	*-121*
3 0	17♉28	6♋48	10♌48	4♍47	19♍52	12♎27	9 0	12♌32	17♍33	10♎ 8	25♎13	19♏12	23♐12
3 10	19 57	8 52	12 22	6 10	21 33	14 31	9 10	15 2	19 37	11 49	26 35	20 46	25 19
3 20	22 25	10 53	13 56	7 33	23 14	16 35	9 20	17 33	21 41	13 29	27 58	22 19	27 29
3 30	24 51	12 52	15 31	8 56	24 56	18 38	9 30	20 6	23 46	15 10	29 20	23 53	29 44
3 40	27 17	14 50	17 6	10 20	26 37	20 40	9 40	22 39	25 50	16 50	0♏42	25 26	2♑ 3
3 50	29 42	16 46	18 41	11 43	28 19	22 43	9 50	25 14	27 55	18 30	2 4	26 59	4 28
DT	*14.3*	*11.5*	*9.6*	*8.4*	*10.1*	*12.2*		*15.6*	*12.5*	*10.0*	*8.2*	*9.3*	*15.4*
DL	*0.0*	*77.3*	*37.7*	*22.9*	*0.0*	*-16.9*		*0.0*	*0.0*	*-17.8*	*-47.6*	*-72.7*	*-164*
4 0	2♊ 5	18♋42	20♌16	13♍ 7	0♎ 0	24♎45	10 0	27♌49	0♎ 0	20♎10	3♏26	28♏32	7♑ 0
4 10	4 28	20 36	21 52	14 31	1 41	26 46	10 10	0♍26	2 5	21 50	4 47	0♐ 5	9 37
4 20	6 50	22 31	23 28	15 55	3 23	28 47	10 20	3 3	4 10	23 29	6 9	1 39	12 21
4 30	9 11	24 24	25 5	17 19	5 4	0♏48	10 30	5 42	6 14	25 8	7 30	3 12	15 11
4 40	11 32	26 18	26 42	18 43	6 46	2 48	10 40	8 22	8 19	26 47	8 51	4 47	18 7
4 50	13 52	28 12	28 19	20 8	8 27	4 47	10 50	11 2	10 23	28 25	10 11	6 21	21 8
DT	*13.9*	*11.4*	*9.8*	*8.4*	*10.1*	*11.9*		*16.1*	*12.4*	*9.8*	*8.0*	*9.6*	*18.9*
DL	*0.0*	*53.0*	*27.2*	*11.4*	*-8.8*	*-26.4*		*0.0*	*-8.3*	*-27.2*	*-61.9*	*-110*	*-117*
5 0	16♊11	0♌ 5	29♌57	21♍32	10♎ 8	6♏46	11 0	13♍43	12♎27	0♏ 3	11♏32	7♐56	24♑14
5 10	18 30	1 59	1♍35	22 57	11 49	8 44	11 10	16 25	14 31	1 41	12 52	9 32	27 25
5 20	20 49	3 53	3 13	24 21	13 29	10 42	11 20	19 7	16 35	3 18	14 13	11 9	0♒41
5 30	23 7	5 47	4 52	25 46	15 10	12 39	11 30	21 50	18 38	4 55	15 33	12 47	4 1
5 40	25 25	7 42	6 31	27 11	16 50	14 36	11 40	24 33	20 40	6 32	16 53	14 26	7 24
5 50	27 42	9 37	8 10	28 35	18 30	16 32	11 50	27 17	22 43	8 8	18 12	16 7	10 51

LATITUDE 65 DEGREES — PLACIDUS HOUSES

S.T.	10	11	12	1	2	3	S.T.	10	11	12	1	2	3
DT	*16.3*	*12.2*	*9.6*	*8.0*	*10.4*	*21.3*		*13.8*	*15.4*	*24.4*	*206.7*	*24.4*	*15.4*
DL	*0.0*	*-16.9*	*-37.7*	*-78.8*	*-165*	*-66.6*		*0.0*	*-164*	*-404*	*-0.0*	*404.1*	*163.8*
12 0	0♎ 0	24♎45	9♏44	19♏32	17♐50	14♒22	18 0	0♑ 0	7♑ 0	17♑31	0♈ 0	12♊29	23♊ 0
12 10	2 43	26 46	11 19	20 52	19 35	17 56	18 10	2 18	9 37	21 47	4♉27	16 20	25 32
12 20	5 27	28 47	12 54	22 11	21 24	21 34	18 20	4 35	12 21	26 29	25 2	19 47	27 57
12 30	8 10	0♏48	14 29	23 31	23 16	25 14	18 30	6 53	15 11	1♒36	6♊33	22 52	0♋16
12 40	10 53	2 48	16 4	24 50	25 13	28 58	18 40	9 11	18 7	7 5	13 47	25 40	2 31
12 50	13 35	4 47	17 38	26 10	27 17	2♓44	18 50	11 30	21 8	12 54	18 50	28 12	4 41
DT	*16.1*	*11.9*	*9.4*	*8.0*	*13.6*	*23.0*		*13.9*	*18.9*	*37.5*	*20.9*	*13.6*	*12.5*
DL	*0.0*	*-26.4*	*-51.2*	*-100*	*-271*	*-31.3*		*0.0*	*-117*	*-208*	*534.0*	*270.7*	*120.7*
13 0	16♎17	6♏46	19♏12	27♏29	29♐27	6♓33	19 0	13♑49	24♑14	19♒ 1	22♊42	0♋33	6♋48
13 10	18 58	8 44	20 46	28 49	1♑48	10 24	19 10	16 8	27 25	25 25	25 49	2 43	8 52
13 20	21 38	10 42	22 19	0♐ 9	4 20	14 17	19 20	18 28	0♒41	2♓ 2	28 28	4 47	10 53
13 30	24 18	12 39	23 53	1 29	7 8	18 11	19 30	20 49	4 1	8 51	0♋48	6 44	12 52
13 40	26 57	14 36	25 26	2 49	10 13	22 7	19 40	23 10	7 24	15 49	2 55	8 36	14 50
13 50	29 34	16 32	26 59	4 10	13 40	26 3	19 50	25 32	10 51	22 53	4 51	10 25	16 46
DT	*15.6*	*11.6*	*9.3*	*8.1*	*24.4*	*23.7*		*14.3*	*21.3*	*42.7*	*10.6*	*10.4*	*11.5*
DL	*0.0*	*-37.6*	*-72.7*	*-130*	*-404*	*-0.0*		*0.0*	*-80.0*	*-0.0*	*270.8*	*165.1*	*77.3*
14 0	2♏11	18♏28	28♏32	5♐31	17♑31	0♈ 0	20 0	27♑55	14♒22	0♈ 0	6♋40	12♋10	18♋42
14 10	4 46	20 23	0♐ 5	6 53	21 47	3 57	20 10	0♒18	17 56	7 7	8 23	13 53	20 36
14 20	7 21	22 18	1 39	8 15	26 29	7 53	20 20	2 43	21 34	14 11	10 2	15 34	22 31
14 30	9 54	24 13	3 12	9 38	1♒36	11 49	20 30	5 9	25 14	21 9	11 37	17 13	24 24
14 40	12 27	26 7	4 47	11 2	7 5	15 43	20 40	7 35	28 58	27 58	13 9	18 51	26 18
14 50	14 58	28 1	6 21	12 27	12 54	19 36	20 50	10 3	2♓44	4♉35	14 39	20 28	28 12
DT	*14.9*	*11.4*	*9.6*	*8.7*	*37.5*	*23.0*		*14.9*	*23.0*	*37.5*	*8.7*	*9.6*	*11.4*
DL	*0.0*	*-53.0*	*-110*	*-178*	*-208*	*31.3*		*0.0*	*-31.3*	*208.5*	*178.3*	*109.6*	*53.0*
15 0	17♏28	29♏55	7♐56	13♐53	19♒ 1	23♈27	21 0	12♒32	6♓33	10♉59	16♋ 7	22♋ 4	0♌ 5
15 10	19 57	1♐48	9 32	15 21	25 25	27 16	21 10	15 2	10 24	17 6	17 33	23 39	1 59
15 20	22 25	3 42	11 9	16 51	2♓ 2	1♉ 2	21 20	17 33	14 17	22 55	18 58	25 13	3 53
15 30	24 51	5 36	12 47	18 23	8 51	4 46	21 30	20 6	18 11	28 24	20 22	26 48	5 47
15 40	27 17	7 29	14 26	19 58	15 49	8 26	21 40	22 39	22 7	3♊31	21 45	28 21	7 42
15 50	29 42	9 24	16 7	21 37	22 53	12 4	21 50	25 14	26 3	8 13	23 7	29 55	9 37
DT	*14.3*	*11.5*	*10.4*	*10.6*	*42.7*	*21.3*		*15.6*	*23.7*	*24.4*	*8.1*	*9.3*	*11.6*
DL	*0.0*	*-77.3*	*-165*	*-271*	*-0.0*	*66.6*		*0.0*	*-0.0*	*404.1*	*130.4*	*72.7*	*37.6*
16 0	2♐ 5	11♐18	17♐50	23♐20	0♈ 0	15♉38	22 0	27♒49	0♈ 0	12♊29	24♋29	1♌28	11♌32
16 10	4 28	13 14	19 35	25 9	7 7	19 9	22 10	0♓26	3 57	16 20	25 50	3 1	13 28
16 20	6 50	15 10	21 24	27 5	14 11	22 36	22 20	3 3	7 53	19 47	27 11	4 34	15 24
16 30	9 11	17 8	23 16	29 12	21 9	25 59	22 30	5 42	11 49	22 52	28 31	6 7	17 21
16 40	11 32	19 7	25 13	1♑32	27 58	29 19	22 40	8 22	15 43	25 40	29 51	7 41	19 18
16 50	13 52	21 8	27 17	4 11	4♉35	2♊35	22 50	11 2	19 36	28 12	1♌11	9 14	21 16
DT	*13.9*	*12.5*	*13.6*	*20.9*	*37.5*	*18.9*		*16.1*	*23.0*	*13.6*	*8.0*	*9.4*	*11.9*
DL	*0.0*	*-121*	*-271*	*-534*	*208.5*	*116.5*		*0.0*	*31.3*	*270.7*	*100.3*	*51.2*	*26.4*
17 0	16♐11	23♐12	29♐27	7♑18	10♉59	5♊46	23 0	13♓43	23♈27	0♋33	2♌31	10♌48	23♌14
17 10	18 30	25 19	1♑48	11 10	17 6	8 52	23 10	16 25	27 16	2 43	3 50	12 22	25 13
17 20	20 49	27 29	4 20	16 13	22 55	11 53	23 20	19 7	1♉ 2	4 47	5 10	13 56	27 12
17 30	23 7	29 44	7 8	23 27	28 24	14 49	23 30	21 50	4 46	6 44	6 29	15 31	29 12
17 40	25 25	2♑ 3	10 13	4♒58	3♊31	17 39	23 40	24 33	8 26	8 36	7 49	17 6	1♍13
17 50	27 42	4 28	13 40	25 33	8 13	20 23	23 50	27 17	12 4	10 25	9 8	18 41	3 14

How to Use Sidereal Time Tables

Sidereal time almost repeats itself every fours years providing that the four year period contains a leap year. There is a difference of about 7.3 seconds of sidereal time between the sidereal time at one date and the sidereal time for the same date four years later. If we have tables for four consecutive years the sidereal time for the dates 3/1/1900 to 2/28/2100 can be determined by adding a small correction to the table entry.

2000	2001	2002	2003	
1940	1941	1942	1943	-109 sec.
1944	1945	1946	1947	-102
1948	1949	1950	1951	-95
1952	1953	1954	1955	-87
1956	1957	1958	1959	-80
1960	1961	1962	1963	-73
1964	1965	1966	1967	-66
1968	1969	1970	1971	-58
1972	1973	1974	1975	-51
1976	1977	1978	1979	-44
1980	1981	1982	1983	-36
1984	1985	1986	1987	-29
1988	1989	1990	1991	-22
1992	1993	1994	1995	-15
1996	1997	1998	1999	-7
2000	2001	2002	2003	0
2004	2005	2006	2007	7
2008	2009	2010	2011	15
2012	2013	2014	2015	22
2016	2017	2018	2019	29
2020	2021	2022	2023	36
2024	2025	2026	2027	44
2028	2029	2030	2031	51
2032	2033	2034	2035	58
2036	2037	2038	2039	66
2040	2041	2042	2043	73

SIDEREAL TIME　　　　2000

DATE	H	M	S	DATE	H	M	S	DATE	H	M	S	DATE	H	M	S	DATE	H	M	S	DATE	H	M	S
1 1	6	39	51	3 1	10	36	25	5 1	14	36	55	7 1	18	37	24	9 1	22	41	51	11 1	2	42	21
1 2	6	43	48	3 2	10	40	21	5 2	14	40	51	7 2	18	41	21	9 2	22	45	47	11 2	2	46	17
1 3	6	47	44	3 3	10	44	18	5 3	14	44	48	7 3	18	45	18	9 3	22	49	44	11 3	2	50	14
1 4	6	51	41	3 4	10	48	14	5 4	14	48	44	7 4	18	49	14	9 4	22	53	41	11 4	2	54	10
1 5	6	55	38	3 5	10	52	11	5 5	14	52	41	7 5	18	53	11	9 5	22	57	37	11 5	2	58	7
1 6	6	59	34	3 6	10	56	7	5 6	14	56	37	7 6	18	57	7	9 6	23	1	34	11 6	3	2	3
1 7	7	3	31	3 7	11	0	4	5 7	15	0	34	7 7	19	1	4	9 7	23	5	30	11 7	3	6	0
1 8	7	7	27	3 8	11	4	1	5 8	15	4	30	7 8	19	5	0	9 8	23	9	27	11 8	3	9	57
1 9	7	11	24	3 9	11	7	57	5 9	15	8	27	7 9	19	8	57	9 9	23	13	23	11 9	3	13	53
1 10	7	15	20	3 10	11	11	54	5 10	15	12	24	7 10	19	12	53	9 10	23	17	20	11 10	3	17	50
1 11	7	19	17	3 11	11	15	50	5 11	15	16	20	7 11	19	16	50	9 11	23	21	16	11 11	3	21	46
1 12	7	23	13	3 12	11	19	47	5 12	15	20	17	7 12	19	20	47	9 12	23	25	13	11 12	3	25	43
1 13	7	27	10	3 13	11	23	43	5 13	15	24	13	7 13	19	24	43	9 13	23	29	10	11 13	3	29	39
1 14	7	31	7	3 14	11	27	40	5 14	15	28	10	7 14	19	28	40	9 14	23	33	6	11 14	3	33	36
1 15	7	35	3	3 15	11	31	36	5 15	15	32	6	7 15	19	32	36	9 15	23	37	3	11 15	3	37	32
1 16	7	39	0	3 16	11	35	33	5 16	15	36	3	7 16	19	36	33	9 16	23	40	59	11 16	3	41	29
1 17	7	42	56	3 17	11	39	30	5 17	15	39	59	7 17	19	40	29	9 17	23	44	56	11 17	3	45	26
1 18	7	46	53	3 18	11	43	26	5 18	15	43	56	7 18	19	44	26	9 18	23	48	52	11 18	3	49	22
1 19	7	50	49	3 19	11	47	23	5 19	15	47	53	7 19	19	48	22	9 19	23	52	49	11 19	3	53	19
1 20	7	54	46	3 20	11	51	19	5 20	15	51	49	7 20	19	52	19	9 20	23	56	45	11 20	3	57	15
1 21	7	58	42	3 21	11	55	16	5 21	15	55	46	7 21	19	56	16	9 21	0	0	42	11 21	4	1	12
1 22	8	2	39	3 22	11	59	12	5 22	15	59	42	7 22	20	0	12	9 22	0	4	39	11 22	4	5	8
1 23	8	6	36	3 23	12	3	9	5 23	16	3	39	7 23	20	4	9	9 23	0	8	35	11 23	4	9	5
1 24	8	10	32	3 24	12	7	5	5 24	16	7	35	7 24	20	8	5	9 24	0	12	32	11 24	4	13	1
1 25	8	14	29	3 25	12	11	2	5 25	16	11	32	7 25	20	12	2	9 25	0	16	28	11 25	4	16	58
1 26	8	18	25	3 26	12	14	59	5 26	16	15	28	7 26	20	15	58	9 26	0	20	25	11 26	4	20	55
1 27	8	22	22	3 27	12	18	55	5 27	16	19	25	7 27	20	19	55	9 27	0	24	21	11 27	4	24	51
1 28	8	26	18	3 28	12	22	52	5 28	16	23	22	7 28	20	23	51	9 28	0	28	18	11 28	4	28	48
1 29	8	30	15	3 29	12	26	48	5 29	16	27	18	7 29	20	27	48	9 29	0	32	14	11 29	4	32	44
1 30	8	34	11	3 30	12	30	45	5 30	16	31	15	7 30	20	31	45	9 30	0	36	11	11 30	4	36	41
1 31	8	38	8	3 31	12	34	41	5 31	16	35	11	7 31	20	35	41								
2 1	8	42	5	4 1	12	38	38	6 1	16	39	8	8 1	20	39	38	10 1	0	40	8	12 1	4	40	37
2 2	8	46	1	4 2	12	42	34	6 2	16	43	4	8 2	20	43	34	10 2	0	44	4	12 2	4	44	34
2 3	8	49	58	4 3	12	46	31	6 3	16	47	1	8 3	20	47	31	10 3	0	48	1	12 3	4	48	30
2 4	8	53	54	4 4	12	50	28	6 4	16	50	57	8 4	20	51	27	10 4	0	51	57	12 4	4	52	27
2 5	8	57	51	4 5	12	54	24	6 5	16	54	54	8 5	20	55	24	10 5	0	55	54	12 5	4	56	24
2 6	9	1	47	4 6	12	58	21	6 6	16	58	51	8 6	20	59	20	10 6	0	59	50	12 6	5	0	20
2 7	9	5	44	4 7	13	2	17	6 7	17	2	47	8 7	21	3	17	10 7	1	3	47	12 7	5	4	17
2 8	9	9	40	4 8	13	6	14	6 8	17	6	44	8 8	21	7	14	10 8	1	7	43	12 8	5	8	13
2 9	9	13	37	4 9	13	10	10	6 9	17	10	40	8 9	21	11	10	10 9	1	11	40	12 9	5	12	10
2 10	9	17	34	4 10	13	14	7	6 10	17	14	37	8 10	21	15	7	10 10	1	15	37	12 10	5	16	6
2 11	9	21	30	4 11	13	18	3	6 11	17	18	33	8 11	21	19	3	10 11	1	19	33	12 11	5	20	3
2 12	9	25	27	4 12	13	22	0	6 12	17	22	30	8 12	21	23	0	10 12	1	23	30	12 12	5	23	59
2 13	9	29	23	4 13	13	25	57	6 13	17	26	26	8 13	21	26	56	10 13	1	27	26	12 13	5	27	56
2 14	9	33	20	4 14	13	29	53	6 14	17	30	23	8 14	21	30	53	10 14	1	31	23	12 14	5	31	53
2 15	9	37	16	4 15	13	33	50	6 15	17	34	20	8 15	21	34	49	10 15	1	35	19	12 15	5	35	49
2 16	9	41	13	4 16	13	37	46	6 16	17	38	16	8 16	21	38	46	10 16	1	39	16	12 16	5	39	46
2 17	9	45	9	4 17	13	41	43	6 17	17	42	13	8 17	21	42	43	10 17	1	43	12	12 17	5	43	42
2 18	9	49	6	4 18	13	45	39	6 18	17	46	9	8 18	21	46	39	10 18	1	47	9	12 18	5	47	39
2 19	9	53	3	4 19	13	49	36	6 19	17	50	6	8 19	21	50	36	10 19	1	51	6	12 19	5	51	35
2 20	9	56	59	4 20	13	53	32	6 20	17	54	2	8 20	21	54	32	10 20	1	55	2	12 20	5	55	32
2 21	10	0	56	4 21	13	57	29	6 21	17	57	59	8 21	21	58	29	10 21	1	58	59	12 21	5	59	28
2 22	10	4	52	4 22	14	1	26	6 22	18	1	55	8 22	22	2	25	10 22	2	2	55	12 22	6	3	25
2 23	10	8	49	4 23	14	5	22	6 23	18	5	52	8 23	22	6	22	10 23	2	6	52	12 23	6	7	22
2 24	10	12	45	4 24	14	9	19	6 24	18	9	49	8 24	22	10	18	10 24	2	10	48	12 24	6	11	18
2 25	10	16	42	4 25	14	13	15	6 25	18	13	45	8 25	22	14	15	10 25	2	14	45	12 25	6	15	15
2 26	10	20	38	4 26	14	17	12	6 26	18	17	42	8 26	22	18	12	10 26	2	18	41	12 26	6	19	11
2 27	10	24	35	4 27	14	21	8	6 27	18	21	38	8 27	22	22	8	10 27	2	22	38	12 27	6	23	8
2 28	10	28	32	4 28	14	25	5	6 28	18	25	35	8 28	22	26	5	10 28	2	26	35	12 28	6	27	4
2 29	10	32	28	4 29	14	29	1	6 29	18	29	31	8 29	22	30	1	10 29	2	30	31	12 29	6	31	1
				4 30	14	32	58	6 30	18	33	28	8 30	22	33	58	10 30	2	34	28	12 30	6	34	57
												8 31	22	37	54	10 31	2	38	24	12 31	6	38	54

SIDEREAL TIME 2001

DATE	H	M	S	DATE	H	M	S
1 1	6	42	51	3 1	10	35	27
1 2	6	46	47	3 2	10	39	24
1 3	6	50	44	3 3	10	43	20
1 4	6	54	40	3 4	10	47	17
1 5	6	58	37	3 5	10	51	14
1 6	7	2	33	3 6	10	55	10
1 7	7	6	30	3 7	10	59	7
1 8	7	10	26	3 8	11	3	3
1 9	7	14	23	3 9	11	7	0
1 10	7	18	20	3 10	11	10	56
1 11	7	22	16	3 11	11	14	53
1 12	7	26	13	3 12	11	18	49
1 13	7	30	9	3 13	11	22	46
1 14	7	34	6	3 14	11	26	43
1 15	7	38	2	3 15	11	30	39
1 16	7	41	59	3 16	11	34	36
1 17	7	45	55	3 17	11	38	32
1 18	7	49	52	3 18	11	42	29
1 19	7	53	49	3 19	11	46	25
1 20	7	57	45	3 20	11	50	22
1 21	8	1	42	3 21	11	54	18
1 22	8	5	38	3 22	11	58	15
1 23	8	9	35	3 23	12	2	12
1 24	8	13	31	3 24	12	6	8
1 25	8	17	28	3 25	12	10	5
1 26	8	21	24	3 26	12	14	1
1 27	8	25	21	3 27	12	17	58
1 28	8	29	18	3 28	12	21	54
1 29	8	33	14	3 29	12	25	51
1 30	8	37	11	3 30	12	29	47
1 31	8	41	7	3 31	12	33	44
2 1	8	45	4	4 1	12	37	41
2 2	8	49	0	4 2	12	41	37
2 3	8	52	57	4 3	12	45	34
2 4	8	56	53	4 4	12	49	30
2 5	9	0	50	4 5	12	53	27
2 6	9	4	47	4 6	12	57	23
2 7	9	8	43	4 7	13	1	20
2 8	9	12	40	4 8	13	5	16
2 9	9	16	36	4 9	13	9	13
2 10	9	20	33	4 10	13	13	10
2 11	9	24	29	4 11	13	17	6
2 12	9	28	26	4 12	13	21	3
2 13	9	32	22	4 13	13	24	59
2 14	9	36	19	4 14	13	28	56
2 15	9	40	16	4 15	13	32	52
2 16	9	44	12	4 16	13	36	49
2 17	9	48	9	4 17	13	40	45
2 18	9	52	5	4 18	13	44	42
2 19	9	56	2	4 19	13	48	39
2 20	9	59	58	4 20	13	52	35
2 21	10	3	55	4 21	13	56	32
2 22	10	7	51	4 22	14	0	28
2 23	10	11	48	4 23	14	4	25
2 24	10	15	45	4 24	14	8	21
2 25	10	19	41	4 25	14	12	18
2 26	10	23	38	4 26	14	16	14
2 27	10	27	34	4 27	14	20	11
2 28	10	31	31	4 28	14	24	8
				4 29	14	28	4
				4 30	14	32	1

DATE	H	M	S	DATE	H	M	S
5 1	14	35	57	7 1	18	36	27
5 2	14	39	54	7 2	18	40	24
5 3	14	43	50	7 3	18	44	20
5 4	14	47	47	7 4	18	48	17
5 5	14	51	43	7 5	18	52	13
5 6	14	55	40	7 6	18	56	10
5 7	14	59	37	7 7	19	0	6
5 8	15	3	33	7 8	19	4	3
5 9	15	7	30	7 9	19	8	0
5 10	15	11	26	7 10	19	11	56
5 11	15	15	23	7 11	19	15	53
5 12	15	19	19	7 12	19	19	49
5 13	15	23	16	7 13	19	23	46
5 14	15	27	12	7 14	19	27	42
5 15	15	31	9	7 15	19	31	39
5 16	15	35	6	7 16	19	35	35
5 17	15	39	2	7 17	19	39	32
5 18	15	42	59	7 18	19	43	29
5 19	15	46	55	7 19	19	47	25
5 20	15	50	52	7 20	19	51	22
5 21	15	54	48	7 21	19	55	18
5 22	15	58	45	7 22	19	59	15
5 23	16	2	41	7 23	20	3	11
5 24	16	6	38	7 24	20	7	8
5 25	16	10	35	7 25	20	11	4
5 26	16	14	31	7 26	20	15	1
5 27	16	18	28	7 27	20	18	58
5 28	16	22	24	7 28	20	22	54
5 29	16	26	21	7 29	20	26	51
5 30	16	30	17	7 30	20	30	47
5 31	16	34	14	7 31	20	34	44
6 1	16	38	10	8 1	20	38	40
6 2	16	42	7	8 2	20	42	37
6 3	16	46	4	8 3	20	46	33
6 4	16	50	0	8 4	20	50	30
6 5	16	53	57	8 5	20	54	27
6 6	16	57	53	8 6	20	58	23
6 7	17	1	50	8 7	21	2	20
6 8	17	5	46	8 8	21	6	16
6 9	17	9	43	8 9	21	10	13
6 10	17	13	39	8 10	21	14	9
6 11	17	17	36	8 11	21	18	6
6 12	17	21	33	8 12	21	22	2
6 13	17	25	29	8 13	21	25	59
6 14	17	29	26	8 14	21	29	56
6 15	17	33	22	8 15	21	33	52
6 16	17	37	19	8 16	21	37	49
6 17	17	41	15	8 17	21	41	45
6 18	17	45	12	8 18	21	45	42
6 19	17	49	8	8 19	21	49	38
6 20	17	53	5	8 20	21	53	35
6 21	17	57	2	8 21	21	57	31
6 22	18	0	58	8 22	22	1	28
6 23	18	4	55	8 23	22	5	25
6 24	18	8	51	8 24	22	9	21
6 25	18	12	48	8 25	22	13	18
6 26	18	16	44	8 26	22	17	14
6 27	18	20	41	8 27	22	21	11
6 28	18	24	37	8 28	22	25	7
6 29	18	28	34	8 29	22	29	4
6 30	18	32	31	8 30	22	33	0
				8 31	22	36	57

DATE	H	M	S	DATE	H	M	S
9 1	22	40	54	11 1	2	41	23
9 2	22	44	50	11 2	2	45	20
9 3	22	48	47	11 3	2	49	17
9 4	22	52	43	11 4	2	53	13
9 5	22	56	40	11 5	2	57	10
9 6	23	0	36	11 6	3	1	6
9 7	23	4	33	11 7	3	5	3
9 8	23	8	29	11 8	3	8	59
9 9	23	12	26	11 9	3	12	56
9 10	23	16	23	11 10	3	16	52
9 11	23	20	19	11 11	3	20	49
9 12	23	24	16	11 12	3	24	46
9 13	23	28	12	11 13	3	28	42
9 14	23	32	9	11 14	3	32	39
9 15	23	36	5	11 15	3	36	35
9 16	23	40	2	11 16	3	40	32
9 17	23	43	58	11 17	3	44	28
9 18	23	47	55	11 18	3	48	25
9 19	23	51	52	11 19	3	52	21
9 20	23	55	48	11 20	3	56	18
9 21	23	59	45	11 21	4	0	15
9 22	0	3	41	11 22	4	4	11
9 23	0	7	38	11 23	4	8	8
9 24	0	11	34	11 24	4	12	4
9 25	0	15	31	11 25	4	16	1
9 26	0	19	27	11 26	4	19	57
9 27	0	23	24	11 27	4	23	54
9 28	0	27	21	11 28	4	27	50
9 29	0	31	17	11 29	4	31	47
9 30	0	35	14	11 30	4	35	44
10 1	0	39	10	12 1	4	39	40
10 2	0	43	7	12 2	4	43	37
10 3	0	47	3	12 3	4	47	33
10 4	0	51	0	12 4	4	51	30
10 5	0	54	56	12 5	4	55	26
10 6	0	58	53	12 6	4	59	23
10 7	1	2	50	12 7	5	3	19
10 8	1	6	46	12 8	5	7	16
10 9	1	10	43	12 9	5	11	13
10 10	1	14	39	12 10	5	15	9
10 11	1	18	36	12 11	5	19	6
10 12	1	22	32	12 12	5	23	2
10 13	1	26	29	12 13	5	26	59
10 14	1	30	25	12 14	5	30	55
10 15	1	34	22	12 15	5	34	52
10 16	1	38	19	12 16	5	38	48
10 17	1	42	15	12 17	5	42	45
10 18	1	46	12	12 18	5	46	42
10 19	1	50	8	12 19	5	50	38
10 20	1	54	5	12 20	5	54	35
10 21	1	58	1	12 21	5	58	31
10 22	2	1	58	12 22	6	2	28
10 23	2	5	54	12 23	6	6	24
10 24	2	9	51	12 24	6	10	21
10 25	2	13	48	12 25	6	14	17
10 26	2	17	44	12 26	6	18	14
10 27	2	21	41	12 27	6	22	11
10 28	2	25	37	12 28	6	26	7
10 29	2	29	34	12 29	6	30	4
10 30	2	33	30	12 30	6	34	0
10 31	2	37	27	12 31	6	37	57

SIDEREAL TIME 2002

DATE	H	M	S	DATE	H	M	S	DATE	H	M	S	DATE	H	M	S	DATE	H	M	S	DATE	H	M	S
1 1	6	41	53	3 1	10	34	30	5 1	14	35	0	7 1	18	35	30	9 1	22	39	56	11 1	2	40	26
1 2	6	45	50	3 2	10	38	27	5 2	14	38	56	7 2	18	39	26	9 2	22	43	53	11 2	2	44	23
1 3	6	49	46	3 3	10	42	23	5 3	14	42	53	7 3	18	43	23	9 3	22	47	49	11 3	2	48	19
1 4	6	53	43	3 4	10	46	20	5 4	14	46	50	7 4	18	47	19	9 4	22	51	46	11 4	2	52	16
1 5	6	57	40	3 5	10	50	16	5 5	14	50	46	7 5	18	51	16	9 5	22	55	42	11 5	2	56	12
1 6	7	1	36	3 6	10	54	13	5 6	14	54	43	7 6	18	55	13	9 6	22	59	39	11 6	3	0	9
1 7	7	5	33	3 7	10	58	9	5 7	14	58	39	7 7	18	59	9	9 7	23	3	36	11 7	3	4	5
1 8	7	9	29	3 8	11	2	6	5 8	15	2	36	7 8	19	3	6	9 8	23	7	32	11 8	3	8	2
1 9	7	13	26	3 9	11	6	3	5 9	15	6	32	7 9	19	7	2	9 9	23	11	29	11 9	3	11	59
1 10	7	17	22	3 10	11	9	59	5 10	15	10	29	7 10	19	10	59	9 10	23	15	25	11 10	3	15	55
1 11	7	21	19	3 11	11	13	56	5 11	15	14	25	7 11	19	14	55	9 11	23	19	22	11 11	3	19	52
1 12	7	25	15	3 12	11	17	52	5 12	15	18	22	7 12	19	18	52	9 12	23	23	18	11 12	3	23	48
1 13	7	29	12	3 13	11	21	49	5 13	15	22	19	7 13	19	22	48	9 13	23	27	15	11 13	3	27	45
1 14	7	33	9	3 14	11	25	45	5 14	15	26	15	7 14	19	26	45	9 14	23	31	11	11 14	3	31	41
1 15	7	37	5	3 15	11	29	42	5 15	15	30	12	7 15	19	30	42	9 15	23	35	8	11 15	3	35	38
1 16	7	41	2	3 16	11	33	38	5 16	15	34	8	7 16	19	34	38	9 16	23	39	5	11 16	3	39	34
1 17	7	44	58	3 17	11	37	35	5 17	15	38	5	7 17	19	38	35	9 17	23	43	1	11 17	3	43	31
1 18	7	48	55	3 18	11	41	32	5 18	15	42	1	7 18	19	42	31	9 18	23	46	58	11 18	3	47	28
1 19	7	52	51	3 19	11	45	28	5 19	15	45	58	7 19	19	46	28	9 19	23	50	54	11 19	3	51	24
1 20	7	56	48	3 20	11	49	25	5 20	15	49	54	7 20	19	50	24	9 20	23	54	51	11 20	3	55	21
1 21	8	0	44	3 21	11	53	21	5 21	15	53	51	7 21	19	54	21	9 21	23	58	47	11 21	3	59	17
1 22	8	4	41	3 22	11	57	18	5 22	15	57	48	7 22	19	58	17	9 22	0	2	44	11 22	4	3	14
1 23	8	8	38	3 23	12	1	14	5 23	16	1	44	7 23	20	2	14	9 23	0	6	40	11 23	4	7	10
1 24	8	12	34	3 24	12	5	11	5 24	16	5	41	7 24	20	6	11	9 24	0	10	37	11 24	4	11	7
1 25	8	16	31	3 25	12	9	7	5 25	16	9	37	7 25	20	10	7	9 25	0	14	34	11 25	4	15	3
1 26	8	20	27	3 26	12	13	4	5 26	16	13	34	7 26	20	14	4	9 26	0	18	30	11 26	4	19	0
1 27	8	24	24	3 27	12	17	1	5 27	16	17	30	7 27	20	18	0	9 27	0	22	27	11 27	4	22	57
1 28	8	28	20	3 28	12	20	57	5 28	16	21	27	7 28	20	21	57	9 28	0	26	23	11 28	4	26	53
1 29	8	32	17	3 29	12	24	54	5 29	16	25	23	7 29	20	25	53	9 29	0	30	20	11 29	4	30	50
1 30	8	36	13	3 30	12	28	50	5 30	16	29	20	7 30	20	29	50	9 30	0	34	16	11 30	4	34	46
1 31	8	40	10	3 31	12	32	47	5 31	16	33	17	7 31	20	33	46								
2 1	8	44	7	4 1	12	36	43	6 1	16	37	13	8 1	20	37	43	10 1	0	38	13	12 1	4	38	43
2 2	8	48	3	4 2	12	40	40	6 2	16	41	10	8 2	20	41	40	10 2	0	42	9	12 2	4	42	39
2 3	8	52	0	4 3	12	44	36	6 3	16	45	6	8 3	20	45	36	10 3	0	46	6	12 3	4	46	36
2 4	8	55	56	4 4	12	48	33	6 4	16	49	3	8 4	20	49	33	10 4	0	50	3	12 4	4	50	32
2 5	8	59	53	4 5	12	52	30	6 5	16	52	59	8 5	20	53	29	10 5	0	53	59	12 5	4	54	29
2 6	9	3	49	4 6	12	56	26	6 6	16	56	56	8 6	20	57	26	10 6	0	57	56	12 6	4	58	26
2 7	9	7	46	4 7	13	0	23	6 7	17	0	52	8 7	21	1	22	10 7	1	1	52	12 7	5	2	22
2 8	9	11	42	4 8	13	4	19	6 8	17	4	49	8 8	21	5	19	10 8	1	5	49	12 8	5	6	19
2 9	9	15	39	4 9	13	8	16	6 9	17	8	46	8 9	21	9	15	10 9	1	9	45	12 9	5	10	15
2 10	9	19	36	4 10	13	12	12	6 10	17	12	42	8 10	21	13	12	10 10	1	13	42	12 10	5	14	12
2 11	9	23	32	4 11	13	16	9	6 11	17	16	39	8 11	21	17	9	10 11	1	17	38	12 11	5	18	8
2 12	9	27	29	4 12	13	20	5	6 12	17	20	35	8 12	21	21	5	10 12	1	21	35	12 12	5	22	5
2 13	9	31	25	4 13	13	24	2	6 13	17	24	32	8 13	21	25	2	10 13	1	25	32	12 13	5	26	1
2 14	9	35	22	4 14	13	27	59	6 14	17	28	28	8 14	21	28	58	10 14	1	29	28	12 14	5	29	58
2 15	9	39	18	4 15	13	31	55	6 15	17	32	25	8 15	21	32	55	10 15	1	33	25	12 15	5	33	55
2 16	9	43	15	4 16	13	35	52	6 16	17	36	21	8 16	21	36	51	10 16	1	37	21	12 16	5	37	51
2 17	9	47	11	4 17	13	39	48	6 17	17	40	18	8 17	21	40	48	10 17	1	41	18	12 17	5	41	48
2 18	9	51	8	4 18	13	43	45	6 18	17	44	15	8 18	21	44	44	10 18	1	45	14	12 18	5	45	44
2 19	9	55	5	4 19	13	47	41	6 19	17	48	11	8 19	21	48	41	10 19	1	49	11	12 19	5	49	41
2 20	9	59	1	4 20	13	51	38	6 20	17	52	8	8 20	21	52	38	10 20	1	53	7	12 20	5	53	37
2 21	10	2	58	4 21	13	55	34	6 21	17	56	4	8 21	21	56	34	10 21	1	57	4	12 21	5	57	34
2 22	10	6	54	4 22	13	59	31	6 22	18	0	1	8 22	22	0	31	10 22	2	1	1	12 22	6	1	30
2 23	10	10	51	4 23	14	3	28	6 23	18	3	57	8 23	22	4	27	10 23	2	4	57	12 23	6	5	27
2 24	10	14	47	4 24	14	7	24	6 24	18	7	54	8 24	22	8	24	10 24	2	8	54	12 24	6	9	24
2 25	10	18	44	4 25	14	11	21	6 25	18	11	50	8 25	22	12	20	10 25	2	12	50	12 25	6	13	20
2 26	10	22	40	4 26	14	15	17	6 26	18	15	47	8 26	22	16	17	10 26	2	16	47	12 26	6	17	17
2 27	10	26	37	4 27	14	19	14	6 27	18	19	44	8 27	22	20	13	10 27	2	20	43	12 27	6	21	13
2 28	10	30	34	4 28	14	23	10	6 28	18	23	40	8 28	22	24	10	10 28	2	24	40	12 28	6	25	10
				4 29	14	27	7	6 29	18	27	37	8 29	22	28	7	10 29	2	28	36	12 29	6	29	6
				4 30	14	31	3	6 30	18	31	33	8 30	22	32	3	10 30	2	32	33	12 30	6	33	3
												8 31	22	36	0	10 31	2	36	30	12 31	6	36	59

SIDEREAL TIME 2003

DATE	H	M	S	DATE	H	M	S	DATE	H	M	S	DATE	H	M	S	DATE	H	M	S	DATE	H	M	S
1 1	6	40	56	3 1	10	33	33	5 1	14	34	3	7 1	18	34	33	9 1	22	38	59	11 1	2	39	29
1 2	6	44	53	3 2	10	37	29	5 2	14	37	59	7 2	18	38	29	9 2	22	42	56	11 2	2	43	25
1 3	6	48	49	3 3	10	41	26	5 3	14	41	56	7 3	18	42	26	9 3	22	46	52	11 3	2	47	22
1 4	6	52	46	3 4	10	45	22	5 4	14	45	52	7 4	18	46	22	9 4	22	50	49	11 4	2	51	18
1 5	6	56	42	3 5	10	49	19	5 5	14	49	49	7 5	18	50	19	9 5	22	54	45	11 5	2	55	15
1 6	7	0	39	3 6	10	53	16	5 6	14	53	45	7 6	18	54	15	9 6	22	58	42	11 6	2	59	12
1 7	7	4	35	3 7	10	57	12	5 7	14	57	42	7 7	18	58	12	9 7	23	2	38	11 7	3	3	8
1 8	7	8	32	3 8	11	1	9	5 8	15	1	39	7 8	19	2	8	9 8	23	6	35	11 8	3	7	5
1 9	7	12	28	3 9	11	5	5	5 9	15	5	35	7 9	19	6	5	9 9	23	10	31	11 9	3	11	1
1 10	7	16	25	3 10	11	9	2	5 10	15	9	32	7 10	19	10	2	9 10	23	14	28	11 10	3	14	58
1 11	7	20	22	3 11	11	12	58	5 11	15	13	28	7 11	19	13	58	9 11	23	18	25	11 11	3	18	54
1 12	7	24	18	3 12	11	16	55	5 12	15	17	25	7 12	19	17	55	9 12	23	22	21	11 12	3	22	51
1 13	7	28	15	3 13	11	20	51	5 13	15	21	21	7 13	19	21	51	9 13	23	26	18	11 13	3	26	47
1 14	7	32	11	3 14	11	24	48	5 14	15	25	18	7 14	19	25	48	9 14	23	30	14	11 14	3	30	44
1 15	7	36	8	3 15	11	28	45	5 15	15	29	14	7 15	19	29	44	9 15	23	34	11	11 15	3	34	41
1 16	7	40	4	3 16	11	32	41	5 16	15	33	11	7 16	19	33	41	9 16	23	38	7	11 16	3	38	37
1 17	7	44	1	3 17	11	36	38	5 17	15	37	8	7 17	19	37	37	9 17	23	42	4	11 17	3	42	34
1 18	7	47	57	3 18	11	40	34	5 18	15	41	4	7 18	19	41	34	9 18	23	46	0	11 18	3	46	30
1 19	7	51	54	3 19	11	44	31	5 19	15	45	1	7 19	19	45	31	9 19	23	49	57	11 19	3	50	27
1 20	7	55	51	3 20	11	48	27	5 20	15	48	57	7 20	19	49	27	9 20	23	53	54	11 20	3	54	23
1 21	7	59	47	3 21	11	52	24	5 21	15	52	54	7 21	19	53	24	9 21	23	57	50	11 21	3	58	20
1 22	8	3	44	3 22	11	56	20	5 22	15	56	50	7 22	19	57	20	9 22	0	1	47	11 22	4	2	16
1 23	8	7	40	3 23	12	0	17	5 23	16	0	47	7 23	20	1	17	9 23	0	5	43	11 23	4	6	13
1 24	8	11	37	3 24	12	4	14	5 24	16	4	43	7 24	20	5	13	9 24	0	9	40	11 24	4	10	10
1 25	8	15	33	3 25	12	8	10	5 25	16	8	40	7 25	20	9	10	9 25	0	13	36	11 25	4	14	6
1 26	8	19	30	3 26	12	12	7	5 26	16	12	37	7 26	20	13	6	9 26	0	17	33	11 26	4	18	3
1 27	8	23	26	3 27	12	16	3	5 27	16	16	33	7 27	20	17	3	9 27	0	21	29	11 27	4	21	59
1 28	8	27	23	3 28	12	20	0	5 28	16	20	30	7 28	20	21	0	9 28	0	25	26	11 28	4	25	56
1 29	8	31	20	3 29	12	23	56	5 29	16	24	26	7 29	20	24	56	9 29	0	29	23	11 29	4	29	52
1 30	8	35	16	3 30	12	27	53	5 30	16	28	23	7 30	20	28	53	9 30	0	33	19	11 30	4	33	49
1 31	8	39	13	3 31	12	31	49	5 31	16	32	19	7 31	20	32	49	10 1	0	37	16	12 1	4	37	45
2 1	8	43	9	4 1	12	35	46	6 1	16	36	16	8 1	20	36	46	10 2	0	41	12	12 2	4	41	42
2 2	8	47	6	4 2	12	39	43	6 2	16	40	12	8 2	20	40	42	10 3	0	45	9	12 3	4	45	39
2 3	8	51	2	4 3	12	43	39	6 3	16	44	9	8 3	20	44	39	10 4	0	49	5	12 4	4	49	35
2 4	8	54	59	4 4	12	47	36	6 4	16	48	6	8 4	20	48	35	10 5	0	53	2	12 5	4	53	32
2 5	8	58	55	4 5	12	51	32	6 5	16	52	2	8 5	20	52	32	10 6	0	56	58	12 6	4	57	28
2 6	9	2	52	4 6	12	55	29	6 6	16	55	59	8 6	20	56	29	10 7	1	0	55	12 7	5	1	25
2 7	9	6	49	4 7	12	59	25	6 7	16	59	55	8 7	21	0	25	10 8	1	4	52	12 8	5	5	21
2 8	9	10	45	4 8	13	3	22	6 8	17	3	52	8 8	21	4	22	10 9	1	8	48	12 9	5	9	18
2 9	9	14	42	4 9	13	7	18	6 9	17	7	48	8 9	21	8	18	10 10	1	12	45	12 10	5	13	14
2 10	9	18	38	4 10	13	11	15	6 10	17	11	45	8 10	21	12	15	10 11	1	16	41	12 11	5	17	11
2 11	9	22	35	4 11	13	15	12	6 11	17	15	41	8 11	21	16	11	10 12	1	20	38	12 12	5	21	8
2 12	9	26	31	4 12	13	19	8	6 12	17	19	38	8 12	21	20	8	10 13	1	24	34	12 13	5	25	4
2 13	9	30	28	4 13	13	23	5	6 13	17	23	35	8 13	21	24	4	10 14	1	28	31	12 14	5	29	1
2 14	9	34	24	4 14	13	27	1	6 14	17	27	31	8 14	21	28	1	10 15	1	32	27	12 15	5	32	57
2 15	9	38	21	4 15	13	30	58	6 15	17	31	28	8 15	21	31	58	10 16	1	36	24	12 16	5	36	54
2 16	9	42	18	4 16	13	34	54	6 16	17	35	24	8 16	21	35	54	10 17	1	40	21	12 17	5	40	50
2 17	9	46	14	4 17	13	38	51	6 17	17	39	21	8 17	21	39	51	10 18	1	44	17	12 18	5	44	47
2 18	9	50	11	4 18	13	42	47	6 18	17	43	17	8 18	21	43	47	10 19	1	48	14	12 19	5	48	43
2 19	9	54	7	4 19	13	46	44	6 19	17	47	14	8 19	21	47	44	10 20	1	52	10	12 20	5	52	40
2 20	9	58	4	4 20	13	50	41	6 20	17	51	10	8 20	21	51	40	10 21	1	56	7	12 21	5	56	37
2 21	10	2	0	4 21	13	54	37	6 21	17	55	7	8 21	21	55	37	10 22	2	0	3	12 22	6	0	33
2 22	10	5	57	4 22	13	58	34	6 22	17	59	4	8 22	21	59	33	10 23	2	4	0	12 23	6	4	30
2 23	10	9	53	4 23	14	2	30	6 23	18	3	0	8 23	22	3	30	10 24	2	7	56	12 24	6	8	26
2 24	10	13	50	4 24	14	6	27	6 24	18	6	57	8 24	22	7	27	10 25	2	11	53	12 25	6	12	23
2 25	10	17	47	4 25	14	10	23	6 25	18	10	53	8 25	22	11	23	10 26	2	15	50	12 26	6	16	19
2 26	10	21	43	4 26	14	14	20	6 26	18	14	50	8 26	22	15	20	10 27	2	19	46	12 27	6	20	16
2 27	10	25	40	4 27	14	18	16	6 27	18	18	46	8 27	22	19	16	10 28	2	23	43	12 28	6	24	12
2 28	10	29	36	4 28	14	22	13	6 28	18	22	43	8 28	22	23	13	10 29	2	27	39	12 29	6	28	9
				4 29	14	26	10	6 29	18	26	39	8 29	22	27	9	10 30	2	31	36	12 30	6	32	6
				4 30	14	30	6	6 30	18	30	36	8 30	22	31	6	10 31	2	35	32	12 31	6	36	2
												8 31	22	35	2								

BRILLIANT ASTROLOGY BOOKS

Patterns of the Past - The Birthchart, Karma and Reincarnation
Judy Hall

Karmic Connections - The Birthchart, Karma and Relationships
Judy Hall

Astrolocality Astrology
Martin Davis

The Essentials of Vedic Astrology
Komilla Sutton

The Lunar Nodes - Crisis and Redemption
Komilla Sutton

Astrology and Meditation - The Fearless Contemplation of Change
Greg Bogart

The Moment of Astrology
Geoffrey Cornelius

Plus many more books by Flare Publications, The Urania Trust,
Apprentice Books, The CPA Press, Canopus and ACS

Contact details shown below or you can buy them direct from our website:

www.wessexastrologer.com

The Wessex Astrologer
PO Box 2751, Bournemouth
BH6 3ZJ, England

Tel +44 (0)1202 424695

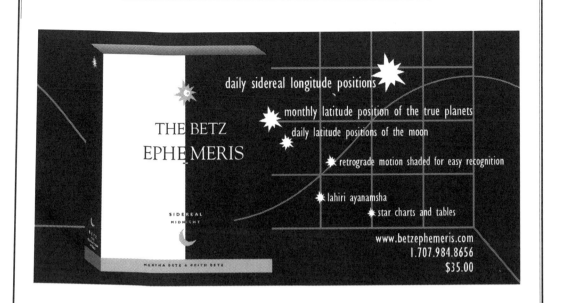